Diogenes Taschenb

de
te
be

S0-BDP-597

Patricia Highsmith
Ediths Tagebuch

Roman
Aus dem Amerikanischen
von Anne Uhde

Diogenes

Titel der Originalausgabe
›Edith's Diary‹
Copyright © 1977 by
Patricia Highsmith
Die deutsche Erstausgabe erschien
1978 im Diogenes Verlag.
Umschlagzeichnung von Tomi Ungerer

Veröffentlicht als Diogenes Taschenbuch, 1980
Alle deutschen Rechte vorbehalten
Copyright © 1978 by
Diogenes Verlag AG Zürich
100/83/36/5
ISBN 3 257 20485 X

Für Marion

Edith hatte ihr Tagebuch noch nicht eingepackt, hauptsächlich weil sie nicht recht wußte, wohin sie es stecken sollte. In die Kiste mit der Bettwäsche? In einen ihrer Koffer? Noch lag es – dick und nackt und dunkelbraun – auf einem Couchtisch im Wohnzimmer. Die Packer kamen doch erst morgen früh. Die Wände waren leer von Bildern, die Bücher aus den Regalen verschwunden, die Teppiche aufgerollt. Immer wieder hatte Edith den Besen zur Hand genommen; es war erstaunlich, wieviel Staub sich unter den Möbeln sammelte. Dabei war Priscilla eine tüchtige Putzhilfe, sie hatte Edith auch heute morgen beim Räumen geholfen. Jetzt war es fast fünf Uhr nachmittags; Brett mußte bald kommen. Vor einer Stunde hatte er angerufen und gesagt, er komme etwas später, weil er den richtigen Bohrer für seine Black & Decker noch nicht gefunden hatte und es nochmal bei Bloomingdale versuchen wollte.

Heute war nun also der letzte Abend in dieser alten Wohnung in der Grove Street. Morgen zog die Familie Howland um nach Brunswick Corner in Pennsylvania, und zwar in ein zweistöckiges Haus mit Rasen rundherum, vorn standen zwei Weiden und auf dem hinteren Rasen mehrere Ulmen und Apfelbäume. Das war doch gewiß wert, im Tagebuch festgehalten zu werden,

dachte Edith. Ihr fiel ein, daß sie nicht mal den Tag ver-
merkt hatte, an dem sie und Brett und Cliffie das neue
Haus gefunden hatten. Auf der Suche waren sie schon
lange, etwa sechs Monate. Cliffie war jetzt zehn, und
Brett lag wegen des Jungen sehr an dem Umzug. Brunswick Corner mit der ländlichen Umgebung war ein
Segen und genau das, was jedes Kind brauchte: viel
Platz zum Radfahren, viel Freiheit und dazu die Möglichkeit, das echte Amerika kennenzulernen, oder jedenfalls mit eigenen Augen zu sehen, wo Familien seit
Generationen lebten – länger als die meisten Familien
in New York. Halt: stimmte das auch? Edith überlegte
einen Augenblick und fand dann, daß es wohl doch nicht
unbedingt stimmte.

»Cliffie?« rief sie. »Hast du deine Schubladen ausge-
räumt?«

Wie immer mußte sie lange auf Antwort warten;
dann kam ein schwaches: »Ja.«

Sie wußte, er hatte seine Kommode noch nicht leerge-
macht, obgleich er gesagt hatte, er wolle es selber tun.
Sie ging also in sein Zimmer – die Tür stand offen –
und machte sich fröhlich an die Arbeit. Sie wußte, der
Umzug machte Cliffie zu schaffen, obwohl er das neue
Haus kannte und liebte und sich irgendwie auch darauf
freute.

»Wenn du rumsitzt und Comics liest, wirst du natürlich nie fertig«, sagte sie. Aber sie sah den großen träu-
menden Augen an, daß er gar nichts las; er war einfach
versunken in einer Phantasiewelt voll sprechender
Tiere, Astronauten und anderen Wesen.

»So eilig ist es doch gar nicht, oder?« fragte Cliffie
und zog die Füße auf sein Bett. Er trug blaue Levis und
ein T-Shirt mit dem Aufdruck ›University of California‹.

»Nein, Liebes, aber wir sollten heute noch so viel wie möglich tun, weil morgen im letzten Moment doch noch allerhand zu erledigen ist, und die Umzugsleute kommen um acht.«

Cliffie sagte nichts darauf und rührte sich auch nicht, und Edith fuhr fort, eine Kiste mit seinen Sachen zu füllen: erst die Pullover, schnell zusammengefaltet und hineingelegt, dann die Pyjamas und Hemden.

»Du mußt dich doch freuen, Cliffie. Freust du dich gar nicht, daß wir jetzt in einem eigenen Haus wohnen, mit einem Garten, der nur uns gehört?«

»Klar.«

»Haben denn deine Freunde gar nicht –« Edith versuchte, ein zerdrücktes Hemd aus der untersten Schublade zu ziehen, aber es saß hoffnungslos fest. Vermutlich Leim – bräunlicher Leim, so etwas mußte es sein. »Was ist denn mit diesem Hemd los?«

»Keine Ahnung.« Cliffie schob die Hände in die Hosentaschen und ging mit gesenktem Kopf aus dem Zimmer.

Edith richtete sich auf und lächelte. »Na, ist ja nicht so schlimm, Cliffie. Nicht den Kopf hängen lassen. Wir gehen heute abend chinesisch essen, weißt du?«

Immerhin, es war ein tadelloses weißes Hemd, dem sonst nichts fehlte. Ob Cliffie das absichtlich getan hatte? Wie bekam man Leim aus dem Stoff heraus – mit heißem Wasser? Edith ließ es in die Kiste fallen, die sie gerade füllte, und fuhr mit dem Ausräumen fort.

»Cliffie – ist Mildew wohlauf?« In der teppichlosen Wohnung klang die Stimme laut und scharf.

»Ja«, sagte Cliffie tonlos wie vorher.

Edith hatte die Katze zuletzt im Wohnzimmer auf der verkleideten Heizung sitzen sehen, wie sie aus dem

Fenster starrte, als wolle sie einen letzten Blick vom dritten Stock auf die Grove Street werfen. Um sich zu vergewissern, ging Edith hinüber ins Wohnzimmer und sah Mildew auf dem Boden neben dem Sofa, wo sie mit eingezogenen Pfoten saß. Ein ungewöhnlicher Platz für die Katze.

»Mildew«, sagte Edith halblaut, »ab morgen wohnst du in einem viel schöneren Haus.« Sie fuhr mit der Hand über Mildews Kopf. Die Katze schnurrte halb im Schlaf.

Mildew war etwas über ein Jahr alt. Sie stammte aus dem Feinkostladen an der Ecke, wo man kein Zuhause für sie hatte finden können. Edith und Brett hatten sie mitgenommen und Mildred genannt, was Cliffie in Mildew verwandelte, und dabei war es geblieben. Sie erinnerte Edith an die Katzen auf Hogarths Gemälden: weiße Brust und Füße, der Rest gescheckt mit ein paar schwarzen Flecken. Eine Katze für den Ofenplatz, dachte Edith. Nun, den sollte sie haben im neuen Haus.

Cliffie stand in diesem Augenblick am Fenster des elterlichen Schlafzimmers und blickte hinaus. Er merkte, daß sein Herz schneller schlug. Es war also wirklich wahr mit dem Umzug, er hatte es sich nicht eingebildet, sonst wären die Teppiche nicht aufgerollt und der Kühlschrank nicht fast leer. Cliffie dachte sich häufig viel schlimmere Dinge aus, bei denen Gewalt eine Rolle spielte, etwa eine Bombe, die unter dem Haus explodierte oder unter ganz New York, so daß die gesamte Stadt in die Luft flog und kein Mensch die Katastrophe überlebte. Doch plötzlich erschien ihm dieser Umzug in einen anderen Bundesstaat auch wie eine richtige Bombe, die unter seinen Füßen explodierte. Er blickte sich in dem fast leeren Schlafzimmer um und sah auf dem Nachttisch den kleinen ledernen Reisewecker stehen. Aus dem Fenster schmeißen, jetzt gleich –! Er hörte ihn im Geist unten aufschlagen, vielleicht zerbrach er nicht gleich wegen der Lederhülle, und dann kam ein Vorübergehender, freute sich über den wertvollen Fund und steckte ihn eilig in die Tasche, bevor es jemand sah. Cliffie hätte jetzt gern irgendetwas kaputtgemacht, zerschmettert, und sich damit an seinen Eltern gerächt.

Ediths Tagebuch fand schließlich einen Platz zwischen zwei Bettlaken in einer der Kisten. Sie mußte unbedingt die beiden Tage, heute und morgen, gleich in Pennsylvania im Tagebuch festhalten, auch wenn sie im neuen Haus reichlich zu tun hatte. Sie war ganz froh, daß sie die ganzen Jahre eigentlich keine Banalitäten notiert hatte und das Tagebuch daher noch zur Hälfte leer war. Als sie zwanzig war, auf dem College, hatte ein Mann namens Rudolf Mallikin es ihr geschenkt; er war etwa dreißig (ein älterer Herr, dachte sie damals). Etwas verlegen entsann sie sich, daß er ihr um die Weihnachtszeit gesagt hatte, er wolle ihr etwas Hübsches schenken, irgendetwas, das sie sich wünschte, und sie hatte gesagt, ja, eine Bibel, weil sie gerade in ihrer metaphysischen Periode steckte: Jakob Böhme, Swedenborg, Mary Baker Eddy und so weiter. Sie hatte natürlich auch eine Bibel, zu Hause stand sie im Bücherbord, aber sie wollte gern eine schöne ledergebundene für sich allein haben. Rudolf hatte jedoch darauf abgezielt, mit ihr zu schlafen, und er hatte lachend erklärt, eine Bibel könne er ihr wirklich nicht schenken – alles andere, aber keine Bibel, und später hatte Edith das auch verstanden. Er hatte dann ein schönes Buch mit lauter leeren Seiten gefunden, ohne Linien, damit sie kleine Skizzen oder

Karten hineinzeichnen konnte, wenn sie Lust hatte. Der Einband war aus genarbtem Leder und mit Florentiner Goldmuster gepunzt. Das Gold war zum großen Teil abgeblättert, aber das Leder hatte Edith oft mit Öl eingerieben, und jetzt, nach fünfzehn Jahren, war das Buch immer noch recht gut erhalten, hübscher eigentlich als damals, da es neu war. Sie bewahrte es immer bei ihren eigenen Sachen auf, dem Schreibmaschinenpapier, dem Wörterbuch und dem Weltalmanach, wenn sie – wie in dieser Wohnung – ein eigenes Arbeitszimmer hatte, und sonst bei ihren Sachen in einer Ecke des Wohnzimmers. Aber Brett spionierte ihr auch niemals nach, das war wirklich einer seiner großen Vorzüge. Und Cliff – Edith konnte sich einfach nicht vorstellen, daß der sich für ihr Tagebuch interessierte.

Edith war immer noch dabei, bei Cliffie aufzuräumen. Eigentlich, dachte sie mit leisem Lächeln, sah sie sich das Geschriebene selten später noch einmal an. Es war einfach da, und manchmal verhalf ihr eine Eintragung dazu, ihren Alltag zu organisieren und analysieren. Vor einem Jahr hatte sie das Buch zufällig einmal aufgeschlagen und war peinlich berührt gewesen, als sie etwas las, das sie mit zweiundzwanzig geschrieben hatte. In jüngerer Zeit ging es mehr um Stimmungen und Gedanken; zum Beispiel erinnerte sie sich gut an eine Eintragung von vor acht Jahren: ›Ist es nicht besser, vielleicht sogar klüger, zu glauben, daß das Leben ohne wirklichen Sinn ist?‹

Sie war erleichtert gewesen, als sie das hingeschrieben hatte. Diese Haltung, dachte sie, war nicht etwa ein falscher Schutzschild. Es war eine Tatsache, daß das Leben keinen Sinn hatte. Man machte einfach immer weiter, man arbeitete und tat eben, was man konnte und so gut es ging. Die Freude des Lebens lag in der Bewegung, in der Aktion selber.

Wenn sie ein Problem hatte, so war es Cliffie, das gab sie zu. Er war nicht gut in der Schule, er strengte sich nicht an, hatte keinen Ehrgeiz. Am liebsten saß er vor dem Fernsehschirm, paßte aber auch da nicht immer genau auf, er träumte nur und kaute an den Fingernägeln. Schlimmer und bedeutsamer als das Versagen in der Schule war die Tatsache, daß er keine gleichaltrigen Freunde hatte oder haben wollte. Er kannte keine echte Zuneigung – für nichts und niemanden.

Edith unterbrach ihren fruchtlosen und altvertrauten Gedankengang und machte sich daran, einen Stapel Zeitschriften vom Fußboden aufzuheben; manche waren an den Ecken schon aufgerollt vor Alter. *New Republic, Commentary*. Mit schlechtem Gewissen fiel ihr ein, daß ihr letzter Artikel – ein Angriff auf McCarthy – schon vor drei Jahren, 1952, abgedruckt worden war.

Es klingelte unten an der Haustür.

Erfreut drückte Edith auf den Summer; es war ihr egal, wer da kam. Sie ging ins Treppenhaus und blickte nach unten. »Marion?« rief sie. Der Mantelärmel kam ihr bekannt vor.

»In Lebensgröße!« sagte Marion. »Wie sieht's denn aus?«

»Danke, es geht so. Komm rein.«

Marion erschien auf dem Treppenflur und trat ein. »Hier – ich hab dir einen Kuchen mitgebracht«, sagte sie ein wenig außer Atem.

»Einen Kuchen – du bist wirklich ein Engel. Schau mal, wie weit wir schon sind.«

Marion und Ed Zylstra – er war Rundfunktechniker

– wohnten in der Perry Street. Marion, sechsunddreißig, war nur wenig älter als Edith. Sie protestierte, als Edith den Kuchen anschneiden und ihr eine Tasse Tee oder Kaffee machen wollte – dazu hatte Edith jetzt gewiß keine Zeit. Aber sie nahm auf dem Rand des Sofas Platz und sagte:

»Ihr werdet uns fehlen. Wo ist Brett?«

»Er versucht noch, ein Werkzeug aufzutreiben, aber er muß jeden Augenblick kommen.« Edith hatte sich eine Zigarette angezündet, setzte sich jedoch nicht, sondern stand gegen den schweren ovalen Tisch gelehnt, an dem sie aßen, wenn sie Gäste hatten. »Du, vergiß nicht, wir sind nur zwei Autobusstunden von Manhattan entfernt. Sobald ihr könnt, müßt ihr kommen und das Haus ansehen. Wir haben sogar ein Gästezimmer, denk bloß!«

Marion lachte. »Echte Plutokraten, ich beneide euch. Ed ist eben festgebunden an seine Arbeit in New York. Ich finde, jede Familie müßte mal auf dem Lande leben, jedenfalls eine Zeitlang.«

Marion hatte keine Kinder; sie war Krankenschwester, hatte unregelmäßige Dienstzeiten und verdiente gut. Edith und Brett hatten für das Haus in Pennsylvania eine Hypothek aufgenommen, sie waren keineswegs wohlhabend, das wußte Marion. Sie sagte:

»Ich hab etwas Zeit, Edith, wenn ich dir irgendwie helfen kann. Ed schläft jetzt, er hat die Nachtschicht von zwölf bis acht Uhr früh.«

»Du bist ein Engel, aber mit dem Rest werden Brett und ich gut fertig. Brett sagt, die meisten Leute täten lange nicht so viel wie wir, die würden alles den Umzugsleuten überlassen, auch das zerbrechliche Zeug. Aber mir ist es lieber, möglichst viel vorher selber zu machen. Willst du nicht heute abend mit uns essen gehen, Marion? Wir gehen in das chinesische Restaurant, Fourth Avenue.«

»Ach weißt du –« Marion wollte lieber nicht. Sie mußte einen Brief an ihre Mutter schreiben, außerdem war es möglich, daß eine Patientin anrief, wenn eine andere Pflegerin heute abend nicht kommen konnte.

Draußen wurde ein Schlüssel ins Schloß gesteckt, dann kam Brett ins Zimmer: groß und schlank mit heiterem Lächeln. Er trug einen alten Tweedsakko mit Rollkragenpullover und ausgebeulten grauen Flanellhosen. Das schwarze Haar war kurz geschnitten und ließ ihn fast jungenhaft erscheinen, bis man die Krähenfüße unter den Augen bemerkte. Die runden Brillengläser waren schwarz eingefaßt.

»Hallo, Marion – guten Tag!«

»Tag, Brett. Ich bin nur schnell vorbeigekommen, um euch einen Kuchen zu bringen und viel Glück zu wünschen.«

»Einen Kuchen«, sagte Brett anerkennend und gab Edith einen Kuß auf die Wange, wie jeden Abend. Dann wandte er sich wieder an Marion. »Und warum habt ihr euch noch nicht drangemacht? An den Kuchen, meine ich.«

»Marion hat keine Zeit«, sagte Edith.

Marion erhob sich.

»Ihr müßt aber bald mal Zeit haben und uns besuchen«, sagte Brett.

Das versprach Marion, und Edith meinte, sie werde schon dafür sorgen, daß die beiden kämen, auch wenn das Haus noch nicht fertig eingerichtet sei. Die Zylstras kannten das neue Haus noch gar nicht, sie hatten nur Fotos gesehen, die Brett gemacht hatte.

»Und ich hoffe, es geht gut mit der neuen Stellung, Brett.«

»O – der *Trenton Standard*, ja«, sagte Brett etwas unsicher. »Jedenfalls weniger Gehalt, das kann ich dir jetzt schon sagen.«

»Ja, ich weiß«, sagte Marion. Gleich darauf war sie gegangen.

»Was war das?« flüsterte Edith erschrocken, als sie ein verdächtiges Grollen der Katze hörte. Brett folgte ihr über den Korridor ins Schlafzimmer.

»Cliffie?« fragte Edith. »Was ist hier los?«

Cliffie rollte sich von dem Doppelbett herunter und stand auf. Die Katze kam unter der blauweißen Daunendecke hervor, hustend und unsicher schwankend, und landete schlaff auf dem Fußboden.

»Wolltest du sie ersticken?« fragte Edith entsetzt. Zornige Röte stieg ihr ins Gesicht. »Ja – das hast du gewollt!«

»Edith, laß – ich werde –« Brett war ebenso ergrimmt, hielt aber an sich. Er hatte schon vor langem beschlossen, bei Krisen den Jungen Edith zu überlassen. Cliffie sollte keine Narben von elterlicher Strenge davontragen, und Brett wußte, er hatte nicht genügend Geduld; er hatte sie im Umgang mit seinem Sohn schon ein paarmal verloren – öfter, als ein Vater das eigentlich durfte.

Sprachlos blickte Edith auf die Katze. Als sie sich überzeugt hatte, daß sie nicht ernsthaft verletzt war, sah sie ihren Sohn an.

Cliffies Gesicht war, wie immer in solchen Fällen, völlig ausdruckslos, nichtssagend und gelassen, als ob er sagen wollte: »Was habe ich denn getan?«

Edith wußte: nur der kurzen Stille nach Marions

16

Fortgang war es zu verdanken, daß sie und Brett das leise Ächzen der Katze überhaupt gehört hatten. Wenn Marion zwei Minuten länger geblieben wäre, so wäre Mildew jetzt tot.

»Sie schlief da unter der Decke«, sagte Cliffie und zuckte die Achseln. »Konnte ich ja nicht wissen.«

Edith tauschte einen betroffenen Blick mit ihrem Mann. Brett fuhr sich mit der Hand über die Stirn, als wolle er andeuten, sie hätten im Moment dringendere Sachen zu bedenken.

Cliffie verließ das Zimmer. Ediths Schultern entspannten sich, und sie rief ihm nach:

»Wasch dir jetzt Hände und Gesicht, Cliffie. Wir gehen bald aus zum Essen.« Zu Brett sagte sie halblaut:

»Weißt du, der Umzug macht ihm zu schaffen.«

»Ja. Ja. Und dabei hat er sich so auf das Haus gefreut.«

»Hast du eigentlich den Bohrer noch bekommen?«

Brett lächelte. »O ja, das hab ich.«

Sie gingen zu Fuß zum chinesischen Restaurant. Es war ein schöner Septemberabend, die Dämmerung fiel, und die Luft brachte den ersten Anflug herbstlicher Kühle. Edith war glücklich, wenn sie an die vor ihr liegende Arbeit im neuen Hause dachte. Auch schreiben wollte sie natürlich. Sie und Brett hatten die Idee, eine kleine Zeitung zu starten, vielleicht mit dem Titel *Signal* – oder *Stimme – aus Brunswick Corner*, zunächst vier Seiten stark, mit Leserbriefen, einem Leitartikel von ihr oder Brett, und dann Lokalanzeigen, die die Sache trugen. Aufrechte Haltung, amerikanisch-liberal, etwas links. Edith erhoffte sich viel davon. Brunswick Corner war nicht spießig; es war ein hübscher und auch für Touristen attraktiver Ort mit ein paar historischen

Häusern aus der Zeit von 1720 bis 1740 und mit guten Geschäften. Viele Einwohner fuhren täglich nach New York oder nach Philadelphia, wo sie arbeiteten.

Vielleicht war es heute das letztemal, dachte Edith, daß sie abends bei Wah Chum aßen. Das Essen war gut und die Preise angemessen; es gab reichlich Butterreis mit Sojasauce, Krabben, Reiskuchen und kleines buntes Gebäck, das Cliffie sehr liebte.

»Du, Brett – es tut dir doch nicht leid mit dem Umzug?« fragte Edith, denn eigentlich war es ihre Idee gewesen.

»Aber keine Spur, nein. Im Gegenteil. Auch wenn –« Brett hielt inne und füllte sich den Teller noch einmal mit Bohnensprossen.

Edith wartete.

»Ich war heute nachmittag noch schnell bei Onkel George, er wohnt ja ganz in der Nähe von Bloomingdale's. Er sagt, er beneidet uns. Wollte wissen, wie viele Zimmer wir haben. Hatte ich ihm ja alles schon gesagt.«

»Er möchte wohl gern bei uns wohnen, was?«, meinte Edith.

Cliffie ächzte. Es war der erste Laut, seit er sich über seinen Teller hergemacht hatte.

»Ja, er sagte so etwas«, gab Brett zu.

Edith schwieg. Der alte Herr – er war mindestens siebzig – war Bretts Onkel und machte ihm manchmal Sorgen. Sein Rücken war nicht ganz in Ordnung; kein Arzt hatte bisher feststellen können, was da los war, aber er hatte Schmerzen. Er lebte jetzt in einem Altersheim mit angeschlossenem Pflegeheim. Edith hatte manchmal den Verdacht, daß er die Krankheit nur vortäuschte, aber ein Mann von siebzig hatte ja wohl das Recht, mit der Arbeit aufzuhören und vielleicht sogar, eine Krankheit zu simulieren, wenn er sich das leisten konnte. George stand kaum noch auf, nur ins Badezimmer ging er noch, das hatte sie von Brett gehört. George Howland war in New York und in Chicago ein erfolgreicher Anwalt gewesen, er hatte nie geheiratet, war recht wohlhabend und wollte sein Geld – aber darüber wußte Edith nichts Bestimmtes – einmal Brett hinterlassen.

»Und was hast du gesagt?« fragte Edith endlich mit leichtem Lächeln.

»Ich bin nicht weiter darauf eingegangen. Er klagte über die Kosten in seinem Heim da. Und über Langeweile und so.«

»Na, wenn er Geld genug hat, warum gibt er's nicht aus? Er könnte doch eine bessere –«

»Ja!« unterbrach Cliffie seine Mutter. »Als erstes könnte er mir ein Fahrrad kaufen. Mensch, wär das prima.«

»Du wirst schon ein Fahrrad kriegen, und nicht von Onkel George«, sagte Brett und wischte sich den Mund mit der Serviette ab, die er zwischen den Händen spannte. Dann lachte er und gab seinem Sohn einen Klaps auf den Rücken. »Wart's nur ab, Cliffie, Pennsylvania wird großartig. Vielleicht können wir fischen gehen. Oder wir rudern auf dem Delaware – wär das nicht schön, ein eigenes kleines Boot? Was meinst du!«

Als Edith abends im Nachthemd auf ihr Bett zuging, fiel ihr ein Traum ein, den sie einmal geträumt hatte. Sie hatte die Tür des Kühlschranks zugemacht, als gerade Mildew den Kopf hineingesteckt hatte; so wurde ihr der Kopf glatt abgeschnitten. Edith war entweder im Traum ohnmächtig geworden oder hatte gar nicht begriffen, was geschehen war, denn später hatte sie die

Katze ohne Kopf im Haus umherwandern sehen, und als sie zum Kühlschrank stürzte und die Tür aufriß, war der Katzenkopf da drinnen und fraß die Reste des Brathuhns und dann auch alles andere auf. Es kam oft vor, daß Mildew den Kopf in den Kühlschrank steckte, dann mußte Edith sie mit dem Fuß wegschieben, bevor sie die Tür zumachte. War es denkbar, daß Cliffie eines Tages der Katze die Tür ins Genick schlug und dann behauptete, es sei versehentlich geschehen? Edith preßte die Zähne zusammen. Es war nicht passiert – es war gar nicht wahr. Doch im Traum hatte *sie* es getan.

2

E dith saß an ihrem Arbeitstisch. Er bestand aus einem Türbrett auf zwei Böcken und war so aufgestellt, daß möglichst viel Licht aus dem nördlichen Erkerfenster darauf fiel. Das Fenster, bogenförmig und mehr als vier Meter breit, war von durchsichtig weißen Gardinen eingefaßt; man konnte die Weiden und das Grün der Hecken sehen. Eine leichte Brise bewegte den Gardinensaum. Es war ein freundlicher Novembernachmittag, und sie wohnten seit fast zwei Monaten im neuen Haus.

Auf der Wand, die sie vor sich hatte, hing über der kleinen Sitzbank ein gerahmtes Zitat von Tom Paine, das Edith sehr liebte.

Dies ist eine Zeit der Prüfung. Der Schönwetter-Soldat und der Sonnenschein-Patriot wollen sich in dieser entscheidenden Stunde dem Dienst an ihrem Vaterland entziehn; aber wer ihn JETZT durchhält, verdient den Dank von Männern und Frauen. Die Tyrannei – wie die Hölle – ist nicht einfach zu überwinden.

Die Entscheidung

Sie hatte Cliffie erzählt, wer Tom Paine war: ein Korsettmacher, in England geboren, der dann Journalist wurde und in Amerika die nicht immer begeisterten Soldaten Washingtons durch seine Reden anfeuerte und so dazu beitrug, daß in Amerika eine Nation geboren wurde. Sie und Brett hatten dem Jungen in Philadelphia die alte Freiheitsglocke gezeigt und hatten versucht, ihm einen Begriff von seinem neuen Heimatstaat zu geben. Auch auf das Schlachtfeld von Gettysburg hatten sie ihn geführt.

Ihr Tagebuch lag aufgeschlagen vor ihr. Im letzten Monat hatte sie geschrieben:

Unser Haus in Brunswick Corner (ich möchte es gern ›Frieden‹ nennen) ist genau so schön, wie ich gehofft hatte. Wir haben noch Tomaten im Garten, die uns Johnsons geschenkt haben. Jeden Tag verbessern wir irgendetwas am Haus. B. sucht in Trenton nach einem Drucker für unsere Zeitschrift, die wir *Signal* nennen wollen. Die Leute sind freundlich, vor allem Johnsons, mit denen wir auch politisch übereinstimmen. Gert J. gibt mir manchmal Tips für den Garten und kommt ab und zu gegen Abend auf einen Drink herein.

B. ist mit seiner Arbeit zufrieden. Weniger Druck,

weniger Geld, aber es wird auch Zeit, daß er anfängt, etwas vom Leben zu haben, sich daran zu freuen.

Das war eilig hingeworfen. Ein paar Tage vorher, nachdem Cliffie in der neuen Schule angefangen hatte, hatte Edith geschrieben:

C. soll einen Fußball aus der Turnhalle seiner Schule gestohlen haben. Der Lehrer rief an und fragte, ob ich den Ball hier im Haus gesehen hätte. Ich sagte nein, aber ich würde nachsehen. Fand ihn aber nicht. Ich bin ganz sicher, daß C. ihn gestohlen und ihn vielleicht sogar an einen Jungen weitergegeben hat, der nicht mal in seine Schule geht. Als wir ihn abends fragten, wich er aus. Entrüstet. An der Beschuldigung sei kein wahres Wort. B. und ich wissen nicht recht, ob wir anbieten sollen, den Ball zu bezahlen. B. ist die Sache sehr peinlich, er sagt, wir wollen abwarten, bis wir was Bestimmtes erfahren. Ganz scheußlich, daß C. gleich so anfängt in der neuen Schule.

Edith starrte auf die rechte Halbseite des Tagebuchs, die noch leer war, und rieb sich die Stirn. Cliffie mußte sich jetzt an zwei oder drei Abenden der Woche hinsetzen und arbeiten, vor allem rechnen, denn Arithmetik war sein schwächstes Fach. Sie oder Brett arbeitete dann mit ihm, versuchte es nett und anregend zu machen – sie ließen es auch nie auf eine ganze Stunde kommen –; nach dreißig oder höchstens 45 Minuten wurde Schluß gemacht. Von Cliffies Englischlehrer und von der Geographielehrerin war ein höflicher kleiner Brief gekommen, der besagte, daß Cliffie seine schriftlichen Hausarbeiten nicht gemacht habe. Als Edith ihn fragte, hatte er gesagt, er habe keine Schularbeiten auf. Edith war erfreut, daß die Lehrer sich die Mühe gemacht hatten, ihr zu schreiben – der Junge war erst zwei Monate in dieser Schule. In der New Yorker Schule hätte das niemand getan. Als Brett von dieser Lügengeschichte erfuhr, war seine Hand hochgezuckt, als wolle er Cliffie schlagen; aber er hatte es nicht getan.

Sie seufzte und nahm die Feder auf. In ihr sträubte sich etwas, das einzutragen, was sie im Begriff war zu schreiben, – was sie doch wohl festhalten mußte, wenn das Buch nichts als die Wahrheit enthalten sollte. Immer noch zögernd blätterte sie acht oder zehn Seiten zurück und las:

7. 11. 54. In New York hört man oft Leute sagen, Politik interessiere sie nicht. ›Ich kann ja doch nichts daran ändern.‹ Das ist genau die Haltung, die die amerikanische Regierung wünscht und unterstützt. Alle Nachrichten sind kurz, durchfiltriert und gefärbt. Der ›Aufstand‹ in Guatemala hätte die Leser viel mehr interessiert, wenn man etwas über die sozialen Verhältnisse des Landes gebracht und die Machenschaften der United Fruit Company in Rundfunk und Fernsehen aufgedeckt hätte. Es müßte überall in Amerika Diskussionsgruppen geben, die sich mit den Dingen *hinter* den Schauplätzen beschäftigen. Jahrzehntelang (seit 1917) hämmert man uns ein, den Kommunismus zu hassen. In jeder Ausgabe bringt *Reader's Digest* einen Artikel über die Unfähigkeit jedes sozialistischen Systems, zum Beispiel beim Gesundheitswesen. Die Nachrichtenmedien bringen Ausschnitte ohne Szenerie, Charakter oder Hintergrund. Wie kann so etwas interessant sein? Wenn jemand Diskussionsgruppen ins Leben ruft, so wie B.

und ich es vorhaben, wird er als Kommunist verschrien. Wenn im Rundfunk oder Fernsehen ein Russe zitiert wird, denke ich unwillkürlich schon im voraus: ›Das stimmt ja vermutlich doch nicht, warum also zuhören?‹ – und wenn es mir schon so geht, was sollen dann die andern sagen. Es kann nicht geleugnet werden, daß von 1936 bis 1939 die Kommunisten (Russen) die einzigen waren, die ein richtiges Bild vom Spanischen Bürgerkrieg gaben; sie nannten auch Gründe für das Verhalten der Amerikaner, Deutschen, Franzosen und so weiter, und der Beweis war das Aufkommen Hitlers und Mussolinis und dann der zweite Weltkrieg.

Seitdem hatte sie natürlich Orwells *Mein Katalonien* und *1984* gelesen. Verrat, Verrat.

Ihr war jetzt nicht besser zumute, aber sie nahm ihre Feder fester in die Hand (der Easterbrook-Füllhalter war ihr lieber als der Parker, den Brett ihr zum Geburtstag im Oktober geschenkt hatte) und schrieb:

9. 11. 55. Warte auf B.; er holt Onkel George in New York ab, der bei uns bleiben will, zunächst für eine Weile. Was ich wohl in einem Jahr über ihn zu schreiben habe? Ich sehe da nämlich gar kein Ende, und G. ist sicher noch nicht dem Tode nahe, er ist 73 oder 74, und in der Familie werden sie alt. Eine gewisse Bedienung braucht er bestimmt. C. lehnt ihn schon jetzt heftig ab (keine Spur von Milch der frommen Denkungsart), er sagt: ›Der glaubt wohl, wir sind ein Altersheim?‹ Wenn es gar nicht geht mit G., habe ich ja wohl das Recht, das B. zu sagen. G. hat Geld genug für ein gutes Heim irgendwo. Er will auch bei uns etwas bezahlen, sagt B., ich weiß aber nicht wieviel. Wenn ich –

Sie hielt inne. Weich surrend fuhr auf der Straße ein Auto vorbei, in der Entfernung hörte man Kinder rufen, und jetzt näherte sich das vertraute Knirschen des Chryslers, der den Kiesweg herauffuhr. Die Tinte auf dem eben Geschriebenen war trocken, sie drehte die Füllfeder zu, schloß ihr Tagebuch und schob es auf eine Ecke des Arbeitstisches. Im Spiegel an der Wand prüfte sie ihr Aussehen. Vom Lippenstift war kaum etwas zu sehen, das machte aber nichts. Das Haar ging an. Sie fuhr mit den Fingern durch die weichen rotbraunen Locken.

Edith war sechsunddreißig Jahre alt, die Figur schlank und sportlich mit kräftigen Schultern und schmaler Taille. Manchmal fand sie, sie müßte etwas abnehmen, was ihr auch mühelos gelang. Die Augen waren hellbraun, ähnlich wie die Haarfarbe, mit Wimpern, die aussahen, als seien sie künstlich zugespitzt; das verlieh ihr einen hellwachen Ausdruck, für den sie dankbar war, denn sie fühlte sich durchaus nicht immer hellwach und war froh, daß sie wenigstens so aussah. Das Gesicht war fast viereckig, darin sah sie keinem ihrer Eltern ähnlich; vielleicht war es ein Erbteil ihrer irischen Urgroßmutter, von der sie eine Daguerrotypie besaß. Brett hatte einmal gesagt, sie sähe aus wie ein Mädchen, das man ansprechen und mit dem man sich unterhalten könne; Edith wußte noch, das bezog sich auf ihr erstes Treffen, als Brett mit einer Gruppe von Linken von der Columbia-Universität nach Bryn Mawr gekommen war, im Frühjahr 1942. Er war damals gerade fertig gewesen mit dem journalistischen Studium, voller Begeisterung und Tatkraft. Warum fiel ihr das alles gerade jetzt ein? Sie fuhr sich noch einmal mit der Hand über das Haar und wandte sich vom Spiegel ab.

Jetzt kam es darauf an, George heiter und freundlich willkommen zu heißen. Das wollte sie tun. Und dann Tee oder einen Drink, wenn er Lust darauf hatte. Sie hatte ihn vielleicht drei- oder viermal gesehen – zweimal in seiner New Yorker Wohnung, und dann vor mehr als einem Jahr in dem Heim, wo er wohnte. Es war noch nicht ganz fünf Uhr.

Edith trat aus der Veranda, von der aus Stufen nach vorn und auch seitlich auf die Einfahrt führten. George saß im Wagen neben dem Fahrersitz und hatte anscheinend seinen Bademantel angezogen. Das Gefühl des Mitleids in Edith wurde sofort von dem Gedanken beschwichtigt, daß er wahrscheinlich auf ihr Mitleid spekulierte. »Guten Tag, George!« rief sie, als Brett die Wagentür für ihn öffnete. »Willkommen bei uns!«

»Tag, Liebes«, sagte Brett. »Könntest du mir eben mal mit den Sachen helfen? Ist Cliff nicht da?«

»Nein, er ist mit ein paar Jungens spazierengegangen oder sie wollten irgendwo eine Cola trinken, ich weiß es nicht. Wie geht's dir, George?« Auf dem Rücksitz standen zwei Reisetaschen und ein großer Koffer.

»Es geht so, Edith, danke. Sehr freundlich von euch, daß ihr mich aufnehmen wollt.« Er hustete und brachte die letzten Worte nur mühsam heraus. Das flache Gesicht war bleich, der kahle Schädel trug einen grauen Haarkranz. Er war mehr als mittelgroß und neigte zur Korpulenz, ohne dick zu sein.

Brett half ihm aus dem Wagen und brachte ihn die Stufen hinauf. George ging vornübergebeugt, als habe er Schmerzen. Edith zögerte einen Augenblick, bereit, ihm zu helfen. Aber Brett wurde anscheinend gut mit ihm fertig. George trug schwarze Schuhe ohne Socken und einen Pyjama unter dem Bademantel. Der Anblick der nackten blaugeäderten Knöchel kam Edith irgendwie ungehörig vor.

»So – so, danke schön, Brett, mein Junge«, sagte George. Sie setzten ihn im Wohnzimmer auf das Sofa und brachten dann seine Sachen aus dem Wagen in die Diele. Edith verkündete, sie werde jetzt Tee machen, und Brett nahm den Koffer und eine der Reisetaschen und brachte sie nach oben in das kleine Gastzimmer, das Edith für George vorbereitet hatte. Das größere Gastzimmer mit dem Doppelbett, das Brett seinem Onkel gern gegeben hätte, wollte sie behalten, denn sie hatten manchmal Wochenendgäste, zum Beispiel die Zylstras, und für sie wollte Edith das größere Zimmer behalten. Wegen George mußte sie jetzt ohnehin auf ihr Näh- und Bügelzimmer verzichten.

Sie tranken im Wohnzimmer Tee; es gab Zimtkuchen und Zitronenplätzchen aus einem Laden in der Stadt, der sich Cookie Jar nannte, erstklassige Sachen hatte und altmodische Zutaten – zum Beispiel Butter – verwendete. George lobte die Plätzchen und ließ es sich herzhaft schmecken.

»Wie geht's deinem Rücken?« fragte Edith. Die Frage war doch wohl erlaubt – vielleicht sprach er überhaupt ganz gern über seine Leiden.

»Wenn ich das nur *wüßte*«, sagte George. »Auf den Röntgenaufnahmen ist nichts zu sehen, die Ärzte können nichts feststellen, soviel sie auch rumprobieren und suchen. Ha-ha! Fest steht bloß, daß ich Schmerzen habe, das ist alles.«

»Du bist doch nicht gefallen, nicht wahr –«

»Nein, nein. Ich habe einen Koffer getragen, als ich einen Freund zum Bahnhof brachte, das war aber schon vor Jahren, ich glaube neunzehnhundertfünfzig, und am nächsten Tag machte es auf einmal Knacks im Rücken. Seitdem ist es immer schlimmer geworden.«

»Aber – du kannst ja wenigstens gehen«, sagte Edith mit deutlicher Stimme, denn George war etwas schwerhörig.

»Ja, aber manchmal nur mit Stock. Immerhin – es geht«, sagte er. Seine Augen waren groß, dunkel und intelligent, sie glänzten wie in einem gelackten Bild.

Doch zum Dinner kam er nicht nach unten. Edith hatte seine Wäsche, Pullover und dergleichen in der kleinen Kommode untergebracht, die sie für ihn ausgeleert hatte. Jacketts und Hosen wurden in den Wandschrank gehängt. Daß sich in jedem Zimmer ein eingebauter Schrank befand, war für Edith ein Geschenk des Himmels, denn in einem hundert Jahre alten Haus konnte man so etwas keineswegs erwarten. Brett war hinaufgegangen, um George zum Essen zu bitten, aber er war schon im Bett und fragte, ob es ihnen etwas ausmachte, wenn er oben äße. Also brachte ihm Brett sein Dinner auf einem Tablett; auch Pudding und eine Tasse Kaffee waren nicht vergessen.

»Glaubst du, daß er alle Mahlzeiten im Bett essen will?« fragte Edith, als Brett zurückkam.

»Mensch – ein Invalide! Auch noch Nachttopf, was?« Cliffie kreischte vor Lachen über seinen Witz.

»Sei still, Cliffie«, mahnte ihn Edith.

»Keine Ahnung«, meinte Brett. »Ich weiß auch nicht mehr als du.«

Edith seufzte. Sie fand, Brett hätte ihn ja fragen oder die Sache sonstwie klären können; wichtig genug war sie. Cliffie hörte gespannt zu. Jetzt war nicht die Zeit, sich nach Georges Finanzen zu erkundigen. Auf einmal schämte sich Edith ihrer Gefühllosigkeit. Ob es die

Müdigkeit war? Vielleicht. Dazu noch ihre Tage.
»Cliffie –?« sagte sie.

»Ja?« Die braunen Jungenaugen, kaum dunkler als
ihre, blickten sie von der Seite an.

»Ich wünsche, daß du sehr höflich bist zu deinem
Onkel George, verstanden? Dein Großonkel George
vielmehr.«

»Ja, Mum.« Cliffie nickte.

Nach dem Essen half Brett seiner Frau in der Küche.
Das geschah häufig; es war eine gute Gelegenheit, sich
beim Geschirrklappern zu unterhalten. Cliffie schob sich
meist gleich hinaus und saß vor dem Fernsehschirm.

»Er hat mir angeboten – also er will uns sechzig Dollar pro Monat bezahlen«, sagte Brett. Er trocknete jeden
Teller einzeln ab und klapperte etwas mehr als sonst.

Das reicht gerade fürs Essen, dachte Edith. »Schön.
Nett von ihm.«

»Ich glaube nicht, daß er geizig ist, weißt du.«

Was hatte er wohl in dem Heim bezahlen müssen,
dachte Edith, aber sie wollte nicht kleinlich erscheinen.
Immerhin: Bettwäsche mußte gewaschen und Oberhem-
den gebügelt werden, wenn er darauf Wert legte. Aber
Edith ging es vor allem um die stillen Stunden von
Montag bis Freitag, wenn Brett und Cliffie nicht zu
Hause waren. Sie war gern allein. Die Gedanken flossen
dann leichter.

»Hör zu, Liebes – wenn es wirklich nicht geht, dann
geben wir ihm einen Wink, das verspreche ich dir.« Brett
küßte Edith unter das linke Ohr. »Einverstanden?«

Edith wollte nicht jetzt schon sagen, die Sache sehe
aber sehr nach Dauer aus. »Ja. Wenn er Geld genug hat,
um woanders zu leben – und das scheint er ja zu
haben.«

»Ja, sicher.«

»Wie ist sein Geld angelegt – in Aktien?«

»Ja, ich glaube, er ist irgendwo beteiligt, er kriegt jedenfalls regelmäßig bestimmte Beträge.«

Edith hätte jetzt gern gebadet und sich dann mit einem Buch zu Bett gelegt, aber im Badezimmer war George. Sie sah den Lichtschein unter der Tür; es war vollkommen still im Bad. Sie benutzte die Gelegenheit, um schnell noch in Georges Zimmer nach dem Rechten zu sehen. Das Tablett stand noch da, obgleich Brett nach dem Geschirrspülen nach oben gegangen war und eine Weile mit George geschwatzt hatte. Edith nahm das Tablett vom Boden. George hatte alles aufgegessen.

Aus dem Badezimmer kam plötzlich ein kraftvoller Laut. Edith mußte lächeln – einen Augenblick war sie nahe daran, laut aufzulachen.

Es stellte sich in den folgenden Tagen heraus, daß George durchaus imstande war, zu den Mahlzeiten herunterzukommen. Er kam jedoch nur, wenn es ihm paßte. Jedenfalls klagte er an den Tagen, an denen er oben aß (mittags oder abends) nicht über stärkere Rückenschmerzen als an den Tagen, an denen er zu zwei oder drei Mahlzeiten unten erschien. Zum Frühstück kam er immer nur im Pyjama und Bademantel, und auch zum Dinner zog er sich nicht immer richtig an.

Am Samstag abend kamen die beiden Johnsons zum Dinner. Diesmal erschien George vollständig angekleidet, zwar steif und leicht gebückt wie immer, aber redselig und sichtlich erfreut über den Besuch. Er hatte, als er Ende Zwanzig war, eine Zeitlang als Vertreter seiner Anwaltsfirma in Paris gearbeitet und wußte Amüsantes aus jener Zeit zu erzählen. Gert und Norman Johnson wohnten in Washington Crossing, etwa zehn Meilen entfernt. Norman war selbständiger Innenarchitekt, Gert war Zeichnerin, auch auf dem Gebiet der Werbung; eine Weile hatte sie in Philadelphia journalistisch gearbeitet. Sie hatten drei Kinder, der Älteste war zwölf. Viel Geld hatten sie nicht. Edith hatte sie gern wegen ihres bohèmeartigen Lebens (das Haus sah oft chaotisch aus), sie hatten außerdem Sinn für Humor und waren politisch links. Ediths Vorschlag, einen Diskussionsklub zu gründen, der sich einmal in der Woche in ihrem Hause oder bei sonst jemand traf, der Lust dazu hatte, war von Gert freudig aufgenommen worden, sie hatte gleich ihr eigenes Haus zur Verfügung gestellt, und Edith war auch hingegangen und hatte eine neue Anwärterin, Ruby Maynell, mitgebracht, die sie im Lebensmittelgeschäft in Brunswick Corner kennengelernt hatte. Die Bekanntschaft mit Gert stammte ebenfalls von dort. Gert hatte noch eine junge Witwe aus Washington Crossing aufgefordert und dann noch eine andere Frau, die aber nicht erschienen war. Edith hatte sich ein paar Themen überlegt, die sie auch zwanzig Minuten lang erörterten, dann hatte sich die Unterhaltung anderen Dingen zugewandt. Für solche Diskussionen brauchte man einen Leiter, das wußte Edith. Man konnte es ja etwas später wieder versuchen, das hatte Edith jedenfalls vor. Der Drucker in Trenton, bei dem sie und Brett das *Signal* drucken lassen wollten, hatte sich erboten, Handzettel für solche Diskussionsabende zu drucken. Genau das brauchten sie, richtige Abende mit zwanzig oder mehr Teilnehmern, Männer und Frauen; wenn jedesmal mindestens zwölf teilnahmen, konnten sie den Gemeindesaal in Brunswick Corner dafür bekommen, das hatte Gert gesagt. Das Gemeindehaus war geheizt und hatte viele Klappstühle.

Auf Ediths Bitte hatten die Johnsons ihren Ältesten, Derek, mitgebracht, der nicht in Cliffies Schule ging und gut war in Mathematik und Physik, zum Erstaunen seiner Eltern. Er war ein schlanker blonder Junge mit welligem Haar, einer langen Nase und aufmerksamen Augen. Bei Tisch saß er gegenüber von George Howland und starrte ihn an wie ein Maler, der sich ein Gesicht einzuprägen versucht. Schließlich sagte George:

»Na, mein Junge, du hast wohl photographische Augen und auch noch ein photographisches Gedächtnis, was?« Er lachte und sah zu Edith hinüber. »Ich glaube, er macht im Geist eine Daguerrotypie.«

In manchen Dingen war George empfindlich, in anderen gar nicht, das wußte Edith.

Gert hatte die Bemerkung gehört und blickte ihren Sohn an.

Derek errötete und sagte: »Entschuldigen Sie.«

»Recht so.« Gerts rundes Gesicht verzog sich zu einem warmen Lächeln, als sie zu Edith hinübersah.

Es gab Schweinsrippchen, gut und knusprig, mit holländischer Sauce. Norms Finger glänzten vor Fett bis zum zweiten Glied. Er hatte sich rasiert, sah aber sonst genau so nachlässig aus wie immer: kariertes offenes Hemd, ungebügelte Hosen und kein Jackett. Nur Derek und Gert hatten sich mit ihrem Äußeren Mühe gegeben; Gert sah prächtig aus mit langem indischen Rock, weißer Bluse und sechs Zentimeter langen Filigran-Ohrringen.

»Naaa – wo waren wir stehen geblieben?« fragte Norman, immer noch kauend. Er sprach mit starkem Akzent, der für Pennsylvania, wie Edith gehört hatte, typisch war.

»Bei Eisenhower – daß er *gar nichts* gegen McCarthy unternahm«, sagte Gert mit dem gleichen langgezogenen Ton wie Norm. »Nur Senator Ralph Flanders von Vermont hatte Mut genug, gegen den Kerl vorzugehen. ›Wenn's Eisenhower nicht tut, dann tue ich es‹, sagte er damals. Das weißt du doch noch, Norm.«

»Ja, doch«, sagte Norm und legte das sauber abgenagte Rippchen auf seinen Teller. »Du hast ganz recht, Liebes. Du hast überhaupt immer recht.«

Edith fühlte sich wohl bei der Unterhaltung, obgleich sie nichts Neues brachte, denn sie und Gert hatten das Thema schon vor drei Wochen behandelt. Edith hatte fast drei Martinis getrunken und fühlte ein warmes Sausen in den Ohren. Wie nett Derek heute aussah. Und gut in der Schule! Wenn bloß Cliffie es einmal so weit brächte wie Derek. Knapp zwei Jahre waren sie auseinander, die beiden. Vielleicht mit der Pubertät . . .

»Du, Edith«, sagte Gert etwas später in der Küche beim Aufräumen, als sie die Teller zum Spülen aufeinanderstellte, »ob ihr uns vielleicht hundert Dollar leihen könntet, für einen Monat?« Sie hatten nach dem Essen Kaffee getrunken, die Männer saßen im Wohnzimmer. Edith mochte nicht Ja sagen, ohne Brett zu fragen. Oder war das eine Ausflucht? Aber sie hatten jetzt wirklich kein Geld übrig.

»Der Zahnarzt hat nämlich die Rechnung für Norm geschickt«, fuhr Gert fort. »Sein Vater hat versprochen, sie zu bezahlen, und das tut er auch bestimmt, aber der Zahnarzt in Trenton hat uns eine Mahnung geschickt. Wir schulden ihm viel mehr als hundert, weißt du«, sagte Gert lachend, »aber mit hundert ist er erstmal zufrieden, und von Norms Vater kriegen wir bestimmt zweihundert, und zwar in weniger als vier Wochen.«

»Darf ich Brett erst fragen?« sagte Edith mit verständnisinnigem Lächeln, dessen sie sich sofort schämte.

»Aber klar!«, sagte Gert. »Ich kenne das ja. Noch dazu jetzt, wo ihr auch noch seinen Onkel zu versorgen habt.«

»Ja, aber der bezahlt ja etwas.«

Als Edith mit Brett in der Küche allein war, erzählte sie ihm von Gerts Bitte.

»Auf keinen Fall. Laß uns das bloß nicht anfangen«, sagte Brett.

»Gut.« Und natürlich blieb es ihr überlassen, es Gert zu sagen.

»An Geld zerbricht die beste Freundschaft«, sagte Brett. »Altes Sprichwort, aber es stimmt. Tut mir leid, Darling. Sag ihr, wir haben jetzt sehr viele Extraausgaben.«

Edith bereitete sich darauf vor.

»Weißt du«, sagte Brett noch halb im Hinausgehen, »die haben bestimmt überall in der ganzen Gegend Schulden. Sie sind der Typ danach.«

Ja, das hielt Edith auch für wahrscheinlich. Immerhin: wäre sie allein gewesen, hätte sie ihnen die hundert Dollar gegeben und es vielleicht bedauert, wenn sie sie nie zurückbekam.

Unten auf dem Flur traf Edith mit Gert zusammen, die gerade irgendwas aus ihrem Mantel holte, und sagte mit entschuldigendem Lächeln: »Du – Brett hat Nein gesagt. Im Augenblick geht es nicht, Gert. Tut mir schrecklich leid.«

»Ach, macht gar nichts«, sagte Gert mit so gelassenem Lächeln, als sei die Sache völlig unwichtig. »Wo sind denn die Jungens – oben in Cliffies Zimmer?«

»Ja, sicher – wenn sie hier nicht sind.« Edith stellte

sich vor, wie verblüfft Derek war beim Anblick von Cliffies Zimmer, das eher wie das eines Sechsjährigen aussah: überall Comics, und auf dem Fußboden eine Anzahl Zinnsoldaten aufgestellt. Edith hob den Kopf und folgte Gert ins Wohnzimmer. Ebenso wie Gert trank sie noch – was selten vorkam – einen Chartreuse (sehr teuer, sie hatten die Flasche schon seit einem Jahr) und zündete sich eine Zigarette an.

»Wie lange bleiben Sie hier, George?« fragte Norm. Er saß im Sessel und hatte die Hände hinter dem Kopf verschränkt.

Edith hörte interessiert zu.

»O – ich weiß noch nicht. Hoffentlich nicht so lange, daß ich zur Last falle, haha! Ich hab's sehr gut hier, bei meinem Neffen und meiner Nichte, aber ich will ihnen natürlich nicht zu viel zumuten.«

Edith fragte, ob noch jemand Kaffee wollte. Sie hatte heute die silberne Kaffeekanne genommen, die ihr Großtante Melanie geschenkt hatte.

Die Jungens kamen herunter, und Edith hoffte, daß sie sich verabredet hatten – beide hatten Fahrräder. Cliffies Freunde waren fast alle jünger als er, das war nicht gut. Es lag nicht daran, daß Cliffie sich als Anführer aufspielte, nur war er den Gleichaltrigen einfach zu jung und zu langweilig. Edith wollte gerade Derek fragen, ob er nächsten Samstag zum Mittagessen kommen wollte, als Gert sagte:

»Edie, Derek nimmt jetzt Klarinettenunterricht. Prima, was?« Es klang, als ob Derek den Unterricht selber in die Wege geleitet hatte, was vermutlich auch stimmte.

»Wie schön!« sagte Edith herzlich. »Wo denn?«

»Ach, ich –« Derek schüttelte verlegen den Kopf.

»In Washington Crossing. Gruppenstunde – wir sind zu dritt. Aber es – es macht Spaß.«

»Hast du eine eigene Klarinette?«

»Ja, ich hab sie auf Teilzahlung gekauft.«

»Mit seinem Taschengeld«, warf Norm ein.

»Ja, und das ist nicht sehr regelmäßig«, sagte Derek.

»Kein Kommentar, oder du nimmst 'n Job an für den Sommer. Wie die reichen Jungen«, gab Norm zurück.

George erhob sich ächzend. »Edith, du erlaubst – ich muß mich zurückziehen. Müde. Dinner war ausgezeichnet.« Auf den Stock gestützt, machte er langsam zwei Schritte zur Tür.

Derek saß ihm am nächsten; er stand vom Fußboden auf, wo er gesessen hatte. »Kann ich helfen, Sir?«

Cliffie, ebenfalls auf dem Fußboden, rührte sich nicht. Er beobachtete George, als sei der alte Mann ein Tier im Zoo und von mäßigem Interesse.

»Nein, nein. Gute Nacht allerseits«, sagte George.

Etwas nachlässig erhob sich auch Brett, um George zur Treppe zu bringen und ihm die ersten Stufen hinaufzuhelfen.

George wurde im allgemeinen ganz gut allein fertig, wenn er sich Zeit ließ. Seine Wangen waren nicht mehr so rosig wie bei der Ankunft, aber er hatte sich auch niemals, wie ihm Brett und Edith vorschlugen, im Liegestuhl in den Garten gesetzt, und von Spazierengehen war erst recht keine Rede.

Die Stimmung wurde deutlich gelöster, als George nach oben gegangen war.

»Er wohnt also jetzt ganz bei euch?« fragte Norm.

»Ja, so kann man es nennen«, gab Brett zu.

»Was macht er denn den ganzen Tag?« fragte Gert.

»Er liest viel«, sagte Edith. »Ich muß ihm dauernd

Bücher aus der Bücherei holen, und unsere hier hat er ja auch noch. Er liest sogar manchmal Cliffies Lexika. Und schlafen tut er auch viel.«

»Geht er denn überhaupt zum Arzt?« fragte Gert.

»Nein, sein richtiger Arzt wohnt in New York. Ich muß ihn einmal in der Woche nach Trenton bringen, immer samstags, weil der New Yorker Arzt seine Krankengeschichte dahin geschickt hat.«

»Es ist doch irgendwas mit seinem Rücken, nicht?« fragte Gert.

»Ja, sie machen da Pal – Palpation mit ihm«, sagte Brett auf seine ernsthafte Art, und dann lachten sie alle, am lautesten Cliffie.

3

Der Tag fing schlecht an. Mit der Post kam ein von Edith selbst adressierter, frankierter und gefalteter Umschlag zurück, der Ediths Artikel »Warum soll Rotchina nicht anerkannt werden?« enthielt. Sie hatte ihn an die *New Republic* geschickt, die ihr jetzt schrieb:

Ihre ersten beiden Artikel haben uns seinerzeit gut gefallen. Für diesen haben wir jedoch keine Verwendung, vor allem weil wir über das gleiche Thema bereits einen Beitrag vorliegen haben. Wir danken Ihnen jedoch für die Zusendung.

Früher hatte Edith eine Agentin gehabt, sie hieß
Irene Dougal und wohnte West 23rd Street. Aber Edith
schrieb eigentlich viel zu wenig und war auch im Zwei-
fel, ob die Agentin ihr viel genutzt habe. Durch Irene
hatte sie vier Artikel verkauft, und genau so viel hatte
sie allein an den Mann gebracht, es stand also vier zu
vier, und die Agentin nahm zehn Prozent. Sie hatte jetzt
lange nichts von Irene Dougal gehört.

Es war Mitte Dezember, und es schien ihr ewig lange
her seit dem Wochenende im November, als sie ein paar
Tage mit dem Wagen durch Pennsylvania gefahren
waren. Edith hatte damals ihre Nachbarn, die Quickmans, gebeten, ab und zu nach George zu sehen und sich
zu vergewissern, daß ihm nichts fehlte. Sein Essen hatte
Edith so weit wie möglich fertig gemacht und in den
Kühlschrank gestellt. Frances Quickman hatte auch Mildew gefüttert. Edith und Brett und Cliffie hatten eine
Nacht in einem Motel in der Nähe von New Holland
übernachtet und die nächste in Lancaster in der Gegend
von Amish. In einem staubigen alten Antiquitätengeschäft hatte Edith sechs holländische Frühstücksteller
aus blaßgrünem Glas, feuerfest, für je fünfzig Cents
erstanden. Sie hatte auch eine handgemalte Kommode
für ganze acht Dollar aufgetrieben, und der Mann war
so freundlich gewesen, sie in der folgenden Woche schon
zu liefern. Edith hatte sie im Gastzimmer untergebracht; sie war beige mit kleinen blauen und weißen
Blumen, ganz reizend.

Während sie an diesem Morgen ihre Hausarbeit erledigte, T-Shirts und Jeans und Pyjamas im Hintergarten
auf die Leine hängte, ermahnte sie sich, daß sie sich fest
vorgenommen hatte, ihre Haltung zu George zu ändern.
Wenn er nun mal zur Familie gehörte, so war es sinnlos

und abträglich, sich das Leben zu verbittern und innerlich immer wieder nervös zu werden. George könnte ja auch ein Positivum sein, wenn sie ›an einem Gedanken festhielt‹, wie es Mary Baker Eddy ausdrücken würde. Er könnte auf Cliffie einen guten Einfluß ausüben, wenn sich die beiden näher kennenlernten. George war ein sehr erfolgreicher Anwalt gewesen, hatte alle seine Examen bestanden und sein Leben richtig organisiert. Selbst was er jetzt las, hatte noch Methode: in den letzten drei Wochen nur Geschichte des 19. Jahrhunderts. Cliffie hatte Organisation und System sehr nötig; Brett verbrachte nicht annähernd genug Zeit mit ihm. Edith beschloß, mit George über Cliffie zu reden.

Und ebenso wichtig war es, daß sie alles, was Cliffie anging, endlich etwas leichter nahm. Sie erreichte nichts, wenn sie ihm dauernd vorhielt, er werde nie aufs College kommen, wenn er sich nicht zusammennehme. Cliffie wollte gern aufs College – möglichst nach Princeton. Edith mußte zugeben, daß sie ihren Vorsatz schon früher gefaßt hatte, und es war nie etwas draus geworden. Immer kamen Zorn und Ungeduld in ihr hoch, sie hätte ihn am liebsten geschüttelt (was bisher nur zwei- oder dreimal geschehen war), und dann ging die Nörgelei von neuem los. Aber jetzt, da George im Haus war, konnte es vielleicht anders werden. ›Wenn die Hoffnung nicht wär'‹, dachte sie und zog eine ironische Grimasse.

Sie stieg ein paar Stufen nach oben und rief fröhlich: »George, soll ich dir Lunch raufbringen?«

»Ja, Edith, wenn's dir nichts ausmacht, sehr gern.«

»In Ordnung – in zehn Minuten.«

Sie machte Sandwiches mit Hühnerfleisch, fügte Salat, eine Spur Mayonnaise und ein paar gefüllte Oliven hinzu, legte auf jeden Teller einige Tomatenscheiben und trug das Tablett nach oben. Gläser und ein Krug mit Milch standen ebenfalls darauf.

»Ich dachte, ich könnte dir Gesellschaft leisten, wenn's dir recht ist«, sagte sie.

»Aber ja, natürlich. Ich freue mich.« George setzte sich aufrecht gegen das Kissen und legte sein Buch beiseite.

Edith stellte ihm das Tablett auf den Schoß und zog für sich einen zweiten Stuhl heran, den sie als Tisch benutzte. Eine Weile schwiegen beide, während sie aßen, dann faßte Edith Mut und sagte: »George, ich dachte, du könntest vielleicht einen guten Einfluß auf Cliffie ausüben.«

»Wie meinst du das?«

»Ja, weil – du bist nicht in der Familie. Nein, das meinte ich nicht, du bist natürlich Bretts Onkel, aber für Cliffie bist du doch neu. Du bist ein Mann, der im Beruf Erfolg gehabt hat, und du weißt, wie man System in sein Leben bringt – ich meine, wie man zu arbeiten hat, wenn man arbeitet.«

George lachte trocken: »Ha-ha!« mit weit geöffnetem Mund, dann fragte er freundlich: »Was meinst du denn mit dem guten Einfluß? Ich war niemals ein Heiliger, weißt du.«

»Aber ich glaube, du siehst doch, daß Cliffie nicht die geringste Energie zu irgendetwas aufbringt. Keinerlei Antrieb, keinerlei Lust, er sieht überhaupt nicht, warum er irgendetwas anfangen soll. Er hat oft morgens nicht mal Lust, sich anzuziehen. Er fängt an, ein Flugzeug nach Vorlage zu bauen und macht es nicht fertig. Nichts macht er fertig.« Edith hielt inne, sie hätte nun unendlich viel aufzählen können.

George schien zu warten, daß sie weiter redete.

»Ich weiß nicht, ob Brett dir etwas gesagt hat. Cliffie hat uns immer Sorgen gemacht, schon als er zwei oder drei war. Er ist nicht dumm, es fehlt ihm nicht an Intelligenz, hat man mir gesagt. Aber in seiner ganzen Kindheit schien es ihm immer Spaß zu machen, das nicht zu tun, was wir gern wollten, zum Beispiel ein bißchen lesen zu lernen, bevor er mit der Schule anfing. Er ist wie ein Mensch, der nur halb am Leben ist – aber das ist keineswegs alles.«

»Hm-mm«, sagte George, legte den Kopf bequem zurück ins Kissen und blickte zur Decke auf. »Ich halte ihn einfach für einen modernen Jungen. Ein Produkt des Fernseh-Zeitalters. Er ist passiv geworden, und er wird – wie wir alle – überschwemmt mit Informationen und Bildern; er ist bestürzt oder amüsiert von Ereignissen, die er nicht in der Gewalt hat, das weiß er, und die er auch nie in der Gewalt haben wird. Genau der richtige Kandidat für den Wohlfahrtsstaat, oder wie sie das in England nennen.«

Es fiel Edith ein, daß sie vor einigen Jahren etwas sehr Ähnliches – nur mit anderen Worten – über Cliffie in ihr Tagebuch geschrieben hatte. »Wir haben mal versucht, das Fernsehen zu rationieren«, sagte sie. »Es ging aber nicht. Cliffie maulte.«

George hustete und langte nach seinem Taschentuch. Er hatte genügend Kleenextücher, aber Taschentücher waren ihm lieber. Er antwortete nichts.

»Ich möchte gern wissen, was wir falsch gemacht haben.« Edith lachte etwas unsicher. Sie wußte, sie versuchte George in die Richtung einer für Cliffie günstigen Bemerkung zu steuern, und sei sie noch so geringfügig, nur positiv sollte sie sein.

»Die Zeit ist aus den Fugen«, sagte George. »Helden gibt's heute nicht mehr.«

»Ich rede von Schmiß – von lebendigem Schwung. Vielleicht wird es mit der Pubertät –« Sie hatte den Sprung nun gewagt, egal wie es ausging; hier saß sie und legte ihre geheimsten Gedanken bloß vor George, dem oft egoistischen und lästigen Hausbewohner, nur weil er ein neuer Zuhörer war und ihr mindestens so viel Aufmerksamkeit schenkte wie Brett. »Weißt du, mit der Pubertät kommt ja manchmal ein neuer Anstoß, das Leben bekommt auf einmal einen Sinn, neue Interessen tauchen auf, selbst wenn es nur um Schmetterlingsammeln oder Schiffsmodellbauten geht.«

George sah sie etwas herablassend an. »Pubertät ist Pubertät, Edith. Neu ist vielleicht nur das erwachende Bewußtsein für das andere Geschlecht.«

»Ja, aber ich meine«, sagte Edith, schob den zweiten Stuhl etwas von sich und wünschte, sie hätte eine Zigarette, »von künstlerischen Menschen sagt man doch immer, bis zur Pubertät ist jedes Kind ein Künstler, aber dann schläft das ein, während der echte Künstler jetzt Kraft und Zielstrebigkeit entwickelt und weitermacht.«

»Hat Cliffie denn Interesse für künstlerische Dinge?«

»Nein.«

Schweigen. War George im Begriff einzuschlafen? Die dunkelbraunen Augen waren nicht ganz geschlossen und blickten sie nicht an. Die unteren Lider, blaßrosa, hingen ein wenig herab. Edith mußte an einen alten Hund denken und wandte den Blick ab.

»Ich frage mich manchmal, ob er sich überhaupt jemals aufraffen wird. Ob er mal richtig aufwacht«, sagte sie. »Und Brett denkt ebenso.«

Noch immer sagte George nichts. Edith spürte sein Schweigen und fühlte auch seine Augen, die sie jetzt anblickten. Es war, als fürchte George, sie zu verletzen, wenn er noch mehr zum Thema Cliffie von sich gab. Dann sagte er:

»Gefällt es Brett wirklich in seiner neuen Stellung? Ich meine, sagt ihm die Umgebung in Trenton zu?«

Die Frage traf Edith wie ein Stich. »O ja, die Umgebung schon. Er sagt, die Atmosphäre ist nicht so lebendig wie bei der *Tribune* in New York, schon weil das meiste, was der *Standard* druckt, von Agenturen kommt. Aber sie bezahlen nicht schlecht. – Brett und ich haben vor, hier eine Zeitung zu starten, vielleicht hat er dir davon erzählt. *Signal* soll sie heißen. Weihnachten wollen wir die erste Nummer rausbringen – die lokalen Geschäfte helfen uns mit Anzeigen, weißt du.« Edith lächelte. »Deshalb geht das Telefon jetzt so oft – das sind die Inserenten. Oder Gert sagt mir Bescheid –« Dabei wußte sie gar nicht, ob George das Telefon überhaupt hörte. Sie wußte nur, daß er ihre und Bretts politische Haltung nicht teilte, er hielt sie beide für naive Kinder, die doch nichts erreichen würden. Immerhin: Tom Paines Zeitschrift *Crisis* war auch klein gewesen, und was für Resultate hatte sie erbracht!

»Ist das Leben hier billiger als in New York? Ich denke doch.«

»O ja, das schon, nur haben wir noch so viele Ausgaben für das Haus. Du weißt ja, zuerst kommt immer noch viel zusammen –« Edith sprach ohne nachzudenken; sie war verlegen und kam sich fast gedemütigt vor. Sie stand auf und stellte die Teller zusammen. »Ich muß jetzt gehen, unten wartet noch allerhand Arbeit.«

»Liebe Edith – ob es dir wohl viel Mühe machen

würde, mir eine Tasse heiße Ovaltine heraufzubringen?«

»Jetzt?«

»Ach ja, bitte. Ich habe das Gefühl, danach könnte ich wirklich einschlafen. Letzte Nacht habe ich sehr schlecht geschlafen. Mein Rücken – diesmal die rechte Seite, sonst ist es immer in der Mitte.«

Edith nahm das Tablett und ging nach unten. Sie nahm sich fest vor, einen elektrischen Wasserkessel für George zu besorgen, damit er sich seine diversen Tassen selber machen konnte. Vielleicht reichten die Rabattmarken dafür. Sie hatte sie sparen wollen, um ein neues Dampfbügeleisen zu kaufen, aber der Wasserkessel war dringender. Der Ruck, mit dem sie das Tablett auf den Küchentisch stellte, klang etwas hart; dann goß sie den Rest Milch in einen Topf und stellte ihn auf den Herd.

Ihre Gedanken gingen erregt hin und her, als sie die Dose mit der Ovaltine vom Bord holte und einen Löffel ergriff. War George etwa der liebe Gott, auch wenn er ein paar zutreffende Bemerkungen über Cliffie geäußert hatte? Cliffie war keineswegs ein hoffnungsloser Fall, und eben das hatte George angedeutet. Warum zum Beispiel hatte George nicht geheiratet? War mit *ihm* vielleicht irgendwas nicht in Ordnung? Für Edith war es undenkbar, daß ein Mann von fünfunddreißig oder so nicht heiratete, wenn er finanziell dazu in der Lage war: es war doch so bequem, eine Frau zu haben, die einem vieles abnahm. Wenn George geheiratet hätte, wäre er zum Beispiel heute nicht hier. George sah überdurchschnittlich gut aus, er mußte immer gut verdient haben: also war er entweder ein Egoist, oder er hatte die Frauen falsch behandelt, oder er war vielleicht unfähig zur Liebe und Zuneigung. Als sie jetzt die Ovaltine auf einem kleineren Tablett nach oben trug, fühlte sie sich niedergedrückt, so als ob sie George viel zu viel enthüllt hätte und nun desolat und armselig vor ihm stünde. Und dabei war er hier in *ihrem* Haus, und sie spielte die Dienerin.

Doch zehn Minuten später war ihre Stimmung deutlich gestiegen. Marion und Ed Zylstra wollten zu Weihnachten kommen und mindestens drei Tage bleiben. Übermorgen, Freitag, sollte Brett die ersten Exemplare des *Signal* im Wagen mitbringen – vierhundert Stück, die er dann überall verteilen wollte: im Lebensmittelladen, beim Eisenkrämer, im Drugstore. Eine einfache Art des Vertriebs, dachte Edith. Die erste Nummer wurde gratis abgegeben, danach sollte das Vierseitenblatt fünfzehn Cent kosten. Sie hatte sich viel Mühe mit dem Leitartikel gegeben, um den richtigen Ton zu treffen. Gert Johnson hatte ihr dabei geholfen. Es ging hauptsächlich um eine Gesetzesvorlage in Harrisburg; die Schulgebühren sollten erhöht werden, eine große Sorge für alle. Ganz am Schluß hatte sie geschrieben:

> Zwei Flüchtlinge aus New York, Brett und Edith Howland, wünschen allen neuen Nachbarn, Freunden und Lesern ein frohes Weihnachtsfest und ein glückliches Neues Jahr.

Edith legte eine Walzerplatte von Brahms, Opus 39, auf den Plattenspieler und schloß die Wohnzimmertür, die ins Treppenhaus führte, damit George von der Musik nicht aufwachte. Sie hatte eine Zigarette angezündet, lehnte sich entspannt in den Sessel zurück und lauschte beglückt der Klaviermusik. Eine Welt reicher Schönheit tat sich vor ihr auf, die einen Anfang und ein Ende hatte. Merkwürdig, wie sie sekundenlang – es kam und ging schnell vorüber – sich völlig eins fühlte mit der Musik, wie vertraut sie ihr war in jeder Note, obgleich sie doch wußte, daß Musik nicht ihre Heimat, nicht der wichtigste Teil ihres Lebens war. Manchmal kamen ihr Klänge, die sie besonders liebte, wie ein Rauschmittel vor, magisch und unwirklich und doch lebensnotwendig.

Unwirklich – und dabei schien es ihr, während sie den fröhlichen Walzern lauschte, als liebte sie ihr Haus in diesem Augenblick noch mehr, als mache die Musik ihr klar, daß das halbländliche Leben, das sie jetzt führte, genau das war, was sie seit Jahren ersehnt hatte. Wände und Türen waren cremefarben wie die Außenwände, die zuerst noch weißer gewesen waren, aber jetzt durch die Witterung ein wenig nachdunkelten. Die Säulen an der vorderen Veranda konnte man dorisch nennen; hochtrabend oder snobistisch waren sie gewiß nicht. Und Brett fühlte sich wohl in seiner neuen Stellung. Selbst mit George war es schließlich auszuhalten. Er hatte Brett Geld gegeben, damit er Cliffie zum Geburtstag im November Bluejeans und einen Pullover kaufte.

Die erste Seite der Platte war zu Ende; die Stille fiel wie etwas Lebendiges über Edith her und löschte die frohe Stimmung aus. Das war nun ihr Leben, dachte sie: Wäsche bügeln (was nun in der Küche geschehen mußte), überlegen, wem sie den Artikel über Rotchina jetzt zusenden könnte. Eine vage Depression stieg in ihr auf, undeutlich und lähmend. Sie kannte das gut. Zuweilen war das Gefühl unkontrollierbar und drohte sie zu überwältigen, so daß sie – selbst in den ersten Wochen im neuen Haus – meinte, es sei vielleicht Vitaminmangel oder irgendein physischer Defekt. Doch der Bericht von Dr. Carstairs, dem von Gert empfohlenen Arzt, war gerade letzten Monat gekommen und war durchaus gut. Sie war nicht blutarm, das Gewicht war normal oder höchstens ganz wenig unter normal, was der Arzt für besser hielt als das Gegenteil, und auch mit ihrem Herzen war alles in Ordnung. Es konnte also nur an ihrer inneren Einstellung liegen. Oft tröstete sie sich mit dem Gedanken, daß vermutlich jeder empfindsame Mensch manchmal unter dieser Niedergeschlagenheit litt, und die Gründe waren sicher die gleichen wie bei ihr. Edith mußte sich immer wieder vorsagen, sie glaube ja gar nicht an einen Sinn des Lebens. Um glücklich zu sein, mußte man das tun, was eben zu tun war, ohne zu fragen warum, und ohne auf Resultate zu warten. Dafür brauchte man ganz gewiß zunächst mal gute Gesundheit, und die hatte sie. Warum also war sie nicht zufrieden und stundenweise sogar unglücklich? Auf diese Frage fand sie keine Antwort.

4

Kurz nach vier Uhr am Nachmittag des Heiligen Abends kamen Ed und Marion Zylstra mit dem Bus an, schwer beladen mit Geschenken, Flaschen und einem Koffer. Edith holte sie mit dem Wagen vom Bus ab.

»Hallo, Edith! Wunderbares Wetter, was?« sagte Marion und umarmte Edith.

In der Nacht war Schnee gefallen, der nun mehr als zwanzig Zentimeter hoch lag, und jetzt schien die

Sonne. Alles glänzte in reinem Weiß, nur der Delaware schimmerte weich und graublau zwischen den steinigen schneebedeckten Uferbänken.

»Und wie geht's dir, Ed?« fragte Edith, als sie die Sachen in den Kofferraum packten.

»Ganz gut, danke. Erstmal freue ich mich auf drei freie Tage ohne Dienst. Das heißt aber nicht, daß wir uns so lange bei euch herumdrücken müssen!«

»Na, das hoffen wir aber. Wirklich!« Edith erinnerte sich, daß Ed seine Arbeit immer mit Dienst bezeichnete, wie ein Soldat. Er war etwa vierzig, blond mit blauen Augen; die Figur – kräftig und nicht sehr groß – hatte Edith immer recht sexy gefunden. Es war erst das zweitemal, daß die beiden nach Brunswick Corner kamen.

»Du hast im Haus sicher Wunder gewirkt, seit wir dich zuletzt gesehen haben«, meinte Marion.

»Du wirst ja sehen. Da sind wir schon.« Die Bushaltestelle war nur wenige hundert Meter vom Hause entfernt.

Marion und Ed waren begeistert von allem Neuen im Wohnzimmer. Jetzt hingen überall Gardinen, auf den Fensterbänken standen ein paar Topfpflanzen, das Bücherbord war voll – genau wie in New York. Am hinteren Fenster stand ein zwei Meter hoher Weihnachtsbaum, weit genug vom Kamin entfernt, daß man hoffen konnte, er werde sich zehn Tage halten.

Edith stand in der Küche und machte Cocktails.

»Wo ist denn Brett?« fragte Marion. »Arbeitet er heute?«

»Nur heute vormittag. Er kann jede Minute kommen, er war in Trenton. Er bringt die erste Ausgabe vom *Signal* mit, damit wir darauf anstoßen können.«

»Prima. Ich bin gespannt.«

48

Edith ging in die Speisekammer neben der Küche und hatte gerade ein Glas Maraschino-Kirschen vom Bord genommen, als ihr Blick auf den Puter fiel. Die Puterbrust. Ein großes Loch klaffte auf beiden Seiten, das rohe Fleisch war herausgerissen oder herausgefressen. Ediths erster Gedanke war Mildew, weil es so aussah, als wären Katzenzähne am Werk gewesen; der zweite Gedanke war Cliffie, denn die Tür zur Speisekammer war fest zu gewesen. Edith blickte suchend auf den Boden. Die Katze war nicht da. Vielleicht hatte Cliffie ihr den Puter vorgesetzt, denn von sich aus naschte Mildew nicht, dazu war sie zu gut genährt. Nein, diese Löcher waren mit dem Finger gebohrt. Aber jetzt war keine Zeit, darüber nachzudenken, und auch keine Zeit mehr, einen neuen Puter zu besorgen. Der Anblick war trostlos.

Brett kam, beladen mit einem Zeitungsstapel, den er auf beiden Armen mit verschränkten Fingern hereinschleppte. Norm Johnson, sagte er, habe ihn bis zur Haustür gebracht, hatte aber keine Zeit gehabt hereinzukommen. Die beiden Johnsons wollten später – gegen Mitternacht – hereinschauen.

»Halli hallo, das *Signal*! Laß mal sehen!« sagte Marion.

Brett setzte den Stapel auf dem Fußboden ab. »So um dreihundert haben wir eben verteilt, Norm und ich. In den Läden und so. Diese muß ich morgen unter die Leute bringen. Vielleicht ein paar auch noch heute abend, in der Nähe. Die Läden sind heute bis spät auf.«

Edith überwand sich und ging erst in die Küche, um für Brett einen Drink zu machen. Es würde bestimmt ein schönes Fest werden, ganz sicher. Nicht mal der

49

Puter regte sie jetzt noch auf. Morgen würden sie darüber lachen.

»Danke, Darling. Prost!« Brett erhob sein Glas, und
sie tranken alle auf das Wohl und Gedeihen der neuen
Zeitschrift. Brett trug seine alte gesteppte Uniformjacke,
der Gürtel hing seitlich herab, dazu beige Drillichhosen,
aber Edith wußte, er hatte lange Unterhosen an. In
Pennsylvania hatten sie im Winter oft acht Grad unter
Null. »Wo ist Cliffie?« fragte Brett.

»Keine Ahnung. Vielleicht irgendwo draußen«, sagte
Edith.

Sie hatte für den Abend eine Schweinskeule vorbereitet, die jetzt fast gar war. Es war ja auch schon nach
sechs; Edith ging in die Küche, um alles fertigzumachen,
während die beiden Zylstras mit Brett loszogen, um die
restlichen Zeitungen zu verteilen. Es war jetzt dunkel
draußen – fast dramatisch, dachte Edith, mit dem weißen Schnee. Und es war schön, sich vorzustellen, daß
nun die Erde sich (seit gestern) wieder der Sonne
zuwandte und die Tage bald wieder länger wurden.

Cliffie schlenderte in die Küche.

»Wo warst du denn?«

»In meinem Zimmer.«

Mit Schrecken fiel Edith plötzlich ein, daß sie George
nicht zum Drink heruntergebeten hatte. Aber er schlief
sehr oft von fünf bis zum Dinner. Zu Cliffie sagte sie: »Du
weißt natürlich gar nichts von dem Puter, nicht wahr.«

»Puter? Ich habe keinen gesehen.«

»Selbstverständlich nicht. Du gehst ja auch sonst nicht
in die Speisekammer, dein Coca-Cola ist im Kühlschrank –«

»Ich weiß überhaupt nicht, wovon du redest.«

Edith hatte etwas getrunken und ließ nicht locker.

»Wer hat denn die Speisekammertür aufgemacht? Ich nicht. Hast du nicht gewußt, daß der Puter da stand – nackt?«

»Nackt? Ein nackter Puter!« Cliffie lachte.

Edith hätte ihn ohrfeigen mögen, aber sie zwang sich zur Ruhe. »Du hast auch nicht Mildew den Puter gezeigt?«

»Nein!« protestierte Cliffie, ganz gekränkte Unschuld.

»Du lügst!« sagte Edith und wandte sich ihrer Arbeit zu.

Cliffie stand an den Tisch gelehnt, ein schlaffer und willenloser Gegenstand, dem Edith nicht ins Gesicht sah.

»Oder bist du selber mit dem Messer dabei gewesen?«

»Ich weiß gar nicht, was du willst mit dem blöden Puter!« sagte Cliffie mit rotem Gesicht und aufsteigenden Tränen. Laut und ostentativ ging er zum Kühlschrank und nahm eine Flasche Coca-Cola heraus.

Bei Tisch war die Stimmung fröhlicher. George war heruntergekommen, angekleidet. Edith war nach dem Wein milde gestimmt; wenn das Geschirr erst morgen früh abgewaschen wurde, so war das schließlich auch kein Unglück. Das *Signal* hatten sie auf Herz und Nieren geprüft. Das Papier war glatt, der Druck dunkel, und das Lay-out fand Edith gelungen.

»Wollt ihr ein paar Fotos sehen von vorher und nachher?« Edith zog ein Album von der unteren Platte des Couchtischchens. »Aber nur ein paar, sonst wird's langweilig.«

Es waren natürlich meist Fotos vom neuen Haus; aber Marion blätterte zurück und fand frühere Aufnahmen von Brett und Edith und Cliffie als Wickelkind. Über einige mußte Edith laut lachen.

»Sieh mal, hier ist Poughkeepsie gegen Virginia«, sagte Edith. »Virginia ist hübscher, das mußt du zugeben.«

Auf zwei gegenüberliegenden Seiten sah man links Bretts Elternhaus, einen roten Klinkerbau in der Stadt, und rechts Ediths Elternhaus, ein Einzelhaus mit Garten und Bäumen. Der Unterschied lag nicht am Geld, dachte Edith, sondern an der Lage, denn Bretts Familie war ebensowenig arm wie ihre reich – sie gehörten beide zum Mittelstand. In Ediths Familie war nur Großtante Melanie wirklich reich, weil ihr verstorbener Mann einen Anteil an einer Tabakfirma geerbt hatte. Das Album enthielt ein sehr gutes Farbfoto von Tante Melanie, wie sie auf ihrem sonnigen Rasen in der Nähe von Wilmington Tee servierte.

»Kannst du Brett in der Küche alleinlassen?« fragte Marion. »Ed wäre da hoffnungslos.«

»O nein, Brett ist ein Juwel. Aber glaub ja nicht, daß er abwäscht, er stellt nur das Geschirr zusammen. – Brett?« rief Edith. »Was macht der Kaffee?«

»Schon unterwegs!« Und schon stand Brett mit einem Tablett in der Tür.

Edith schenkte ein.

»Ist Cliffie schon zu Bett gegangen?« fragte Brett.

»Ich habe ihn nicht gesehen«, erwiderte George, der Brett am nächsten saß. »Der Kaffee riecht köstlich, ich glaube, ich werde mir heute auch eine Tasse genehmigen.«

Edith stand auf, um eine Tasse zu holen, und hörte beim Zurückkommen, wie Marion George fragte:

»Gefällt Ihnen das Leben hier, George?«

»O ja, und wie! Das Klima ist so gesund hier. Ich müßte nur mehr ausgehen, aber das Gehen fällt mir schwer.«

Das Telefon klingelte.

»Sicher sind das die Johnsons«, sagte Edith. Brett ging an den Apparat. »Du wirst sie mögen, Marion. Du hast sie doch das erstemal, als ihr hier wart, nicht bei uns getroffen, nein?«

»*Was?*« sagte Brett mit entsetzter Stimme. »Wann? Sind Sie ganz s –« Der S-Laut wurde zu einem langsamen Pfeifen.

Edith stand auf und ging auf den Flur zu. »Was ist denn los, Brett?«

»Ja. Ihm fehlt also nichts. Gut. Ja, natürlich kommen wir hin. Wir könnten –« Brett sah das Telefon an, legte langsam den Hörer auf die Gabel und ging zurück ins Wohnzimmer. »Cliffie ist ins Wasser gesprungen. In den Fluß.«

»In den *Fluß*?« fragte Marion.

»Das war das Krankenhaus in Doylestown.« Brett war in wenigen Sekunden sehr blaß geworden.

»Hat er sich was getan?« fragte Edith.

»Sie sagen nein«, antwortete Brett heiser und sank in seinen Sessel. »Herr des Himmels – hier bei uns, drei Straßen von zu Hause! Springt ins Wasser, im Dezember!«

»Oder ist er hineingefallen?« fragte Ed mit gerunzelter Stirn.

»Sie behaupten, er sei hineingesprungen. Jemand will ihn gesehen haben.«

»Und wie ist er rausgekommen?« fragte George.

»Sie mußten einen Mann mit einem Seil holen. Und dann ist ein anderer hineingesprungen«, sagte Brett. »Das mußte sein, wegen der Strömung.«

George beugte sich vor. »Wer hat ihn gerettet?«

»Das müssen wir morgen feststellen.« Brett fuhr sich

über die Stirn und schenkte sich noch Kaffee ein. »Ja. Wir haben allen Grund, heute dankbar zu sein, daß wir so gute Nachbarn haben. Einer ist hineingesprungen und hat ihn herausgeholt.« Er blickte zu Edith hinüber.

Im Kamin knackte das Feuer und gab ein lautes Popp! von sich. Draußen hörte man jetzt Kinder singen.

»Halleluja – die Engel im Himmel ...«

Der Gesang kam von der Straßenfront und schwoll noch an, als die Kinder die Treppe zur Haustür hinaufkletterten.

»Wir müssen ihnen was geben, Brett«, sagte Edith.

Ed stand auf und langte in die Hosentasche, und Brett tat das gleiche. Beide Männer gingen zur Haustür.

Edith warf einen schnellen Blick nach draußen und sah fünf oder sechs kleine Kinder vor der Tür stehen; zwei trugen Kerzen in der Hand, dann sagte einer:

»Vielen Dank! Fröhliche Weihnachten!« und sie fuhren ohne Pause mit dem Gesang fort:

». . . rühmen ihn, Gottes Sohn . . .«

»Er ist also nicht irgendwie verletzt?« fragte Edith, als Brett zurückkam.

»Nein. Schock oder Unterkühlung oder sowas«, sagte Brett. »Sie bringen ihn her, sie müssen jede Minute hier sein. Was ist denn bloß passiert, Edie? Gab es irgendwas nach dem Essen, von dem ich nichts gemerkt habe?«

»Es war bestimmt der Puter«, sagte Edith, ein wenig verlegen und doch nicht verlegen, als alle jetzt zuhörten; sie hatte gerade so viel getrunken, daß ihr die ganze Sache unwirklich, beinahe unwahr vorkam. »Irgendjemand hat dem Puter zwei große Löcher in die Brust gebohrt. Ich kann's euch ja jetzt schon sagen, weil wir es morgen beim Essen doch sehen.« Sie hätte jetzt gern gekichert.

»Ach, der Puter!« sagte Marion. »Das ist doch wirklich nicht wichtig. Wir brauchen ja gar keinen –«

»Der Puter ist da!« unterbrach Edith. »Er sieht bloß aus, als ob die Katze sich drüber hergemacht hätte, und die Speisekammertür ist immer fest zu, wenn Cliffie sie nicht absichtlich aufgemacht hat.«

»Und das hast du ihm natürlich gesagt«, stellte Brett fest. Seine Stimme verriet weder Mitleid für Cliffie noch Groll gegen seine Frau.

»Ja, das habe ich, weil nämlich –« begann Edith mutig, aber plötzlich war es aus mit ihrem Mut. »Weil ich weiß, daß er die Tür absichtlich aufgemacht hat. Und ich glaube auch gar nicht, daß es Mildew war, ich glaube, er hat ihn mit dem Messer so zugerichtet, um ihn zu ruinieren.« Es war alles gesagt, und sie legte das Gesicht in die Hände.

Marion hielt sie im Arm und schaukelte sie sanft hin und her.

Und dann war es plötzlich vorbei. Edith hob den Kopf, lächelte und sagte: »Entschuldigung. Es war der Schock.« Es fiel ihr auf, daß Ed merkwürdig still war, nüchtern und gelassen. Vielleicht mochte er sie alle nicht und fand die Stimmung irre und unnatürlich.

Edith hörte, wie draußen ein schwerer Schritt näherkam, und dann klingelte es laut und eindringlich.

»Vielleicht die Leute vom Krankenhaus«, meinte Marion.

Brett öffnete die Tür.

»Hallo – fröhliche Weihnachten!«

Gert und Norm Johnson mit Derek stampften auf der Schwelle den Schnee von den Stiefeln, zogen sie aus und betraten das Wohnzimmer in Strümpfen. Sie trugen Geschenke, die in rot-weiß gestreiftem Papier eingepackt waren.

»Frohe Weihnachten allerseits!« wiederholte Gert und lächelte über das ganze Gesicht.

»Frohe Weihnachten!« erwiderte Edith und stand auf. »Dies ist Marion Zylstra – und ihr Mann, Ed. Gert und Norm Johnson.«

»Guten Abend«, sagte Gert.

»'n Abend.« Das war Norm.

»Wir haben schon viel von Ihnen gehört«, sagte Marion.

»Und hier ist Derek«, fuhr Edith fort.

»'n Abend«, sagte Derek.

»Der Junge hat gerade drei Glas Punsch getrunken, der ist genau so blau wie wir«, sagte Norm. Sein Schal mit den langen Fransen hing fast bis zum Boden, und die eine Socke hatte ein Loch am Zeh. »Also recht fröhöheuliche Weihnachten!«

»Gleichfalls!« erwiderte Brett, und in diesem Moment hörten sie alle die Sirene des Krankenwagens.

»Mensch – ausgerechnet jetzt ein Autounfall«, sagte Norm. »Oder vielleicht führt da einer auf, wie Washington den Delaware überquert –« Norm konnte vor Lachen nicht weiterreden.

»Wissen Sie, es gibt hier schon Idioten«, sagte Gert mit heiterer Stimme zu Marion, »die nehmen sich am Weihnachtsabend ein Ruderboot und fallen ins Wasser. Unsere Stadt hier heißt Washington Crossing, weil er am Weihnachtsabend über den Fluß kam, um den Engländern in Trenton ein Schnippchen zu schlagen. Vielleicht –«

»Du mußt aber auch das Datum sagen, Mom«, sagte Derek. »Das war siebzehn –«

Es klingelte.

Gert stellte ihre beiden Pakete unter den Tannenbaum. »Alles Gute!«

«Cliffie ist eben ins Wasser gesprungen«, sagte Brett, halb zu Gert gewandt.

»Was –«, fragte Norm.

Brett ging zur Haustür.

Gert hörte aufmerksam zu, und Edith sagte: »Ja, es ist wahr, Cliffie ist von der Brücke runtergesprungen. Sie bringen ihn jetzt her.«

Norm sah sie mit leeren Augen an; aber Derek hatte sie verstanden, das sah Edith. Er sagte:

»Hoffentlich ist er nicht auf die Steine geschlagen.«

»Kommen Sie herein«, hörte man Brett an der Tür sagen.

Ein hochgewachsener rothaariger junger Mann, der Cliffie auf den Armen trug, trat ins Zimmer. Cliffie war in Decken eingewickelt. Ein zweiter Sanitäter folgte, um mitzuhelfen. Marion stand vom Sofa auf.

»Ihm fehlt nichts. Und weil Heiligabend ist –«, sagte der Rothaarige.

»Setzen Sie ihn aufs Sofa«, sagte Brett. »Oder muß er –«

»Na, wie geht's denn, Cliffie«, fragte George, der auf dem Sofa sitzengeblieben war.

Cliffie war wach und blickte sich lächelnd um, aber er sagte nichts. Der Sanitäter setzte ihn aufrecht in eine Sofaecke.

»Fehlt dir was, Cliffie?« Edith beugte sich über ihn. »Wo ist deine Hand?« Sie streckte ihm ihre Hand entgegen. Er war eingepackt wie ein Indianerkind; und kaum hatte sie das gedacht, als sie Gert sagen hörte:

». . . wie ein Indianerkind!«

»Oh, er ist jetzt ganz warm. Das war die Hauptsache«, sagte der eine Sanitäter zu Brett. »Es besteht keinerlei Gefahr mehr, sonst hätten wir ihn nicht nach Haus gebracht.«

»Kann ich Ihnen einen Drink anbieten?« fragte Brett.

»Ach – nein, vielen Dank, lieber nicht. Wir haben heute abend Dienst«, sagte der junge Rothaarige, der aussah, als ob er den Drink gern angenommen hätte. »Ihr Junge ist hineingesprungen, das wurde uns gesagt. Sie müssen das feststellen. Wir sind ja nur ein Krankenhaus, wissen Sie.« Er flüsterte fast.

Brett nickte. »Sie schicken uns dann die Rechnung, nicht wahr.«

»Ich glaube, da wird gar keine Rechnung verschickt, in solchen Fällen.«

Die beiden Männer verabschiedeten sich. Brett dankte ihnen noch einmal und sie wünschten Frohe Weihnachten.

Gerts Hand lag auf Cliffies Schulter, unter einem Berg von Decken. »Wie ist dir denn, Cliffie? Du wirst sicher bald schlafen wollen, was? Oder hast du Hunger?«

Cliffie schüttelte den Kopf. »Nein.«

»Warum bist du ins Wasser gesprungen, Cliffie?« fragte Brett. »Du bist doch hineingesprungen und nicht gefallen, oder?«

»Ach Brett, laß ihn doch jetzt in Ruhe«, sagte Marion.

»Wenn ich ihn jetzt nicht frage, werde ich vielleicht nie eine Antwort bekommen – jedenfalls nicht die richtige Antwort«, erwiderte Brett.

Edith wußte, Brett hatte einen langen Tag gehabt und war jetzt müde. Er schämte sich wegen Cliffie, und das Gefühl der Scham war stärker als die Sorge um den Jungen.

»Weißt du, wer dich herausgeholt hat?« fragte Brett weiter.

»Das werden wir schon noch feststellen, Brett«, sagte Edith. »Die ganze Stadt wird es morgen wissen.«

>». . . der gute König Wenzeslaus,
Er lebte stets in Saus und Braus . . .«

Da waren sie wieder. Nein, sie gingen vorbei, dachte Edith. Nein, doch nicht, der Gesang wurde lauter. Diesmal waren es Männerstimmen. Einer war offenbar beschwipst, er lachte laut.

»Keiner bittet um Almosen und es wird auch *nicht* an der Tür geläutet!« sagte ein Mann mit lauter Stimme, die aus der verschneiten Straße deutlich zu hören war, weil im Wohnzimmer gerade niemand etwas sagte.

Gert hatte sich eine Zigarette angezündet und schüttelte das Handgelenk, um das Streichholz auszulöschen. »Das sind bestimmt Malc und Harry von der Krawatten-Box, Norm. Hört sich ganz so an – die machen immer Blödsinn.« Sie lachte fröhlich.

»Affen«, sagte Norm gutgelaunt. »Kann ich noch 'n Glas haben, Brett?«

»Aber bitte, bedien dich doch, Norm!« sagte Edith. Sie hatte Korn, Whisky, Rum, Gin und den Eisbehälter auf den kleinen Kartentisch gestellt, der näher stand als die Hausbar.

»Du, Cliffie, ich glaube, der Weihnachtsmann oder ein guter Freund hat dir was Schönes aus New York mitgebracht«, sagte Marion und beugte sich über ihn. »Willst du's mal sehen?«

»Oh, er kann lieber bis morgen warten«, meinte Edith.

Cliffie schien nichts zu fehlen, aber er war wie in Trance, und sie kannte diesen Zustand. »Willst du jetzt ins Bett, Cliffie?«

Cliffie blickte seine Mutter stumm an und sagte nichts. Er lächelte fast; er fühlte sich so glücklich wie kaum je zuvor in seinem Leben. Es war wunderbar, wie eine Mumie verpackt zu sein und nicht mal eine Hand oder einen Arm heben zu können; wunderbar, so kuchenwarm und reglos dazusitzen und zu sehen, wie sich alle um ihn bemühten. Er war ja auch tatsächlich von der Brücke heruntergesprungen. Er konnte es selber kaum glauben, daß er vor zwei Stunden über das Metallgeländer, das ihm bis zu den Schultern ging, geklettert war, ein paar Sekunden hinuntergeblickt hatte und dann losgesprungen war – in die schwarze Tiefe, ins Wasser. Selbst im Ferienlager hatte er bisher nicht den Mut gehabt, vom Sprungbrett ins Wasser zu springen, und das war lange nicht so hoch und man konnte deutlich sehen, wohin man sprang. Er war auch erstaunt, daß ihn jemand herausgeholt hatte, und noch dazu so schnell. Die Sekunden, in denen er springen wollte und dann sprang, waren ganz kurz und irgendwie magisch gewesen. War es wirklich *er* gewesen? Na klar. Er war jetzt hier zu Hause, und er wußte auch sehr wohl, daß er vorhin im Krankenhaus in Doylestown gewesen war, wo Leute hin- und herliefen, ihm heißen Tee gaben und eine Wärmflasche an die Füße legten. Cliffie hatte das Gefühl, er sei verwandelt, nicht mehr der gleiche Junge, ihm wuchsen jetzt Flügel, er hatte ungeahnte Kräfte. Er war im siebenten Himmel.

Den Traum von Ruhm und Zauberkräften zerriß ein Gepolter auf der Treppe, dem ein kleiner Schrei seiner Mutter und ein lauter Ruf von jemand anderem folgte.

George ächzte und brachte unter Schnaufen ein paar undeutliche Worte hervor.

»Haben Sie sich wehgetan, George?« fragte Marion im Flur.

Cliffie kicherte und schauerte unter seinen Decken zusammen. Onkel George war auf der Treppe hingefallen! Haha! Vielleicht auf den Hintern gefallen, oder auf die Nase!

Brett und Edith halfen George auf die Füße. Er war zum Glück vornüber gefallen, und es war ihm anscheinend nichts passiert außer Nasenbluten, das Marion, die Krankenschwester, jetzt mit Kleenex und beruhigenden Worten zu heilen suchte.

»Was wohl noch alles passiert heute abend?« fragte sie lachend.

Edith war ebenfalls nach Lachen zumute, aber sie wußte, das war zum Teil Hysterie. Sie brachten George nach oben ins Bett und vergewisserten sich, daß ihm nichts fehlte und er auch keine Ovaltine oder sonstwas mehr haben wollte.

Die eigentliche Bescherung fand, wie immer im Hause Howland, am Morgen des ersten Weihnachtstages statt; dazu gab es Eggnogg und Zimtsterne. Von den Zylstras erhielten sie einen Gartengrill mit Anzünder und einem Sack Holzkohle. Cliffie bekam von George ein Transistorradio. Brett und Edith schenkten den Zylstras einen Satz türkisfarbene Frottétücher für ihr Badezimmer in New York. Auf dem Fußboden lag ein Berg von Geschenkpapier, in dem die Katze fröhlich herumtobte. Zuletzt öffnete Edith Tante Melanies Geschenk; es war ein schöner mexikanischer Kasten mit einem Hahnenmuster. Sie dachte zuerst, es sei nichts weiter darin als

Seidenpapier, aber auf dem Boden lag ein Umschlag mit einem Scheck über tausend Dollar und einem Zettel: ›Mir will dieses Jahr gar nichts Rechtes einfallen, daher mußt du nun selber deine Phantasie ein bißchen anstrengen. Immer in Liebe deine alte Tante Melanie.‹

»Ein Scheck!« sagte Edith mit einem Seufzer der Dankbarkeit zu Brett. »Ist das nicht lieb von ihr?«

Auch Cliffie war glücklich. Geschenke kriegen war wunderbar; der Transistor, glänzend und neu, gehörte ihm allein, und das Geschenk von den Zylstras beglückte ihn ebenso: ein schwarzer Supermann-Anzug mit Hosen, gelbgefüttertem Umhang, einer Metalltrompete, die offenbar dazugehörte, und einer schwarzen Maske. Der enganliegende Anzug paßte tadellos, Cliffie nahm ihn mit in sein Zimmer, das hinten im Haus lag, und zog ihn sofort an. Großartig. Er sprang in die Luft, damit er Hüften und Beine im Spiegel sehen konnte. *Supermann!* Er hatte ihn auch verdient, weil er am Abend zuvor von der Delaware-Brücke in den Fluß gesprungen war. Ha – er war nicht so blöd, wie General Washington im Ruderboot über den Fluß zu setzen. Er trank Coca-Cola, während die Ewachsenen ihre Eggnoggs tranken. Mit langen Schritten stelzte er durchs Wohnzimmer und besah sich in dem hohen Spiegel, der über der Kommode hing. Dann schlüpfte er unbemerkt aus der Tür. Seine Eltern, das wußte er, hätten ihn ohne Mantel und feste Stiefel nicht nach draußen gelassen.

In Strumpfhosen, die nur an der Sohle etwas verstärkt waren, stapfte er über den Gehweg. Der Schnee war zwar zusammengefegt, lag aber immer noch einige Zentimeter hoch. Cliffie trug die schwarze Maske vor dem Gesicht und mußte deshalb den Kopf immer wieder ruckartig wenden, um zu sehen, wo er ging. Er grüßte

Leute, die er gar nicht kannte und sagte: »Frohe Weihnachten vom Supermann!«, und die Leute lachten und erwiderten den Gruß.

Er ging – jetzt naß bis zu den Fußknöcheln – auf die Brücke zu, von der er gestern heruntergesprungen war. Da lag sie, hoch und grau im winterlichen Sonnenlicht.

»Hey!« sagte ein kleiner Junge, der seine Eltern bei sich hatte.

Cliffie erkannte ihn, er hieß Vinnie oder Vincent und ging in seine Schule.

»Cliffie –?« fragte Vinnie.

Cliffie beachtete ihn nicht, er ging weiter auf die Brücke zu, doch plötzlich drehte er sich um, hob den rechten Arm und sagte laut: »Supermann grüßt dich!«

Vinnie staunte.

»Du wirst dir die Füße erfrieren!« sagte die Frau.

Cliffie sprang hoch und legte sich mit den Ellbogen auf das Brückengeländer. Er zitterte.

»Was machst du denn da?« fragte ein Mann in Gummischuhen, der auf der Brücke vorüberging.

Cliffie ignorierte ihn. Hübsch sahen die beiden Uferseiten aus; weicher Schnee lag auf Büschen und Steinen, nur ab und zu schauten die Steine darunter hervor, scharf und grau und kalt. Erstaunlich, daß er sich nicht mal einen Kratzer geholt hatte. Aber er war ja auch Supermann! Cliffie rannte quer über die Brücke, um auf der anderen Seite hinunterzuschauen; er wich einem Auto aus und sah, als er einen Blick über die rechte Schulter warf, jemand in hellen Hosen auf sich zulaufen. Sein Vater!

»Cliffie!« sagte Brett. »Verdammt nochmal, wolltest du es nochmal machen?«

»Neiiin!« schrie Cliffie. In diesem Augenblick haßte er seinen Vater, der immer allem ein Ende machte.

»Gestern abend hat uns wirklich gereicht. Komm jetzt mit!« Brett nahm Cliffie an der Hand und riß ihn mit; als er die nassen Füße des Jungen sah, hob er ihn in der Taille hoch und schleppte ihn wie einen Mehlsack mit einem Arm, wobei er ihn etwas umdrehte, damit er atmen konnte. »Also wirklich, Cliffie, willst du dir eine Lungenentzündung holen?«

Cliffie hörte auf zu denken und ertrug den kurzen Weg nach Hause. Am Eingang säuberte er sich die Füße auf der Matte und trat ruhig in den warmen Hausflur, aber seine Mutter stand trotzdem da und mahnte ihn, den gebohnerten Fußboden nicht zu verschmutzen. Irgendjemand legte ihm das Papier von den Weihnachtsgeschenken unter die Füße.

Wieder brachten sie ihm Tee, Pullover über den Supermann-Anzug; die Hose hatte er ausziehen müssen, weil die Füßlinge durchnäßt waren. Wieder deckte man ihn mit der Krankenhausdecke zu, als er auf dem Sofa saß. »Ich bin aber doch Supermann!« sagte Cliffie laut ins Zimmer.

Die Erwachsenen standen wortlos um ihn herum und betrachteten ihn. Auch das genoß er.

5

2. Febr. 57. Das *Signal* hält sich gerade eben, deckt aber kaum die Kosten. Ich habe den Anfangserfolg extra nicht festgehalten, weil ich dachte, das bringt Unglück. Aber die Leute (die Inserenten) brauchen das Blatt nicht, das ist die Crux der Sache. Unsere Leitartikel (Bretts und meine, muß ich schon sagen) sind wirklich gut, und Gert, die Gute, schreibt manchmal auch noch Briefe unter anderem Namen, die wir dann abdrucken. Aber es gibt nicht genügend Leute, die sich genügend draus machen.

Edith hatte gehofft, Brett werde manchmal mit Cliffie fischen oder rudern gehen; es gab eine Anzahl Leute, die auf dem Delaware ruderten, sogar kleine Segelboote sah man zuweilen im Sommer. Aber aus ihren Hoffnungen wurde nichts. Brett fand keinen Spaß daran, mit Cliffie in den Wald zu ziehen, denn der Junge (wie Brett behauptete) erklärte nach einer Viertelstunde, er langweile sich und wolle nach Hause. Natürlich war Brett selber kein sehr sportlicher Typ. Ihm machte es Freude, das Dach zu isolieren oder in seiner Werkstatt im Keller neue Regale anzubringen. Aber zu so etwas hatte Cliffie gar keine Lust, und er war auch immer ungeschickt mit den Händen gewesen. Nicht mal eine Coca-Cola-Flasche konnte er richtig anfassen und viel weniger einen Hammer. Jeden Tag ließ er Messer oder Gabel auf den Tellerrand fallen. Der wendige Daumen, den die Anthropologen als Segen für den Menschen (und natürlich für den Affen) priesen, war bei Cliffie kurz und steif und nützte ihm nicht mehr als ein zweiter kleiner Finger. Seine unbeholfenen Hände schienen beweisen zu wollen, daß er auch das Leben und die Wirklichkeit nicht in den Griff bekam.

Ediths Großtante Melanie kam ungefähr alle sechs Monate zu Besuch und blieb dann etwa fünf Tage. Edith war sehr glücklich, wenn sie kam. Es gab viel Stoff für Unterhaltungen: alte Familiengeschichten, die Melanie von ihrer eigenen Großmutter gehört hatte; Thomas Manns Essay über Nietzsche und die Kraft des Willens; die Integration in den Schulen (Melanie war der Ansicht, der Süden werde es eher schaffen als der Norden); oder die richtige Art, wie man Mixed Pickles in Dill einlegte. Als Sondergeschenk kam noch hinzu, daß Cliffie sich während dieser Besuchstage besonders gut aufführte. Aber Edith wußte, Melanie durchschaute ihn. Sie brachte ihm stets etwas mit, und sie sprach immer zu ihm, als sei er ein Mensch, der Liebe und Achtung verdiente, aber Edith wußte, daß Melanie ihn einfach nicht mochte, daß sie ihn wohl auch nicht verstand oder gar nicht verstehen konnte. »Er hat so gar nichts in sich, nicht wahr?« hatte sie einmal gesagt. Oder stimmte das gar nicht – hatte sie es nicht gesagt? Aber Edith wußte, das war ihre Ansicht. »Hat er noch kein Interesse für Mädchen?« fragte sie, als Cliffie etwa vierzehn war. Für Tante Melanie war das schon eine recht kühne Frage. Edith sagte Nein, nicht soviel sie wisse. Er sei noch sehr unsicher, hatte sie dann unnötigerweise hinzugefügt, und damit war das Thema erledigt.

Edith wußte, heutzutage versuchten es schon Zwölf-jährige mit Geschlechtsverkehr; sie fand es irgendwie unsinnig, wenn nicht sogar deprimierend. Vielleicht lebte Cliffie in einer Phantasiewelt mit ganz bestimmten Leuten, zum Beispiel mit – mit dem Marquis de Sade;

der fiel ihr als erster ein. Sie bildete sich nicht ein, daß Cliffie ein Unschuldslamm war, naiv an Herz und Geist. War er noch eine männliche Jungfrau? Sie mußte lächeln bei dem Gedanken. Wahrscheinlich nicht. Mit wem trieb er sich herum, etwa bei Mickey, einem beliebten kleinen Ausschank auf der Main Street? Bier durfte an Jungens in seinem Alter dort nicht ausgegeben werden, nur alkoholfreie Drinks. Gert erzählte fast mit Stolz von einer Eroberung, die Derek in Trenton gemacht hatte, einer achtzehnjährigen zahnärztlichen Helferin. Hatte Brett eigentlich Cliffie schon mal etwas aufgeklärt?

»Wieso – was soll ich ihm denn sagen? In seinem Alter –« sagte Brett und sah Edith fast so leer an wie Cliffie manchmal. »Er ist doch schon im Stimmbruch. Mit vierzehn –«

»Na, findest du es denn nicht komisch, daß er noch nie eine Freundin gehabt hat? Nicht mal irgendeinen Schwarm –«

»Das würde er dir doch nicht unbedingt erzählen«, unterbrach Brett.

»Aber Brett – die Kinder rufen doch an, oder schreiben sich Briefe. Das wäre –«

»Die Kinder von heute sind Analphabeten.«

»Ich hab sogar schon manchmal gedacht, ob er vielleicht schwul ist.«

Brett lachte laut auf. »Sieht nicht so aus – er holt sich doch immer meinen Rasierapparat. Versucht, ein paar Stoppeln zusammenzukriegen.« Immer noch lachend schüttelte Brett den Kopf. »Du – hast du vielleicht meine Schuhe abgeholt? Mit den Absätzen, weißt du?«

Ja, das hatte Edith.

»Schön, Edie, ich werd 'ne Wanderung mit ihm machen, am nächsten Wochenende. Ich versprech's dir.«

Edith sah es vor sich: draußen übernachten, Lagerfeuer, Männergespräche. Sie mußte lächeln: es sah banal aus, war aber offenbar manchmal wirksam, sonst täten es nicht so viele und erzählten davon. Sie wußte, für Brett war das Unternehmen ein Opfer. Das Wochenende war kostbar, und er schätzte ganz andere Dinge – lesen, oder Notizen machen für ein Buch über die Ursprünge von Kriegen, das er irgendwann zu schreiben hoffte.

»Aber wenn du jetzt wieder an mehr Selbstvertrauen für ihn denkst – das kann ich ihm nicht einimpfen«, sagte Brett.

Am Sonnabend nach dem Lunch zogen sie also los, Vater und Sohn, ausgerüstet mit Schlafsäcken, Zelt, Taschenlampen und der Winchester .22, versehen mit Butterbroten, einem Spritkocher, Pulverkaffee, einer Thermosflasche mit Suppe und einem Behälter mit frischem Wasser. Edith freute sich auf die ungestörten Stunden (abgesehen von George) und lehnte auch eine Einladung der Quickmans zum Essen für Sonnabend abend ab. Am Sonntag abend gegen acht waren Brett und Cliffie zurück, hungrig, aber auch Edith hatte noch nichts gegessen. Cliffie sah aus wie immer, schweigsam grinsend; noch bevor er den Anorak auszog, schaltete er das Fernsehen ein. Aber Brett war irgendwie verändert, etwas angespannt, vielleicht auch erzürnt, jedenfalls war irgendwas vorgefallen, das sah Edith ihm an. Vielleicht hatte Cliffie seinem Vater einen langen Phantasiebericht erotischer Eroberungen geliefert. Bei ihm war alles möglich.

Brett fing erst an zu reden, als er und Edith zu Bett gingen und ihre Schlafzimmertür geschlossen hatten.

»Als ich heute morgen aufwachte, stand er mit dem Gewehr über mir«, sagte er. »Komisch, was?«

Gewehr hatte er gesagt. Die Winchester, dachte Edith, als sie Brett anstarrte. Sie konnte sich vorstellen, wie Cliffie damit zielte. Ob er lächelte? »Aus Spaß natürlich.«

»Na, ich weiß nicht«, Brett warf den Bademantel ab. »Es gefiel mir nicht. Ich hab natürlich versucht zu lachen, klar. Aber er hatte den Finger am Abzug!« Brett flüsterte, obgleich Cliffie unten war, in seinem Hinterzimmer. Plötzlich lachte Brett. »Na, jetzt bin ich jedenfalls außer Gefahr, denke ich.«

War das wirklich wahr, dachte Edith. Natürlich war es wahr, was Brett erzählt hatte: die Geste, das leichte Gewehr, das auf geringe Entfernung töten konnte. Sie wußte nicht, ob Brett das andere Thema mit seinem Sohn überhaupt noch angeschnitten hatte. Fragen wollte sie ihn nicht.

Sie war etwas überrascht, als Brett sie an sich zog und sie zärtlich umarmen wollte. Das jedenfalls war wirklich wahr, heute abend.

6

Edith legte den Hörer auf und stieg langsam die Treppe hinauf, ging über den Flur in ihr Arbeitszimmer und merkte nach einigen Sekunden, daß sie ihr Tagebuch anstarrte. Es lag oben auf einem Stapel Zeitschriften, links im unteren Bord des kleinen Bücherregals, das unter dem Erkerfenster angebracht war. Heute mußte sie etwas eintragen, dachte sie. Wann war das letztemal gewesen? Vielleicht vor vier oder fünf Monaten, und sie wußte gar nicht mehr, was es war. Etwas Gutes, Glückliches? Aber was?

Sie hatte eben einen Anruf gehabt von einem Mr. Coleman oder Colson in Trenton, der ihr mitteilte, daß Cliffie beim Aufnahmeexamen zum College beim Mogeln erwischt worden war. Er hatte einen Zettel mit den Antworten auf die Examensfragen bei sich gehabt. Der Mann sagte, sie wollten mit Cliffie sprechen, sobald die Examen um vier Uhr beendet waren; er werde also etwas später nach Hause kommen. Die Stimme hatte sich kurz und verärgert angehört. Die Verspätung war unwichtig, denn Cliffie hatte sowieso auf Brett warten sollen, der ihn kurz nach fünf von der High-School abholen wollte. Aber der Betrug! Woher hatte er überhaupt den Antwortenzettel? Und das nach all den Privatstunden, die sie im letzten Jahr für ihn bezahlt hatten! Nachhilfe in Mathematik hatte er bei einem Jungen, der nicht älter war als Cliffie selber, aber schon in Princeton war; der hatte letzte Woche gesagt, er glaube, in Algebra werde Cliffie es wohl schaffen. Im Englischen war er nicht schlecht, wenn er sich auch nur eine Spur anstrengte. Und noch vor wenigen Tagen hatte Cliffie geäußert, er *wollte* diese Prüfungen bestehen, damit er aufs College kam (irgendeins, denn Princeton kam nicht in Frage), deshalb hatten Edith und Brett angenommen, diesmal werde er sicher durchkommen.

Brett würde außer sich sein, und die Stimmung in den nächsten Tagen war dann schrecklich. Wie lange wohl? Ob Brett wohl so recht aufgebracht wäre, daß er Cliffie aus dem Haus weisen würde, um sich selber durchzubringen? Er würde es vielleicht gern tun, aber er hätte dann sicher Angst, daß Cliffie noch Schlimmeres anstellen würde. Cliffie könnte jemand kennenlernen, in irgendeiner Kneipe zum Beispiel und mit ihm einen Raubzug unternehmen; und wenn einer geschnappt wurde, war es bestimmt immer Cliffie. So weit war es noch nicht gekommen, aber es war durchaus denkbar.

Edith zwang sich, nicht mehr daran zu denken. Cliffie blieb nun eben zu Hause. Er hatte auch gar keinen größeren Wunsch: Zuhause – das war bequem, sicher, billig; bisher bezahlte er gar nichts, außer hier und da mal fünf Dollar pro Woche, wenn er gerade irgendeinen Job hatte. Zu Hause hatte er sein Essen, die Wäsche, Fernsehen, Heizung im Winter und Klimaanlage im Sommer.

»Wir haben Ihren Sohn gefragt, ob er nicht lieber selbst mit Ihnen telefonieren wollte, Mrs. Howland, aber er wollte nicht, deshalb rufe ich Sie an«, hatte Mr. Colson oder Coleman am Telefon gesagt.

Das hieß also, daß er sich schämte und Angst hatte. Er brachte es durchaus fertig, patzig oder unverschämt mit seinem Vater zu reden, einmal hatte er sogar die Faust gegen ihn erhoben, aber zum Schlag war es nicht gekommen. Er mußte ziemlich durcheinander gewesen sein, da er den Lehrern nicht sagte, daß sein Vater ihn kurz nach fünf abholen wollte. Oder hatten sie vor, ihn noch länger dort zu behalten?

Es war jetzt fast vier. Sie mußte Brett anrufen. Edith holte tief Luft, verließ ihr gemütliches Arbeitszimmer, ging nach unten und nahm den Hörer. Sie wählte die Nummer des *Standard*.

»Hallo, Mike«, sagte sie, als sie die Stimme erkannte. »Kann ich wohl mal Brett sprechen?«

»Aber ja – ausnahmsweise, Edith«, sagte Mike und stellte die Verbindung her.

»Ja –?« sagte Brett.

»Brett – ich bin's. Hör zu, es kann sein, daß es bei Cliffie etwas später wird. Sie haben mich angerufen und gesagt, es wird alles etwas später.«

»Ist was los?« fragte Brett mit leichtem Argwohn.

»Nein, ich glaube nicht. Nur daß er vielleicht nicht auf der Treppe steht, wenn du kommst. Vielleicht mußt du nach ihm fragen.«

Brett lachte kurz. »Du meinst, er ist ohnmächtig geworden und sie machen Wiederbelebungsversuche?«

»Vielleicht. Also dann bis später, Lieber.« Sie legte auf.

Es war jetzt Zeit für Georges Tee. Heute war Edith ganz froh darüber; meistens ärgerte sie sich, weil sie immer irgendwas unterbrechen mußte, Schreiben oder Gartenarbeit oder sonstwas. Sie goß Tee auf in der blauweißen kleinen Kanne und legte zwei Ingwerkeks auf die Untertasse, dann trug sie das Tablett nach oben.

George schlief noch, er saß in die Kissen gelehnt und schnarchte leise. Die knochige rechte Hand lag schlaff auf einem Buch, das er aufgeschlagen gegen den Magen hielt. Das Zimmer roch ungelüftet, obgleich das Fenster halb offen war. Die weiße Blässe des Raums deprimierte Edith. Sicher lag es an dem großen Bett mit der weißen Decke, dachte sie.

»George?« rief sie. »Tee ist da.« Sie mußte noch einmal und etwas lauter rufen. Sie weckte nicht gern jemanden auf, auch nicht George, der sich gern wecken ließ, weil dann immer mit irgendeiner Mahlzeit zu rechnen war.

»Was – o ja, natürlich, Edie. Vielen Dank, das ist sehr lieb.«

Sie machte ihm alles zurecht, schüttelte die Kissen auf, damit er bequem saß, und stellte das Tablett so, daß es nicht wackelte.

Georges kahler Schädel schimmerte, als sei er poliert, etwa wie rosa Alabaster. Die unteren Augenlider waren in den letzten Jahren noch weiter gesackt; Edith mochte sie nicht ansehen. Er stand jetzt nie mehr zum Essen auf, ging aber (Gottseidank) noch allein ins Badezimmer.

»Cliffie – hat er nicht heute seine Aufnahmeprüfung?«

Hatte sie George etwas erzählt? Erstaunlich, daß er es behalten hatte. »Ja, heute nachmittag, in Trenton. Er ist noch nicht zurück.« Was machte sie hier noch? Sie schob sich zur Tür, schlüpfte hinaus und ließ die Tür angelehnt, wie George es gern hatte.

Zu kochen war heute nicht viel, ein Bohneneintopf mit einem Rest Roastbeef darin, garniert mit grünem Pfeffer. Edith hatte alles halbgar gekocht, der Herd wurde wieder eingeschaltet, sobald Brett kam, denn vorher tranken sie gern ein Glas und warfen einen Blick in die Zeitung. Es war jetzt zwanzig Minuten vor sechs, zehn Minuten später als Bretts übliche Ankunftszeit – aber auch die war nicht immer dieselbe, ermahnte sie sich.

Das Telefon klingelte. Sicher Brett.

»Hi, Edith«, sagte Gert Johnson. »Ich wollte bloß schnell wissen, wie Cliffie abgeschnitten hat. Oder wie er glaubt, abgeschnitten zu haben.«

»Na ja –« Edith versuchte, ebenfalls einen heiteren Ton anzuschlagen, denn die Wahrheit wollte sie Gert lieber ein andermal sagen. »Ich weiß es nicht, Brett wollte ihn abholen, aber sie sind noch nicht da.«

»Sag ihm, wir wünschen ihm alles Gute. Diese Prüfungen sind nicht einfach, weißt du. Aber er wird bestimmt durchkommen, wenn er sich anstrengt.«

»Warten wir's ab. Bei Cliffie muß man auf alles gefaßt sein.«

»Noch etwas, Edie, am Sonnabend haben sie Ausverkauf in dem Antiquitätengeschäft in Flemington – hast du Lust? . . . Also ruf mich an, ich gehe hin und kann dich mitnehmen.«

Sie legten auf. Edith hatte Lust auf einen Drink, zündete sich aber statt dessen eine Zigarette an. Wirklich hübsch sah das Wohnzimmer aus, dachte sie. Das große Sofa, das sie vor drei Jahren gekauft hatten, war nicht neu gewesen, aber gut erhalten: Edith gab sich Mühe mit dem weichen dunkelgrünen Leder und polierte es ziemlich häufig. An der einen Wand hingen zwei Ölgemälde ihrer Urgroßeltern aus dem neunzehnten Jahrhundert, und über dem Kaminsims war ein großer Spiegel angebracht. Das Glas war nicht ganz klar, und der schöne Goldrahmen war jetzt gerade so weit abgeblättert, daß er echt aussah. Seit fast zehn Jahren wohnten sie nun in ihrem Haus. Ja, George war gleich zu Anfang gekommen, in den ersten Wochen. Cliffie war damals zehn gewesen, er war noch schlank und die Stimme war die eines Kindes. Sie wußte noch genau, wie er damals war, welche Vorlieben und Abneigungen er hatte. Das Erstaunliche war, daß er sich eigentlich kaum geändert hatte. Er las noch immer Comics, wenn sie auch nicht mehr der einzige Lesestoff waren; er las auch James Bond und Science Fiction, aber wenn sie in seinen Büchern nachsah, fand sie bestimmt noch ein paar gelbe Comics-Bände aus den Jahren um 1950. Er war jetzt ein wenig selbstsicherer geworden oder tat jedenfalls so. Die

Wutanfälle von damals hatten sich in Empfindlichkeit verwandelt; er schnappte ein und legte einfach die Arbeit nieder, wenn sein Arbeitgeber (im Augenblick war es der Filialleiter eines Lebensmittelgeschäfts, wo Cliffie seit kurzem arbeitete) ihn wegen irgendetwas zur Ordnung rief. Mit Ach und Krach hatte er die Schule hinter sich gebracht, jetzt war er neunzehn und versuchte ohne allzu große Anstrengung zum zweitenmal, die Aufnahmeprüfung zum College zu bestehen. Natürlich war es nicht allzu wichtig, in welchem Alter man aufs College kam, nur den festen Willen mußte man haben. Wenn er durchfiel, dachte Edith, so war das vielleicht nur eine Enttäuschung *mehr*, die er sich für seine Eltern ausgedacht hatte. Und was konnte schon schlimmer sein als das, was er heute angestellt hatte?

Ediths Gedankengang riß ab, als Mildew ihr auf den Schoß sprang. Die Katze war jetzt fast zwölf, sie hatte Arthritis und mußte das linke Hinterbein schonen, wenn sie sprang.

»Meine alte Millie –« Edith spitzte den Mund und machte ein Geräusch wie beim Küssen, dabei streichelte sie das kleine schwarze Ohr. Mildew spürte es, wenn Edith Kummer hatte. Sie kroch auch oft, wenn die Nacht kalt war, zu Edith ins Bett und legte sich wie eine pelzige Wärmflasche an ihre Füße. Jetzt fiel Edith etwas ein, sie preßte die Lippen aufeinander: am letzten Tag in New York hatte Cliffie versucht, die Katze unter dem Federbett zu ersticken, und fast war es ihm gelungen. Furchtbar.

Edith sprang auf, Mildew auf dem Arm, als sie das Knirschen der Reifen hörte und der Wagen die Einfahrt heraufkam.

Sie traten beide ein, zuerst Brett, der Edith einen kurzen Blick zuwarf und sagte: »So – da haben wir unseren genialen Sohn.«

Cliffie folgte seinem Vater; er schwang die Füße ein wenig und hatte die Hände in den Hosentaschen verborgen. Die ganze Haltung war ein patziges »Na und«, das sah Edith.

»Nun setzt euch erstmal«, sagte Edith. »Ich mache uns allen was zu trinken, dann können wir darüber reden.«

»Worüber reden?« fragte Cliffie und brach in Lachen aus. Er war nicht ganz so groß wie Brett und neigte zum Dickwerden. Brett hatte oft gesagt, ein Rekrutenlager wäre das Richtige für Cliffie, aber das Militär hatte ihn zurückgewiesen, aus Gründen, die Brett und Edith nicht kannten, außer Dummheit und vielleicht seinem Ausdruck unauslöschlicher Verachtung. Cliffie bückte sich und strich der Katze schnell mit beiden Händen über die Rippen, worauf sie rückwärts auswich. »Du weißt gar nicht, was dir heute alles erspart geblieben ist, Mildew.«

Brett ging, wie fast jeden Abend, in die kleine Gästetoilette im Flur, die auch ein Waschbecken hatte, um sich die Hände zu waschen. Edith machte in der Küche die Martinis zurecht.

»Bier, Cliffie?«

»Ja, Mom.«

»Na, die Schule hat dich also angerufen und dir alles gesagt«, sagte Brett, als er wieder ins Zimmer trat. »Ich mußte es unvorbereitet über mich ergehen lassen. Jetzt sag mir bloß eins, Cliffie: du hattest alle Aussicht, die Prüfung zu bestehen – warum hast du dann den verdammten Zettel mit reingenommen? Und dann noch den vom vorigen Jahr. Ist es dir nie in den Sinn gekommen, daß die Examen vielleicht etwas verändert sein könnten?«

»Welche Prüfung war es?« fragte Edith.

»Alle. Sämtliche. Und er sitzt da drinnen und sieht sich die Antworten an. Und von wem er sie hat, will er uns nicht sagen«, verkündete Brett.

»Dann ist er also –« begann Edith. »Rechnen sie ihm denn wenigstens das an, was –«

»Er ist *raus*«, sagte Brett laut. Er hob sein Glas, leerte es fast zur Hälfte und verzog das Gesicht. »Schmeckt prima«, sagte er zu Edith.

Edith hatte den Blick nicht auf ihren Sohn gerichtet, aber sie merkte, daß er sie beide ansah und gespannt auf weitere Bemerkungen wartete, als ob er etwas Lobenswertes getan hätte und nicht etwas, dessen er sich zu schämen hatte. Und ebenso wußte sie, daß es nichts mehr zu sagen gab, nichts, das ihm für die Zukunft nützte, keine Scheltworte, die irgendeinen Sinn und Wert hatten. Vor Jahren hatte er von Princeton geredet, als sei es ein *fait accompli*. Die heutigen Examen waren die Minimalvoraussetzung für irgendein College, auch wenn das Niveau noch so niedrig war.

»Schwarz müßte man sein«, sagte Cliffie, »dann käme ich überall rein.« Er lachte laut und zeigte seine gleichmäßigen Zähne.

»O nein, da irrst du dich«, sagte Brett ruhig, und Edith merkte, daß der Drink bereits wirkte. »Du hast keinerlei Respekt für Lernen und Bildung, und das merken die Leute dir schon von weitem an. Schön und gut, aber wozu vertust du dann auch noch unsere Zeit? Warum versuchst du überhaupt zu betrügen – und ich bin sicher, selbst wenn sie dich nicht geschnappt hätten, du hättest es auch dann noch fertig gekriegt, durchzufallen.« Brett blickte zu Edith hinüber.

Wenn Cliffie sich doch bloß für etwas anderes interessierte, dachte Edith zum hundertstenmal. Schreiben oder malen oder so etwas, dazu brauchte er nicht aufs College zu gehen. Aber er tat nichts als im Hause herumzulümmeln.

»Was haben sie in der Schule gesagt, Brett?« Edith versuchte gelassen zu erscheinen. Sie lehnte sich in den Sessel zurück. Mildew saß wieder auf ihrem Schoß.

»Ich habe mit einem Mr. Coleman gesprochen. Er faßte sich kurz – und knapp.«

Edith hielt es nicht länger aus, daß Cliffie einfach da saß und wartete, daß sie weiterredeten. »Wie bist du heute mit Clark zurechtgekommen?« fragte sie. Es ging um Originalbeiträge für die Meinungsseite des *Signal*. Brett lieferte viel mehr als Clark, der kaum einmal im Monat etwas schrieb. Edith hörte nicht richtig zu, aber Brett berichtete, er habe Fortschritte gemacht und Clark auf vier Artikel pro Monat festgenagelt; die Länge hatte man allerdings offengelassen.

»Das Essen ist gleich fertig«, sagte Edith und stand auf. »Trinkst du dein Glas noch aus, Brett? Ich rufe in ein paar Minuten.«

Sie ging in die Küche. Cliffie trottete sofort hinterdrein, um sich noch ein Bier aus dem Kühlschrank zu holen.

»Ich werde einfach so leben wie George«, sagte Cliffie und schlug die Kühlschranktür zu. »Immer warten von einer Mahlzeit zur andern. Haha!«

Ob er darauf wartete, daß sie ihn hinauswarfen oder es ihm zumindest androhten, dachte Edith. Sie wollte jetzt nicht antworten; sie hatte keine Lust, das Dinner aufs Spiel zu setzen (für sich, nicht für Cliffie) durch einen weiteren Wortwechsel.

Vor einem Jahr, als Cliffie den Anlauf ins College

nicht geschafft hatte, da hatten sie und Brett überlegt, ob Cliffie vielleicht Lust hätte, sich einer Gruppe junger Leute – die er alle kannte – anzuschließen. Sie hatten in Lambertville, knapp vier Meilen entfernt, zusammen ein Haus gemietet. Sie hatten alle irgendeine Art Arbeit oder gingen noch zur Schule, die Eltern wohnten nicht allzu weit entfernt und konnten noch ein Auge auf sie haben, und die jungen Leute kamen auch sicher oft zu den Mahlzeiten oder zu Wochenenden nach Hause. Diese Wohngemeinschaft war sozusagen der erste Schritt zur Selbständigkeit als Erwachsene. Aber sie hatten Cliffie nicht haben wollen. Cliffie hatte sich bemüht, vielleicht nur mit halbem Herzen, wie üblich, aber sie hatten ihn nicht genommen. »Die brauchen 'n Klempner«, hatte er gesagt, als er zurückkam. »Sie wollen Leute mit geschickten Händen, die irgendwas machen können, tischlern oder elektrische Leitungen legen oder sowas.«

»Ja, natürlich kannst du nicht bloß da rumsitzen und nichts tun«, hatte Edith erwidert. »Aber sie brauchen doch sicher einen Koch, zum Beispiel.«

»Das ist was für Mädchen«, hatte Cliffie darauf gesagt. In manchen Dingen war er ganz konventionell.

Jetzt schlenderte er unbeteiligt mit seiner Bierdose aus der Küche, und eine Minute später, als Edith gerade das Essen auftragen wollte, kam Brett herein.

»Ich sage heute abend kein Wort mehr«, sagte er halblaut und mit verhaltenem Zorn. »Mir hat's gereicht, das kann ich dir sagen.«

Edith trug den Fleischtopf ins Eßzimmer und stellte ihn auf die Korkmatte in der Tischmitte. Ob sich Brett wohl, genau wie sie, Gedanken darüber machte, wer von ihnen beiden schuld war an der Rückgratlosigkeit des

Jungen? War so etwas nicht manchmal eine Sache der Gene? Edith war der Ansicht, daß die Umgebung nicht so viel ausmachte wie die Erbmasse; vor einigen Jahren hätte sie das Verhältnis etwa mit fünfzig zu fünfzig angegeben. Viele großartige Menschen kamen aus furchtbarem Milieu. Und viele jugendliche Einbrecher und Drogensüchtige stammten heute aus dem bürgerlichen Mittelstand.

Nur hör doch mal ein paar Minuten auf damit, sagte sich Edith. Sie füllte vier Teller, der vierte war für George. Brett hatte ein Tablett mit Serviette, Messer, Gabel, Löffel und einem Glas Milch (da George abends keinen Kaffee trank) mit hereingebracht, das er jetzt nach oben trug. Cliffie, heißhungrig wie immer, nahm sich von allem zweimal und war schon fertig mit seinem zweiten Schüsselchen Pfirsich mit Sahne, bevor seine Eltern das erste verzehrt hatten. Er erhob sich und fragte dann, ob er aufstehen könne.

»O ja, gern«, sagte Brett.

Cliffie ging über den Flur in sein Zimmer, und Edith wußte, er schaltete sofort den Transistor ein und schloß erst dann die Tür.

Brett schien nicht reden zu wollen, also schwieg Edith ebenfalls. Sie hätte Brett daran erinnern können, daß die Zylstras zum Wochenende kommen wollten; sie hätte auch ein paar Worte über Tante Melanies Brief sagen können, der heute morgen gekommen war und in dem sie schrieb, daß sie noch einmal ins Krankenhaus mußte wegen ihrer Hüfte, die sie sich vor acht Jahren gebrochen hatte und die manchmal schmerzte. Sekundenlang dachte Edith an die Europareise mit Tante Melanie in dem Sommer, als Edith siebzehn war. Auf der *Queen Mary* waren sie gefahren, erster Klasse von

New York bis Southampton, und Edith hatte London, Paris, Rom, Florenz und Venedig kennengelernt. Es waren die zwei schönsten Monate ihres Lebens gewesen; noch heute tauchte zuweilen ein besonderer Höhepunkt frisch und lebendig in ihrem Bewußtsein auf. Ein paar Einzelheiten hatte sie im Tagebuch festgehalten – etwa den Anblick des Regens auf Michelangelos David in Florenz –, aber sie wußte auch noch, daß das dicke Tagebuch, das sie erst sechs Monate vor der Reise erhalten hatte, sie zuerst ein bißchen einschüchterte.

Brett stand plötzlich auf und schloß die Tür zum Flur sacht, aber fest. »Komm, laß uns die Sache mal ins reine bringen. Ich halte es für das beste, daß er sich jetzt schleunigst eine Arbeit sucht und auch eine eigene Bleibe. In Trenton werden einige Jobs angeboten, ungelernte Arbeiter, in der Bauwirtschaft und so. Kraft hat er ja weiß Gott genug. Manche geben auch noch freie Kost und Wohnung dazu – im *Standard* sind heute mehrere Anzeigen.«

Edith wußte darauf nichts zu sagen, aber ihr war nicht unbehaglich zumute bei dem Vorschlag. Wenn Cliffie irgendwie in Schwierigkeiten geriet oder versagte, dann war das Elternhaus nicht mehr als zwanzig Meilen entfernt. »Ja – willst du ihn fragen oder soll ich?«

»Ich werd's ihm sagen.« Bretts blasses Gesicht hatte sich gerötet. »Fragen – das fehlte noch!«

»Vielleicht lieber nicht heute abend, Brett.«

»Sondern wann?«

»Wenn du ruhiger bist. Morgen früh oder morgen abend. Er nimmt es auch nicht ganz leicht.«

»Nicht leicht – aber gegessen hat er wie ein Pferd, wie immer.«

Edith zuckte unwillkürlich die Achseln, und gleich darauf tat es ihr leid. »Du weißt doch, wie er ist.«

»Allerdings ja, das weiß ich.«

Ediths Gedanken gingen zu den Zeitkapseln – hießen sie nicht so? –, die in New York in atombombensicheren Behältern aufbewahrt wurden. Sie enthielten Plastikmuster, Mathematikbücher, Physikthemen, Tonbänder: Sachen, die den Fortschritt der Gegenwart demonstrierten, und dazu ein Buch, das den Menschen der Zukunft, auch wenn es die englische Sprache nicht mehr gab, den Inhalt der Behälter verständlich machen sollte. Was bedeutete schon Cliffie und sein Leben oder ihre eigene Existenz, verglichen mit diesen Kapseln – verglichen mit dem gesamten Menschengeschlecht und seinen Errungenschaften bis zum Jahre 1965? Und sie saßen hier und redeten über einen unwichtigen menschlichen Versager namens Cliffie.

»Weißt du, Lieber – das College ist ja auch nicht – ich meine, es gibt ja noch wichtigere Dinge im Leben.«

»Es ist der Betrug«, sagte Brett mit gepreßter Stimme, und sein Kinn bebte leicht. »Ja, ich hör schon auf, um Himmels willen. Was ist heute im Fernsehen? Böse Nachrichten aus Vietnam, aber daraus lassen sich nun auch keine Schlagzeilen mehr machen. Irgendwo war heute eine kurze Meldung – Johnson schickt noch ein paar ›Berater‹ rüber.«

Und dann geht's uns so, wie es den Franzosen ergangen ist, dachte Edith, weil Brett das so häufig sagte, doch jetzt sagte er nichts mehr.

Es war nach elf, als Edith allein in ihr Arbeitszimmer ging. Sie war im Nachthemd und Bademantel. Durch eins der drei halbrunden Fenster kam eine angenehm kühle Brise. Brett war mit einem Buch zu Bett gegangen;

von unten kam der monotone Beat von Cliffies Popmusik. Edith schlug ihr Tagebuch auf, nahm die Füllfeder und schrieb:

»10. Juni 65. Cliffie hatte heute mehrere Prüfungen in Trenton zur Aufnahme ins College, er meint, er habe ganz gut abgeschnitten. Es ging um Algebra, Englisch, Französisch, Geographie, Geschichte, Chemie. Wenn er einen Durchschnitt von 80 erreicht, kann er – vielleicht nach Princeton. Wir waren heute abend alle sehr fröhlich, auch George, der Arme.

Ende dieses Monats kommt Tante Melanie. Ich freue mich – sie ist so lieb und trotz ihres Alters überhaupt keine Belastung. Sie kocht sogar richtig gern, sie backt Brot und Kuchen und näht alles, was ich auszubessern habe, wunderbar. Sie kommt auch mit C. gut aus.«

Edith zog die Schultern hoch, dann machte sie die Füllfeder zu und stand auf.

Was sie geschrieben hatte, war gelogen. Aber wer würde es schon lesen? Und ihr selber war jetzt viel leichter zumute, weniger deprimiert, beinahe heiter.

7

Großtante Melanie Cobb verbrachte drei Tage in New York und kam dann eines Mittags auf dem Bahnhof in Trenton an, wo sie von Brett und Edith mit dem Wagen abgeholt wurde. Sie war eine große schlanke Erscheinung und trug einen auffallenden breitrandigen dunkelblauen Sommerhut, dessen Schleier nur bis zum Hutrand ging und ihr Gesicht freiließ, dazu einen hübschen blauen Leinenmantel mit weißen Knöpfen. Edith ging ihr auf dem Bahnsteig entgegen und spürte, wie sich die eigene Stimmung bei dem Anblick hob. Eine Welle der Liebe und Bewunderung für die alte Dame stieg in ihr auf, die sich so gut hielt und noch so viel Wert auf ihr Äußeres legte – mit sechsundachtzig.

»Guten Tag, Melanie!« rief sie und umarmte die Tante.

»Guten Tag, ihr zwei Lieben! Ein wundervoller Tag heute, nicht wahr? Ich freue mich so, daß ich in Pennsylvania bin – jedenfalls beinahe.«

Brett wollte ihr die Koffer abnehmen, aber sie hatte schon einen Gepäckträger genommen, der mit ihnen zum Wagen ging.

»Laß nur, ich hab schon. Er wird zufrieden sein«, sagte Melanie, als Brett nach der Brieftasche griff. An dem Lächeln des Trägers sah man, daß sie recht hatte.

»Nun erzählt mir mal alles, wie es euch geht«, sagte Melanie, als sie neben Brett im Wagen Platz genommen und Edith sich nach hinten gesetzt hatte. »Was macht Cliffie?«

Brett antwortete nicht, daher sagte Edith: »Dem geht's gut. So wie immer.«

»Hat er die Prüfung bestanden? Er hatte doch ein Examen vor?«

»Ich – nein, er hat nicht bestanden. Es war –«

»Es war die Aufnahmeprüfung fürs College«, sagte Brett. »Für ihn so ungefähr die letzte Chance. Es war sein zweiter Anlauf. Er hat's letzten Sommer schon mal versucht, und da ging's genau so.« Brett lachte kurz. »Weißt du, Melanie, ich glaube, er macht sich einen

Spaß daraus, uns immer wieder zu enttäuschen. Als ob wir ihn als Kind zu sehr bedrängt hätten. Stimmt aber gar nicht.«

»Ja, ich verstehe. Aber ich nehme an«, sagte Melanie mit einem Blick über die Schulter zu Edith, »er macht sich nicht allzu viel daraus. Ich kann mir nicht vorstellen, daß er die vier Jahre im College durchgestanden hätte.«

Edith wußte, Brett hatte nicht vor, noch ein Wort darüber zu sagen; er war sicher schon ärgerlich, daß er überhaupt etwas gesagt hatte.

»Hat er denn jetzt irgendeine Arbeit?«

Diesmal mußte Edith antworten. »Nein, nichts Festes. Sonnabends hilft er Waren austragen im Cracker Barrel, das ist unser Lebensmittelgeschäft hier, und da kriegt er gute Trinkgelder. Geld hat er nämlich ganz gern!« Edith zwang sich zum Lachen.

»Oooh – wie schön ist es hier – diese Landschaft!« sagte Melanie entzückt beim Anblick der baumbestandenen Flußufer und der hellgrünen Weiden, die im Sonnenlicht schimmerten. »Wenn man so etwas sieht, kann man wirklich glauben, daß es in Amerika keine Umweltverschmutzung gibt. – Und wie geht's George?«

»Immer gleich«, sagte Brett. »Nur braucht er ständig etwas mehr Bedienung, leider.«

Ja – und immer hatte er etwas an den Büchern auszusetzen, die Edith ihm aus der Bücherei holte. Den Bestand an historischen und philosophischen Werken hatte er längst erschöpft; manche las er zweimal, anscheinend ohne es zu merken, und manchmal erklärte er ein Buch für Schund, das er noch vor einem Jahr gelobt hatte.

Melanie fragte nach dem *Signal*; sie wußte, das Blatt

war eingestellt, aber sie fragte, ob man Hoffnung auf eine Wiedererstehung habe. »Es passiert doch so viel heutzutage. Bei mir daheim reden die jungen Leute unentwegt über Vietnam, und ich finde das auch ganz richtig. Man muß sich nur mal die Geschichte des Landes ansehen – schrecklich. Jungen und Mädchen aus den zopfigsten Familien in Wilmington machen da mit –« Melanie blickte Edith an, »und ziehen mit Plakaten und Pamphleten durch die Straßen.«

Wenn sie nun das *Signal* als Monatsschrift herausgäben, ob das vielleicht ginge? Melanie machte Edith immer wieder Mut. Viele Leute hatten Edith gesagt, das Blatt fehle ihnen.

Sie kamen zu Hause an. Melanie lobte den (von Brett) frischgeschnittenen Rasen vor dem Haus und die Kletterrosen an den Säulen. Schade, dachte Edith, daß Cliffie seine Popmusik – nicht mal so gute Musik wie die der Beatles – gerade in voller Lautstärke ertönen ließ.

»Aha – *jemand* ist also zu Hause«, sagte Melanie lächelnd.

»O ja – und George nicht zu vergessen«, meinte Brett lachend. Die Sonne ließ seine breiten Vorderzähne gelblich erscheinen.

Edith hatte frischen Hummer gekauft, ein seltener Luxus, aber Melanie war ein seltener Gast. Sogar Sekt stand im Kühlschrank bereit. Als sich Melanie im Gastzimmer eingerichtet und auch George Guten Tag gesagt hatte, gingen sie hinunter, um die Sektflasche zu öffnen. Edith hatte den Tisch gedeckt, bevor sie mit Brett nach Trenton fuhr. In einer Vase standen drei cremefarbene Rosen.

Auch Cliffie kam dazu, in zerdrückten hellen Cordhosen, mit schwingenden Händen und Füßen. »Tag, Tante Melanie.«

»Guten Tag, mein Junge! Komm mal her und gib deiner alten Tante – nein, deiner Urgroßtante einen Kuß.«

Cliffie beugte sich – überraschend liebevoll – vor und gab ihr einen Kuß auf die Wange. »Du siehst prima aus. Und von meiner letzten Schandtat hast du sicher schon gehört, was?«

Melanie zögerte nur eine Sekunde. »Du meinst die Prüfung – ja, das habe ich. Vielleicht bist du anti-College –?«

»Ach, ich weiß nicht. Es ist mir eigentlich ziemlich egal«, sagte Cliffie, ließ sich in die zweite Ecke des Sofas fallen, auf dem Melanie saß, und nahm sein Stielglas mit dem Sekt in die Hand. »Prosit!«

Sein Radio hatte er, als Edith ihn zum Sekt rief, auf ihre Bitte abgestellt.

»Du siehst aber gut aus. Mir scheint, du hast zugenommen«, sagte Melanie zu Cliffie. Er seufzte vielsagend, als ob Übergewicht sein Problem sei.

Edith merkte ihm an, daß er sich, als sie fort waren, ein paar Flaschen Bier aus dem Kühlschrank geholt hatte. Er war nicht gerade glücklich darüber, daß er stetig zunahm, war aber auch nicht bereit, sich mit dem Essen und Biertrinken einzuschränken.

Tante Melanie hatte unbemerkt ihre Mitbringsel von oben heruntergebracht: je ein Sporthemd für Brett und Cliffie und eine Flasche Chanel No. 5 für Edith. Es war wie eine Weihnachtsbescherung.

Zum Hummer gab es einen herben Weißwein. Die zerlassene Butter rann Cliffie beim Essen über das schlechtrasierte Kinn. Mildew saß gespannt dabei, vom

Duft des Hummers angezogen, und ließ sich dankbar von Melanie mit kleinen Bröckchen füttern, was Edith sonst nicht mochte; heute lächelte sie nur.

»Sie wird alt, wie ich«, sagte Melanie. »Sie hat's verdient.«

»*Müssen* wir jetzt raufgehen zu George?« Cliffie lehnte sich zurück und zündete eine Zigarette an.

»Nein, wir müssen nicht«, erwiderte Edith weich. Sie hatte George ein Tablett hinaufgebracht mit Hummer, Wein und Kartoffelsalat. Sie blickte zu Melanie hinüber und sah, daß Melanie – wohl nicht zum erstenmal – merkte, daß Cliffie George nicht mochte. Nie fiel es ihm ein, George das Essen zu bringen. *Faul wie die Sünde*, dachte sie plötzlich und schloß halb die Augen.

Melanie sah sie an und sagte dann: »Brauchst du heute nachmittag nicht zu arbeiten, Brett?«

»Ich hab mir Arbeit mit nach Haus genommen. Ich wollte heute nachmittag frei sein, um dich zu begrüßen.« Bretts dunkle Augen lächelten zu Melanie und dann zu Edith hinüber.

»Ich möchte mich ein bißchen hinlegen«, erklärte Melanie. »Dann habt ihr alle etwas Ruhe. Edith, das Essen war ganz phantastisch.«

Das freute Edith. Sie hatten sich bei Tisch über die Tage unterhalten, die Melanie in New York im St. Regis Hotel verbracht hatte, über die Aufführungen und Kunstausstellungen, die sie auf der Fifty-seventh Avenue und sonstwo gesehen hatte. Edith wußte, die Tante war jetzt müde.

Cliffie blickte sie beide scharf an, als Edith jetzt mit Melanie das Zimmer verließ und die Treppe hinaufstieg.

»Sieh mal, Mildew kommt mit«, sagte Edith.

»Ja, sie hat mich immer gemocht, das weißt du doch. Ich fühle mich sehr geehrt, Mildew.«

Edith ging in die Küche und fing mit Geschirrspülen an. Es machte Spaß – sie war glücklich, daß Melanie im Hause war. Ob sie selber wohl ebenso alt werden und sich so gut halten würde? Melanie hatte es allerdings nie an Geld gefehlt; ob es etwas ausmachte, wenn man nicht zu viel arbeiten mußte? Oder ob es eher auf die gute Konstitution ankam? Offenbar hatte die Großtante beides gehabt.

Sie erwischte Cliffie mit einem Glas Whisky in der Hand, als sie die letzten Kaffeetassen aus dem Zimmer holte. »Soso«, sagte sie milde. Sie hatte sich schon so etwas gedacht, aber lieber nichts sagen wollen.

»Heute ist doch ein besonderer Tag, oder?« fragte Cliffie.

Als Melanie ausgeschlafen hatte und herunterkam, machte sie sich mit Edith auf zu einem Spaziergang am Kanal. Brett arbeitete im Schlafzimmer, und Cliffie war ausgegangen; jedenfalls nahm Edith das an. Die Sonne lag warm auf ihren Gesichtern. Melanie trug weiße Tennisschuhe mit kleinen punktartigen Löchern. Sie lachte darüber und fragte dann: »Habt ihr nicht durch George alle eine ganze Menge Arbeit?«

»Nein. Na ja – das Essen rauftragen und so. Aber dabei hilft mir Brett oft. Wenigstens kein Nachttopf!« sagte Edith und brach in Lachen aus. Ihr fiel ein, wie Cliffie damals »Nachttopf!« gesagt hatte, als er zehn war und sie ihn zurechtgewiesen hatte. »Er ist jetzt dreiundachtzig«, setzte sie hinzu, weil sie annahm, Melanie werde sie nach seinem Alter fragen.

»Und die Ärzte wissen immer noch nicht, was ihm eigentlich fehlt?«

»Nein, das haben sie noch nie gewußt. Du weißt ja, wie es mit solchen Rückengeschichten ist, man weiß nie, woran es liegt. Brett und George sagen, sehen kann man gar nichts, es tut einfach weh.«

»Darf ich dich ganz offen etwas fragen, Liebes? Hat er in all diesen Jahren sich jemals erboten, woanders hinzuziehen?«

»Nein.« Edith betrachtete einen winzigen Frosch, der zertreten auf dem Weg lag, und hob dann die Augen wieder zur Sonne.

»Bist du glücklich, Edith?« fragte Melanie.

»Ach – ja, eigentlich schon. Ja. Brett ist ein Schatz – so zuverlässig, weißt du.« Edith lachte in sich hinein. Vielleicht hatte sie das Wort zuverlässig schon einmal für Brett benutzt, sie wußte es nicht mehr. »Ich müßte natürlich mehr an meinem Buchplan arbeiten, anstatt an Artikeln, die nicht immer gedruckt werden. Ich habe auch schon einen Titel, *Schachspiel der Irren*. Über den Krieg. Jetzt sind wir wieder mittendrin, auch ohne Kriegserklärung. Brett ist schon dabei, den ersten Teil seines Buches mit der Hand zu schreiben – auch über den Krieg, aber bei meinem geht es mehr um die psychologischen Ursachen. Seins ist eher geschichtlich, also ganz anders, und wir reden auch gar nicht miteinander über unsere Ideen – vielleicht weil sie ähnlich sein könnten.«

»Du, ich möchte mich einen Augenblick hier hinsetzen.« Melanie ließ sich auf eine verwitterte grüne Bank nieder, die am Wege stand.

Edith wollte nicht sitzen. Sie wußte, Melanie hatte mehr an Cliffie als an Brett gedacht bei ihrer Frage, ob Edith glücklich sei. Cliffie wurde im November zwanzig. Dabei war es noch gar nicht lange her, daß er elf war – 1956, für Edith das Jahr des ungarischen Aufstands gegen Moskau und der Niederschlagung mit Panzern.

»Ein paar graue Haare hast du schon«, meinte Melanie.

Edith zuckte die Achseln. »Ja. Ich lasse es ab und zu tönen, aber beim Waschen geht es wieder raus.«

Sie machten sich auf den Heimweg. Jetzt hatten sie die Sonne im Rücken. Edith konnte Melanies blaue Augen und die etwas spitze Nase sehen. Sie hätte Ediths Großmutter sein können; schade, daß sie es nicht war. Ihre Züge wiesen eine leichte Ähnlichkeit mit dem Gesicht von Ediths Mutter auf, eine gewisse Feinheit, die Edith fehlte.

»Ich habe noch ein Geschenk für dich, in meinem Koffer«, sagte Melanie. »Das kommt heute abend, nach dem Essen.«

Das Geschenk war eine Bettdecke, die Melanie selber gemacht hatte; sie bestand aus lauter Sechsecken in verschiedenen Farben. Melanie erzählte, sie habe das als Kind gelernt und sei auch die letzte in der Familie gewesen, die dazu Lust gehabt hatte.

»Das ist ja fabelhaft!« sagte Brett, als er die Decke sah. »Melanie, weißt du was, ich schicke einen Photographen vom *Standard* her, der macht eine Farbaufnahme für die Sonntagsausgabe. Nein!« widersprach er, als Melanie protestieren wollte. »Du ahnst gar nicht, wie beliebt so etwas bei den Frauen hier ist!«

Edith war nicht ganz bei der Sache. Sie sorgte sich um Mildew. Die Katze sah merkwürdig steif aus und hatte auch ihr Futter nicht angerührt. Aber Edith wollte die frohe Stimmung jetzt nicht beeinträchtigen, und sie sagte nichts. Cliffie war nicht zum Essen gekommen und hatte auch zu Brett nichts gesagt. Edith bemerkte zu

Melanie, Cliffie sei jetzt erwachsen und erscheine nicht immer abends zum Essen. Wahrscheinlich hatte er zu viel Whisky getrunken, oder auch Bier irgendwo anders, und hatte sich seiner Großtante so nicht zeigen wollen. Wenn das zutraf, so sprach es ja nur für ihn, daß er sich nicht blicken ließ. Edith war immer auf der Suche nach Dingen, die für Cliffie sprachen.

8

Z um Frühstück gab es allerhand Arbeit: erst kam das Tablett für George mit Orangensaft, einem gekochten Ei und Tee, dann folgte das Frühstück für alle vier unten, wobei der automatische Toaster immer wieder Toastscheiben auswarf und Cliffie – Gottseidank – diesmal bei den Vorbereitungen mithalf. Auch hier gekochte Eier und sehr schöne Kirschkonfitüre. Ediths Gedanken waren bei der Katze, die die Nacht wohl in Melanies Schlafzimmer verbracht hatte. Wieder hatte sie das Futter nicht angerührt und saß nun zusammengekauert auf dem Küchenfußboden.

Brett fuhr dann ins Büro, Edith und Melanie räumten die Küche auf, und jetzt erst sagte Edith: »Ich möchte mit Mildew zum Tierarzt fahren – vielleicht hat sie eine vergiftete Maus gefangen, das hat sie schon einmal getan.«

»Ja, sie war auch gestern abend so still«, meinte Melanie. »Wo ist euer Tierarzt?«

»In Doylestown. Aber wir haben jetzt noch einen zweiten Wagen, weißt du. Halb gehört er Cliffie –« Sie sprach nicht weiter. Cliffie hatte hundert Dollar dazubezahlt, als sie den gebrauchten Fiat 600 kauften, der für Edith sehr nützlich war, weil Brett mit dem Impala morgens ins Büro nach Trenton fuhr. Cliffie konnte den Fiat nehmen, wann immer er wollte, aber er benutzte ihn nicht oft.

Kurz vor zehn stiegen Edith und Melanie, mit Mildew im Körbchen, in den Fiat und fuhren nach Doylestown zu Dr. Speck. Er hatte von 10 bis 12 Uhr Sprechstunde, man kam ohne Anmeldung hin und wartete, bis man drankam. Heute brauchten sie nicht lange zu warten.

»Ich glaube, es war wieder eine verdorbene Maus«, sagte Edith, aber sie fürchtete Schlimmeres.

Dr. Speck, grauhaarig, mit muskulösen Unterarmen, schob der Katze, die reglos vor ihm auf dem weißen Tisch stand, die Finger tief in die Flanken. Ein erstaunter Ausdruck erschien auf seinem Gesicht, dann sah er Edith gerade in die Augen und sagte:

»Lebertumor – tut mir sehr leid.«

»Sind Sie sicher?«

»Ja. Ich kann's fühlen.«

»Ja – und können Sie operieren?«

Dr. Speck schüttelte den Kopf und lächelte flüchtig und mit Bedauern. »Bei diesem Alter nicht mehr, Mrs. Howland. Mit so einer Sache – arme Mildew«, sagte er und drückte sie liebevoll, denn er kannte sie seit Jahren. »Eine Altersfrage, wissen Sie. Da kann man leider nichts machen.«

Melanie stand daneben und sagte: »Ach Edith, das tut mir schrecklich leid.«

Edith war wie versteinert. Sekunden vergingen, dann eine Minute, sie redete und beantwortete die Fragen des Arztes, aber ihr war, als sei sie meilenweit weg und müsse gleich ohnmächtig werden. Dr. Speck riet ihr, Mildew jetzt gleich einschläfern zu lassen, durch eine schmerzlose Injektion. Sie mußte nachgeben, sie konnte nichts anderes tun. Mildew sollte nicht leiden. Aber es war so furchtbar plötzlich gekommen.

Dann saß Edith mit Melanie im Wartezimmer, zusammen mit einer andern Frau, die einen jungen Beagle auf dem Schoß hielt. Edith rauchte eine Zigarette und erhob sich mit Melanie, als der Arzt sie hereinbat. Mildew war in weißes Papier eingepackt, das an den Enden wie ein Päckchen eingeschlagen war. Sanft legte der Arzt den schlaffen kleinen Körper in das Körbchen.

»Es tut mir sehr leid, Mrs. Howland. Aber Ihre Katze hat ein langes und glückliches Leben gehabt, nicht wahr. Daran müssen Sie denken.«

Als sie draußen waren, sagte Melanie: »Meinst du wirklich, du kannst fahren, Liebes. Wir könnten doch sonst ein Taxi nehmen und den Wagen von jemand anders holen lassen.«

»Nein, nein, mir fehlt nichts.« Edith riß sich zusammen, setzte sich ans Steuer und fuhr nach Hause. Melanie war so wohltuend trostreich, sie sagte genau das Richtige. Zu Hause machte sie Tee in der Küche und bestand darauf, daß Edith eine Tasse trank, bevor sie, wie sie sich vorgenommen hatte, die Katze im Garten begrub.

Cliffie war zu Hause, sein Radio war angestellt, und er kam in die Küche, als Edith ihren Tee trank. »Was ist los?« fragte er.

»Die arme Mildew – sie mußte eingeschläfert werden«, sagte Melanie.

Das Körbchen stand auf dem Fußboden. Cliffie sah es an. »Tatsächlich? Ist sie da drin – ich meine – tot?«

»Vielleicht kannst du uns helfen«, sagte Melanie. »Wir wollen sie im Garten begraben.«

»Aha.« Cliffie sah zu seiner Mutter hinüber; ihre Blicke trafen sich. Ohne ein Wort ging er zurück in sein Zimmer. Edith wußte, daß Melanie annahm, er werde gleich zurückkommen, aber sie wußte auch, daß er nicht kam. Sie nahm den kleinen Korb und sagte:

»Komm, laß uns anfangen. Je eher, desto besser.« Mit der freien Hand zog sie ein sauberes weißes Geschirrtuch aus einem Stapel im Küchenbord, ein Leinentuch, das sie auf einer Auktion in Pennsylvania erstanden hatte.

Edith stach die Erde mit der Gartenforke auf und Melanie half mit dem Spaten nach, bis das kleine Grab etwas mehr als zwei Fuß tief war. Behutsam wurde der kleine Leichnam, in Papier und Leinen gehüllt, hineingelegt.

»Ich will einen Stein drauflegen«, sagte Edith und ging bis zum Rande des Gartens, um einen oder besser mehrere Steine zu holen. Sie nahm die Schubkarre mit, um alle auf einmal bringen zu können.

»Komisch, daß Cliffie uns nicht helfen wollte«, sagte Melanie.

»Ach, ich glaube, er hat Angst vor dem Tod«, meinte Edith. Als sie die Steine hingelegt hatte, fügte sie hinzu: »Außerdem ist er immer eifersüchtig auf Mildew gewesen – er wußte, daß ich sie liebte.«

»Ja, aber trotzdem –« Melanie wunderte sich.

Beim Lunch erklärte Cliffie freimütig: »Ich weiß nicht, warum mir das so viel ausmachen sollte – mit der Katze meine ich. Wo sie nun schon tot ist – wenn *irgendwas tot* ist –«

Niemand sagte etwas darauf. Edith hatte nach längerem Überlegen Brett am Vormittag angerufen, um es ihm zu berichten. Danach war ihr leichter zumute, und sie war froh, daß sie nicht bis abends gewartet hatte.

George lag wach im Bett, als Edith nach dem Essen hinaufging, um sein Geschirr zu holen. Wieder sagte er, wie leid es ihm tue, was sie ihm erzählt hatte. »Liebe Edith, es war sicher ein schrecklicher Schock für dich«, sagte er mit leiser heiserer Stimme, und die rötlichen Augenlider hingen herab, angefüllt mit Wasser wie immer.

»Na ja, so ist das Leben«, gab Edith zur Antwort. Sie wußte, er meinte es gut, aber in diesem Augenblick war er ihr geradezu verhaßt, noch mehr als vorhin, als sie ihm sein Essen brachte und ihm von Mildew berichtete, obgleich er auch da sehr nett gewesen war. Alles war ihr jetzt verhaßt: die leicht angegrauten Laken (die sie doch oft genug wechselte), die unvermeidliche Schlampigkeit im Zimmer, die Tatsache, daß sie und Brett den alten Mann nicht mehr loswurden, daß dieses Zimmer voraussichtlich für immer mit Beschlag belegt war – und daß die schönen Dinge des Lebens, die sie liebte, so wie Mildew, sterben mußten, verschwanden und ihr genommen wurden.

Brett war abends sehr liebevoll und fürsorglich; er legte den Arm um Edith und tröstete sie, als sie lange nach dem Essen – die andern waren längst im Bett – zusammen auf dem Ledersofa saßen und einen Schlaftrunk tranken.

»Weißt du, sie hatte wirklich ein schönes Leben bei uns, mit dem Hintergarten«, sagte er. »Ich bin dafür, daß wir uns ein neues Kätzchen besorgen, ein kleines – meinst du nicht?«

»Ja. Ja, natürlich.«

An Melanies drittem Tag lud Cliffie sie zu einer Fahrt mit dem Fiat ein. Edith wunderte sich über seine Aufmerksamkeit – oder Höflichkeit –, aber sie freute sich doch.

»Fahr doch mit ihr nach Centerbridge – der Wasserfall ist so hübsch dort«, flüsterte sie ihm zu, als Cliffie sich mit einem Vormittagsbier stärkte. »Du kannst sie auch vielleicht zu einem Cinzano oder sowas einladen, in Cross-Keys. Hast du Geld?«

»'n Fünfer könnte ich gebrauchen. Ich werde auch wohl tanken müssen.«

Edith gab ihm fünf Dollar.

Um Mittag rief Cliffie an und sagte, Melanie habe ihn zum Lunch eingeladen.

Heute war Freitag. Edith genoß die Ruhe; sie brachte George sein Essen und machte ein Sandwich für sich zurecht. Einen letzten Blick warf sie noch in die Sonntagszeitungen, die dann weggelegt werden konnten; sie räumte im Wohnzimmer etwas auf, schnitt ein paar frische Rosen für Melanies Zimmer und suchte in ihrem Arbeitszimmer zwei Artikel heraus, die sie kürzlich geschrieben hatte und Melanie zeigen wollte. In dem einen ging es um die Verstaatlichung der Gesundheitsfürsorge und ihre Vorteile für Allgemeinheit und Wirtschaft. Wenn *Harpers* den Beitrag ablehnte, hoffte sie zuversichtlich, ihn woanders unterzubringen.

Das Haus war still; Georges Schnarchen drang lauter als sonst über den Flur. Edith ging hinüber und schloß behutsam seine Zimmertür, dabei fiel ihr Blick kurz auf das gerahmte Foto eines jungen dunkelhaarigen Mannes, Paul, ebenfalls ein Neffe von George. Er war Ingenieur und lebte mit Frau und zwei Kindern in San Francisco. Der könnte George ja auch mal eine Weile zu sich nehmen, dachte Edith.

In ihrem Zimmer fand sie auch noch eine gute Farbaufnahme von Mildew. Mit der weißen Brust und dem gescheckten kleinen Gesicht schlief sie, die Pfoten eingezogen, auf einem Kissen unter dem Apfelbaum im Hintergarten. Die Sonne schien durch die Zweige, und Mildew hatte die Augen halb geschlossen. Edith lächelte und ihre Stimmung hob sich.

Sie hatte sich gerade an die Gartenarbeit gemacht, als Cliffie und Melanie kurz nach drei nach Hause kamen.

»Herrlich war es«, sagte Melanie, »und ich wurde wirklich fürstlich herumgeführt. Aber jetzt muß ich erst mein Mittagsschläfchen halten.«

»Das freut mich.« Edith hatte das Gefühl, daß Melanie ihr etwas zu sagen hatte, nur nicht gerade jetzt. Sie war vermutlich wirklich müde. Jedenfalls ging sie nach oben.

Abends kamen die Johnsons zum Dinner, aber allein, ohne eins der Kinder. Zu ihrer Empörung war Derek wenige Monate nach dem Collegeabschluß zum Militär eingezogen worden und war jetzt schon mehr als sechs Monate in Vietnam. Edith fing an, das Essen vorzubereiten. Melanie kannte die Johnsons jetzt schon recht gut, sie hatten sich von Anfang an gemocht. Edith freute sich auf einen gemütlichen Abend.

Und es wurde auch ein gelungener Abend. Edith hatte Gert schon am Vormittag angerufen und ihr von Mildew erzählt, so daß sie sich jetzt mit einem teilnehmenden Wort begnügten, als sie ankamen. Die Unterhaltung drehte sich um Vietnam. Das Wort hinterließ bei Edith einen fast blechernen Klang, ein Schrillen wie eine immer wiederholte Schallplatte, und dabei wußte sie genau, wie wichtig es war, denn das Pentagon – für Edith eine Maschine zur Kriegsanheizung – hatte offenbar größeren Einfluß auf den Präsidenten als der Kongreß. *Wir ernten jetzt die Früchte unserer blinden antikommunistischen und antisozialistischen Gehirnwäscherei*, dachte sie. Aber da sie das alles schon öfter gesagt hatte und überdies bei den Anwesenden nur offene Türen einrennen würde, sagte sie fast nichts dazu.

»Cliffie, du bist wirklich gut dran – einfach den Clown zu spielen«, sagte Gert in ihrer etwas burschikosen Art. Sie trank gern und hatte vor dem Essen drei große Klare zu sich genommen.

Cliffie ging auf die Bemerkung nicht ein, sah aber leicht gekränkt aus und blickte zu Melanie hinüber, um zu sehen, wie sie es aufnahm. Melanie schwieg; sie wußte, wie Cliffies Interview bei der Militärbehörde in Harrisburg abgelaufen war.

»Unser Sohn ist in Vietnam«, erklärte Norm jetzt, zu Melanie gewandt. »Wir wollten ihn gern in die Navy haben – da ist die Dienstzeit zwar vier Jahre anstatt zwei bei der Army, aber die Navy ist jedenfalls sicherer.«

»Immer sagen alle, Gottseidank ist er noch nicht verwundet«, warf Gert ein und beugte sich etwas vor über ihren Obstteller mit Mandarinen, »aber verwundet werden sie gar nicht immer, sie werden einfach – einfach zerrissen von –«

»Von versteckten Bomben«, sagte Norm. »Nun laß nur, Liebes, Reden hilft da auch nichts. Er hat noch ein Jahr – etwas über ein Jahr«, sagte er zu Melanie.

Gert schüttelte den Kopf. »Na ja, und Cliffie, der ist eben schlauer –«

»Komm, hör auf, Gertie«, sagte Norm.

Spät abends, als Melanie und Edith in der Küche das Geschirr zusammenräumten und die restlichen Speisen in Speisekammer und Kühlschrank unterbrachten, sagte Melanie:

»Cliffie hat mich heute zum Lunch eingeladen und bestand darauf, alles allein zu bezahlen. Ich fand das wirklich reizend.«

Ob Melanie das sagte, um ihr wieder Auftrieb zu geben, nach den Bemerkungen bei Tisch? Ob es wahr war? Aber Edith wußte, es war wahr, wenn Melanie es sagte. »Erstaunlich«, sagte Edith.

Cliffies Transistor spielte Popmusik auf der anderen Seite der Küche; manchmal wurden dazwischen Stimmen hörbar, Interviews mit Popstars. Es kam vor, daß Cliffie bei laufender Radiomusik einschlief.

»Hat er eigentlich eine Freundin?« fragte Melanie.

»Schön wär's«, gab Edith zur Antwort. »Vielleicht risse er sich dann zusammen.«

»Er sieht doch nett aus. Hat er einfach kein Interesse?«

»Ach weißt du«, begann Edith, »er treibt sich hier immer mit ein paar erfolgreichen Jungen herum – ich meine erfolgreich bei Mädchen. In einer Bar in der Main Street, Mickey's heißt sie. Aber die Mädchen machen sich wohl nichts aus Cliffie.« Es klang, als hätten die anderen Jungens einen Harem – was vielleicht ja auch zutraf, dachte Edith. Sie lächelte ein wenig, wandte sich um und ließ einen ausgedrückten Schwamm auf das Spülbrett fallen. »Brett und ich würden uns weiß Gott freuen, wenn er mal ein Mädchen mitbrächte – tut er aber nicht. Ich glaube nicht, daß er sich irgendwo anders mit ihnen trifft, sonst würden sie wenigstens mal telefonieren, oder er würde sie anrufen.«

9

Cliffie stand in diesem Augenblick mit dem Ohr an die Tür seines Zimmers gelehnt, ganz in der Nähe der Küche. Er hielt einen Finger der rechten Hand gegen das rechte Ohr gedrückt, um die lärmende Radiomusik zu dämpfen. Sie quatschten also wieder mal über Mädchen, seine Mutter und sogar die alte Großtante! Er hatte längst befunden, daß das allein seine Sache sei und andere überhaupt nichts anging. Üble Schnüffelei. Dabei war er heute besonders nett gewesen zu Tante Melanie.

Er trat in sein Zimmer zurück und ließ die Tür angelehnt, damit er sehen konnte, wenn in der Küche das Licht ausging.

Und dann noch das dumme Gerede, weil sie ihn nicht nach Vietnam verfrachtet hatten! Wer wollte schon nach Vietnam? Seine Eltern redeten doch so viel davon, daß einige der besten Köpfe des Landes gegen die Entsendung von Amerikanern nach Vietnam waren und jungen Rekruten dazu rieten, sich auf jede mögliche Weise und durch alle möglichen Tricks zu drücken. Cliffie war daher der Ansicht, er sei eher schlauer gewesen als Derek, der gewiß nicht hatte gehen wollen.

Als das Licht in der Küche aus war und oben mehrere Türen zugefallen waren, schlich Cliffie auf den Zehenspitzen durch den Flur und schlüpfte vorn aus der Haustür. Nach so einem Tag brauchte er frische Luft und ein paar Schritte im Freien. Er pfiff eine Melodie in die Juninacht und ging mit leicht rollenden Schritten die Straße hinunter in Richtung auf Mickey's Bar, die erst gegen drei Uhr schloß. Jetzt sah er Billy Watts auf dem

Gehweg auf sich zukommen. Billy wohnte wie die Howlands in der Main Street.

»Hallo, Cliffie«, sagte Billy im Vorbeigehen.

»Hallo«, erwiderte Cliffie. Er hatte darauf gewartet, daß Billy zuerst grüßte, und war nicht sicher gewesen, daß er es tat; sie hatten nämlich mal Streit gehabt bei Mickey's vor einiger Zeit, Cliffie wußte nicht mehr, worum es damals ging, wahrscheinlich um Platten aus der Juke-Box und wer was gespielt hatte. War ja auch egal.

Er kam zu Mickey's, ging den kleinen Weg und die Stufen hinauf bis zur Tür mit dem rosa Schild, auf dem *Budweiser* stand, und trat in den vertrauten halbdunklen Raum. Links war die Theke, wo Mickey Bier außer Haus verkaufte, und weiter hinten der lange Schanktisch der Bar. Die Musikbox spielte Elvis Presley. Cliffie kannte mindestens drei der Gestalten, die über ihre Drinks gebeugt an der Bar saßen, aber er ging an einen leeren Platz, begrüßte Mickey – er war etwa fünfundvierzig, lang und knochig – und bestellte eine Cola mit Rum.

»Na, wie geht's denn so, Junge?« fragte Mickey und stellte das Meßglas vor Cliffie auf den Tisch.

»Ganz ordentlich, und wie geht's selber?« erwiderte Cliffie, mixte seinen Drink und reckte sich, bevor er den ersten Schluck nahm. Er fühlte sich sehr männlich, außerdem hatte er sich heute, wie er fand, geradezu vorbildlich verhalten, als er seine alte Tante zum Essen – und nicht zu einem ganz billigen Essen! – einlud. Er hatte die vage Idee, daß er vielleicht eines Tages etwas von ihr erben würde, kein Riesenvermögen, aber eine solide Summe, so etwas wie zehntausend Dollar. Deshalb bemühte er sich um einen guten Eindruck bei Melanie. Er spähte in den Spiegel hinter der Bar. Es war ihm zwar nicht wichtig, wie er aussah, aber er wollte fühlen, daß er *hier* war, gegenwärtig und wirklich; das halblange wellige Haar bedeckte jetzt die Ohren zur Hälfte und ließ, so fand er, den Kopf größer erscheinen. Als er dreizehn oder vierzehn war, hatte er in Melanies Zimmer Geld aus ihrer Handtasche genommen; beim zweitenmal hatte er Pech gehabt, denn sie war hinzugekommen und hatte ihn dabei überrascht. Es war eine peinliche Erinnerung, er wußte noch, daß er über und über rot geworden war, aber Melanie hatte ganz ruhig mit ihm gesprochen (anders als sein Vater!), ihm zwei Dollar aus ihrer Geldbörse gegeben und gesagt, wenn er verspräche, sowas nicht nochmal zu tun, werde sie kein Wort zu seiner Mutter sagen. »Du mußt immer *fragen*, wenn du Geld haben willst«, hatte sie noch gesagt.

Auf seinem Barhocker mußte Cliffie plötzlich nervös auflachen; er versuchte es zu vertuschen, indem er den Kopf senkte und hustete. Sein Herz schlug auf einmal schneller.

Joey Costello kam herein, zusammen mit einem kichernden Mädchen. Wie hieß sie noch –? Joey schlief mit ihr, das wußte Cliffie, und er spürte einen kurzen neidischen Stich.

»Hallo, Joey! Tag, Ginger!« sagte Cliffie. Der Name war ihm plötzlich wieder eingefallen. Sie war etwa sechzehn; wo sie wohnte, wußte er nicht, jedenfalls nicht in Brunswick Corner.

Joey bestellte zwei Cola mit Rum und nahm mit dem Mädchen an einem Tisch Platz.

Cliffie wollte noch mehr trinken und bestellte einen doppelten Rum. Nach dem Wein und dem reichlichen Dinner fühlte er sich jetzt, nach dem Rum, ganz großartig. Er reckte sich und klopfte sich ein-, zweimal auf die kräftigen Rippen. Er hatte den Pullover ausgezogen, die Ärmel um den Hals gebunden und die Ärmel des gestreiften Hemdes aufgerollt. Die Nacht war warm. Er hätte gern über die Schulter einen Blick auf Joey und Ginger geworfen, tat es aber dann doch nicht.

Also was Mädchen anging, dachte Cliffie, dem bei dem doppelten Rum philosophisch zumute wurde, so war er der Ansicht, es sei zunächst ratsam, sich noch etwas zurückzuhalten. Er konnte sich jederzeit selber einen abzapfen und tat das auch, wann immer er Lust hatte. Das war kein Problem. Meistens nahm er seine Socken dazu, deshalb mußte er sie öfter selber waschen, und seine Mutter lobte ihn dann. Wieder mußte Cliffie lachen. Mädchen hatten zum Beispiel keinerlei Sinn für Humor. Sie lachten immer bloß »Hi-hi-hi!« oder kreischten wie Polizeisirenen, um ihren Begleitern zu schmeicheln, damit die dachten, sie hätten was Witziges gesagt. Außerdem kosteten Mädchen viel Geld. Und wenn eine ein Kind bekam, dann mußte man dafür zahlen, wenn man nicht als Feigling dastehen wollte, oder man mußte es einem anderen zuschieben, was nicht immer möglich war. Und die netten Mädchen (etwas Langweiligeres konnte sich Cliffie überhaupt nicht vorstellen) waren geradezu hinterlistig, sie sagten: ›Erst mußt du mich heiraten!‹, genau wie es in den Büchern und Artikeln über »Die Geschlechter« oder den »Krieg der Geschlechter« hieß, die Cliffie gelesen hatte. Gottseidank starb dieser Typ mit der Pille allmählich aus, aber Cliffie wußte, manche der Mädchen in der Gegend von Brunswick Corner konnten sich die Pille nicht beschaffen und sagten daher grundsätzlich Nein. Cliffie hatte gehört, wie Joey und seine Freunde darüber lachten.

Wozu sollte er sich, dachte Cliffie, mit solchen Mädchen abgeben, wo er doch erst zwanzig war? Er hatte noch viel Zeit.

»Halloooo!«

»Halloo alle zusammen!« Drei neue Gäste, alle angeheitert, platzten lärmend herein.

»He – immer mit der Ruhe, ihr drei!« sagte Mickey warnend. »Ich kann heute abend keine Cops hier gebrauchen.« Er sprach nur halb im Scherz.

Cliffie hatte schon erlebt, daß Mickey an Betrunkene keine Getränke abgab. Im Augenblick war Cliffie in einer Traumwelt und kümmerte sich nicht um die drei Gäste, die Mickey nicht bedienen oder sogar hinauswerfen würde.

Beim Thema Mädchen war er gewesen. Ja, mit Mädchen war es genau so wie mit Vietnam: man hielt sich am besten so lange wie möglich raus. Arbeit, Ehe, die unvermeidlichen Kinder – eine Frau, die immer schimpfte, wenn er abends mit seinen Freunden loszog – wer konnte sich sowas schon wünschen?

Einer der drei neuen Gäste stieß Cliffie versehentlich an den rechten Ellbogen, so daß er etwas von seinem Drink vergoß. »Hee, Sie – –«, sagte Cliffie, aufwallenden Zorn in den Augen.

»'tschuldigung«, gab der angeheiterte Jüngling zurück, den Arm um sein Mädchen geschlungen.

»Lassen Sie das!« sagte Cliffie.

»Immer mit der Ruhe«, rief Mickey herüber. Er stand am Spültisch und wusch Gläser aus.

In Sekunden hatten Cliffies Gedanken ein anderes Thema erfaßt. George, dieser lästige Kerl, dieser Schnorrer und schlappschwänzige Heuchler, der seine Eltern einfach ausnutzte, der jahrelang ein Zimmer besetzt hielt, das Cliffie gern für sich gehabt hätte und das ihm auch durchaus zustand, anstatt des blöden Mädchenzimmers da unten hinter der Küche. Cliffie wußte, daß George ihn auch nicht leiden konnte, daß er ihn dumm und faul nannte. Ausgerechnet der nannte andere Leute faul! Und dumm – bloß weil er, Cliffie, der Ansicht war, nein, weil er *wußte*, daß College unnötig und langweilig war? Wozu sollte man damit anfangen, wenn man doch wußte, nach einem Jahr schmissen sie einen hinaus, und dann hatte man noch mit Beschimpfung und Kritik zu rechnen! Monat für Monat »versagte« man in irgendwas, und das sollte man freiwillig auf sich nehmen? Das war es ja, was Cliffie so haßte, diese andauernde Kritik, wo er doch ehrlich genug war und offen sagte, daß ihm der ganze Kram total piepegal war. Und wenn von Erfolg oder Geldverdienen die Rede war, dann wies Cliffie höhnisch hin auf »all die reichen Leute, die nie studiert haben, Ölmillionäre, die als Goldsucher oder Viehhüter angefangen haben«. Selbst in New York gab es große Männer, die irgendwann in eine lahme Firma eintraten und den Leuten erstmal beibrachten, was Geld war und wie man das Geschäft richtig aufzäumte, die kriegten dann immer höhere Gehälter, bis sie schließlich die ganze Scheißfirma eingesackt hatten, und das waren ganz gewöhnliche Kerle, wie er selber.

Mel Linnell müßte jetzt reinkommen. Es war noch nicht zwei Uhr, er konnte also noch kommen. Mel wohnte in Lambertville und besaß ein starkes Motorrad. Ebenso verfügte er über Pot und Bier und meistens auch über ein Mädchen oben in seiner Einzimmerwohnung, die über einer chemischen Reinigung lag. Manchmal wurde da oben Poker gespielt, aber da hielt sich

Cliffie heraus, weil er stets verlor. Er mochte Mel, weil Mel ihn in der Nähe duldete. Er war etwa dreiundzwanzig. Cliffie malte sich gern aus, wie es wäre, wenn er Mel wäre und sich auf sein Glück verließe, beim Kartenspiel oder beim Verkauf von Pot und anderen härteren Sachen. Jedenfalls hatte Mel keine feste Arbeit und es ging ihm gut dabei, eigentlich sogar glänzend.

Nach einem weiteren prüfenden Blick in den Spiegel bestellte Cliffie ein Bier. Das machte ihn ruhiger, stellte er fest. Er trank ein paar Schluck, ging auf die Toilette und war nach knapp einer Minute zurück. Ja, und Muskeln hatte er auch; er sah überhaupt nicht schlecht aus, wenn er sich ordentlich anzog. Wenn er sich mal ein Mädchen vornahm, so wie dies Mädchen Ginger da, das würde die so leicht nicht vergessen. Er hatte zwar etwas Übergewicht, leider, aber die paar Pfund wurde er in vier, fünf Tagen wieder los, wenn er ernsthaft wollte.

Wann starben eigentlich solche Leute wie George? Ob der noch zehn Jahre am Leben blieb? Bis er, Cliffie, selber mit dreißig oder so starb? Wahnsinnig komisch: wenn er dreißig war, dann war George über neunzig!

Der junge Mann rechts neben ihm taumelte etwas und stieß dabei gegen Cliffies rechte Schulter. Cliffie hob sofort den Arm und stieß ihn so kräftig zurück, daß das Mädchen neben ihm fast das Gleichgewicht verlor.

»Na hör mal!« rief Mickey aufgebracht herüber.

»Scheiße!« gab Cliffie zornrot zurück.

»Cliffie, was fällt dir – also nun mal ruhig, Cliffie«, sagte Mickey.

»Du kannst mich mal – was habe *ich* denn getan?«

»Keine Aufregung. Und keine solchen Reden, bitte. Der Mann entschuldigt sich ja«, sagte Mickey und nickte dem andern Mann zu.

Cliffie sah, daß der Mann nicht vorhatte, sich zu entschuldigen. Er war Mitte Zwanzig, größer als Cliffie; er stand jetzt da und starrte ihn böse an, und Cliffie starrte zurück. Als er, um ruhiger zu werden, etwas zurücktrat, wäre er fast gefallen, weil sein linker Fuß noch hinter der Fußraste stand und er daran nicht gedacht hatte. Er hielt es für ratsam, jetzt zu gehen, und verließ die Bar so würdevoll wie möglich, er trank nicht mal sein Bier ganz aus. »Nacht, Mickey«, sagte er mechanisch und merkte erst, nachdem er die Tür geöffnet hatte und auf dem Gehweg stand, daß er leicht betrunken war.

Als er nach Hause kam, fühlte er sich ganz gut. Das schmale Fenster im oberen Flur war schwach erleuchtet: George war also auf dem Wege zum Klo oder zurück. Es war 2 Uhr 22, das sah Cliffie auf dem Leuchtzifferblatt seiner Uhr. George mußte jede Nacht mindestens einmal pinkeln, und zwei der Dielenbretter knarrten, deshalb hörte Cliffie ihn häufig. Vorsichtig wie ein Einbrecher trat Cliffie jetzt durch die Haustür, die er unverriegelt gelassen hatte und jetzt hinter sich zuriegelte, und ging auf Zehenspitzen den Flur entlang in sein Zimmer.

Gleich darauf war er im Bett und verfuhr dort wie üblich. Diesmal hatte er im Geist Ginger bei sich und entlockte ihr laute Schreie, erst Schreck- und Schmerzensschreie und dann Schreie der Lust. Danach nahm er die Socke ab und ließ sie auf den Fußboden zwischen Bett und Nachttisch fallen. Da lag auch gleich die Zwillingssocke. Er nahm immer lieber schmutzige Socken, sie waren so schön sexy. Jetzt hatte er Durst, er ging mit der Taschenlampe in die Küche und trank zwei große Glas Wasser.

Wie oft es wohl seine Eltern noch miteinander trieben, oder hatten sie schon ganz aufgehört? Es war schwierig vorzustellen, und er dachte auch nicht gern daran, hatte nie gern daran gedacht. Er erinnerte sich an die Zeit, als er etwa zehn war, damals war er richtig verliebt gewesen in seine Mutter; aber heute, wenn sie auch nur den Arm um ihn legte, wenn jemand ein Foto machen wollte oder sowas, dann war ihm das geradezu gräßlich und er entwand sich ihr so schnell wie möglich. Sein Vater, fand Cliffie, sah zwar ruhig und gelassen, aber immer noch ganz sexy aus.

Jetzt hatten seine Gedanken eine neue Richtung eingeschlagen. Sein Vater hatte eine neue Sekretärin, Carol hieß sie – wie mochte die sein? Carol – das hörte sich vielversprechend an. Vor fast einem Monat hatte sein Vater sie zum erstenmal erwähnt. Sie sei blond, hatte er gesagt. Vermutlich Anfang Zwanzig, denn sein Vater hatte hinzugesetzt: »Sie ist sehr fleißig – sie ist auch noch nicht lange genug im Beruf, um faul zu sein.«

Cliffie kroch wieder ins Bett und versuchte, es mit der unbekannten Carol zu machen, was aber nicht gelang. Plötzlich war er sehr müde.

Was hatte er morgen zu tun? Gar nichts. Sehr schön. Wollte Melanie morgen abreisen oder übermorgen? *Carol.* Der Name gefiel ihm. Seine Mutter hatte es wahrscheinlich gar nicht mitgekriegt, daß sein Vater eine neue Sekretärin hatte, nicht mehr die miese alte Miss McLain, die aussah wie eine Gefängniswärterin. Sie war jetzt im Ruhestand. Seine Mutter schien überhaupt oft Tagträumen nachzuhängen, obgleich Cliffie zugeben mußte, daß sie den Haushalt gut versorgte. Und mit ihren Artikeln gab sie sich so viel Mühe, schlug Einzelheiten in allen möglichen Büchern nach, und meistens kam nichts dabei heraus. Seine Mutter kämpfte eine verlorene Schlacht, weil sie versuchte, gegen die Mehrheit zu kämpfen. Die Mehrheit schlug nicht mal zurück, sie blieb einfach gleichgültig. Cliffie lächelte ein wenig bei diesem weisen Gedanken und schlief gleich darauf lächelnd ein.

Er erwachte von einem bösen Traum und setzte sich hastig im Bett auf, froh, daß es nur ein Traum gewesen war. Um sich zu beruhigen, packte er seine Schulter. Er war im Traum zwölf Jahre alt gewesen und stand auf dem Sprungbrett des Schwimmbades im Schulheim: er sollte einen Kopfsprung für die Sommerschlußprüfung machen und weigerte sich. Er hatte sich damals, als er zwölf war, tatsächlich geweigert, obgleich er vorher zweimal, nach hartem inneren Kampf, von dem gleichen Sprungbrett in den See gesprungen war und zugeben mußte, daß es nicht sehr hoch war. Aber eben im Traum, als er mit zusammengelegten Händen am Ende des Sprungbretts gestanden und ins Wasser hinunterge- schaut hatte, da hatte er da unten viele kleine Männer gesehen, die wie kämpfende und ertrinkende Soldaten miteinander rangen, und er hatte zu dem Sportlehrer gesagt: »Ich kann nicht – da unten sind lauter kleine Männer im Wasser!«, und die andern Jungens hatten ihn ausgelacht und der Lehrer war zornig auf ihn zuge- kommen und wollte ihn ins Wasser stoßen, und da war er aufgewacht. Er wußte, er war schon mal von einer viel höheren Stelle ins Wasser gesprungen, damals von der Brücke in den Delaware, und da war er knapp elf gewesen. Hatte das vielleicht keinen Mut erfordert? Wer von den Jungen, die ihn im Traum ausgelacht hat- ten, brächte das wohl fertig? Und das war wirklich geschehen, war nicht eins seiner Phantasiegespinste, denn ab und zu erwähnten es seine Eltern oder erzählten andern davon. Für Cliffie war es die mutigste Tat, die er je vollbracht hatte, die Tat, auf die er bisher am stolzesten war. Zwecklos? Klar. Was hatte schon Zweck im Leben. Überhaupt Zweck – das Leben war ein Witz.

Cliffie blieb auf seinen Ellbogen gelehnt und blinzelte, froh über das blasse Rechteck seines Fensters. Seine Mutter war von Politik besessen, dachte er, und sein Vater hatte einen ganz unbedeutenden Posten bei der Zeitung. Keiner von beiden würde im Leben etwas wirklich Wichtiges erreichen, das sah Cliffie plötzlich ganz klar. Vielleicht war seine Mutter irgendwie nicht ganz normal, auch wenn sie die Möbel pflegte und das Haus sauber hielt und im Garten arbeitete. Das taten auch Anomale. Sein Vater war eigentlich immer schlampig angezogen; das war ja ganz in Ordnung, wenn man ein Bohémien-Autor oder sowas war, aber nicht, wenn man was erreichen wollte bei einer Zeitung mit einer Auflage von mehreren tausend – zehntausend oder so. Solange sein Vater mitzählen wollte, müßte er sich auch nach den Spielregeln richten, dachte Cliffie. Gewinnen oder verlieren – Cliffie spürte, daß sich die Eltern in einer Krise befanden, aber er wußte nicht, welcher Art die Krise war.

Und wie hatte sich bloß das Gesicht seiner Mutter verändert seit den zwei Tagen, die Mildew tot war: die Mundwinkel herabgezogen, der Ausdruck so abwesend, daß er alles zweimal sagen mußte, sonst hörte sie ihn nicht. Und alles wegen einer Katze! War das normal? Cliffie hatte oft genug gehört, daß sie davon sprachen, ob er normal sei. Das sollten sie sich mal selber fragen.

10

11. Dez. 1965. Schon wieder steht Weihnachten vor der Tür, oder dies ist jedenfalls der Weihnachtsmonat. Nelson macht sich prima, er ist lieb und freut sich des Lebens. Oft sitzt er auf meinem Schoß, wenn ich tippe.

B. geht es besser, zumindest sagt er, daß er glücklicher ist. Dann geht es auch mir besser.

Edith hielt inne; einen Augenblick sah es in ihrem Kopf so wirr aus, als habe sie eine Rede vor Publikum zu halten und könne ihre Notizen nicht finden. Aber sie war allein und saß am halbkreisförmigen Erkerfenster, vor sich den gerahmten Druck eines Chinesen in rosa-gelblichem Kostüm, den sie immer gern ansah, weil er so beruhigend wirkte. Sie dachte an Brett und versuchte dabei, realistisch zu sein. Vor einem Monat hatte er ihr gesagt – oder eingestanden –, daß er in seine Sekretä-rin Carol Junkin verliebt sei; aber er wisse, daß das absurd sei, und wolle auch Schluß damit machen. »Ent-flammt« hatte er es genannt: Carol war knapp fünfund-zwanzig. Zweimal, als Edith abends mit Brett nach Philadelphia fuhr, zu einem Konzert oder einer Theater-aufführung, hatte sie ihn vom Büro abgeholt und dabei Carol kennengelernt. Sie war kleiner als Edith, ein wenig untersetzt, hatte die Oberschule in Swarthmore besucht, dann geheiratet und war jetzt geschieden. Sie wohnte allein in einer kleinen Wohnung in Trenton; die Familie war wohlhabend und lebte in Ardmore. Sie konnte Deutsch und las Böll und Grass im Original, hatte Brett erzählt, und das war beinahe alles, was

Edith von ihr wußte. Edith nahm an, daß Brett ein paarmal mit ihr geschlafen hatte – sie wußte nicht recht wann, aber Zeiten und Möglichkeiten gab es ja immer. Heute morgen nun hatte Brett im Hinausgehen erklärt, er wolle Schluß machen mit »dieser Liaison« mit einem jungen Mädchen, das seine Tochter sein könnte. Das war für Edith der Grund gewesen, ihr Tagebuch hervorzuholen, das sie mehr als drei Monate nicht angerührt hatte.

Immer wieder diese Andeutungen von Gert Johnson! Edith wand sich, wenn sie daran dachte. »Hast du Bretts neue Sekretärin schon gesehen?« hatte sie vor drei oder vier Monaten gefragt.

»Ja, ganz kurz. Warum?«

»Norm war neulich wegen einer Anzeige beim *Standard*, da hat er sie gesehen. Hübsches Mädchen.« Und wie immer hatte Gert eine Pause gemacht, um das erstmal einsinken zu lassen oder damit Edith sich dazu äußerte, was aber nicht geschah.

Auf Edith hatte Carol keinen überwältigenden Eindruck gemacht. Das Gesicht war fast zu niedlich, diese Art fand Edith uninteressant, und die Brüste reichlich groß, das lag aber vielleicht an dem Pullover, den sie anhatte. Carol würde gern einen Roman schreiben, hatte Brett gesagt. Na ja, da war sie sicher nicht die einzige; damit konnte sie auch bei Brett nicht viel Staat machen, aber große Brüste hatte er gern. Cliffie hatte es sicher schon vor ihr gemerkt, dachte Edith; er hatte eine merkwürdige Intuition. Aber Brett hatte wenigstens offen zu Edith gesprochen, was die meisten Männer kaum getan hätten, jedenfalls nicht so früh. Nach Ediths Ansicht war zwischen Brett und ihr auf diesem Gebiet alles in Ordnung. Zwei- oder dreimal im Monat schliefen sie miteinander – wenn man aus der Anzahl überhaupt etwas schließen konnte, und das konnte man doch wohl. In allen Artikeln über Eheprobleme wurde das genannt: wie oft oder wie selten. Ob das Verhältnis unbedingt besser war, wenn man es auf sechsmal in der Woche brachte? Die Atmosphäre in einer Ehe war doch gewiß auch wichtig, und darin hatte sie in ihrer Ehe keine Verschlechterung wahrgenommen. Sie hatte auch öfter von der Rebellion des Mannes in der Lebensmitte gelesen, es gab sogar ein Buch mit fast genau diesem Titel; sie nahm also an, daß Brett mit acht- oder neunundvierzig diese Krise durchmachte. Eine Liebesaffäre würde sein Selbstbewußtsein vielleicht eine Weile aufblühen lassen, und dann ging es sicher vorüber.

Aber über Brett konnte sie jetzt weiter nichts schreiben. Über Cliffie hingegen – es freute sie und brachte ihr Erleichterung, sich über ihn auszulassen. In ihrer Phantasie war Cliffie jetzt Student in Princeton.

C. schreibt immer noch sehr nett jede Woche, meist mit der Bitte um zehn Dollar oder so, weil irgendwas Unerwartetes kam, eine Tanzerei mit Eintrittsgeld oder ein Paar neue Schuhe. Aber seine Noten sind weiterhin gut, vor allem im Englischen. Technik fällt ihm nicht leicht, aber daß er gefordert wird, macht ihm Spaß.

Edith dachte besonders an Physik und Mathematik, als sie das schrieb, denn beides hatte in der Schule nicht zu Cliffies Glanzleistungen gehört. In ihrer Phantasie war Hydraulik Cliffies Spezialthema; er liebte die Arbeit und war entschlossen, dabei zu bleiben. Drainage, Dämme, Pumpen, Grundwasserspiegel, das alles hatte er im Kopf, wenn er in seiner Bude in Princeton arbeitete. Mädchen schrieben ihm kleine Briefe, Studentenverbindungen – nun, er hatte sich schon eine ausgesucht, die ihn aufgefordert hatte. Er war erst im September nach Princeton gegangen, machte sich aber so glänzend, daß er sicher in drei Jahren fertig war, vielleicht sogar in zwei. Auch ein Mädchen hatte sich Edith für Cliffie ausgedacht, sogar zwei oder drei, aber eine war ihm wichtiger als die andern, und Edith hatte auch einen Namen für sie gefunden: Deborah. Debbie. Sie war hübsch, intelligent und studierte ebenfalls in Princeton (eine kleine Anzahl Mädchen wurde ja jetzt zugelassen); sie war erst siebzehn und überall so beliebt, daß Cliffie nicht recht wußte, ob er bei ihr die erste Geige spielte. Aber es ging alles gut, und Debbie war und blieb für Cliffie ein dauernder Ansporn. Er war wie verwandelt, seit er sie kannte. Aber Edith beschloß, heute nicht damit anzufangen, über Debbie zu schreiben. Sie hatte sich Debbie erst vor zwei Monaten ausgedacht. Sie schrieb heute zum Schluß über George, greifbar und wirklich und immer gegenwärtig. Trotz seiner Anfälligkeit war er viel greifbarer als Brett in der letzten Zeit.

G. wird jetzt so taub, daß wir immer schreien müssen. Er kann noch ins Badezimmer kriechen, wenn auch unter Schmerzen, wie er sagt, aber er hat noch nicht um einen Nachttopf gebeten und ich bringe es nicht über mich, das vorzuschlagen. Er bekommt immer Berichte von einer Investmentfirma im Staat New York, aber ich krieg's nicht fertig, sie mir anzusehen, obgleich sie in seinem Zimmer herumliegen. Ich würde sie vielleicht auch gar nicht verstehen. Sie schicken ihm die Dividendenbeträge an seine New Yorker Bank, und er gibt uns regelmäßig einen Scheck über 150 Dollar monatlich. Zweimal hat er es vergessen und Brett mußte ihn daran erinnern, was er haßt. C. ist grob zu ihm und macht alberne Bemerkungen in seiner Gegenwart, die G. natürlich nicht hört. Manchmal, wenn ich sein Zimmer sauber mache, erscheint C. in der Tür, als ob das langsame Sterben ihn fasziniere.

Edith schraubte die Füllfeder zu, legte das Tagebuch weg und erhob sich. Sie hatte ein Faktum vor sich, das ebenso greifbar war wie George: Brett brachte heute Carol zu einem Drink mit nach Hause, oder vielmehr sollte Carol in ihrem Wagen gleichzeitig mit Brett kommen.

»Ich möchte, daß du sie nochmal siehst«, hatte Brett in seiner ernsthaften Art gesagt, »damit du weißt, daß sie ein anständiger Kerl ist.«

Edith hatte kein Verlangen gehabt, Carol nach dem, was Brett ihr gesagt hatte, näher kennenzulernen, aber vielleicht half sie Brett damit oder erleichterte sein Gewissen, das ihm offenbar zu schaffen machte. Edith blickte hinüber zu Nelson, der zusammengerollt auf dem flachen Kissen im Erkerfenster lag und sie aus verschlafenen blauen Augen ansah. Er war ein siamesischer Kater; Melanie hatte ihn im Juli durch einen Boten geschickt, nachdem sie Edith geschrieben hatte, daß bald ein Kätzchen kommen werde. Das war knapp einen Monat nach Mildews Tod. Im letzten Monat war Nelson kastriert worden, eine Operation, die Edith scheußlich fand, aber sie wußte, sie war notwendig, sobald das Tierchen sechs Monate alt war, wenn sie ihn im Haus halten und von Kämpfen mit anderen Katern verschont wissen wollte.

Bevor sie hinunterging, warf Edith noch einen Blick in Georges Zimmer. Wie immer war die Tür angelehnt; sie klopfte jetzt nicht mehr an oder rief ihn, denn er hörte sie doch nicht. Er lag schlafend auf der Seite, ihr zugewandt, ein Arm lag angewinkelt unter ihm, die Finger der bläulichweißen Hand waren gekrümmt, als flehten sie um etwas. Guter Gott, es war wie langsames Sterben, dachte sie. Sie hatte ihn fragen wollen, ob er jetzt seinen Tee haben wollte, aber er schlief ja, also wozu? Es war schon zehn Minuten nach fünf.

Brett kam wohl gegen viertel vor sechs, und Carol ebenfalls; da sie jetzt noch etwas Zeit hatte, beschloß Edith, schnell noch Cliffies Zimmer in Angriff zu nehmen. Cliffie war ausgegangen. Wann immer sie etwas bei ihm aufräumte – nicht gründlich, denn sie respektierte seine unbekümmerte Art zu leben –: er merkte es gar nicht und bedankte sich auch nie, wenn sie mit dem Staubsauger durchgegangen war. Einmal in der Woche kam Margaret, die schwarze Putzfrau, nachmittags für vier Stunden; sie ließ Cliffies Zimmer völlig unberührt, ohne daß Edith mit ihr darüber gesprochen hatte. Edith verstand das: auf dem Fußboden lagen so viele Kleidungsstücke, Schuhe und Zeitschriften herum, daß man zwanzig Minuten zum Wegräumen gebraucht hätte, bevor man mit dem Putzen anfangen konnte.

Wie jedesmal, erschrak Edith auch heute etwas, als sie das Zimmer betrat, weil es so sehr dem klassischen Bild eines Raumes glich, in dem gerade ein Einbruch verübt worden war. Die vier Schubladen der Kommode waren herausgezogen, Pulloverärmel hingen herunter, eine Schublade stand auf dem Fußboden. Mechanisch begann sie, die Pullover zusammenzulegen, die Schubladen zu schließen, und machte dann das Bett. Neben dem Bett lag eine feuchte Socke. Ob Cliffie Schweißfüße hatte? Nervosität? Ob er deshalb seine Socken so oft selber wusch? Wenn sie ihn fragte, würde er ausweichen; am besten sagte sie gar nichts. Sie stellte die schlammbespritzten Tennisschuhe weg, fand zwischen den Schuhen auf dem Boden des Kleiderschranks fünf oder sechs weitere Socken, offensichtlich schmutzig, manche schon ganz steif, und nahm sie heraus. Ein Dutzend Comics lagen auf dem Boden vor dem Bücherbord, alt und zerfleddert. Die oberen Regale des Bücherbords sahen einigermaßen ordentlich aus, weil er sie nie anrührte; eine Enzyklopädie für Kinder in imitiertem rotem Leder, mehrere Kinderbücher, darunter *Winnie-the-Pooh* und *Die Schatzinsel* (blaßblau gebunden; Edith wußte noch, daß das ihr gehört hatte als Kind), daneben *The Joy of Sex* – ein Handbuch, und mehrere Bücher von Ian Fleming. Cliffie hatte auch einen einfachen Schreibtisch, das war ein rechteckiger Holztisch mit großer Schublade. Sogar eine Schreibmaschine besaß er, eine kleine Hermes; sie stand auf dem Tisch, die graue Plastikhaube war staubig und eingebeult, als sei etwas Schweres darauf gefallen. Vor sechs oder sieben Jahren, daran erinnerte sich Edith, hatten sie Cliffie die Schreibmaschine zu Weihnachten geschenkt, nach langem Aussuchen, denn damals konnten sie sich das eigentlich nicht leisten. Ob Cliffie sie kaputtgemacht hatte? Sie wußte nicht mehr, wann er sie zuletzt benutzt hatte.

Auf dem Tisch lagen haufenweise Zettel, auf denen irgendwas geschrieben war, meist von Cliffie. Namen und Telefonnummern, das sah Edith mit einem Blick, und sie hatte nicht vor, sie zu ordnen oder aufzustapeln. Ihr Blick fiel auf ein Blatt, auf dem ICH HASSE stand, in großen Buchstaben – weiter las sie absichtlich nicht.

Vielleicht stand GEORGE dahinter, oder einer der Jungens in der Stadt, oder auch – sie selber? Cliffie war oft wütend mit ihr, genau so wie mit jedem andern, das wußte Edith. Eigentlich hatte sie überhaupt noch nie das Gefühl gehabt, daß er sie gern hatte, sie liebte, wie ein Sohn seine Mutter liebt. Manchmal merkte sie, daß er einen Groll auf sie hatte, sie einfach nicht mochte. Sie verstand seine Gefühle nicht, hatte sie nie verstanden. Sie verließ das Zimmer mit den schmutzigen Socken in der Hand, und wie immer war sie froh, als sie es verließ, froh, die Tür hinter sich zu schließen und so zu tun, als gebe es diesen Raum gar nicht.

Eine Pin-up Busenschönheit auf einem Kalender in Cliffies Zimmer (vom November 1964) blieb Edith im Gedächtnis. Dachte sie an Carol dabei? Ja, vermutlich. Sie ließ die Socken in den Korb in der Küche fallen, der die schmutzige Wäsche enthielt.

Edith ging nach oben, nahm schnell ein Bad und zog dann einen langen Wickelrock aus Madrasleinen mit grünweißem Blumenmuster an. Der Tag war sonnig und nicht kalt. Darüber zog sie einen weißen Pullover, dann eine goldene Kette mit dem Signum ihres Großvaters und zwei kleine goldene Abzeichen, darunter das winzige Schlüsselchen ihrer Studentenverbindung. Mit dem Make-up gab sie sich etwas mehr Mühe als sonst. Jetzt, wo es zu spät ist, dachte sie.

Gerade kam sie mit einem Teller voller Canapés ins Wohnzimmer, als der erste Wagen die Einfahrt heraufkam. Edith ging in die Küche zurück, um den Eisbehälter, ein Gefäß aus schwarzem Plastik, zu holen. Sie hörte Bretts Stimme und dachte, er habe Carol mitgebracht. Dann kamen Brett und Cliffie herein.

»Hier – ich habe unsern Sohn aufgesammelt,

auf –« Brett hielt inne, weil ein blauer Volkswagen in die Einfahrt einbog.

»Tag, Mom«, sagte Cliffie.

»Hallo, Cliffie. Na, was hast du heute gemacht?«

»Ich war spazieren.« Cliffie sah seine Mutter scharf und mit wissendem Blick an und zog den Reißverschluß seiner langen Jacke auf.

Carol stand in der Haustür, die Brett geöffnet hatte: blond und lächelnd, ein hellblaues Tuch um den Hals, blaue Wildlederjacke, Tweedrock und sogenannte vernünftige Schuhe. »Guten Tag, Mrs. Howland«, sagte sie.

»Hallo – guten Abend«, sagte Edith.

»Guten Tag«, sagte Brett. »Ich geh nur schnell und wasch mir die Hände – eine Sekunde.« Er verschwand.

Edith wollte Carol die Jacke abnehmen, aber Carol behielt sie über dem Arm.

»Was für ein bezauberndes Haus!« sagte Carol. »Und der Garten! Ich wohne in einem Häusermeer in Trenton.«

»Wollen Sie nicht Platz nehmen? Was möchten Sie trinken? Ich glaube, es ist einigermaßen alles da.«

Einen Scotch wollte Carol gern. Edith dachte, daß das Haus ihrer Eltern sicher viel großartiger war als dieses hier. Aber das Mädchen war nett, es lag etwas Ernsthaftes um Augen und Stirn. Sie war sicher nicht dumm, hatte hübsche Hände und kam offensichtlich aus guter Familie. Jetzt kam Brett zurück mit liebenswürdigem Lächeln und gleich darauf saßen sie alle um den Tisch, hielten Drinks in den Händen und redeten Unsinn und Banalitäten. Edith dachte: wenn ich nun einfach herausplatze: ›Ich nehme an, Sie sind ein paarmal mit meinem Mann ins Bett gegangen, warum zum Teufel also sitzen wir hier herum und grinsen und sagen uns Nettigkeiten?‹ Dann kam Cliffie dazu, der offen grinste, was Edith in diesem Augenblick geradezu erleichterte.

»Trinkst du auch einen Scotch, Cliffie«, sagte sie.

»Tjaa, warum eigentlich nicht«, sagte Cliffie mit übertrieben englischem Akzent. »Danke schön.« Er mixte sich einen Drink.

Edith wartete, daß Carol jetzt sagte: »Sie haben ja schon einen großen Jungen!« – Sie sah ihn so abschätzend an, oder hatte sie vielleicht auch mit ihm was vor? Edith unterdrückte ein Lächeln.

»Carol zieht bald um, nach New York«, äußerte Brett. »Sie hat Größeres vor.«

»Na, Größeres«, sagte Carol. »Wo die Zeitungen dort sterben wie die Fliegen? Ich hoffe auf einen Job bei der *Post*«, sagte sie zu Edith gewandt. »Offen gesagt verdanke ich's eher den Beziehungen meines Vaters als meinen Fähigkeiten. Und dabei ist mein Vater nicht mal bei einer Zeitung, er arbeitet in der Elektronik, aber er – ach, das führt zu weit, jedenfalls kennt er einen, der jemand anderen kennt.«

»So bescheiden brauchen Sie gar nicht zu sein«, meinte Brett.

»Ham-ham«, machte Cliffie glucksend mit spöttischem Lachen, weil sich die Eltern und der Gast geradezu überboten in albernen Höflichkeiten.

Carol schlug die Beine übereinander und wippte mit dem Straßenschuh. Sie hatte schöne dunkelblonde Haare, die sie kurz geschnitten und in weichen natürlichen Locken trug wie Edith, nur war ihr Haar noch ganz ohne Grau. Sie nahm gern noch einen zweiten Whisky, den Brett ihr mixen wollte, aber Edith war schon aufgestanden. Sie gab reichlich Whisky ins Glas; Carol sah so aus, als könne sie was vertragen. Carol erzählte jetzt, sie werde als Redaktionsassistentin in der Außenpolitik anfangen, zunächst also als ganz kleines Rädchen am Wagen, so versicherte sie Edith. Aber das war ihr lieber als ein besser bezahlter Posten, den sie im Ressort für Theater und Film hätte haben können.

»Anfang Januar verläßt sie uns«, sagte Brett.

Kommt mir verdächtig vor, sie beteuern beide zu viel, dachte Edith. Schließlich war New York nicht am Ende der Welt – höchstens zwei Stunden mit einem schnellen Wagen.

Gleich darauf machte sie sich Vorwürfe wegen ihres häßlichen Verdachts. Carol stand am vorderen Fenster und sprach über die Pflege von Kamelien, von denen sie offensichtlich etwas verstand. Sie bewunderte die Pflanze, die Edith für den Winter aus dem Garten geholt hatte und die jetzt acht dicke Knospen hatte, die sich im Januar oder Februar öffnen sollten. An der behutsamen Art, wie Carol die fleischigen Blattspitzen berührte, sah Edith, daß sie Pflanzen gern hatte. Cliffie grinste jetzt nicht mehr, sondern betrachtete Carol mit offenen Augen, der Gesichtsausdruck war nichtssagend neutral – vielleicht aufmerksam, vielleicht auch waren seine Gedanken weit weg, das wußte Edith bei ihm nie ... Carol, dachte sie, war jung und wußte wenig von Brett. Was brauchte sie Carol zu fürchten oder sich überhaupt Gedanken zu machen? Brett war nicht der Mann, der ein Mädchen im Sturm eroberte, und war es auch nie gewesen. Sowas gelang ihm nicht mal für kurze Zeit. Außerdem – schön wär's – hatte Carol ja vielleicht selber schon Schluß gemacht und nicht Brett.

»Sie ist hübsch«, sagte Edith, als Carol fort war. Ihr

Wagen war gerade nach rechts, in Richtung auf Trenton, in die Straße eingebogen.

Brett seufzte tief auf und trank seinen geeisten Drink aus. »Nett siehst du aus. Ich mag dich in dem Rock.«

»Noch einen?« fragte Edith, die neben dem Barwagen stand.

Ja, Brett wollte noch einen, und Edith mixte auch noch einen kleinen für sich selber. Cliffie saß herum und klapperte lärmend mit seinen Eiswürfeln. Solange er im Zimmer war, konnte Edith nicht reden; aber was hätte sie auch schon sagen sollen? Lobende Worte über Carol – dazu hatte sie keine Lust, und niemals hätte sie ihren Mann gefragt: »Na, ist es nun wirklich aus und vorbei?« So blieb nur Schweigen.

»Sollte ich eigentlich Carstairs wieder anrufen? Es war doch diese Woche, oder?« fragte Brett.

Dr. Francis X. Carstairs war der Arzt, der jeden Monat kam und nach George sah. Er wohnte in Washington Crossing, und Brett rief ihn gewöhnlich von Trenton aus an, um ihn an seinen Besuch zu erinnern, damit er es nicht vergaß.

»Ich weiß nicht«, sagte Edith. »Ja, es ist wohl schon vier Wochen her. Ruf ihn doch morgen an und frag ihn. Oder ruf ihn jetzt an.«

»Ich möchte das Codein gern mal probieren«, sagte Cliffie und verzog das Gesicht zu einem Lächeln. »Ist ein Opium-Derivat, sagt das Lexikon.«

»Das laß gefälligst«, sagte Brett. Mit dem Glas in der Hand ging er im Zimmer auf und ab und kratzte sich plötzlich kräftig den Kopf, so daß das grauschwarze Haar irgendwie dreist in die Höhe stand. »Wenn ich dich dabei erwische, kannst du auch die Rechnung bezahlen.«

»Ist es teuer?« fragte Cliffie. »Ja, muß wohl – Opium. Die Junkies bezahlen einen Haufen Geld dafür.«

»Hör jetzt auf damit, Cliffie«, sagte Brett laut.

»Man braucht 'n besonderes Rezept, nicht?« fuhr Cliffie unbekümmert fort.

Jetzt platzte Brett fast der Kragen. Er holte tief Luft und schwang drohend die Faust, aber es war schnell vorüber. Brett sah oft rot bei Cliffies dümmlichen penetranten Fragen und seiner hartnäckigen Art, an einem Thema festzuhalten, von dem niemand mehr etwas hören wollte. Edith blickte gelassen zu ihrem Sohn hinüber, der sich im Sessel lümmelte. Wir sind alle nicht mehr ganz richtig, dachte sie, das ganze Haus, auch George mit seinen vielen Betäubungsmitteln. Sie ging in die Küche, um das Abendessen vorzubereiten.

11

Der Frühling 1966 war besonders herrlich – nicht nur, weil überall Gärten und Bäume in Blüte standen (Brunswick Corner kam Edith jedes Jahr hübscher vor), sondern weil sie und Gert das *Signal* zu neuem Leben erweckt hatten, diesmal als Halbmonatsschrift. Das lag an der Zunahme der Anzeigen und an dem neuen Preis von 25 Cents pro Ausgabe. Viele Touristen kauften das Blatt am Wochenende als Souvenir. In der Stadt gab es mehr als zehn neue Läden: Geschenkartikel, Antiquitäten, Töpferwaren, und alle kamen mit Anzeigen. Das Blatt hatte jetzt acht Seiten und wurde auch in mehreren Warenhäusern in Philadelphia zum Verkauf angeboten, etwa bei Strawbridge und Clothier. In Ediths Ressort gab es immer etwas zu berichten über die lokale Feuerwehr oder die Polizei – gutwillige Trottel, die von allen verlacht und ›Keystone Cops‹ genannt wurden. Es kam häufig vor, daß die Polizisten (zwei oder drei) bei einer Verfolgungsjagd nicht genug Benzin im Tank hatten, keine Landkarte mitführten und dann den Weg verloren, oder bei einem Notruf viel zu spät kamen. Es gab in Brunswick Corner auch ein paar Musiker, Schauspieler und Maler, die Edith in kleinen Essays porträtierte. Die meisten ihrer Artikel behandelten Themen wie Ladenschildergröße, Erhaltung der Landschaft, Baugenehmigungen. In einem Aufsatz hatte sie sich lobend über Lyndon Johnsons Vorschulprogramm geäußert, in einem anderen ebenso zustimmend über Johnsons Erklärung, der Staat könne seine Probleme nicht dadurch lösen, daß er Geld wie Wasser in den Rinnstein fließen lasse, womit gewisse Zahlungen an die Armen gemeint waren.

Über das Friedenscorps schrieb sie einen Artikel, der im *Signal* nie gedruckt wurde, weil ihn Gert für viel zu abwegig oder unrealistisch hielt. Er lautete:

Das Friedenscorps könnte Kinder zwischen acht und zehn aufnehmen, denn in diesem Alter kommen sie mit Kindern anderer Länder gut aus, sie haben keine rassischen Vorurteile (jedenfalls keine tiefsitzenden) und lernen Sprachen schnell und ohne Mühe. Man könnte Heime einrichten für alle, die gern kommen möchten; vielleicht wären es viele. Es müßte auch Zeltlager und

Abenteuerspiele geben. Auf diese Weise könnten Freundschaften entstehen und Erinnerungen gepflanzt werden, die nicht einmal mit dem Tode enden müssen, denn der Erinnernde gibt sie weiter. Einsame und verlassene Kinder, Illegitime, Mutlose finden dann ihren Platz in der Gesellschaft; anstatt bemitleidet zu werden, wird man sie als Helden betrachten, als junge Pioniere, wenn das Friedenscorps sie in die Jugendgruppe aufnimmt.

Das war Ediths erster Entwurf, den sie Gert zeigte. Sie war einen Augenblick verärgert, gereizt, als Gert emphatisch sagte: »Ausgeschlossen. Kein Mensch würde seine Kinder zu sowas hergeben.« Aber sie wollte mit Gert nicht streiten, und der Vorfall war bald vergessen. Edith hatte immer viele Ideen für die Leitartikel in Reserve. Jeden Monat blieben mindestens zwei oder drei Leute auf der Straße oder in einem Laden stehen, hielten Edith an und sagten ihr, wie gut ihnen die Leitartikel gefielen. Manchmal kam sogar ein anerkennender Brief. Abträgliche Kritik gab es nur selten.

Und Brett kam ebenfalls mit seinem Buch weiter, das er seit Jahren geplant hatte. ›Schlaglöcher‹ hieß es und war eine Analyse der amerikanischen Außenpolitik seit dem Ende des zweiten Weltkriegs. Er hatte zunächst die Einteilung noch einmal geschrieben, in Kapitel unterteilt und den Kapiteln Arbeitstitel gegeben, eine Methode, die Edith ihm vorgeschlagen hatte. Ein paarmal fuhr er am Sonnabend nach New York, um in der Staatsbibliothek und in Zeitungsarchiven einiges nachzuschlagen.

Im Juni kam wieder Tante Melanie zu Besuch und Edith war froh, daß Cliffie gerade eine Arbeit hatte (in einem Herren-Konfektionsgeschäft, das sich Krawatten-Box nannte) und daß er nicht ganz so viel trank, als Melanie da war. Edith hatte einmal sanft zu Cliffie bemerkt, er statte offenbar dem Barwagen im Wohnzimmer öfter einen Besuch ab; seitdem waren diese Besuche seltener geworden, aber Cliffie hielt sich jetzt eine Flasche Gin oder Whisky in seinem Kleiderschrank, das hatte Edith gesehen. Er war niemals richtig betrunken, nur leicht angeheitert den ganzen Tag. Sie wünschte, die beiden Boys von der Krawatten-Box würden mal ein Machtwort mit ihm sprechen, aber da war wohl wenig Hoffnung, denn es war bekannt, daß die beiden ebenfalls gern was tranken.

»Wir können froh sein, daß es nicht Rauschgift ist«, sagte Edith zu Brett. »Gert kennt da mehrere furchtbare Fälle – hier in der Oberschule!« Gerts vierzehnjähriger Sohn Kevin war der Polizei auf den Leim gegangen; er wurde von ihr als Denunziant benutzt und bezahlt für Informationen über die Drogengeschäfte seiner Mitschüler. Gert hatte gesagt, das könne höchstens vier Wochen lang gut gehen, denn die Schüler fanden bestimmt heraus, wer die Informationen lieferte, und dann schlugen sie ihn zusammen. Bisher war Kevin diesem Schicksal entgangen, und im Juni hatten dann die Sommerferien begonnen und die Schule wurde geschlossen.

Und dann, im September, als die ersten Blätter fielen, obgleich es für die Herbstfärbung noch zu früh war – Herbst war Ediths liebste Jahreszeit – kam Bretts großer Auftritt. In Gedanken nannte sie es immer so (vielleicht weil sie annahm, daß Brett das auch tat), doch in ihrem Tagebuch benutzte sie den Ausdruck nicht – er war ihr zu schnippisch. Brett sagte, er liebe Carol Junkin, sie liebte ihn ebenfalls, und sie beide konnten ihr Gefühl nicht mehr unterdrücken oder verbergen.

»Es ist mir sehr, sehr schmerzlich«, sagte Brett sanft und fest: es war, als bisse er verzweifelt die Zähne zusammen. »Aber es ist für mich das einzig Anständige, es dir offen zu sagen und – und zu hoffen, daß du in eine Trennung einwilligst.«

Ediths anfängliche starre Überraschung wich sehr schnell einem Gefühl ungeduldiger Gereiztheit, als habe jemand einen Knallkörper vor ihrer Nase losgelassen. »Ist das dein Ernst?«

Die Unterhaltung hatte vor einer Woche stattgefunden, und wenn sie daran dachte, kam sie ihr noch immer ganz unsinnig vor. Brett hatte ihr beteuert, es sei sein Ernst, ja. Und dann hatte er mit der gleichen nüchtern-trockenen Entschlossenheit den längeren Teil seiner Rede begonnen.

»Ich habe ein Recht darauf, bevor es zu spät ist – jedenfalls sehe ich es so. Unser Sohn ist erwachsen – mehr kann man heute noch nicht sagen.« Das war von Kopfschütteln begleitet. »Und die finanzielle Regelung ist natürlich meine Sache. Aber ich habe ein Recht auf Glück.«

Das hatte Edith niemals bestritten. Sie hatte ihn niemals gefragt, ob er mit ihr unglücklich sei, und das schien ja jetzt erwiesen. Oder vielleicht nicht glücklich genug – nicht so glücklich, wie er meinte verdient zu haben.

»Ich möchte Carol heiraten. So ernst ist es«, hatte er noch gesagt.

Sie hatten dieses Gespräch oben in ihrem Schlafzimmer geführt; Brett hatte sie dorthin gebeten, weil Cliffie jeden Augenblick nach Hause und ins Wohnzimmer kommen konnte. Es war kurz nach sechs, und Cliffie kam seit kurzem gewöhnlich zum Abendessen nach Hause.

»Es ist sicher ein Schock für dich«, sagte Brett. »Aber ich konnte einfach nicht so weitermachen mit diesem Versteckspiel, und Carol immer nur heimlich treffen, das kann ich nicht. Es ist gegen meine Natur.«

Edith fielen die vielen Bibliotheksbesuche in New York ein, die er seit Januar gemacht hatte. Natürlich an den Sonnabendnachmittagen hatte er sich mit Carol getroffen. Und wie war es mit ihr selber und Brett: es mußte etwa drei Monate her sein, seit sie zuletzt miteinander geschlafen hatten. Edith erinnerte sich überhaupt nicht mehr daran, denn der Akt war ihr nie als besonders wichtig erschienen. Immerhin: das war es wohl, was Brett jetzt im Hinblick auf Carol meinte. Cliffie hätte gesagt, er wollte eine junge Frau bumsen, solange er noch konnte und solange eine junge Frau ihn noch haben wollte. Und mitten in ihrer Verwirrung und Sprachlosigkeit, das wußte sie noch, war ihr der Gedanke gekommen, daß sie keineswegs die erste Frau war, der so etwas passierte und die sich eine ernsthafte Rede von einem ehrlichen Mann anhören mußte, dem es genau so ernst war mit dem, was er vortrug.

Und jetzt, eine Woche später, hatte Edith es immer noch nicht fertiggebracht, ein Wort darüber in ihr Tagebuch zu schreiben. Wen kümmerte es auch schon, ob sie es festhielt oder nicht? Sie gewiß nicht.

Wie anders ist die Stimmung heut im Haus – das könnte sie, frei nach Shakespeare, vielleicht schreiben, dachte Edith und lachte bei dem Gedanken kurz und fast hysterisch auf. Brett ging wie ein Zinnsoldat seinen häuslichen Aufgaben nach: er schnitt den Rasen – hoffentlich zum letztenmal in diesem Herbst, aber vermutlich doch nicht – und stellte den Rasenmäher lieber noch nicht für den Winter weg. Auch seine schmutzigen Hemden legte er wie üblich in den Wäschekorb.

Das Haus – wie sollte er das bezahlen, und dann noch eine eigene Wohnung für sich und Carol? Allerdings hatte wohl Carols Familie Geld. Brett sagte, er bekäme sicher eine Stellung bei der *Post,* er hatte schon Schritte eingeleitet. Und wenn nun daraus nichts wurde? Ob sie selber eine Stellung annehmen mußte, dachte Edith. Sie war sechsundvierzig. Juristisch gesehen brauchte sie das nicht, es war Bretts Aufgabe, für sie zu sorgen. Aber anstandshalber konnte sie vielleicht doch irgendeinen Job annehmen, vielleicht in einem hiesigen Laden oder so, denn sonst konnte sie sich nicht vorstellen, woher das Geld kommen sollte. Auch Cliffie konnte eine feste Arbeit annehmen oder ausziehen, dachte sie in einer Aufwallung von Energie, er hatte weiß Gott noch nie einen Pfennig Unterhalt bezahlt. Und George konnte man bitten, etwas mehr zu zahlen. Was wollte er schon mit seinem Kapital anfangen, er würde es ja doch Brett hinterlassen. Edith nahm an, Brett werde mit Carol in New York in eine größere Wohnung ziehen als die, die Carol jetzt hatte. Sie würden ein paar Monate zusammenleben, und wenn dann Edith in eine Scheidung einwilligte, würden sie heiraten.

Aber Edith hatte ja schon in die Trennung eingewilligt; sie hatte »Ja« gesagt, und das war wie das »Ja« bei der Trauung, dachte sie. Merkwürdig war das alles. Manchmal hatte sie das Gefühl zu träumen; wenn sie morgens erwachte, dachte sie zunächst, es sei alles ein Traum, dann erst merkte sie, daß es kein Traum war, denn sie spürte sofort die Veränderung in Brett, sie fühlte, daß seine Gedanken nicht hier waren. Ganz abgesehen von der Tatsache, daß sie nicht mehr im gleichen Bett schliefen. Wer hatte das eigentlich vorgeschlagen, sie oder Brett? Vielleicht hatte sie mal geäußert, ob sie nicht lieber in ihrem Arbeitszimmer schlafen sollte, was ihr überhaupt nichts ausmachte, und der höfliche Brett hatte dann gesagt, *er* werde dort schlafen, und Edith hatte darauf bestanden, daß *sie* dort schlief: ihr war einfach der Gedanke unangenehm, daß Brett in ihrem Zimmer schlief, so nahe ihrem Schreibtisch und der Schreibmaschine, den Manuskripten und Zetteln und dem ganzen Kram.

»Was 'n hier los?« hatte Cliffie eines Morgens beim Frühstück gefragt, als er die neue Anordnung bemerkte.

»Jeder kann ja wohl da schlafen, wo er möchte«, sagte Brett und biß in seinen Toast.

»Vielleicht 'n neues Eheexperiment«, sagte Cliffie und biß ebenfalls in seinen Toast, und dabei blickte er seine Eltern an, als warte er auf eine Reaktion.

Edith ignorierte seine Bemerkung aus alter Gewohnheit. Wenn Brett sie mitfühlend ansah, so war ihr das auch egal. Er war ja bald aus allem heraus, dachte sie.

Brett hatte angefangen zu packen. Edith sah ihn manchmal zögern, wenn er ein angeschmutztes Paar Jeans vor sich hatte, die er dann gewöhnlich zurück ließ. Er werde seine Sachen mit dem Wagen nach New York bringen, sagte er, und den Wagen später zurückbringen.

»Was soll ich George sagen?« fragte Edith.

»Ach, ich hab's ihm schon gesagt, ich hab's versucht ihm zu erklären«, gab Brett zurück. »Aber ich weiß gar nicht, ob er's überhaupt verstanden hat. Er wird langsam senil, der Gute.«

»Na ja, das liegt an den vielen Medikamenten und

Pillen, die er immer schluckt. Die machen ihn müde«, sagte Edith. Sie neigte im Augenblick eher zu Mitgefühl für George – er war jedenfalls höflich und freundlich, so wohlerzogen, wie es ihm in seinem Zustand möglich war. Bretts Verhalten war nicht mehr wohlerzogen – obgleich sie intellektuell ihm das Recht zugestehen mußte, so zu handeln, wie er es tat. Er hatte ihr auch gesagt, er habe mit Cliffie gesprochen. Das hatte Edith schon vermutet, denn er hatte Cliffie eines Abends zu einem Spaziergang (oder einem Bier) aufgefordert, was er unter normalen Umständen nie getan hätte.

An einem Tag jener Woche, als Brett noch im Büro in Trenton war, bemerkte Cliffie zu Edith: »Mein Vater ist genau so ein Scheißkerl wie andere Männer. So'n alter Bock, läßt dich hier sitzen wegen einer jüngeren.«

Edith war in der Küche und machte Sandwiches zum Lunch für sich und Cliffie. Ruhig sagte sie: »Ich glaube, dein Vater sieht es als – als eine Art Experiment an. Du bist doch wohl alt genug, das zu verstehen. Und wenn du wirklich erwachsen sein willst, rede nicht mit deinen Freunden darüber. Und auch sonst mit niemandem.«

Cliffie nickte mit leicht geöffneten Lippen.

Ob er wohl annahm, daß es alle schon wußten? dachte Edith. Gert Johnson wußte jedenfalls Bescheid. So eine Neuigkeit verbreitete sich wie ein unsichtbares Gas. Auf welche Weise –? Gert hatte Edith gestern in ungewöhnlich besorgtem Ton gefragt, wie es ihr ginge. Sie wollte heute gegen fünf auf einen Drink vorbeikommen und einige Schecks von Inserenten in Washington Crossing und Hopewell Township mitbringen. Edith hatte die Buchführung übernommen.

Als Gert kam, fragte Edith zuerst nach Derek, der vor einer Woche als verwundet gemeldet worden war.

»Oh, wir hatten gestern schon einen Brief von ihm.«
Gert strahlte. »Es ist bloß eine Fleischwunde in der
Wade. Ehrlich gesagt, Edith, Norm und ich sind natürlich selig, daß er erstmal eine Weile liegen muß. Wir
haben ihm gleich geschrieben, er soll es ordentlich aus-
nutzen.« Gert lachte mit unverhohlener Freude. »Vielleicht wird die Post zensiert, aber das ist mir alles
wurscht. Er ist mein Sohn, und was geht uns der Krieg
an?«

Cliffie saß im Sessel und blickte mit halbem Auge auf
den Bildschirm, aber Edith wußte, er hörte ihrer Unterhaltung zu. Sie hätte mit Gert nach oben in ihr Arbeitszimmer gehen können, wie sie es manchmal taten, wenn
sie Geschäftliches zu besprechen hatten, aber es war jetzt
an der Zeit, Gert einen Klaren anzubieten, und Edith
wußte, daß Gert gern mit ihr reden wollte.

»Cliffie, würdest du wohl so gut sein –«, begann
Edith zögernd. »Das ist doch kein sehr wichtiges Programm, nein?«

»Ein Haufen Sch –« Cliffie verschluckte das letzte
Wort und schlug die Hände zusammen, was neuerdings
als mahnende Geste bei Obszönitäten galt. Er stand auf.
Sein Bauch stand vor wie der eines alten Mannes, und
das Hemd sah zwischen Hose und Pullover hervor.

Edith sah, wie Gert zu ihm hinüberblickte. Mein
Gott, was hast du für einen Lümmel im Haus, schien der
Blick zu sagen. Sie erledigten alles, was das *Signal* betraf,
in wenigen Minuten; Edith legte die Papiere sauber
zusammen, die sie mit hinaufnehmen wollte, und
machte dann Drinks für sich und Gert.

»Ich habe übrigens von der Sache mit Brett gehört«,
sagte Gert, die Edith in die Küche gefolgt war. Gert
trug ausgestellte rosa Slacks.

»Und von wem übrigens?« fragte Edith lächelnd.

»Ach, ich glaube durch einen Freund von Kevin. Ich weiß nicht, woher er es wußte.«

Sie wußten es also schon in der Oberschule. Dabei konnte es die Kinder doch kaum interessieren, dachte Edith.

»Und er geht tatsächlich fort – wegen dieser Carol«, sagte Gert im Flüsterton.

»Ja. Morgen.« Edith ließ die Eiswürfel in die Gläser fallen und stellte die Eisschale auf das Ablaufbrett. »Er zieht morgen nach New York um.«

»Ich muß schon sagen, du scheinst es mit Fassung aufzunehmen.«

»Was denn sonst? Szenen machen – dazu habe ich keine Lust. Was hätte das auch für einen Zweck?«

Sie gingen ins Wohnzimmer.

»Glaubst du denn, es ist von Dauer?«

»Vielleicht«, sagte Edith zögernd. »Warum nicht?«

Gert lachte etwas verlegen. »Ja, das weiß ich auch nicht. Du kennst Brett schließlich besser als ich.«

Edith hatte sich darauf eingestellt, daß es von Dauer sei. Es wäre töricht, damit nicht zu rechnen. »Brett unternimmt so etwas nicht leichtsinnig. Solche Dinge nicht. Kann gut sein, daß er sie heiraten will, und bald.«

Gert trank einen kräftigen Schluck. Mit großen Augen schüttelte sie den Kopf, als wollte sie sagen: ›Eine Unverfrorenheit ist es doch!‹ oder etwas ähnliches. »Und du hast nun seinen Onkel auf dem Hals. Wirklich einzigartig, das muß ich sagen.«

Sie redeten dann noch von anderen Dingen, bis Gert beim zweiten Drink (sie trank nachmittags immer zwei, aber niemals drei Glas) Edith groß anblickte und sagte:

»Ich möchte dich mal etwas fragen, Edie: würdest du Brett wieder aufnehmen, wenn er zurückkommen wollte?«

Das war ein Sprung in die Unwirklichkeit, in die Zukunft, der Edith unmöglich war. Mit plötzlicher Ungeduld schüttelte sie den Kopf. »Das kann ich dir jetzt nicht sagen. Ich finde es überflüssig, daran auch nur zu denken.«

Cliffie war nach oben ins Badezimmer gegangen, wo er gar nicht hin mußte, aber er ging trotzdem kurz hinein. Das Haus fühlte sich viel leerer an mit den gepackt herumstehenden Koffern seines Vaters, den Regenmänteln, die nicht mehr im Flur hingen, sondern auf der Veranda bereit lagen, um morgen schnell in den Wagen geworfen zu werden. Am Sonntag wollte sein Vater mit dem Wagen zurückkommen, hatte die Mutter gesagt; dann fuhr sie ihn zum Bahnhof nach Trenton (vielleicht würde auch Cliffie das tun, hatte seine Mutter bemerkt), oder Brett ging zu Fuß zur Bushaltestelle. Edith wußte nicht, was ihm lieber war.

Es war jetzt also wirklich wahr, daß sein Vater fortging; und trotzdem war Cliffie das Lachen nahe. Er hatte das Gefühl, daß sein Vater das alles vielleicht gar nicht ernst meinte, daß er nur so tat, wie ein Schauspieler. Und seine Mutter machte das vielleicht mit, sie tat, als sei sie unglücklich, und dann kam Brett zurück. Immerhin: Cliffie hatte Carol gesehen, und die war bestimmt ein ganz realer Mensch. Hübsch war sie. Und sein Vater schlief mit ihr. Ganz bald, von morgen an, ging sein Vater jeden Abend mit ihr ins Bett.

Behutsam, fast auf Zehenspitzen, trat Cliffie in Georges Zimmer, aus dem sanfte Schnarchtöne drangen.

George lag auf dem Rücken, ein magerer Arm lag auf dem Kopfkissen, als grüße er jemanden oder wehre einen Schlag ab. Der Mund stand offen, und die Unterkieferzähne lagen in einem Glas auf dem Nachttischchen. Ekelhaft! George trug einen weiß-rosa gestreiften Pyjama. Er sah aus wie eine verrückte Zeichnung in *Mad*, dachte Cliffie, oder wie eine Figur aus einem Horrorfilme. Cliffie liebte Horrorfilme: die ersten Sekunden jagten sie ihm Angst ein, dann mußte er lachen. Er konnte über sie lachen, und das gefiel ihm.

»Na, was sagst du zu den Neuigkeiten, George?« fragte er leise und verzog leicht das Gesicht. Er warf einen Blick auf die Tür, die er halb offen gelassen hatte.

George rührte sich nicht und schnarchte weiter.

»Schön blöd, was. Stell dir bloß vor, dein Neffe Brett, der brennt in seinem Alter mit 'ner anderen Frau durch. Der reine Kinderraub!« Jetzt lachte Cliffie laut auf. »Opium, George?« Plötzlich ernüchtert, langte er in die Tasche nach einer Zigarette und Streichhölzern. Er sah sich in dem halb geordneten, halb unordentlichen Raum um, der immer das gleiche Bild bot: auf dem Stuhl, wo nie jemand saß, lag ein Stapel von drei oder vier Büchern aus der Bücherei, und auf der weißgestrichenen Kommode standen mindestens dreißig Flaschen und Fläschchen mit irgendwelchem Zeug: Pillen, Tropfen, Beruhigungstabletten, schmerzstillende Mittel und Hustensaft.

»Huii-uustensaft!« sagte Cliffie laut im Falsett.

George bewegte sich, legte den Kopf tiefer ins Kissen und schnarchte weiter. Das Gesicht war jetzt zur Seite gewandt; die Haut schien fast so weiß wie das Kissen, bis auf ein paar bläuliche Stellen.

»Was sagst du, George?« Cliffie beugte sich näher zu

ihm und flüsterte: »Denkst du noch manchmal an –« Er brachte das Wort nicht heraus, aber das Bild sah er deutlich vor sich: wie George es mit einem Mädchen trieb, jetzt und hier, und Cliffie preßte die Lippen zusammen, um nicht mit einem furzähnlichen Laut loszuplatzen. Dann lachte er doch auf, ungehemmt, als er sah, daß das Gelächter gar nicht bis zu Georges Ohren drang.

Cliffie erinnerte sich an die Bock- oder Bums-Bande (seine Freunde – Kinder damals – hatten beide Ausdrücke gebraucht) vor vielen Jahren, als er dreizehn oder vierzehn war. Sie hatten da ein Mädchen, Ruthie, aus Brunswick Corner, die hatte zu Hause einen leeren Keller und dazu Eltern, die tagsüber abwesend waren. Ruthie war immer und jederzeit bereit. Acht oder zehn Jungen standen Schlange rund um den Kellerraum, sahen zu, machten sich bereit und bumsten dann mit ihr, einer nach dem andern. Cliffie war ebenso bereit wie zu Hause im Bett, wenn er allein war und wo es auch immer klappte. Aber hier bei Ruthie schaffte er es nicht, obgleich er alles genau so machte wie die andern und den gleichen lachenden Applaus erntete wie alle. Vor dem Mädchen tat er so, als habe er es geschafft, ganz fix. Es war auch alles so schnell gegangen, und das Mädchen war so blöd und kicherte die ganze Zeit; Cliffie war es piepegal, was sie dabei dachte. Ob die andern Jungen es gemerkt hatten? Vielleicht. Jetzt war das alles ganz belanglos, denn die Jungens waren in alle Winde verstreut, kein einziger von denen war noch hier, und das Mädchen war auch bald darauf verschwunden, die Eltern waren umgezogen oder sowas. Cliffie war nur einmal mitgegangen in den Keller, das wußte er noch, obgleich der Betrieb dort wochenlang weiterging. Wenn Cliffie irgendwo eine Pornozeichnung sah, in einer Zeitschrift, dann lachte er bloß oder lächelte wenigstens. Und richtige Mädchen – was Cliffie als Fleisch und Blut vor sich sah, einen Meter siebzig groß und meistens enorm dick – die waren doch alle blöd, einfach Affen, immer bloß wollten sie dies haben und das haben, warum ließen sich die Jungens bloß sowas bieten? Na ja, viele taten es ja auch nicht, die legten sie bloß ein paarmal aufs Bett und schoben sie dann ab. Wie Mel zum Beispiel.

Cliffie blinzelte, entspannte sich und kam in die Wirklichkeit zurück. Er schnippte die Asche seiner Zigarette in Georges Papierkorb, der halb gefüllt war mit widerlichen Kleenextüchern. Einen Augenblick horchte er, ob seine Mutter die Treppe heraufkam, aber er wußte aus Erfahrung, daß Gert immer bis viertel nach sechs blieb, das war das späteste, wenn sie das Essen für ihre Familie zur gewohnten Zeit fertighaben wollte. Er trat an die niedrige Kommode, nahm den silbernen Löffel, der auf der weißen Serviette lag, rieb ihn kräftig mit einer Ecke der Serviette ab, bückte sich, um zu sehen, welches die Flasche mit dem Hustensaft war, dann goß er sich einen Löffelvoll ein. Er schmeckte stark und gut, die Basis war Alkohol. Er stellte sich gern vor, daß sein Gehirn davon befeuert wurde, schnell und heftig wie beim Abschuß einer Rakete.

»Vier – drei – zwei – eins – los!« flüsterte er und streifte – ganz unnötig – George noch einmal mit einem Blick; aber George schlief, als habe ihm jemand mit einem Schmiedehammer eins auf den Kopf gegeben. »Wammm!« sagte Cliffie als Zugabe und verließ dann doch lieber das Zimmer: noch war die Luft rein. Er ging nach unten in die Küche, holte sich ein Bier aus dem Kühlschrank und ging in sein Zimmer, wo er die Tür schloß und den Transistor anstellte.

12

Vier Monate waren seit der letzten Eintragung in Ediths Tagebuch vergangen. Heute schrieb sie:

10. Juni 67. Morgen kommt die liebe Tante Melanie. Gott segne sie – sie wird mir unbeschreiblich wohltun.

Die Scheidung läuft und könnte längst ausgestanden sein, wenn es nicht immer wieder zu sogenannten unvermeidlichen Verzögerungen käme. Ich dachte immer, eine Scheidung nähme nur ein paar Tage in Anspruch, aber das gilt vielleicht nur für Mexiko. Wir haben im Staat New York geheiratet, und da gibt es nur zwei Scheidungsgründe: Ehebruch und böswilliges Verlassen. Das erstere liegt ja wohl vor. Zu allem Überfluß muß auch noch die Klage von mir eingereicht werden. Ich weiß, B. hat Zeit genug gehabt zum Überlegen (es ist acht Monate her, daß er auszog). Ihm ist es wirklich ernst damit.

Sie blickte aus dem Fenster über die schwankenden Wipfel der Weiden und schrieb dann weiter.

C. macht sich weiterhin gut. Er ist ein Engel, eine wirkliche Stütze, ein Arm zum Anlehnen. Genau der Mann, das kann ich sagen, den ich jetzt brauche. Er wird 1968 seinen Abschluß machen und hat schon zwei Angebote von Firmen, die ihn anstellen wollen; aber er sagt, das sei nichts Besonderes, das bekäme jeder Ingenieur heutzutage. Anfangsgehalt etwa 15 000 Dollar. Hoffentlich schicken sie ihn nicht gleich in den Vorderen

Orient. Er kommt etwa zweimal im Monat nach Hause, zum Wochenende, manchmal bringt er Debbie mit. Ich glaube, sie lieben sich aufrichtig. Wenigstens eine Freude in meinem jetzigen Leben: daß Cliffie – nach all unseren Ängsten – sich so gut macht.

Edith klappte das Tagebuch hastig zu, die Tinte war noch nicht mal ganz trocken. Die Popmusik aus Cliffies Zimmer machte sie halb wahnsinnig, wie es oft geschah im Sommer, wenn Fenster und Türen geöffnet waren. Eigentlich komisch: Jazzmusik war großartig, wenn man selber ruhig und gelassen war; war man verstört, so wurde die Unruhe noch gesteigert.

Das Gästezimmer war für Melanie vorbereitet, das Bett mit Ediths schönsten Halbleinenlaken und mit einer blau-rot gestreiften Überdecke versehen. Auf der Decke lag Nelson, zusammengerollt und mit halbgeschlossenen Augen. Er war ein intelligenter und sogar nachdenklicher Kater, jedenfalls sah er oft so aus, als denke er nach, während Mildew immer nur wundervoll ruhig und träumerisch dreingeblickt hatte. Nelsons auffallendste Eigenschaft war sein Vertrauen zu Edith. Wenn sie ihn, als er noch jünger war, vom Baum herunterholte, überließ er sich völlig ihren Händen, und er konnte hindurchschlüpfen wie ein seidenes Tuch. Sie hatte gelernt, wie sie ihn in Notfällen fest anpacken mußte. Aus Cliffie machte er sich nicht viel. Nelsons kühle blaue und ganz leicht schielende Augen blickten zuweilen Cliffie an wie die Augen eines Richters, der zu rücksichtsvoll ist, die Bemerkung zu machen, die ihm auf der Zunge liegt.

Ediths Herz schlug unruhig, wenn sie daran dachte, was Melanie wohl von Cliffie halten würde, wenn sie morgen kam. Cliffie trug jetzt einen verwahrlosten Bart, hatte an Gewicht wieder zugenommen, schlief oft bis Mittag, saß bis drei Uhr früh bei Mickey herum oder bei einem Freund, Mel Soundso, in Lambertville. Gelegentlich arbeitete Cliffie als Barmixer oder Kellner im Chop House, wo er mit Trinkgeldern allerhand verdiente, aber zum Haushalt trug er nur sehr unregelmäßig bei, und auch das nur, damit sie nichts sagte, das wußte Edith. In Gegenwart von Tante Melanie würde er sich zwar einigermaßen betragen (Edith nahm an, er rechnete mit einer Erbschaft), aber an seinem Äußeren wurde sicher nichts geändert.

Als Brett fortgezogen war, sah sich Cliffie unter einem Druck, den Edith vorausgesehen hatte. Er war jetzt ›der Mann im Haus‹, das war eine Rolle, die er niemals ausfüllen konnte, vor der er stets zurückschreckte. Edith war deshalb heiter gewesen und hatte nie durchblicken lassen, daß sie nicht allein fertig wurde und sich irgendwelche Sorgen machte. Im ersten Monat nach Bretts Fortgehen hatte sich Cliffie zweimal ziemlich betrunken und einen seiner kindischen Wutanfälle gehabt; er hatte eine chinesische Vase, die auf dem Kaminsims stand und an der Edith sehr hing, durchs Zimmer geschleudert. Die Scherben waren so klein, daß an eine Reparatur nicht zu denken war. Sie warf alles in den Mülleimer und versuchte, es schnell zu vergessen.

War es vielleicht ein Trost, daß Cliffie immerhin noch so viel Gefühl zu haben schien, daß der Fortgang seines Vaters ihn aus dem Gleichgewicht brachte? Der Gedanke ließ Edith wieder hoffen.

Sie fuhr in ihrem 1964er Ford zum Bahnhof in Trenton, um Melanie abzuholen, obgleich Melanie sich erboten hatte, ein Taxi zu nehmen. Wieder wie im letzten Sommer umarmten sie sich auf dem Bahnsteig. Edith hatte ihrer Tante nichts von der Scheidung mitgeteilt, sie hatte ihr nur berichtet, Brett lebe mit einer jüngeren Frau in New York zusammen, schon seit drei oder vier Monaten.

»Du mußt mir alles erzählen«, sagte Melanie, als sie im Wagen saßen. »Aber vielleicht nicht jetzt im Fahren. Du siehst gut aus, Liebes. Und was macht George?«

Mit George sei alles unverändert, sagte Edith, nur nehme er mehr schmerzstillende Mittel. »Dieses Codeinzeug macht die Leute vermutlich süchtig.«

»Muß es denn Codein sein?«

»An die andern Mittel hat er sich schon gewöhnt, weißt du. Sein Arzt – immer noch Dr. Carstairs – hat keine Lust, jedesmal wieder von vorne anzufangen, dann verschreibt er eben Codein, flüssig. Ich muß es unterschreiben, in der Apotheke. Und dann die Schlaftabletten. Ich dachte immer, Codein wirkt schlaffördernd. Ist doch alles Opium. In Morpheus' Armen.«

»In Murphys Armen, haben wir immer gesagt, als ich jung war«, sagte Melanie mit leisem Lachen. »Ich glaube, wir meinten Whisky – Bourbon. Er tut mir leid, der arme Alte. Was sagt er zu Bretts Abenteuer?«

»Ach – ein paar teilnehmende Worte. Was kann er schon sagen?«

Edith machte geeisten Tee, mit Minze aus dem Garten. Cliffie war nicht zu Hause. Sie erklärte Melanie, er habe eine Aushilfsarbeit in einem Restaurant. Er hatte etwas gesagt von einem großen Essen, eine Geburtstagsgesellschaft mit zwanzig Gästen, aber Edith wußte nicht, ob sie ihm glauben sollte. Dann wollte Melanie gern Nelson sehen, der auf der Fensterbank in Ediths Arbeitszimmer hockte.

Melanie beugte sich über ihn, ohne ihn zu berühren. »Nelson – du bist aber groß geworden! Du kennst mich sicher nicht mehr, nicht wahr? Damals warst du – knapp drei Monate, glaube ich.«

Nelson lauschte; dann erhob er sich zu Ediths Erstaunen, machte einen Buckel, setzte sich und blickte Melanie aufmerksam an, als habe ihre Stimme ihm gefallen. Als sie das Zimmer verließen, folgte er ihnen. Beim Tee erzählte Edith ihrer Tante, daß Brett eine Scheidung wünsche.

»Was –? Hat er den Verstand verloren?«

Melanie war wirklich überrascht, das sah Edith. »Nein, weißt du, es ist, weil – als er fortging, sagte er, es sei – er sagte, er wolle Carol heiraten.«

»Und wie will er zwei Familien unterhalten?«

»Carol hat etwas Geld, und ich könnte auch irgendeine Stellung annehmen. In der Stadt hier gibt's viele Lädchen, wo ich beim Verkauf helfen könnte, weißt du.« Edith scheute sich zu sagen, daß auch Cliffie helfen werde, denn sie wußte, daß Melanie ihn nicht für zuverlässig hielt.

»Hast du dich denn einverstanden erklärt mit der Scheidung?« fragte Melanie.

»Natürlich. Was bleibt mir anderes übrig?«

»Nun, du hast doch das Recht auf deiner –«

»Ich finde es gräßlich, sich bei so etwas zu widersetzen«, unterbrach Edith sie. »Schließlich kennt er das Mädchen seit mehr als einem Jahr, er muß doch wissen, was er tut.«

»Ja, und ich weiß es auch. Er tut das, was ihm Spaß macht, und dich läßt er hier sitzen, allein mit Cliffie, von George gar nicht zu reden! Das läßt er alles hinter sich«, sagte sie in ihrer ruhigen deutlichen Art und fuhr dann fort: »Jeder von uns kennt solche Versuchungen, Frauen genau so wie Männer. Aber man darf ihnen nicht nachgeben.« Melanie lachte leise auf. »Das hört sich gewiß schrecklich altmodisch an.«

Edith fand das nicht; es tat ihr wohl, mit jemandem außer Gert Johnson zu reden, die sich über Bretts Auszug und die Tatsache, daß er ihr einfach George überließ, genau so geäußert hatte wie Melanie. Aber es brachte sie nicht weiter. »Ich weiß nicht«, sagte Edith mühsam, »ob du von mir erwartest, daß ich mich irgendwie wehren soll. Ich kann das nicht – es kommt mir zu unsauber vor.«

»Vieles im Leben ist unsauber. Eine Geburt ist auch nicht gerade sauber, aber doch notwendig.«

»Ja, ich weiß, was du meinst.« Edith wußte es wirklich und wußte auch, daß gerade Melanie imstande war, das Unsaubere im Leben weniger unsauber zu machen. »Aber wenn ich mich weigere, wird es dann nicht noch schlimmer? Du findest doch auch nicht, daß ich mich weigern sollte, nicht wahr? Ich habe auch gar keine Lust, ihn finanziell auszunutzen.«

Melanie lehnte sich zurück. »Ich weiß es wirklich nicht. Ich kenne ja deinen Charakter – du hast es nicht in dir, in so einem Fall zu kämpfen. Ich glaube, in deinem Alter täte ich es. Und Brett – hält er sich eigentlich für einen heurigen Hasen, bloß weil er ein Mann ist?« Wieder lachte Melanie ein wenig, es war ein freundlich-tolerantes Lachen.

Edith sagte nichts darauf.

»Wie nimmt es Cliffie denn auf? Weiß er, daß sein Vater sich scheiden lassen will?«

»O ja. Ich glaube, er nimmt es ihm übel, daß er einfach so fortgegangen ist – mehr noch als die Tatsache, daß es da um eine andere Frau geht. Cliffie weiß, daß er jetzt der Mann im Hause sein müßte, aber ich dränge ihn –« Edith fand immer langsamer die richtigen Worte. »Ich meine, ich dränge ihn natürlich nicht dazu.« Sie hätte noch hinzufügen können, daß Cliffie sich anscheinend um die Finanzen Sorgen machte. Er liebte das Haus und würde gewiß nicht wollen, daß sie es verkaufte.

Edith blickte auf das feine Gesicht ihrer Tante, die den Kopf zum Kamin gewandt hielt. Vielleicht dachte sie, es wäre für Cliffie und auch für seine Mutter das beste, wenn er ebenfalls das Haus verließ? »Ich glaube, er hält Brett für einen Egoisten«, sagte Edith.

»Da hat er sicher nicht unrecht.«

Dann sagte Melanie, sie wolle sich vor dem Abend noch ein wenig ausruhen; auch George wollte sie begrüßen, der vor wenigen Minuten noch geschlafen hatte. Edith warf einen Blick in sein Zimmer und sah, daß er wach war.

»O George! *Tante Melanie* ist hier. Sie möchte dir gern *Guten Tag* sagen!« Ihre Stimme klang geradezu blödsinnig munter, dachte Edith, aber schließlich: warum nicht?

»O ja – ja. Wie nett. Laß sie doch bitte hereinkommen.«

Edith machte eine vage Geste in Richtung auf das Wasserglas mit Georges Zahnprothese; er konnte mit ihr viel besser sprechen und sah auch besser aus. »Melanie –?« sagte sie dann.

»Ich komme schon.« Melanie kam herein. »Nun, George, wie geht es denn?« fragte sie herzlich und beugte sich über ihn. »Sie sehen ganz unverändert aus seit dem letztenmal, und das ist nun schon wieder ein Jahr her, glaube ich.«

»Ja, mir geht's immer gleich«, meinte George. Er stützte sich auf einen Ellbogen. Seine Zähne hatte er nicht eingesetzt.

»Was lesen Sie denn?« Melanie sprach laut und zeigte auf das Buch, das zugeschlagen auf dem Bett lag. Es war nicht aus der Bücherei, sondern eines von Ediths Büchern, eine Biographie. Edith wußte nicht mehr von wem. Aber George hatte die Frage auch gar nicht gehört.

»Haben Sie Brett gesehen?« Die trüben Augen waren auf Melanie gerichtet.

»Nein. Nein, noch nicht. Ich würde ihn *sehr* gern sehen!« sagte Melanie mit erhobener Stimme und warf Edith über die Schulter einen amüsierten Blick zu.

»Nun ruh dich noch eine Weile aus, George«, sagte Edith. »Oder möchtest du vielleicht Tee? Aber bis zum Dinner ist nur noch eine Stunde.«

»Tee? Tee, ja, gern«, sagte George.

Edith war im Begriff gewesen, ein Fenster zu öffnen, um zu lüften. Nur das eine Fenster war etwas geöffnet; aus irgendeinem Grund hatte George es für nötig gehalten, das andere zu schließen, aber vielleicht hatte er es auch auf dem Weg zum Badezimmer zugemacht. Doch jetzt wollte sie ihm erstmal Tee machen, damit das erledigt war.

»Armer Kerl!« sagte Melanie auf dem Flur zu Edith und drückte ihren Arm. »Ich hoffe bloß, er geht noch allein ins Badezimmer.«

»Ja, das tut er, Gottseidank«, sagte Edith. Sie wollte nichts davon erwähnen, daß George schon ein paarmal im Schlaf sein Bett naßgemacht hatte. Sie wußte, sie mußte eine Gummiunterlage besorgen; schon seit drei Wochen hatte sie das vor.

Edith machte Tee für George und brachte das Tablett nach oben.

Kurz nach sieben, zur Cocktailzeit, war Cliffie immer noch nicht zu Hause. Ob er sich vor dem ganzen Abend drücken wollte, weil er wußte, daß die Großtante da war? Edith sagte zu Melanie, Cliffie müsse manchmal die Abendschicht übernehmen und gebe ihr nicht immer telefonisch Bescheid.

Melanie nippte an ihrem Glas mit Gin und Tonic. Das große vordere Fenster stand offen. Für die Klimaanlage war es tagsüber noch nicht warm genug, und der Abend brachte eine willkommene Brise aus dem Norden.

»Weißt du«, sagte Melanie nachdenklich, »als ich eben in meinem schönen kühlen Bad saß, da kam mir der Gedanke, du könntest es vielleicht bereuen, wenn du dich jetzt nicht wehrst. Etwas später wird es schon zu spät sein – für immer zu spät.« Die Stimme war ruhig und weich.

»Mich wehren – wie denn?«

»Ruf ihn an. Sag ihm, daß du ihn liebst. Du hast doch seine Telefonnummer?«

Ihn anrufen, wenn Carol vielleicht den Hörer abnahm oder in der Wohnung war, während sie mit Brett sprach?

»Du liebst ihn doch noch, nicht wahr?«

»Ja. Ja, ich liebe ihn.«

»Es ist natürlich deine Entscheidung, Kindchen. Aber wenn du die Scheidung jetzt einfach durchgehen läßt, dann ist es viel schwieriger, falls Brett doch eines Tages zurückkommen möchte. Mir scheint, du rührst überhaupt keinen Finger, Edie. Vielleicht hältst du es für edelmütiger –«

»Mir ist absolut nicht nach Edelmut zumute«, sagte Edith.

»Es ist auch nicht die Zeit dafür. Brett verhält sich ja auch nicht edelmütig. Ich meine nur, wenn du jetzt gar nichts tust –« Melanie sprach nicht weiter; sie nahm eine ihrer Filterzigaretten, von denen sie etwa drei am Tag rauchte, und zündete sie an.

In den Sekunden des Schweigens hatte Edith zum erstenmal das Gefühl eines Abgrunds, einer schwarzen gefährlichen Schlucht, die sie auf allen Seiten umgab. Es war wie ein Meer aus leerer Zeit: Jahre, Monate, Tage, Abende. Viel deutlicher als damals vor zwanzig Jahren, als sie den Satz niedergeschrieben hatte, wurde ihr bewußt, daß das Leben tatsächlich keinen Sinn, keine Bedeutung hatte, nicht nur für sie, sondern für jeden Menschen. Aber wenn sie allein war, wenn sie allein blieb, dann war die Leere um so schrecklicher und der Abgrund noch viel dunkler. Sekundenlang wurde sie von Angst ergriffen, es war, als habe sie einen kurzen Blick auf das Schicksal, die Zukunft, auf das innere Wesen von Leben und Tod getan. Ihr Schicksal war es gewesen, Brett Howland zu begegnen, seine Frau zu werden und seinen Sohn zu gebären, und wenn ihr das genommen wurde – Brett war ihr schon genommen, und der Sohn: war Cliffie ein Halt für sie? Er war ihr ja viel mehr Sorge als Trost.

Edith erhob sich ohne Zweck, nur weil ihr etwas schwach geworden war und sie näher ans Fenster wollte. Die Beine trugen sie kaum und sie merkte, daß sie gebückt ging.

»Komm, Edith, setz dich hin!« Jetzt war auch Melanie aufgestanden und streckte ihr die Hand entgegen. Edith nahm sie und setzte sich; sie merkte, wie kalt ihre Hand sich anfühlte in Melanies warmer Hand. Sie wollte sagen: *Ich habe eben eine Vision gehabt, es war wie ein tiefes Tal, ein Abgrund – schlimmer als wenn man über eine Felsenklippe geht.* Es war ein Bild ihres restlichen Lebens, dachte sie, aber auch ein Bild der Gegenwart. Und kein anderer Mensch, auch kein anderer Ehemann und nicht mal Brett selber konnte die Tragik beseitigen, denn die Vision war ein Bild von Ediths eigener Existenz und hatte mit anderen Leuten nichts zu tun.

»Ich werde nicht ohnmächtig«, sagte Edith, als hätte Melanie so etwas behauptet. Edith straffte sich.

»Nein, woher denn. Liebes, ich weiß, wie schwierig diese Zeit für dich ist, und ich bin froh, daß ich hier bin. Was sagt denn Julia dazu? Und Bill?«

Julia und Bill waren Ediths Eltern, die in der Nähe von Richmond auf dem Lande lebten. Obgleich Edith ihr einziges Kind war, hatte sie zu ihren Eltern kein sehr nahes Verhältnis. Die Eltern interessierten sich weniger für Politik als für Rosenzucht und waren überdies der Ansicht, Edith hätte »besser« heiraten können, einen der Langweiler aus besserer Familie als Bretts, die sie aus ihrer Gegend und ihrer Umwelt kannten. Melanie telefonierte manchmal mit ihnen – Julia war ihre Nichte –, aber Edith wußte nicht, ob das auch in der letzten Zeit geschehen war. »Ich habe ihnen geschrieben«, sagte sie, »daß Brett eine Weile in New York arbeitet und sich dort eine Wohnung nimmt, und daß er auch an seinem Buch arbeitet. Ich kann meinen Eltern das nicht alles erzählen, Tante Melanie, und ich will auch nicht.«

Melanie tätschelte ihre Hand. »Schon gut, mein Herz. Laß uns von etwas anderem reden.«

Das taten sie. Und Cliffie kam an diesem Abend weder zum Essen noch zum Schlafen nach Hause.

13

Am nächsten Morgen machte Edith Einkäufe und war um zehn wieder zu Hause; dann ging sie mit Melanie in den Garten, wo sie eine Stunde lang in den Wicken Unkraut jäteten und die Grasfläche mit dem Spaten abstachen. Nelson folgte ihnen, ließ sich manchmal auf ein sonniges Fleckchen nieder und sah ihnen zu. Der weiße Beobachter, so nannte ihn Melanie. Selbst in ihrem hohen Alter machte es ihr nichts aus, strumpflos im langen Sommerrock mit der kleinen Hacke auf dem Boden zu knien. Gegen Abend wollten die Quickmans (Cliffie fand den Namen albern, er nannte sie Quickmänner) zum Drink kommen. Sie mochten Melanie gern. Und morgen abend waren sie – auch Cliffie – bei den Johnsons zum Essen eingeladen. Dann kamen noch eine oder zwei Fahrten aufs Land, ein Besuch beim Antiquitätenhändler: so gingen Melanies fünf Besuchstage schnell und angenehm vorüber. Aber Edith wußte, bevor sie abreiste, hatte sie noch etwas zum Thema Brett zu sagen.

Cliffie erschien kurz vor drei Uhr nachmittags, etwas blaß und deutlich zahm; sein Bart war verschwunden.

Edith und Melanie tranken gerade ihren Mittagskaffee im Wohnzimmer.

»Na, Cliffie«, sagte Melanie, »wie geht's dir denn? Komm, gib mir einen Kuß. Ummm –« sie lachte. »Ich dachte, du hättest einen Bart!«

»Eben abrasiert«, antwortete Cliffie. Er hielt eine zusammengerollte Zeitschrift in der Hand und war offensichtlich nervös.

»Warst du bei Mel?« fragte Edith.

»Ja-ha.«

»Ruf mich doch bitte nächstesmal an, Cliffie, sonst weiß ich überhaupt nicht, was los ist, wenn du die ganze Nacht wegbleibst. Dir hätte ja auch was passiert sein können.« Edith kam sich unaufrichtig vor, so als ob sie genau das sagte, was sie meinte sagen zu müssen.

»Och, wenn mir was passiert, dann ruft die Polizei oder das Krankenhaus zu Hause an. Da braucht man sich keine Sorgen zu machen.«

»Arbeitest du heute abend?« fragte Edith. Wenn er die Abendschicht im Chop House hatte, mußte er um viertel nach fünf dort sein.

»Nein. Das heißt, ich weiß noch nicht. Wenn ich will, kann ich arbeiten, haben sie gesagt.«

»Weil die Quickmans um sechs kommen, zum Drink.«

»Die Quickmänner«, sagte Cliffie mit einem Blick auf Melanie, die ihm mit freundlicher Aufmerksamkeit zuhörte.

Cliffie sah aus, als ob er in seinem Zeug geschlafen hätte, dachte Edith. »Hast du zu Mittag gegessen?« fragte sie.

»Nein.« Cliffie ging auf die hintere Tür des Wohnzimmers zu, in Richtung auf die Küche und sein eigenes Zimmer. »Ich hab jetzt Hunger.« Er verschwand.

»Ich glaube, den Bart hat er sich deinetwegen abnehmen lassen«, sagte Edith halblaut.

»Das war nicht nötig«, meinte Melanie. »Hat er nicht letztes Jahr auch einen gehabt? Glaubt er, ich wäre schockiert, wenn er einen Bart trägt?«

Edith schüttelte den Kopf. »Ich weiß nie, was in seinem Kopf vorgeht.«

»Ich finde, er müßte wirklich aus dem Hause«, sagte Melanie liebevoll und nicht zum erstenmal. »Er stellt sich manchmal an wie ein dummer Junge. Er braucht noch ein paar feste Knüffe, um erwachsen zu werden.«

Das Thema war nicht neu. »Wenn du irgendwelche Vorschläge dazu hast, wäre ich dir sehr dankbar, wenn du ihn dir mal vornähmst und mit ihm redetest. Eine Freundin von mir – ich glaube Gert – sagt immer, ich würde ihn noch bemuttern, wenn er vierzig ist. Ich habe keine Ahnung, wie's dann aussieht. Vielleicht bin ich selber längst tot, wenn er vierzig ist.« Edith lachte.

Sie sprachen fast im Flüsterton. Edith wußte, daß Cliffie an der Tür lauschte, wann immer er konnte, wie ein anomaler freiwillig Gefangener, der aus einem Gefängnis zu entkommen sucht, aus dem man ihn allzu gern entkommen sähe, oder wie ein Paranoiker, der glaubt, die ganze Welt habe sich gegen ihn verschworen.

Die Quickmans kamen; Frances war sonnenverbrannt, weil sie im Garten gearbeitet hatte. Sie hatte rotes Haar. Ihre Tochter, seit zwei Jahren verheiratet, wohnte jetzt in Philadelphia. Ben Quickman war Manager eines Autosalons in Flemington, ein untersetzter gutgelaunter Mann mit braungewelltem Haar, das sich nach oben verdünnte. Edith hatte ihn niemals anders als heiter gesehen, wahrscheinlich war das gut fürs Geschäft. Oder hatte er auch einen Spleen wie alle andern? Beide Quickmans waren überzeugte Republikaner und hatten bei der Wahl für Goldwater gestimmt. Sie waren sehr hilfsbereit und übernahmen es auch, die Katze zu füttern, wenn Edith sie darum bat. Brett erwähnten sie aus Takt mit keinem Wort, auch in den Tagen nach seinem Auszug hatten sie keinerlei Fragen gestellt. Daß sie im Bilde waren, wußte Edith, und da sie nebenan wohnten, konnte ihnen seine Abwesenheit auch nicht entgangen sein. Cliffie war nicht da. Hatte er nun abends zu arbeiten? Er hatte das Haus in seiner üblichen vagen Art verlassen und keine Antwort gegeben, als Edith ihn fragte, wohin er gehe.

»Brett wird uns fehlen«, sagte Ben und blinzelte hinter seiner Brille zu Edith hinüber. »Hoffentlich kommt er zu den Wochenenden ab und zu nach Hause.«

Höfliche Bemerkungen allerseits.

Am nächsten Abend bei den Johnsons waren die Gastgeber ebenso diskret; Brett wurde gar nicht erwähnt. Cliffie war nicht mitgekommen, obgleich er abends nicht zu arbeiten hatte. Die Johnsons erzählten von ihrem Sohn Derek, der im August für drei Wochen auf Urlaub kommen sollte. Die Eltern waren voller Vorfreude.

»Ich werd schon dafür sorgen«, sagte Norm, »daß er hier einen kleinen Autounfall hat und sich das Knie bricht oder sowas. Dann braucht er nicht zurück.«

Derek hatte noch fünf Monate in Vietnam abzuleisten.

An ihrem vierten Tag fragte Melanie: »Schreibt dir eigentlich Brett manchmal?«

»O ja. Er hat sicher schon – mindestens dreimal geschrieben. Er kann ja nicht jede Woche schreiben, das kann ich nicht erwarten. Und ab und zu ruft er auch an.

Reiner Zufall, daß er nicht angerufen hat, während du jetzt hier warst.«

»Und du schreibst ihm auch?«

»Nein. Ich will nicht, daß er da von mir Briefe bekommt, wo sie – zusammen wohnen.«

»Aber du könntest ihm doch in seine Redaktion schreiben, mit dem Vermerk ›Persönlich‹. Weißt du, Edith, ich finde, du solltest noch ein Gespräch mit ihm in New York haben, ganz direkt mit ihm reden, bevor du die letzten Papiere unterschreibst. Wäre er nicht damit einverstanden, daß ihr euch irgendwo trefft?«

Sie saßen im Wohnzimmer, und Cliffies Transistor riß an Ediths Nerven, aber sie mochte ihn nicht bitten, ihn abzuschalten, damit er nicht beim Dinner an Melanies letztem Abend schlechter Laune war.

»Ach, Tante Melanie, ich kann dir anscheinend nicht richtig klarmachen, daß Brett und ich das alles längst besprochen haben. Er hat mir alles auseinandergesetzt, ganz deutlich. Er kannte Carol sieben Monate, als er damit zu mir kam. Ich glaube, er hat auch mit sich selber gekämpft – auch wenn du das nicht –«. Sie brach ab. »Wenn du findest, ich sollte an sein Gewissen oder sein Pflichtgefühl appellieren: das will ich nicht. Ich würde es nicht für richtig halten.«

»Es gibt in den Beziehungen zwischen zwei Menschen Dinge, die man nicht in Worte fassen kann«, sagte Melanie. »Ich will dir nicht raten, dies oder jenes zu tun, aber es gibt doch so etwas wie menschliche Kontakte, ein Wort, das ihn daran erinnert, daß du noch existierst. Ihr habt viele Jahre zusammen verlebt – und dann auch noch Cliffie. Daß einer mit einer jüngeren Frau ins Bett geht, hat damit gar nichts zu tun, weißt du.«

Ja, das verstand Edith. Was Cliffie anging, der bald

zweiundzwanzig war, so wußte sie, Brett war der Meinung, daß der Junge längst auf eigenen Füßen stehen sollte, und wenn er das noch immer nicht tat, dann mochte er zum Teufel gehen. *Brett hat Cliffie längst abgeschrieben*, wollte sie sagen und konnte es nicht. Tante Melanie wußte es auch so.

»Du sagst, Carol ist sechsundzwanzig«, fuhr Melanie fort. »Also mehr als zwanzig Jahre jünger als Brett. Wie lange wird es dauern, bis *sie* ihn verläßt – zwei Jahre? Vielleicht nicht mal so lange. Sie ist doch nicht schwanger?«

»Nein, soviel ich weiß nicht.«

»Ein Glück, wenn es dabei bleibt.«

Edith hatte Melanie alles von Carol erzählt, was sie wußte: sie schien intelligent zu sein, war gut erzogen und hatte Brett niemals zu Hause angerufen. Und vielleicht, dachte Edith, liebte Carol ihn wirklich.

»Wie lange hast du ihn nicht gesehen?«

»Ich glaube, so um Ostern herum war er mal hier, um ein paar Sachen zu holen. Bücher und Kleidungsstücke.«

»War er allein?«

»O ja.«

»Wie lange ist er geblieben? Habt ihr nicht miteinander geredet?«

»Er blieb ungefähr eine Stunde. Ich glaube, ich habe ihn gefragt, ob er glücklich ist. Ich hoffe, er ist glücklich. Warum sollte ich ihm böse sein?«

Melanie erkundigte sich auch nach der finanziellen Seite. Brett schickte Edith jeden Monat zweihundert Dollar. Cliffie trug zwischen dreißig und fünfzig Dollar monatlich bei (er zahlte meist wöchentlich, aber Edith nannte die monatlichen Zahlen). Georges Beitrag von einhundertfünfzig Dollar monatlich deckte ungefähr das, was er kostete; den Arzt bezahlte seine Versicherung, aber einige Medikamente mußten von den hundertfünfzig bezahlt werden und waren ziemlich teuer. Edith ging immer zum gleichen Drugstore, und der Inhaber, Stan, händigte ihr ohne weiteres ein neues Fläschchen mit Phenobarbitol oder sonstwas aus, auch wenn Dr. Carstairs das Rezept noch nicht erneuert hatte. Es kam vor, daß sie den Preis nicht notierte, es war so langweilig, und so schrecklich viel war es wohl auch nicht. Aber wenn man alles zusammennahm – Elektrizität, Heizöl, Gas, Telefon (viele Gespräche betrafen das *Signal*), die Kosten für den Wagen (nur für den Ford, der Volkswagen war Cliffies Sache) und die Hypothek, die Gottseidank in zwei Jahren erledigt war, und dann all die unerwarteten Dinge wie der durchgerostete Boiler, der vor zwei Monaten erneuert werden mußte – dann war am Monatsende entweder nichts mehr da, oder Edith mußte das Bankkonto bei der First National Bank angreifen, wo sie und Brett sechshundert Dollar liegen hatten. Etwa dreitausend Dollar hatten sie außerdem auf der Sparkasse in Brunswick Corner. Das alles erzählte sie Melanie. Brett hatte, soviel Edith wußte, von diesen Konten nichts abgehoben, als er ging.

»Ich hätte nichts dagegen gehabt, wenn er ein paar tausend mitgenommen hätte. Dazu ist er berechtigt«, sagte Edith. Sie fuhr dann fort zu berichten, daß sie und Brett etwa vierzehntausend Dollar in den Dreyfus-Fonds in New York investiert hatten. Brett hatte nichts davon gesagt, offenbar überließ er ihr das Geld.

»Ist das eine Lebensversicherung?« fragte Melanie.

»Nein, einfach eine Anlage. Wir haben es da stehen lassen. Wir fanden immer, für eine Lebensversicherung reichte unser Einkommen nicht. Wir wollten –« Sie wollte sagen, daß sie ursprünglich geplant hatten, Cliffie von dem Geld nach Princeton zu schicken. Edith war plötzlich verwirrt, als ob sie ein paar Glas getrunken hätte, und dabei hatte sie den ganzen Tag noch nichts getrunken. Ihr war klar, daß die Summen, die sie erwähnt hatte, ihrer Großtante geradezu lächerlich vorkommen mußten, sicher hielt sie sie und Brett für Wirrköpfe, weil das alles zwischen ihnen noch nicht geklärt war. Na wenn schon, dachte Edith, jedenfalls hatten sie niemals Geld geliehen oder Schulden gemacht; außerdem besaßen sie das Haus, für das sie damals fünfundzwanzigtausend bezahlt hatten und das heute sicher fünfzigtausend wert war. Sie waren viel besser dran als die Johnsons, die nie aus den roten Zahlen herauskamen, wie Gert offen zugab. Sie schuldeten allen möglichen Leuten Geld, das hatte Brett ja schon vor Jahren gesagt, und ihr Haus gehörte ihnen auch nicht, sie hatten es nur gemietet.

»Darf ich mal fragen, Liebes, was Brett mit dem Dreyfusgeld vorhat?«

»Oh, ich glaube, er hat gesagt, das gehört mir. Ja, bestimmt hat er das gesagt.« Ganz so sicher war Edith nicht. Es war niemals schriftlich festgelegt worden, daß das Geld ihr gehörte, und das war es wohl, worauf Melanie mit ihrer Frage zielte. Aber Brett war nicht der Mann, der unter diesen Umständen versuchen würde, vierzehntausend Dollar – oder einen Teil davon – für sich zu behalten.

Melanie stellte noch weitere Fragen. Edith erzählte ihr, daß Bretts Gehalt bei der *Post* fast doppelt so hoch war wie das beim *Trenton Standard*; darauf bemerkte Melanie, daß es Brett und Carol recht gut gehen müsse, mit Carols Gehalt und ihrer wohlhabenden Familie, und Edith mußte das zugeben.

»Wenn's sein muß, hätte ich gar nichts dagegen, irgendwo eine Stellung als Verkäuferin anzunehmen«, sagte Edith. »Wär vielleicht sogar gut für mich. Ich kenne zwei oder drei Läden, wo ich es versuchen könnte, eins ist ein Laden für Geschenke und Souvenirs und der andere ist auf Orientimport spezialisiert – Bambus und sowas. Beide klagen immer über ihre Teenager-Hilfen und wie schlecht die wären. Die hätten sicher nichts gegen eine Frau in mittlerem Alter, auf die man sich verlassen kann.« Edith hielt inne und lachte. »Ich weiß das, weil Gert es mir immer erzählt.«

Melanie schwieg eine Weile, und Edith wappnete sich im stillen; sie nahm an, Melanie werde ihr raten, Brett jetzt gleich anzurufen, selbst im Büro, was sie sehr ungern getan hätte. Doch in diesem Augenblick hörte sie einen Wagen in der Einfahrt, der sich anhörte wie Cliffies Volkswagen, und fast gleichzeitig klingelte es an der Tür.

»Keine Ahnung, wer das sein kann«, sagte Edith.

Es war Dr. Carstairs, der mit seiner schwarzen Tasche an der Tür stand, und von der Einfahrt her kam Cliffie und stieg mit schmutzigen Turnschuhen, die Hände in den Taschen, die Seitenstufen hinauf.

»Tag, Mrs. Howland«, sagte der Arzt. »Ich denke, es ist wieder mal Zeit, nach unserem Patienten zu sehen. Entschuldigen Sie, daß ich nicht vorher angerufen habe, die Zeit war knapp.« Er trat ins Haus mit der Sicherheit eines Mannes, der wußte, man werde ihn einlassen. Er trug ein weiches weißes Jackett, keinen Arztkittel, sondern ein gewöhnliches Sommerjackett. »Wie geht's ihm denn?«

»Tag, Mom«, sagte Cliffie und ging an Edith vorbei ins Wohnzimmer.

»Ich habe ihm Tee gebracht. Ich weiß nicht, ob er jetzt wach ist.« Sie hatte das Gefühl, als habe sie die gleichen Sätze schon hundertmal gesagt.

»Dann gehe ich jetzt mal rauf, wenn ich darf.« Dr. Carstairs stieg, zwei Stufen auf einmal nehmend, fast lautlos die Treppe hinauf.

War denn wirklich schon wieder ein Monat vorbei? Anscheinend doch. »Dr. Carstairs«, sagte Edith zu Melanie. »Er kommt einmal im Monat zu George und gibt ihm eine Injektion.«

»Pirrrr – urrr! Pomm!« Cliffie tat, als halte er eine Injektionsnadel in der Hand und verabreiche sich eine Spritze in den Rumpf, wobei er übertrieben zusammen-zuckte.

Edith versuchte ihn zu ignorieren. Er hatte offenbar schon einiges an Bier getrunken.

»Ich würde mich gern mal mit dem Arzt unterhalten«, sagte Melanie. »Du hast doch nichts dagegen, Edith?«

»Nein, natürlich nicht. Aber ich muß ihn abfangen, er hat's immer sehr eilig und stürzt gleich wieder hinaus.«

»Hoihoi – huiii!« machte Cliffie und schlug die Hände zusammen, wobei er wie beim Fußball einen Fuß vorwärts schwang.

Wenn er bloß in sein Zimmer ginge – meinetwegen könnte er das Radio voll aufdrehen. Alles besser als dies, dachte Edith. »Cliffie, willst du Eistee haben?«

»Eisbier will ich haben!« gab Cliffie laut zurück und blickte beide lachend an.

Er hatte sich seit Tagen nicht rasiert, wahrscheinlich wollte er sich wieder einen Bart wachsen lassen, dachte Edith.

Melanie versuchte es mit taktvollem Lächeln. »Wo bist du denn gewesen, Cliffie?«

»Bloß gezottelt.«

Das sollte heißen: irgendwo herumgestanden und müßig geredet, das wußte Edith. Der Ausdruck war jahrealt, aber komischerweise hing Cliffie an solchen Sachen.

»Warum gibt Carstairs George nicht einen ordentlichen Schuß und dann – pufff!« Wieder tat Cliffie, als gebe er sich eine starke Spritze. »Finito – basta!«

»Cliffie, ich finde, an Tante Melanies letztem Abend könntest du die Albernheiten lassen!« sagte Edith.

»Laß nur, Edith, das macht nichts.«

»Was für Albernheiten?« fragte Cliffie.

Edith hörte den leichten Schritt des Arztes auf der Treppe und ging hinaus. Er hatte, wie immer, kaum fünf Minuten bei George verbracht. »Ich glaube, Sie kennen meine Großtante, Mrs. Cobb«, sagte sie zu ihm.

Carstairs lächelte. »Aber ja, natürlich. Guten Tag, Mrs. Cobb, wie geht es Ihnen?«

»Ganz gut, danke schön«, sagte Melanie. »Ich will Sie nicht aufhalten, aber ich reise morgen ab und wüßte gern, was Sie von Georges Zustand halten – wie er heute ist, meine ich.«

»Na ja –« Carstairs lächelte wieder. Einen Stuhl hatte er abgelehnt. »Er hat sich eigentlich nicht viel verändert in all den Jahren. Es geht halt langsam abwärts.«

»Und er hat immer noch Schmerzen im Rücken?« fragte Melanie.

»Ja, wenn er sich viel bewegt, tut's ihm weh.«

»Und es gibt keine Massagen oder irgendwelche neuen Schmerzmittel?«

»Er ist fünf- oder sechsundachtzig«, sagte Carstairs betont. Er hatte glattes schwarzes Haar mit weißen Strähnen, ähnlich wie Brett, und graue Augen, und er trug randlose, zerbrechlich wirkende Gläser. »In dem Alter läßt sich nicht mehr viel machen.«

Melanie sah zu Edith hinüber und blickte dann den Arzt an. »Was halten Sie von einem Pflegeheim? Es tut mir leid, daß Sie keine Zeit haben, Doktor, aber – meine Nichte hat jetzt das Haus allein zu versorgen und denkt daran, eine Teilzeitarbeit anzunehmen. Das Geld für ein Pflegeheim hätte George ja.«

Dr. Carstairs sah abwesend aus, als sei er in Gedanken schon bei seinem nächsten Patienten, er suchte nach einem beschwichtigenden Wort und fand es auch. »Wissen Sie, das ist eine persönliche Angelegenheit – da hat die Familie zu entscheiden.« Er blickte Edith an, die Lippen waren wie immer leicht geöffnet, aber er lächelte nicht. »Es ist nicht meine Sache, ein Pflegeheim anzuraten.«

Cliffie stand neben dem Barwagen und hörte fasziniert zu.

»Ja, wir müssen das mit ihm aufnehmen«, stimmte Melanie zu. »Vielleicht wäre er ganz einverstanden.«

Ermutigt von Melanies Offenheit, sagte Edith: »Er hat auch schon ein paarmal sein Bett naßgemacht. Ich muß eine Gummiunterlage kaufen – zu dumm, daß ich noch nicht dran gedacht habe. Er weiß es auch jedesmal sehr gut, aber ich gebe zu, es ist immer wieder scheußlich.« Sie lachte – so leicht wie möglich hatte sie es geäußert: die simple und schreckliche Tatsache, daß sie genug von George hatte, mehr als genug. Zehn oder elf oder zwölf *Jahre* waren es jetzt.

»Vielleicht fürchten Sie, daß er abfällt, wenn er in ein Pflegeheim kommt«, sagte Dr. Carstairs. »Dazu kann ich Ihnen leider nichts sagen – das hängt immer von der Persönlichkeit ab. Sie müßten ihn direkt fragen und sehen, was er dazu sagt.«

»Die meiste Zeit verbringt er mit Schlafen«, sagte Melanie. »Wieviel Codein geben Sie ihm? Würden Sie sagen, eine starke Dosis?«

»Mittel«, sagte der Arzt. »In flüssiger Form. Morphiuminjektionen bekommt er nur einmal im Monat, damit er sich ein bißchen wohler fühlt und danach ruhig schlafen kann.«

»Ja, das stimmt«, meinte Edith zu Melanie. »Er wird wahrscheinlich zum Dinner heute abend nicht aufwachen.«

»Prima!« sagte Cliffie.

Der Arzt blickte Cliffie an; in seinem Gesicht veränderte sich nichts. Er kannte Cliffie. »Er ist ein großartiger Kerl, aber seine Tage gehen nun zu Ende. Solche Fälle gibt es viele. Man muß versuchen, ihnen die letzten Jahre so leicht wie möglich zu machen.« Er machte eine Bewegung zur Tür hin. »Also bis nächsten Monat, Mrs. Howland; – nein, das stimmt ja gar nicht, da kommt ja mein Vertreter. Ich bin auf Urlaub. Sie kennen Dr. Miller, der kommt dann. Guten Abend allerseits!« Er schloß die Tür hinter sich.

Melanie setzte sich wieder auf das Sofa, der Rücken war gerade und ungebeugt wie immer. »Weißt du, mein Herz – George ist jetzt einfach zu viel für dich.«

Edith blickte zu Cliffie hinüber, der immer noch neben dem Barwagen stand und mit ausdruckslosem Gesicht genau zuhörte. Cliffie fand sich nicht mal bereit, Georges Bücher in die Bücherei zurückzubringen, wenn Edith ihn nicht immer wieder drängte, den Stapel mitzunehmen, der auf dem Tisch im Flur lag, und selbst dann war es nicht immer geschehen; er hatte die Bücher einfach in seinem Volkswagen liegen lassen, und Mrs. Randall, die Bibliothekarin, hatte Edith gemahnt. »Cliffie – bist du uns sehr böse, wenn wir uns ein Weilchen allein unterhalten möchten?«

»Nein«, gab er zur Antwort und schob sich hinaus in die Küche. Edith hörte das unvermeidliche Plop der Kühlschranktür und das Öffnen der Bierdose, dann plärrte der Transistor los. Geräusche des Chaos, dachte Edith. Melanie sah sie seltsam an. Dachte sie vielleicht, *sie* sei seltsam?

»Ich finde, du solltest mit George reden wegen eines Pflegeheims, Edith. Ich würde dir gern dabei helfen – aber er würde vielleicht denken, es ist meine Idee, weil ich jetzt hier bin.« Melanie lächelte, doch die blauen Augen wurden gleich wieder ernst. »Du hast so etwas Angespanntes, Liebes, das gefällt mir gar nicht. Je leichter du es selber nimmst – und außerdem entschuldige, aber George ist nicht deine, sondern Bretts Angelegenheit.«

»Stimmt alles.« Aber Edith mochte jetzt nichts mehr hören, sie stand auf und sagte, gleich kämen die Nachrichten im Fernsehen, und stellte den Apparat an. Kämpfe zwischen Arabern und Israelis. In den Mittagsnachrichten, die Edith in der Küche angehört hatte, war gemeldet worden, die Israelis träfen die arabischen Luftstützpunkte mit auffallender Genauigkeit. Melanie hörte zu, aber nicht mit dem gleichen Interesse wie Edith. Edith wußte, die Tante war in Gedanken noch bei Ediths Problemen. Nach den Kriegsnachrichten kam ein Schönheitswettbewerb aus Florida. Edith stellte ab.

»Edith, würdest du wohl Brett jetzt anrufen, deiner alten Tante zuliebe? Tust du mir den Gefallen?«

»Jetzt?«

»Ja – und er ist jetzt entweder auf dem Heimweg oder es ist gerade die Cocktailstunde, nehme ich an, und du magst sie nicht stören. Ich gehe nach oben in mein Zimmer, dann höre ich kein Wort. Ich mache meine Tür zu.«

Edith tat einen tiefen Atemzug, blickte auf den Teppich und dann auf die hohe Gestalt ihrer Tante. Melanies blaue Augen betrachteten Edith wie die Augen einer Mutter-Vater-Figur – oder vielleicht auch wie Gott. War es möglich, daß Melanie sogar recht hatte? »Ich habe gar keine Hoffnung.«

»Sag ihm, daß du ihn liebst, das ist alles. Du hast mir gesagt, daß das wahr ist. Das kann doch also nichts schaden, nicht wahr?«

»Nein«, sagte Edith, denn aus Melanies Ton ging hervor, daß sie eine Antwort erwartete. Schließlich war ja Melanie auch einmal verheiratet gewesen, und zwar recht lange; Edith entsann sich sogar vage an irgendeine Skandalgeschichte, als sie selber vielleicht fünf Jahre alt war. Großonkel Randolph war mit einer anderen Frau durchgebrannt, sowas war es. Und er war dann zurückgekommen, vielleicht weil Melanie die Lage zu meistern gewußt hatte. »Na schön.«

»Du weißt doch die Nummer?«

»Auswendig nicht, aber ich hab sie irgendwo.« Sie stand auf einem Block neben dem Telefon im Flur, da hatte Brett sie aufgeschrieben. Hoffentlich, dachte Edith, waren sie beide aus und niemand nahm den Hörer ab.

»Tu's nur, mein Liebes«, sagte Melanie und ging die Treppe hinauf nach oben.

Edith sah sich die Nummer an und wählte. Beim vierten Klingeln antwortete Brett.

»Hallo, Brett – hier ist Edith. Wie geht's dir?«

»Danke, gut. Und dir?« Seine Stimme klang wie immer, ein wenig gespannt und noch ziemlich jung.

»Mir auch. Tante Melanie ist hier. Aber ich kann sie jetzt nicht rufen, sie ist gerade raufgegangen.«

»Ja, dann grüße sie vielmals. Wolltest du mich sprechen – ist irgendwas los? Cliffie?«

»Nein, nein, er ist in Ordnung. Ich –« Edith mußte schlucken, um weitersprechen zu können, sie beugte sich im Sitzen etwas vor, so wie sie es in der Schule getan hatte, wenn sie Angst hatte bei einer Prüfung. »Ich wollte bloß sagen, ich liebe dich.«

»Das weiß ich wohl, Edith«, sagte Brett in ganz ernstem Ton. »Ich liebe dich auch, aber dies hier ist anders. Kannst du das verstehen? Ich bin nicht hin- und hergerissen zwischen zwei Dingen. Dies ist ganz anders, Edith, wirklich. Ich liebe dich auch noch, und ich lasse dich auch nicht im Stich, und auch Cliffie nicht. Wenn du irgendetwas brauchst –«

»Ja, Brett, ich weiß.« Edith versuchte, sich von der vertrauten Festigkeit seiner Stimme trösten zu lassen.

»Bist du noch da?«

»Ja.«

»Ist Cliffie in Ordnung?«

»So wie immer.«

»Und Nelson?«

»Dem geht's sehr gut. Ja, also –«

Edith wußte, als sie aufgelegt hatte, gar nicht mehr, was sie beide zuletzt noch gesagt hatten. Ihr war elender zumute als vorher, und sie bereute es, ihn angerufen zu haben. Es ging nicht um ihren Stolz, aber was hatte sie erreicht? Sie hatte Melanies Wunsch erfüllt, das war ihr einziger Trost.

14

Vier Monate später, im Oktober, hatte Melanie einen Schlaganfall. Edith erfuhr davon durch ein Telegramm ihrer Mutter, das besagte, die Tante sei in einem Krankenhaus in Wilmington. Edith dachte, es könne das Ende bedeuten. Sie rief ihre Mutter an, die ihr berichtete, Melanie liege nicht im Koma und die Ärzte hätten Hoffnung, daß sie ohne Lähmung durchkommen werde.

»Wie sieht es eigentlich bei dir und Brett aus?« In der Stimme der Mutter hörte man deutlich den südlichen Akzent. »Du hast uns seit mehr als vier Wochen nicht geschrieben, Edith, und auch damals hast du nichts –«

»Es gibt nichts Neues. Ich habe dir doch gesagt, daß wir uns scheiden lassen? Letzte Woche habe ich die Papiere unterschrieben.«

»O Edie!« Die Mutter schien erstaunt und erschrocken – als habe Edith sie nicht schon seit mehr als acht Monaten darauf vorbereitet. »Kommst du denn zurecht? Wirst du mit allem fertig?«

»Natürlich werde ich fertig, schon seit langem. Mutter, willst du mich bitte anrufen, wenn du Neues von Melanie hörst?«

Das versprach die Mutter. Sie fragte nach Cliffie. Sie hatte ihn geliebt und verwöhnt, als er klein war, dann war die Zuneigung abgekühlt; jedenfalls war Edith dieser Ansicht. Heute schien sie ihre ganze Liebe auf den Vater und ihr Haus und den Garten zu konzentrieren. Edith wußte, daß sie das Telefon ungern benutzte (vielleicht weil sie etwas schwerhörig war) und lieber nochmals ein Telegramm schicken würde, wenn etwas mit Melanie passierte.

Cliffie spürte Ediths Unruhe und fragte: »Ist was los, Mom?«

Das war zwei Tage nachdem Edith von Melanies Krankheit gehört hatte. Edith wußte, daß es Cliffie nicht sonderlich traf; eine gleichgültige Bemerkung von ihm hätte sie zornig gemacht, deshalb hatte sie nichts von Melanie gesagt. Cliffie hatte eine Antenne für Stimmungen, nicht aber für die realen Gründe, die sie auslösten.

»Ich hab bloß vergessen, mich in Flemington nach ein paar Anzeigen zu erkundigen, die für das *Signal* nützlich gewesen wären.« Das war die Wahrheit. Edith hatte mehr als drei Stunden damit verbracht, nach Flemington zu fahren, dort zu warten und schließlich mit dem Manager eines Kaufhauses zu reden, der sich dann doch für die Lokalzeitung mit ihrem Rabattsystem entschied.

»Ist George in Ordnung?« fragte Cliffie mit schnellem Blick auf seine Mutter. Sie saßen beim Abendessen.

»Es geht ihm gut. Warum auch nicht?«

Cliffie lud Bohnen auf seine Gabel. »Wann geht er in das Pflegeheim?«

»Was für ein Pflegeheim?«

»Du hast doch darüber gesprochen – du und Tante Melanie.«

Ruhig sagte Edith: »Ich glaube nicht, daß George sich dazu schon geäußert hat.« Plötzlich sah sie im Geist das helle zweistöckige Gebäude vor sich, das zwölf Meilen entfernt von Brunswick Corner auf einem Hügel lag – Seniorenwohnungen war die euphemistische Bezeichnung, das Ganze hieß Sunset Lodge oder so ähnlich. Dort hatten alte Leute ihre eigene Wohnung, sogar mit Küche, und Pflegerinnen gab es auch. Gert hatte Edith schon vor Jahren darauf aufmerksam gemacht, als sie mal vorbeifuhren. Vielleicht sollte sie es mal ansehen, dachte Edith.

Cliffie kam ins Wohnzimmer, um den Fernseher anzuschalten. Edith spülte das Geschirr, und als sie fertig war, hatte Cliffie das Haus verlassen. Er war doch nicht etwa oben bei George? Sie ging ins Treppenhaus und horchte auf Stimmengemurmel, aber es war nichts zu hören. Cliffie ging manchmal hinauf, um George zu besuchen oder ihn nur anzusehen, denn oft schlief George. Aber Edith fühlte, daß er nicht im Hause war. Sie konnte das immer fühlen (und hatte sich, soweit sie sich entsann, auch nie geirrt). Sie beschloß jetzt, ein paar Sachen für das *Signal* vorzubereiten, Mahnbriefe wegen Erneuerung von Abonnements zu tippen und dann mit einem Buch ins Bett zu gehen.

Am nächsten Morgen kurz nach acht ging das Telefon, und Melanie war selber am Apparat.

»Ich rufe aus dem Krankenhaus an, aber ich komme in zwei Tagen raus. Schön, nicht?«

Edith hatte auf einen Anruf ihrer Mutter gewartet und hatte Angst gehabt, das Krankenhaus anzurufen. Jetzt war ihr zumute, als sei ihr eine kräftige Energiespritze verabfolgt worden. »O Tante Melanie – ich kann's noch gar nicht glauben! Ich bin so froh, du! Ich hatte mir große Sorgen gemacht.«

Melanie lachte leise. »Ich auch, mein Liebes. Ich kann jetzt nicht lange reden, der Arzt hat's verboten.«

Als sie aufgehängt hatte, zog ein breites Lächeln über Ediths Gesicht – seit Tagen das erstemal. Die liebe gute Alte! Es war schön, eine Großtante zu haben, zu der man sagen konnte: »Ich hatte mir Sorgen gemacht!« wie zu einer gleichaltrigen Freundin.

Edith rief Gert an, um ihr die gute Nachricht mitzuteilen, denn erst gestern hatte sie zu Gert gesagt, sie bereite sich auf den Tod der Tante vor. Fröhlich erledigte sie ihre Hausarbeiten an diesem Morgen, bezog ihr eigenes und Cliffies Bett mit frischen Laken und brachte die Bettwäsche zum Waschsalon, wo sie nachmittags wieder abzuholen war; dann ging sie zu Stan und holte eine Flasche Hustensaft für George, denn seine Flasche war leer gewesen. Einen Augenblick dachte sie daran, auch Georges Bett frisch zu beziehen, aber bei ihm wechselte sie die Bettwäsche absichtlich an einem andern Tag, damit sie nicht so viele Betten am gleichen Tag zu beziehen hatte. Dabei wollte sie auch bleiben. Aber da sie sich heute kraftvoll und optimistisch fühlte, war es vielleicht der geeignete Tag, mit George mal über ein Pflegeheim zu reden.

Es war etwa 11.30, als sie zu George hinaufging. Sie wollte ihm die gute Nachricht von Melanie mitteilen, doch dann fiel ihr ein, er wußte gar nicht, daß Melanie krank gewesen war. Sie klopfte an die halboffene Tür und rief: »George?«

Gottseidank schlief er wenigstens nicht. Er bewegte den Kopf auf den Kissen und blickte zur Tür. »Edith.«

»George, ich möchte –« Sie zog einen Stuhl näher an sein Bett und setzte sich. Sie vergewisserte sich, ob er einigermaßen wach war, bevor sie fortfuhr: »Ich habe mir überlegt, ob du es nicht viel bequemer hättest in einer Seniorenwohnung. Wir haben hier welche ganz in der Nähe. Da hättest du deine eigenen Sachen um dich herum und brauchst nur auf den Knopf zu drücken, dann kommt eine Pflegerin, Tag und Nacht. Das Ganze ist kaum zwölf Meilen von hier!«

Georges rötliche Augen nahmen einen ängstlichen Ausdruck an. Edith wünschte, sie hätte sich die Wohnungen mal angesehen, bevor sie mit ihm sprach.

»Weggehen?« fragte George. »Wer?«

»Ich sprach von den Seniorenwohnungen«, begann Edith noch einmal mit etwas lauterer Stimme. Gut, daß Cliffie aus war. »Sie sind ganz in der Nähe. Du hättest es dort viel bequemer als hier. Und du hättest auch andere Leute zum Reden!«

George schüttelte den Kopf. »Ich will gar keine anderen Leute.« Er keuchte leise. »Wieso – ich?«

Edith hatte den Atem angehalten, jetzt atmete sie langsam aus, ohne ein Wort, und versuchte es dann noch einmal. »Aber ich möchte es!« Es kam nun wohl zum Kampf. Mußte sie nachgeben? »Ich habe sehr viel zu tun, George. Wenn du nichts dagegen hättest – wenn du es dir überlegen würdest –«

Unten wurde die Haustür zugeschlagen. Cliffie war zurück. Edith stand auf, schloß Georges Zimmertür und setzte sich wieder.

»Wenn es dir recht wäre, George – erstmal für zwei, drei Monate zum Ausprobieren. Dann könntest du zurückkommen, wenn's dir nicht gefällt.« Warum hatte sie daran nicht schon früher gedacht?

»Ich will nicht woanders hin.«

»Ich bin's aber leid, George.« Sie war es alles leid: die verdammten Tabletts mit seinen Mahlzeiten, die Bücher aus der Bibliothek, die Bettschüsseln, die sie ihm in den letzten Wochen mehrmals hatte bringen müssen, wenn er nach ihr rief. »Eine Erholungspause voneinander für eine Weile –« Gut: sie würde jetzt hingehen und sich über die Wohnungen informieren, vielleicht gab es eine Broschüre, die sie ihm zeigen konnte. Müde an allen

Gliedern, und mit dem Gefühl versagt zu haben, erhob sie sich.

Georges braune rotumränderte Augen blickten sie traurig und mißtrauisch an.

»Ich gehe jetzt, George«, rief sie. »Brauchst du noch was? Bald gibt's Lunch.« Sie ging hinaus.

Cliffie stand unten im Flur, lehnte sich ans Treppengeländer und blickte hinauf. »Was war denn da los?« fragte er interessiert. Edith war sicher, er wußte Bescheid, um was es ging. Cliffie lächelte.

Edith ging nach unten, sie war plötzlich erschöpft. Nach dem Essen wollte sie ganz bestimmt das Heim aufsuchen.

»Geht er denn nun?« fragte Cliffie und folgte ihr.

»Weiß ich nicht. Vielleicht«, erwiderte Edith so sachlich wie sie konnte. »Bist du zum Lunch hier?«

»Och – das weiß ich nicht. Es ist ja noch nicht mal zwölf.«

Edith haßte seine ungenauen Antworten.

»Wär großartig, wenn er ginge. Dann hättest du ein Zimmer mehr.«

»Ich denke, du wolltest das Zimmer haben.« Sie sprach nur, um etwas zu sagen, aber es stimmte.

»Ich will's doch nicht! Wo er so lange da gewohnt hat! Na ja, wenn wir neue Möbel kauften und es anders einrichteten, die Wände müßten gestrichen werden –«

Edith hätte gern vor dem Lunch einen Whisky getrunken, unterließ es aber, weil Cliffie bestimmt ebenfalls einen getrunken oder mindestens eine Bemerkung darüber gemacht hätte, denn sie trank mittags fast niemals etwas. Sie entschloß sich zu einem Sandwich und einem Glas Milch; danach wollte sie sich dann sofort auf den Weg machen.

Cliffie trödelte in der Küche herum, eine Dose Bier in der Hand, aus der er schluckweise trank. »Glaubst du, er wird gehen?«

»Cliffie, wie soll ich das wissen? Das muß er selber bestimmen.«

»Na, was kann der alte Kohlkopf schon bestimmen.«

Das ignorierte Edith.

Kurz nach eins – Cliffie hatte das Haus ohne Lunch verlassen – fuhr Edith zu dem Seniorenheim, das sie zunächst nicht finden konnte, bis man ihr an einer Tankstelle den Weg zeigte. Sie war zu weit gefahren. Das Heim, so erfuhr sie, hieß Sunset Pines. Es war ein langgestreckter Bau hinter einem grünbewachsenen Hügel. Langsam fuhr sie darauf zu und suchte nach einem Eingang, den sie schließlich fand.

Der Fußboden in der Eingangshalle war aus schwarzem Linoleum mit hier und da ein paar kleinen Teppichen. Es roch nach Möhren oder Möhrensuppe (jedenfalls besser als Medizin), Topfpflanzen standen herum, und an einem Schaltbrett saß eine Pflegerin in Blau und Weiß. Edith sagte, sie wolle sich für einen männlichen Interessenten nach einer Wohnung erkundigen. Die Pflegerin rief eine jüngere Pflegerin, die Edith ein typisches Zimmer zeigte; es war ein Zimmer mit eigenem Bad, aber nicht alle Zimmer hatten ihr eigenes Bad. In der Halle gingen ein paar alte Leute auf und ab, andere bewegten sich in Rollstühlen. Das Zimmer war quadratisch, hatte alles Notwendige und sah freundlich aus, fand Edith. Das Heim hatte die Gestalt eines U. An dem einen Ende führte eine Rampe hinunter zu einem Sonnenraum mit Fernsehapparat, vor dem mehrere Gäste saßen. Das andere Ende des U war der Speiseraum. »Für unsere Gäste, die gehen können«, sagte die

Pflegerin. »Aber wir servieren natürlich auch auf dem Zimmer, wenn jemand nicht aufstehen kann.« Der Preis war zweihundert Dollar pro Woche für ein Zimmer mit Bad, voller Verpflegung und monatlicher Untersuchung. Medikamente und Betäubungsmittel waren nicht eingeschlossen; und ein Zimmer ohne Bad kostete hundertachtzig Dollar pro Woche. »Die Kosten werden größenteils von der Altersrente und der Krankenversicherung gedeckt.«

Edith war etwas entsetzt über den Preis, aber George hatte ja schließlich Geld und konnte es, wie Brett ein paarmal bemerkt hatte, nicht mit ins Grab nehmen. Edith bedankte sich und sagte, sie werde von sich hören lassen. Sie nahm eine Handvoll Broschüren und mehrere Postkarten mit Farbaufnahmen vom Inneren und Äußeren des Hauses mit, recht hübsch, nur sah man weder Gäste noch Pflegerinnen darauf.

Es war fast vier Uhr, als sie nach Hause kam. Sie machte Tee für sich und George und nahm die Broschüren auf dem Tablett mit nach oben. George schlief noch, sie mußte zunächst das Tablett auf einen Stuhl stellen und das andere Tablett, das er zum Lunch gehabt hatte, vom Bett nehmen und auf den Boden vor der Tür stellen. Als George erwachte, schlurfte er ins Badezimmer. Dazu benutzte er seinen Stock. Tap-tap. Als er zurückkam und wieder im Bett war, schenkte Edith den Tee ein.

»Ich bin heute in dem Heim gewesen.« Sie sprach laut und ohne Hemmung, denn Cliffie war noch aus. »Hier – ich hab dir ein paar Bilder mitgebracht.« Sie zeigte ihm zuerst die Postkarten und dann die Broschüre aus mattgrünem Papier.

»Wo ist das?« fragte George. Ein Speichelfaden hing ihm aus dem Mund.

»Gar nicht weit von hier – ungefähr zwölf Meilen.«

George stützte sich auf einen Ellbogen und besah sich die Bilder und die Broschüre. »Ich mag solche Häuser nicht«, sagte er dann. »Alles wie im Krankenhaus.«

Edith blickte auf seine abgetragenen Hausschuhe, die an der Ferse ganz plattgetreten waren, weil er sie nie richtig anzog. Ein zerknülltes Taschentuch, das Gottweißwas enthielt, lag auf dem Fußboden, und es war ihre Sache, es aufzuheben.

»Ist auch ziemlich teuer«, fügte George hinzu.

Benimm dich wie ein Christ, sagte sich Edith, aber da das nicht immer half und zuweilen auch gar nicht ratsam war, dachte sie im gleichen Augenblick, es wäre wohl besser, an der Initiative festzuhalten, zu der sie sich entschlossen hatte. So nahm sie allen Mut zusammen und sagte: »Also George, ich sagte dir ja schon vorhin, ich habe reichlich genug Arbeit mit dem Haus, ohne Brett, und ich werde jetzt eine Teilzeitarbeit annehmen. Ich dachte, es ginge auch ohne das, aber –« Sie holte tief Luft und redete dann weiter; es war ihr egal, wieviel George hörte und verstand. »Ich habe ein Geschäft gefunden, wo sie mich nachmittags nehmen wollen, das ist wenigstens etwas, wo der Sommer die Hauptsaison ist für die Läden und wo wir jetzt schon Herbst haben. Die Sache ist also die: du hast genug Geld, um selber für dich aufzukommen, George.« Erschöpft hielt sie inne.

George ließ den aufgestützten Arm fallen und legte sich zurück auf das Kopfkissen. Die aristokratische Nase wies auf die Zimmerdecke.

Verdammt nochmal, dachte Edith, sie würde heute abend Brett anrufen. Sie erhob sich. »Willst du es dir überlegen, George?«

»Ich will nirgends anders hin. Nein, will ich nicht.«

Mit der Geduld eines Hiob sammelte Edith die schmutzigen Gläser, Tassen und Löffel, ein Taschentuch und eine Serviette zusammen und ging mit dem Tablett nach unten. Gottseidank hatte er wenigstens das Bett nicht naßgemacht; man mußte jetzt schon für Kleinigkeiten dankbar sein. Sie wollte Brett lieber schreiben, ein Brief wirkte vielleicht eher als ein Anruf.

Als sie auch das zweite Tablett heruntergeholt und alles gespült hatte, ging sie in ihr Arbeitszimmer und begann den Brief. Sie berichtete von ihrem Besuch in Sunset Pines, und daß es ihr nicht gelungen war, George dafür zu interessieren.

> ›Vielleicht hättest du mehr Einfluß auf ihn, wenn du ihm schreiben oder mit ihm reden könntest? Ich habe es bisher nicht gesagt, aber ich muß ihm jetzt manchmal ein Becken bringen. Oder habe ich es doch schon gesagt? Jedenfalls finden Melanie und ich, daß es schließlich auch deine Sache ist, dich um ihn zu kümmern . . .‹

Ja, das war gut so. Sie war fast stolz auf ihr Understatement. Heute war Mittwoch; der Brief ging morgen fort, und Brett hatte ihn dann am Freitag.

15

Auf den Brief antwortete Brett am Freitag abend mit einem Telefonanruf. Frances Quickman war gerade bei Edith; sie hatte ein Dutzend Gläser zurückgebracht, die sie für einen Kirchenbasar ausgeliehen hatte.

»Wenn ich morgen früh den Bus zehn Uhr zwanzig nehme, wäre dir das recht?« fragte Brett. »Ich sehe, es ist Zeit, daß ich mal mit ihm rede.«

Damit war Edith einverstanden. Sie war sehr erleichtert. Am Montag wollte sie ihre neue Stellung antreten, in einem Laden an der Main Street. Sechs Nachmittage pro Woche von zwei bis sieben. Sie freute sich, daß sie Brett etwas Konkretes mitteilen konnte wegen einer Arbeit.

Frances trank einen Gin und Tonic; sie blickte Edith an, als hätte sie Bretts Namen gehört, deshalb sagte Edith:

»Brett. Er kommt morgen vormittag her und wird mal mit George reden. Wir meinen, er sollte in ein Pflegeheim gehen. Ein wirklich nettes, so wie Sunset Pines.«

Frances stand Edith nicht so nahe wie Gert, aber im Augenblick machte sich Edith nichts daraus, ihr die Wahrheit zu sagen wegen Brett und George. Was hatte sie auch schon zu verbergen?

Frances sagte, sie habe mal jemanden besucht in Sunset Pines, das Heim schien freundlich und gut geführt. »George muß wirklich eine ziemliche Belastung für dich sein – manchmal.«

»Gott, er ist ja schließlich Bretts Onkel«, sagte Edith lächelnd.

»Und was macht Brett?«

Edith wußte, die Frage bezog sich im Grunde auf Brett und Carol. »Ich glaube, es geht ihm gut. Die Arbeit sagt ihm zu«, erwiderte sie. »Und ich denke, er will das Mädchen heiraten.« Sie lachte leicht auf. Offenheit war sicher das beste. Über Gert würde doch bald jeder wissen, daß sie und Brett geschieden waren und nicht nur zeitweilig getrennt lebten.

»Ich finde, du hältst dich großartig«, sagte Frances warm. »Ich glaube nicht, daß ich das könnte. Und dein Haus und der Garten, alles sieht so gut aus – Und wie geht's mit Cliffie?«

»Ach, der ist –« Edith hätte fast gesagt: der macht sich glänzend. Aber worin – hydraulischer Technik? Sie mußte lächeln, diesmal über sich selber. »Cliffie ist immer derselbe«, sagte sie mit der gleichen Offenheit. »Manchmal arbeitet er im Chop House, wie ihr vielleicht –«

»Ja, da haben wir ihn mal gesehen, er hatte unseren Tisch zu bedienen, als wir da waren. Er ist auch nicht schlecht dabei weggekommen.« Frances lachte vergnügt.

»Euren Tisch?« fragte Edith erstaunt. »Mir hat er gesagt, er stände hinter der Bar. Na ja, er erzählt immer was anderes, bloß so aus Spaß. Manchmal arbeitet er auch in der Krawatten-Box – also nein, *Namen* gibt es!«

»Ach ja, das ist der Laden, der den beiden netten Schwulen gehört. Ich habe da für Ben schon sehr gute Sachen gekauft, Pullover und Sportjacketts und so. Alles prima Qualität. Man kann die Sachen sogar umtauschen, wenn sie nicht passen. Aber da habe ich Cliffie noch nie gesehen.«

»Ich weiß nie, wann er dort ist«, gab Edith ebenso heiter zur Antwort. »Regelmäßigkeit gibt's bei ihm nicht, in gar nichts.« Sie merkte, sie war glücklich, weil sie Brett morgen sehen sollte.

»Sag doch Brett, er soll zu uns rüberkommen auf ein Glas. Kleiner Frühschoppen vor dem Mittagessen – ihr beide. Meinst du, du kannst es einrichten? Ich bin spätestens um zwölf mit allen Besorgungen fertig, dann könnt ihr jederzeit kommen. Wär schön, Brett mal wiederzusehen.«

Edith meinte, das ließe sich wohl machen.

Es war kurz nach zwölf, als Brett am nächsten Tag kam. Edith hatte ihn nicht von der Bushaltestelle abgeholt, denn der Weg von dort nach Hause war kurz, und sie dachte, das Abholen hätte nicht so sehr freundschaftlich wie drängend ausgesehen. Sie hatte alle Einkäufe erledigt; abends wollte sie Steak au poivre machen, hoffentlich konnte Brett zum Essen bleiben. Er trug das alte karierte Jackett, das er immer seinen Jagdrock nannte, in dem er aber noch nie jagen gegangen war.

»Nun – und wie geht's dir?« fragte Brett.

»Ganz gut, glaube ich. Die Quickmans möchten gern, daß wir vor dem Lunch auf einen Drink hinüberkommen. Aber vielleicht willst du erst mit George sprechen.«

»Ehrlich gesagt, ja.« Brett zog die Augenbrauen zusammen. Er hatte etwas mehr Grau im Haar als früher, dachte Edith.

»Willst du nicht schon mal raufgehen und ihn überraschen? Na ja, so überraschend ist es nicht, weil ich ihm nämlich gesagt habe, daß du heute kommst. Ich mache inzwischen seinen Lunch zurecht.«

»Schön, ja, das tue ich. Wo ist Cliffie?«

»Irgendwo aus. Er wird aber zum Lunch wohl hier sein, ich habe ihn jedenfalls darum gebeten und gesagt, daß du kommst.«

Brett stieg die Treppe hinauf. »Hallo, Nelson – du bist ja noch gewachsen! Na komm her, big boy, du hast doch keine Angst?«

Edith hörte Brett lachen. Sie ging in die Küche, um für George eine Scheibe Toast mit Eiersalat und ein Glas Milch zurechtzumachen. Sie warf noch einen Blick auf den gedeckten Eßtisch, stellte Weingläser und eine kleine Vase mit der vermutlich letzten roten Rose aus dem Garten auf den Tisch und trug dann das Tablett mit Georges Lunch nach oben. Erstaunt sah sie, daß Brett gerade über den Flur kam und hinuntergehen wollte. Sein Gesicht war bekümmert, er sah Edith an und schüttelte den Kopf. Sie ging mit dem Tablett an ihm vorbei in Georges Zimmer.

George lag mit geschlossenen Augen in den Kissen; die knochige Hand, wie eingeschient von dem flachen Gelenk, lag mit zurückgeschobenem Pyjamaärmel am Bettrand. Die linke Hand hatte er, wie er es oft tat, über die Augen gelegt.

»Hier ist dein Lunch, George. Wie geht's denn?« Ohne die Antwort abzuwarten, stellte ihm Edith das Tablett so fest wie möglich oberhalb der Knie auf die Schenkel, damit er sich aufrichten und essen konnte; dann ging sie nach unten, um mit Brett zu sprechen.

Brett war unten im Wohnzimmer und rauchte eine Zigarette. »Ich kann überhaupt nichts mit ihm anfangen. Er ist wie Granit.«

»Na, da siehst du es. Und du hast mit ihm über das Pflegeheim gesprochen?«

»Und wie. Ich stelle es mir auch ganz nett vor, nach dem, was du mir geschrieben hast. Aber er starrt mich bloß an und sagt, er will nirgends anders hin. Wenn du nun jemand ins Haus nähmst für die Zeit, da du arbeitest? Das bezahle ich natürlich – es ist das wenigste, was ich tun kann. Im Grunde könnte *er* es bezahlen.«

Edith hatte an so etwas auch schon gedacht. Aber wie sollte man jemanden finden? »Ich weiß nicht recht – mir wäre es nicht sehr lieb, jeden Tag jemanden fünf Stunden lang im Haus herumschleichen zu haben. Und dann finde mal einen zuverlässigen Menschen.«

»Nein, also das –«

»Jede Woche muß man ihm mehrmals ein Becken bringen. Wenn du glaubst, daß so etwas Spaß macht und daß der durchschnittliche Teenager oder Babysitter sowas heutzutage übernimmt, dann irrst du dich gewaltig, Brett.«

»Dann nehmen wir eben eine Pflegerin.«

»Das kostet ein Vermögen.« Sie lachte. »Ich höre George schon schreien, wenn er den Preis hört.«

»Nicht zu ändern.«

»Nun laß uns erstmal rübergehen zu den Quickmans und was trinken, dann können wir nachher weiterreden, ja?«

Sie gingen zu den Nachbarn und wurden von Frances herzlich begrüßt. Ben kam vom Garten herein, konnte aber Brett nicht die Hand geben, weil seine Hände zu schmutzig waren – er hatte gerade den Rasenmäher gereinigt, vor der Winterpause.

»Fein, daß Sie da sind, Brett. Wie lebt sich's in der Stadt?« fragte Ben.

Edith trank eine Bloody Mary und hörte gleich darauf, wie Brett zu den Gastgebern sagte, er müsse spätestens um fünf zurück nach New York.

»Mein Chefredakteur hat Geburtstag«, sagte Brett mit einem Blick auf Edith. »Dinnerparty – ich muß da einfach hin, so gern ich auch noch bliebe.«

Edith war enttäuscht und versuchte sofort, es hinter einem freundlichen Lächeln zu verbergen. Brett hätte ihr auch schon früher sagen können, daß er nicht zum Abend bleiben konnte. Er unterhielt sich jetzt mit den Quickmans über lokale Neuigkeiten, wie es dem Apotheker ging, wie das Brandywine Inn sich unter der neuen Leitung machte. Die Unterhaltung war lebhaft, aber da die Zeit nun so kurz war, schlug Edith vor, nach Hause zu gehen.

»Cliffie muß bald kommen. Ich habe nichts hinterlassen, wo wir sind«, sagte sie. Sie trank ihren zweiten Drink schnell aus und bedankte sich bei Frances und Ben.

Es war zwanzig nach eins, und Cliffie saß im Wohnzimmer mit einem Glas in der Hand. Der Inhalt sah aus wie Whisky on the rocks.

»Tag, Dad«, sagte Cliffie.

»Oh – Tag, Cliffie. Wieder mit Bart. Oder vielmehr, noch mit Bart«, sagte Brett. »Was treibst du denn so? Barmixer? Welche Bar, diese hier?« Brett lachte kurz auf.

»Wieso – ich arbeite im Chop House, ab und zu. Jedenfalls arbeite ich«, verteidigte sich Cliffie.

Edith ging in die Küche, um das Essen vorzubereiten: Räucherlachs auf Toast, ein guter Camembert, und als Nachtisch Obstsalat. Brett mochte mittags keine große Mahlzeit. Brett und Cliffie kamen herein und boten Hilfe an, und Edith gab Brett den Weißwein aus dem Kühlschrank mit der Bitte, die Flasche zu öffnen.

»Du scheinst mir nicht gerade eine erstklassige Kondition zu haben für dein Alter«, sagte Brett zu Cliffie. »Sie nehmen dich offenbar nicht sehr hart ran.« Der Korken sprang heraus, und Brett stellte die Flasche auf einen Untersatz auf dem Tisch.

»Als iiich in deinem Alter war«, alberte Cliffie, »da konnte ich – sind das vielleicht keine Muskeln?« Er straffte den Arm und befühlte seinen Bizeps durch den Pullover.

»Sind das auch Muskeln da vorn an deinem Bauch?«

Brett ging ungezwungen mit Cliffie um, aber die Distanz war trotzdem spürbar. Na ja, Brett ging in ein paar Stunden wieder fort und würde Cliffie wochen- oder monatelang nicht wiedersehen. Cliffie hatte keine Lust, nach New York zu fahren; nicht mal die Pornofilme auf der 42nd Street lockten ihn.

Mit dem ersten Glas Wein stieg Wärme in Edith auf. Die Zeit raste nur so, sie wollte keine Minute verschwenden und trotzdem nicht den Eindruck von Hast und Eile machen. »Du, Brett«, begann sie, »was meinst du – wenn wir nun George in den Wagen setzen und mit ihm nach Sunset Pines fahren und ihm alles zeigen? Wir könnten in einer Stunde oder so wieder hier sein.«

»Ach, die lieben Altchen!« trällerte Cliffie, eine Hand auf der Brust. »Ein bißchen Husten, ein bißchen Asthma – lange macht's hier keiner mehr!«

Edith und Brett ignorierten ihn schweigend wie immer.

Brett schien den Vorschlag einen Augenblick zu überlegen, und plötzlich brach Edith – sie merkte, daß ihr der Wein zu Kopf gestiegen war – in lautes Lachen aus. »Also mir hat jemand was erzählt – ich glaube Gert war es. Ganz unglaublich. Ein Ehepaar fuhr mit der Schwiegermutter in ein Altersheim unter dem Vorwand, sie wollten eine Freundin besuchen, und dann ließen sie die alte Frau einfach dort stehen und fuhren weg. Irre, was?« Edith lachte immer noch.

»Ha-ha! Ha-haaa!« Cliffie fand die Geschichte wunderbar, er fiel fast vom Stuhl vor Lachen. »Großartig! Einfach großartig!«

Brett blickte seinen Sohn halb abwesend an. Für die Geschichte hatte er nur ein leichtes Lächeln gehabt.

Brett war schon meilenweit entfernt von dem Problem George, das sah Edith. Gleich würde er sagen, er habe nicht genug Zeit, um George fertigzumachen und mit ihm in das Heim zu fahren. In zwei Stunden mußte er fort, zurück nach New York, zu Carol, heute abend auf eine Party und dann mit Carol zu Bett. Die gräßlich wirkliche Gegenwart stieg wieder in Edith auf, die Bettschüsseln, die schmutzigen Taschentücher. Sie hätte losschreien mögen, aber sie sagte nur: »Brett – ich kann so nicht weiter, wirklich nicht.«

»Keiner kann das!« fiel Cliffie ein. »Es ist ganz ekelhaft mit George, ich hab's selber gesehen.«

»Aber du tust gar nichts!« sagte Edith. »Was zu tun ist, das darf ich alleine tun.«

»Edith«, sagte Brett beschwichtigend.

»*Ich* – wieso?«

»Cliffie – das reicht!« Brett zeigte die Zähne.

Cliffie war leicht betrunken und merkte, daß seine Eltern das wußten. »Na schön, dann kann ich ja gehen.« Er stand auf und ging hinüber ins Wohnzimmer, aber nicht aus dem Hause.

Nach einer Pause sagte Brett: »Ich werd's noch einmal versuchen – mit George.«

»Er brauchte ja bloß seinen Mantel und Schal anzuziehen, und seine Schuhe. Dann könnten wir ihm das Haus wenigstens mal *zeigen*, das ist doch –«

»Dafür hab ich heute keine Zeit«, sagte Brett.

Cliffie war die Treppe hinaufgegangen und trat jetzt in Georges Zimmer. Der alte Mann schlief. Cliffie lächelte und verzog dann das Gesicht zu einem wilden Grinsen, als er sich im Zimmer umsah, wo die übliche Unordnung herrschte: Medizinflaschen, das Wasserglas für die Zähne – es war jetzt leer, weil er zum Lunch die Zähne eingesetzt hatte –, schmutzige Teelöffel auf dem Nachttischdeckchen, die Bettschüssel (momentan sauber) auf dem Fußboden neben der Heizung, Bücher auf der Bettdecke. Seit Jahren sah es so aus.

»Die übliche Unordnung!« sagte Cliffie laut; George wachte ja doch nicht auf. »Mein lieber Alter, mit dir geht's abwärts, weißt du das? Bald kommt der Sensenmann – vielleicht heute noch!« Cliffie beugte sich über das Bett und flüsterte: »Wach doch auf! Wach auf, bevor es zu spät ist!«

Dann hatte er plötzlich genug, er war angewidert und schämte sich für den alten Mann im Bett, den lästigen Hausbewohner, der ein Zimmer beanspruchte und in den weißblauen Pott pißte, den seine Mutter dann ausleeren mußte. »Mänsch!« flüsterte er. »Wenn du bloß bald abkratzen wolltest – heute noch! Warum nicht heute? *Warum nicht?*« Er spuckte die Worte aus und seine Augen traten hervor. Liebend gern hätte er George einen festen Tritt in die Rippen gegeben, schon hob er den rechten Fuß ein wenig vom Boden; aber er wußte, damit ginge er zu weit. Überdies war es Zeit, daß er das Zimmer verließ, bevor seine Eltern heraufkamen und Brett sich verabschiedete. Alles Quatsch. Cliffie ging hinaus und stieg die Treppe hinunter. Unten bog er nach rechts in den Flur ein, der zu seinem Zimmer führte, und im gleichen Moment kamen seine Eltern aus dem Wohnzimmer und gingen noch redend die Treppe hinauf. Cliffie folgte ihnen in einiger Entfernung und blieb auf der halben Treppe stehen.

»Ich wußte ja, er schläft«, sagte Edith. *»George! Brett ist hier!«*

George erwachte, aber nicht leicht und ruckweise wie sonst; er glich einem müden Geist, der sich aus einem fernen Land in die Gegenwart zurückkämpft.

»Ich habe nur noch eine Stunde Zeit, George«, sagte Brett. »Wir reden gerade – oder vielmehr noch immer – über dieses Wohnheim, das gar nicht weit von hier liegt.«

»Ja. Ja.« sagte George.

»Du mußt die Sache mal von Ediths Standpunkt aus betrachten. Und auch von meinem. Wir haben ja weiß Gott nicht vor, dich irgendwo in einem scheußlichen Haus abzuladen, wo du immer unter Fremden bist, und dich niemals zu besuchen. Du hast dort eine eigene Wohnung mit deinen eigenen Sachen, wie zum Beispiel diese Bilder.« Brett wies auf ein Landschaftsgemälde und einen recht guten englischen Druck, ein Sportbild, das sie auf Georges Bitte vor Jahren aus dem Speicher geholt hatten, wo Georges Möbel eingelagert waren, in New York. »Der Preis ist etwa zweihundert Dollar pro Woche, und das kannst du dir ja leisten.«

»Pro Woche, sagst du. Zwei – nein, das habe ich nicht.« George stützte sich auf einen Ellbogen; er schien bereit, seine ganze Kraft gegen Bretts Forderung einzusetzen.

Auf der Treppe hockte Cliffie und schüttelte sich vor Lachen, das nicht laut werden durfte. George wich und wankte nicht – zwei kräftige Männer in Weiß mit ’ner Zwangsjacke waren nötig, anders kriegte man ihn nicht raus! In der Klapsmühle sollte man anrufen! Cliffie malte sich aus, wie er Mel das alles erzählte. Er und Mel hatten die gleiche Art von Humor. Jetzt sprach sein Vater von Georges Steuerberater in New York.

»Aber ja, Onkel George, ich bin bei ihm gewesen und habe mit ihm gesprochen. Du brauchst nicht zu denken, ich will dich beschwindeln – wozu auch? Ich wollte mir ein Bild von deiner Lage machen, und er sagt, deine Einkünfte wachsen immer noch. Wenn du dort zweihundert Dollar in der Woche zahlst, nimmst du immer noch mehr ein als du ausgibst.«

»Stimmt das?« fragte Edith leise Brett.

»Weiß ich nicht, aber ganz bestimmt merkt er es überhaupt nicht. Er kann's doch nicht mitnehmen, nicht wahr?«

»Ich bin bereit, *hier* mehr zu bezahlen, wenn's euch darum geht«, sagte George mit tiefgekränkter Miene und offenbar den Tränen nahe.

»Darum geht es uns *nicht*!« erwiderte Brett. »Es geht darum, daß Edith eine Teilzeitarbeit annehmen will. Sie kann dir dann weder Lunch noch Tee machen, und auch nicht –«

Brett sah erschöpft aus; seine Stimme hatte einen heiseren Klang.

»Auf Wiedersehen, George«, sagte er, und zu Edith gewandt: »Ich muß fort. Ich werde ihm schreiben, vielleicht hilft das. Inzwischen –« er ging aus dem Zimmer und die Treppe hinunter – »besorg bitte eine richtige Pflegerin. Das kann er sich leisten, und ich werde dafür sorgen, daß er's bezahlt. Bei einer Pflegerin brauchst du nicht zu befürchten, daß sie Sachen aus dem Haus trägt.«

Die Stunden waren geflogen. Es war jetzt zehn Minuten nach vier und sie mußten sich eilen, wenn sie es bis zum Fünfuhrzug in Trenton schaffen wollten, woran Brett viel lag. Aber Edith zog ihn noch schnell in ihr Arbeitszimmer, damit er die letzte Nummer des *Signal* ansah. Es war eine gelungene Ausgabe, für die Edith, wie sie fand, einen guten Leitartikel geschrieben hatte über die übliche Gleichstellung von Sozialismus und Kommunismus. Edith schickte Brett stets ein Exemplar jeder Nummer, aber irgendwie hatte sie gern gewollt, daß er diese letzte Ausgabe richtig in der Hand hielt, wenn auch nur für einen Augenblick. Er hatte jetzt keine Minute Zeit, aber er lächelte und machte eine höfliche Bemerkung und faltete das Blatt zusammen, um es mitzunehmen.

»Bringst du mich nach Trenton?« fragte er. »Sonst nehme ich ein Taxi, aber schleunigst.«

»Ach was, natürlich bringe ich dich.«

Sie fuhren los. Brett hatte noch zwei weitere Bücher aus dem Regal im Wohnzimmer mitgenommen. Edith konnte beim Fahren nicht gut reden, und so sprachen sie kaum etwas, bis die Lichter von Trenton auftauchten und sie in die Straße zum Bahnhof einbog.

»Ich hab manchmal das Gefühl, als ob – als ob etwas in mir durchbricht«, sagte sie unbeholfen.

»Edith, es tut mir leid – glaub mir, es tut mir wirklich leid. Liebes, wenn es sich um Geld handelt – ich möchte gar nicht, daß du auch nur eine stundenweise Arbeit annimmst. *Ich* will für dich sorgen. Es ist meine Sache.«

»Ach, die Arbeit wird mir höchstens gut tun. Um Geld handelt es sich nicht.«

»Dann also um Cliffie.«

»Ach, der ist immer der gleiche und wird es auch wohl bleiben. Ich sagte dir ja, er bringt's pro Woche auf fünfzehn oder zwanzig Dollar.«

»Fabelhaft.«

Jetzt kam Edith an eine schwierige Kreuzung. Zu dumm, sie hatte ihre Zigaretten vergessen. Sie waren am

Bahnhof angekommen, und Brett stieg aus und sagte, die Fahrkarte werde er im Zug nehmen. Edith hätte gern den Wagen geparkt und wäre mit Brett zum Zug gegangen, aber dafür war es zu spät. Sie bat ihn um eine Zigarette, und er gab ihr drei. Der Wagen hatte einen Anzünder.

»Was meinst du mit Durchbrechen?« fragte Brett.

»Im Kopf, meine ich. Ach, dafür ist jetzt keine Zeit. Lauf.«

»Du hast innere Kraft, Edith. Das hast du selbst mal gesagt. Du bist stärker als ich.« Seine Hand streifte kaum das Wagenfenster, und plötzlich stürzte er davon. »Ich schreibe dir! Danke, Edith, danke!«

16

Edith kam vom Bahnhof nach Hause und machte sich gleich daran, die Teemahlzeit für George zuzubereiten. Sie brachte ihm das Tablett (er hatte ein Buch vor sich und war eingeschlafen, aber er wachte leicht auf, und sie floh nach unten), machte sich eine Tasse Nescafé, da sie zum Lunch den andern Kaffee ausgetrunken hatten, und ging dann in ihr Arbeitszimmer und schlug das Tagebuch auf. Cliffie war irgendwo aus. Nach dem Oktoberdatum schrieb sie:

Netter Nachmittag heute, B. war hier, wir gingen zusammen auf einen Drink zu den Quickmans. C. war auch zu Hause, aber Debbie nicht. C. verurteilt das Privatleben seines Vaters, redet von »einem Mann, der seine Frau im Stich läßt« undsoweiter. Hält B. für egoistisch. B. selber ist offensichtlich auch etwas beschämt. C. scheint in jeder Beziehung stärker zu sein als sein Vater. C. und D. wollen in der Weihnachtswoche heiraten. Ihre Eltern

Hier machte Edith eine Pause und dachte nach. Debbie Bowdens Eltern wohnten in einem Vorort von Princeton. Edith malte sich für sie ein Haus aus, das sie einmal in der Nähe von Princeton besucht hatte, ein zwei- oder dreistöckiges Haus mit großem Garten, Garage, Treibhaus, schönen alten Bäumen und einem Einfahrtstor mit steinernen Säulen. Sie war dabei, sich die Eltern deutlicher vorzustellen – der Vater war vielleicht ein Professor, der gerade seinen Studienurlaub nahm – als sie George rufen hörte. Es war der übliche Ruf: »Whhuum! Whhah! Ah – Edith!«, er klang wie fernes Donnergrollen oder wie ein Auto, weit entfernt, das nicht anspringen wollte. Er rief nach seinem Becken.

»Moment, George!« Sie holte das Gefäß, das unter dem Seitenfenster stand.

»Das viele Auf und Ab heute – ich hab's wieder im Rücken«, sagte George ächzend. Er meinte wahrscheinlich das Auf- und Abstützen auf dem Ellbogen.

»Ich habe doch gesagt, die *Flasche* – bitte«, sagte er jetzt, als sie ihm das Becken brachte.

»Du hast gar nichts gesagt«, gab Edith zurück, stellte den Topf ab und holte unter dem Bett das sogenannte Männerurinal hervor, von dem Cliffie meinte, sie sollte es als Weinkaraffe bei Tisch benutzen. Zweimal, dachte

Edith, während sie es George reichte und dann taktvoll das Zimmer verließ, hatte sie es ihm auf das untere Bord seines Nachttisches gestellt, wo er es selber erreichen konnte, aber beide Male hatte er es gefüllt und dann umgeworfen, was zehnmal gräßlicher war, als es ihm zu geben und dann mitzunehmen. »Fertig?« rief sie jetzt.

Nein, er war noch nicht fertig.

Als endlich die Flasche fortgebracht, ausgespült und zurückgetragen war, hatte sie völlig den Faden verloren und war nicht mehr imstande, sich Debbies Eltern deutlich vorzustellen. Sie ließ den Satz unbeendet und legte das Tagebuch weg.

Am nächsten Dienstag kam ein Brief von Brett vom Sonntag, zusammen mit einem Durchschlag seines Schreibens an George, das mit der gleichen Post gekommen war und das Edith George gebracht hatte, bevor sie ihren eigenen Brief öffnete. Brett bat George in seinem Brief noch einmal inständig, auf seine und Ediths Überlegungen einzugehen. Es sei bedeutend praktischer, daß er in das neue Heim übersiedle, als daß man für fünf Stunden täglich eine Pflegerin besorge.

Während Edith im Wohnzimmer saß und Bretts Briefe las, kam Cliffie herein. Er war die letzte Nacht nicht nach Hause gekommen und sah müde und unsauber aus. Ihr erster Gedanke war, daß die Polizei ihn aufgegriffen hatte – er war mit dem Wagen fortgefahren –, aber sie sagte ruhig: »Tag, Cliffie. Wo warst du?«

»Bei Mel. Wir haben Karten gespielt, da ist es spät geworden, deshalb habe ich bei ihm geschlafen.«

Edith war erleichtert. »Und was hast du heute vor?«

»Baden und weiterschlafen.« Cliffie gähnte und verschwand, den Mantel über die Schulter gehängt, im Eßzimmer.

Edith hörte, wie der Kühlschrank geöffnet wurde. Sie stieg die Treppe hinauf, um mit George zu sprechen; sie war sicher, er hatte den Brief jetzt gelesen, denn er war wach gewesen, als sie ihn brachte. Sie klopfte an die halboffene Tür »George –?«

»Komm herein, Edith.«

»Ich hatte auch einen Brief von Brett«, sagte sie laut und deutlich. »Ich weiß, was er dir geschrieben hat.«

»Ich will nicht in ein Pflegeheim, und damit basta«, sagte George, der sich offenbar zum Kampf gewappnet hatte, nachdem er den Brief bekam. »Wenn wir eine Pflegerin ins Haus nehmen müssen, werde ich das bezahlen.«

»Ins Haus? Wohin denn?« Edith fühlte ihr Gesicht heiß werden. »Doch wohl nicht in mein Gastzimmer!«

»Na schön, dann stundenweise. Jeden Nachmittag.«

»Ich habe aber keine Lust, eine Fremde in meinem Haus herumschleichen zu lassen!« Es war ihr gräßlich, so laut sprechen zu müssen. Sie schloß die Tür. »Zum Erntedankfest kommen zum Beispiel die Zylstras zu uns, für ein Wochenende. Meinst du, es macht mir Spaß, daß die Leute Schlange stehen müssen vor dem einzigen –« Dem einzigen Badezimmer hatte sie sagen wollen. Na ja, eine Toilette war allerdings noch unten. Sie packte den Türgriff und öffnete die Tür.

Edith knallte die Tür zu.

Unten im Wohnzimmer lachte sich Cliffie ins Fäustchen. Er war eben vom Fuß der Treppe hereingehuscht, wo er jedes Wort mitgehört hatte. Familiendrama, dachte er. Jetzt hörte er seine Mutter auf der Maschine schreiben; er schenkte sich also einen großen Whisky ein und trank ihn pur. Mensch, das war gut – Dewar's.

Genau das, was er jetzt brauchte, und dann ein Bad und Schlaf. Vielleicht noch ein kleines Spiel mit der Socke. Bei Katzenjammer wurde ihm immer ganz sexy.

Edith schrieb einen Brief an Brett. Lieber hätte sie ihn angerufen, sie hatte auch seine Büronummer, aber wie immer mochte sie ihn bei der Arbeit nicht stören. Er hatte erzählt, daß er und Carol am fünfzehnten November in eine größere Wohnung umzögen. Edith schrieb ihm in unmißverständlichen Worten, Brett müsse jetzt selber für seinen Onkel sorgen, denn sein Brief habe nicht das mindeste genützt.

Brett schrieb umgehend zurück, er stecke bis an den Hals in Arbeit, dazu kam der Umzug; wäre es deshalb möglich, daß er die Sache mit George noch drei Wochen aufschöbe? Edith ärgerte sich darüber. Sie wußte, er hatte viel zu tun, aber er hatte immer noch hier und da drei oder vier Stunden Zeit für eine Party in New York, die konnte er schließlich auch für Brunswick Corner aufbringen und George ins Altersheim schaffen.

Die folgenden Wochen vergingen so schnell oder so gleichförmig, daß Edith sich später nicht mehr an Einzelheiten erinnern konnte. Ihre neue Arbeit im »Strohwinkel« ließ sich gleich recht gut an. Sie kannte Elinor Hutchinson (sie war Witwe und etwas älter als Edith) schon seit Jahren, wenn auch nicht näher. Elinor sagte, Edith sei genau der Mensch, den das kleine Geschäft brauche: eine zuverlässige Person, die das Lager schnell übersah, die fand, was der Kunde suchte, und sich zurückhielt, wenn jemand noch unentschlossen war. Edith konnte tragen, was sie wollte, Rock oder Hosen. Sie war pünktlich und blieb auch mal länger, wenn es notwendig war. Der Laden verkaufte Tischmatten und Sets, Kerzenhalter, Lederhocker und Papierkörbe und klingelnde Wand- und Deckendekorationen. Edith erhielt achtzig Dollar pro Woche und keine Prozente. Norma, eine Achtzehnjährige, und Mrs. Becky Martin, eine ältere Frau, waren ebenfalls für den Verkauf da; alle drei benutzten dieselbe Registrierkasse.

Zum Erntedank-Wochenende kamen die Zylstras. Edith hatte das Wohnzimmer mit Herbstlaub, zwei Kürbissen und getrockneten Maiskolben geschmückt – der traditionellen Dekoration, die von New Yorkern im ländlichen Pennsylvania erwartet wurde. In Erinnerung an alte Zeiten hatte Marion einen Meringenkuchen gebacken; sie müsse dabei, sagte sie, immer an die Tage denken, als die Howlands damals von Manhattan Abschied nahmen. Auch eine große Flasche Whisky, Four Roses, hatten sie mitgebracht.

»Du hast noch nie so gut ausgesehen«, sagte Ed Zylstra zu Edith.

Marion fragte nach Brett und Edith berichtete von der bevorstehenden Heirat. »Vielleicht grade heute«, sagte sie und zog die Augenbrauen hoch. »Ich glaube, Brett sagte, um diese Zeit.«

»Vielleicht –« Ed brach ab.

Einen Augenblick sagte niemand etwas, selbst Cliffie nicht. Edith überlegte, was Ed wohl hatte sagen wollen.

In einem ruhigen Augenblick erzählte sie Marion von ihren Kämpfen mit George. Sie versuchte sie kurz und komisch darzustellen. Auch von Bretts zaudernder Haltung berichtete sie.

»Na klar muß er in ein Pflegeheim«, sagte Marion. »Ich hab in meinem Leben viele solcher Fälle gesehen. Ich meine in den Pflegeheimen, wo die Leute hingehören.« Marions klare gesunde Züge gaben Edith neuen Mut.

»Schön«, sagte sie ruhig, »und wie fängt man das an?«

»Erstmal erzwingst du eine Entscheidung durch den Arzt. Was der Arzt sagt, wirkt immer viel –«

»Kennst du Dr. Carstairs? Nein. Das wäre wirklich gut, wenn du mal mit ihm sprechen könntest.« Schon war Edith am Telefon, und zu ihrer Überraschung erreichte sie den Arzt sofort. Sie fragte, ob er entweder heute oder morgen kurz herkommen könne; auf seine Frage antwortete sie ehrlich (und bedauerte es sofort), es sei nicht wegen George, sondern sie habe eine Freundin, die geprüfte Krankenschwester sei, zu Besuch, die Dr. Carstairs gern einmal kurz gesprochen hätte. Der Arzt sagte, leider habe er keine Zeit. »Kann meine Freundin Sie dann jetzt einmal kurz sprechen? Marion!«

Marion kam. Sie hatte gehört, was Edith am Telefon sagte und kam gleich zur Sache ». . . deshalb notwendig, daß Sie, Herr Dr. Carstairs, Georges Übersiedlung in ein Pflegeheim befürworten und veranlassen . . .«

Sie sprach gut und vernünftig. Edith blieb im Wohnzimmer, aber sie konnte das meiste verstehen. Cliffie, in einem neuen grellfarbig karierten Jackett, saß in einem Sessel und spielte mit dem gefüllten Cocktailglas, das er auf dem Schenkel balancierte.

Marion kam ins Zimmer zurück, ein zynisch amüsiertes Lächeln auf dem Gesicht. »Nichts – ich kenne den Typ. Du wirst entweder Brett nochmal anstoßen müssen oder einen andern Arzt rufen, der endlich was unternimmt.«

»Hast du Lust zum Spazierengehen?« fragte Edith.

Sie nahmen Mäntel und Schals und gingen hinaus in die klare kalte Luft. Ah – wie gut das tat! Marion war wie ein Stärkungsmittel, frisch und belebend. Eine vertraute alte Freundin, die auch noch einiges von Medizin verstand – mindestens so viel wie Carstairs, dachte Edith. Brunswick Corner hatte nie hübscher ausgesehen mit den weißen und roten Klinkerhäusern vor dem Hintergrund tiefen Rotbrauns, mit Flecken von Gelb zwischen den Bäumen jenseits des Flusses und über den Hügeln im Süden – als habe ein Maler alle Farben an genau den richtigen Stellen eingesetzt. Die Luft, die Edith tief einzog, erinnerte sie an kaltes Wasser, das man an einem Sommertag trank. Köstlich. Wäre nur das ganze Leben von so köstlicher Frische!

»Du, ich denke manchmal –« es drängte Edith zu sprechen, und sie wußte nicht, wo sie anfangen sollte – »ob ich nicht meine ganzen Probleme in Wahrheit George anlaste. Das wäre nicht fair ihm gegenüber.«

»Ach Unsinn, Edith. Jeder, der mit deinen augenblicklichen Problemen fertigzuwerden hätte – und dazu noch die Sache mit Brett –«

Edith wartete darauf, daß Marion weitersprach. Sie gingen in westlicher Richtung die Main Street entlang; zur Rechten war der Fluß. Sie waren am »Strohwinkel« vorbeigekommen – heute war geöffnet –, aber Edith hatte nichts gesagt und Marion nicht darauf aufmerksam gemacht. Sie hatte um den freien Tag gebeten (was ohne weiteres genehmigt wurde), weil sie Gäste hatte.

»Und dann noch Cliffie. Ich kann mir vorstellen, daß er keine große Hilfe für dich ist«, fuhr Marion fort. »Ich meine als innere Stütze.«

»Nein, ist er nicht. Aber das war noch nie anders.«

»Was will er eigentlich mal machen?«

Die übliche Frage. Auch nach Mädchen.

»Er ist doch nicht schwul?« fragte Marion. »Du weißt, mir wär das egal, ich frag bloß so.«

»Ich glaube es nicht.« Edith lachte. »Er hat ja eine ganze Menge Pin-ups in seinem Zimmer, Mädchen mit viel Busen und so. Was ihm fehlt, ist vielleicht – Selbstvertrauen. Brett hat ihn satt – denk ja nicht, der würde ihn zurechtkriegen, wenn er hier wäre. Keine Rede.« *Ich denke manchmal, ich bin nicht ganz richtig,* wollte Edith sagen.

Und dann plötzlich – Edith kam es jedenfalls plötzlich vor, – waren Marion und Ed wieder fort, und das Haus war so leer, obgleich doch Cliffie mit seinem Transistor da war, und oben George. Und Edith war irgendwie beschämt – ja, sie schämte sich. Warum, das konnte sie nicht sagen. Sie war eine gute Gastgeberin gewesen, das Essen war mehr als gelungen, das Gastzimmer hatte reizend ausgesehen. Edith spürte, daß sie Marion sonderbar vorgekommen war; die Freundin war nur zu höflich gewesen, es zu sagen. Ed hatte sich den Fernseher und Ediths alten Radioapparat in ihrem Arbeitszimmer vorgenommen, und beide liefen jetzt besser, das Bild auf dem Fernsehschirm war viel deutlicher. Damit war also bewiesen, daß die Zylstras hier gewesen waren, dachte sie und überlegte gleich darauf, warum sie nach so einem Beweis gesucht hatte. Ganz deutlich sah sie Marions rosiges lächelndes Gesicht vor sich, mit den blauen Augen und den komischen künstlichen Augenwimpern, die ihr aber gut standen: das einzige Make-up (wenn man es so nennen wollte), mit dem sie sich abgab.

Brett schrieb Edith in einem Brief, in dem es hauptsächlich um Versicherungsdinge ging, daß seine Heirat um ein paar Wochen aufgeschoben sei, bis Weihnachten oder kurz vorher. Er bat sie, die Hausratsversicherung zu überprüfen, die Versicherungssumme kam ihm »nicht ganz richtig« vor, und sie hatte die Unterlagen. Edith hatte das Gefühl, Brett beabsichtige nicht gerade am Heiligabend zu heiraten. Sie stellte sich vor, daß Cliffies Hochzeit ein paar Tage früher als Bretts stattfand. An Cliffies Hochzeit dachte sie, während sie das Geschirr spülte oder Georges Mahlzeiten zurechtmachte: es war ein warmer und tröstlicher Gedanke. Sie gestand sich selber aber auch ein, daß sie es immer wieder hinausschob, Marions Rat zu befolgen und einen anderen Arzt zu finden, der Georges Umzug befürworten würde. Nach Weihnachten ganz bestimmt, nahm sie sich vor. Daneben hegte sie eine vage und vermutlich unsinnige Hoffnung, daß Brett noch vor Weihnachten etwas unternehmen werde.

Etwa am fünfzehnten Dezember – von Brett war keine weitere Nachricht gekommen – schrieb sie nach einem besonders erfreulichen Nachmittag im »Strohwinkel« in ihr Tagebuch:

Der große Tag – für mich jedenfalls – ist endlich da: heute morgen um elf wurden Cliffie und Debbie in der Kirche der Universität von Princeton getraut. Die Quickmänner (so nennt C. sie immer) und natürlich die Johnsons waren da, alle in fröhlicher Stimmung. Dann noch Derek mit seiner jungen Frau Sylvia, und meine Eltern, zufrieden, ältlich, glücklich. Beinahe ließ C., typisch für ihn, den Ring fallen; ich sah, wie er blaß wurde und dann vergeblich versuchte, ein Lächeln zu unterdrücken. Beide scheinen sehr glücklich. Wir hatten einen zweiten Empfang bei mir, der erste war in Debbies Elternhaus, sehr großartig mit Sekt, Wein, Kuchen, sogar Kaviar. Die Eltern haben C. gern, und er ist ihnen gegenüber frei und ungehemmt. Alle Freunde aus Brunswick Corner kamen dann noch mit in mein Haus;

C. hatte D. dazu überredet, daß sie auch nach B. C. kommen mußten, und hier folgte eine ähnliche Feier, wenn auch das Haus Frieden es mit der Eleganz der Brauteltern nicht aufnehmen kann. Das junge Paar fuhr dann nach Long Island, dort brachte ein Freund sie in einem Privatflugzeug nach Nantucket, wo sie ihre Flitterwochen verbringen. C. war fröhlich und vergnügt, aber nüchtern genug, um den Wagen zu lenken. Gottseidank verträgt er ja einiges, obgleich er gar nicht oft trinkt.

Die beiden haben also Brett um etwa zwei Wochen geschlagen. Brett war heute nicht dabei, obgleich wir ihn natürlich eingeladen hatten. Er schrieb mir einen rührenden kleinen Brief (und rief auch noch an) und sagte, ich verstände es hoffentlich, aber er fände es nicht passend, wenn er und Carol zur Hochzeit kämen. An C. sandte er einen Scheck (wieviel weiß ich nicht) als Hochzeitsgeschenk. Kühl und praktisch wie immer. Ja, meinetwegen auch ganz richtig, in diesem Fall.

C. hat noch sechs Monate bis zum Abschlußexamen, D. noch anderthalb Jahre, die sie wahrscheinlich auch durchhält. Beide wollen weiterhin in ihren Studentenbuden wohnen bleiben und sich zu den Wochenenden entweder in D.'s Elternhaus oder bei mir treffen. Sie könnten auch außerhalb der Universität eine eigene Wohnung nehmen, das tun manche der jungen Ehepaare, aber dazu haben sie keine Lust. »Für die Arbeit ist es besser, allein zu leben«, sagt C., »dann braucht man sich nicht um Haushaltsdinge zu kümmern.«

Edith war von Glück erfüllt, als sie vom Schreibtisch aufstand. Sie war in einer anderen, aber für sie ganz wirklichen Welt – einer Welt, in der Cliffie stetig weiterkam: er hatte eine reizende junge Frau neben sich und eine gute Stellung in Aussicht im Juni, nach dem Examen, wenn er dreiundzwanzig war. Vielleicht gab es im nächsten Herbst schon ein Enkelkind, aber das mußte sie natürlich den jungen Leuten überlassen. Im Geist hatte sie Debbie bereits ein paar Wertstücke aus der Familie übergeben, etwa die silbernen Kandelaber, die bis jetzt noch unten auf dem Sideboard standen.

Mit weit geöffneten Augen starrte Edith auf ihre Tür, und langsam wurde es ihr bewußt, daß George nach irgendetwas rief. Zorn wallte in ihr auf, und sie nahm sich vor, George in ihrem Tagebuch mit Sack und Pack aus dem Hause zu weisen. Jawohl! Ein langer Wagen, fast wie ein Krankenwagen, würde einfach von Sunset Pines herüberkommen, und zwei energische junge Männer packten dann George mit sämtlichen Sachen und fuhren mit ihm davon. – George rief immer noch, lang und klagend. Edith ging hinüber.

Weihnachten kam und ging. Edith besorgte und erledigte alles ganz richtig, aber sie kam sich vor wie in einem Nebel. Sie putzte den Weihnachtsbaum, hatte Gäste und wurde eingeladen, machte Überstunden im »Strohwinkel« und erhielt dafür hundert Dollar extra. Die Korkmatten, Untersätze, die schwedischen Leuchter und Bambusschalen wurden gekauft, mitgenommen und waren dann verschwunden, und Elinor Hutchinson freute sich, daß das Geschäft gut ging.

Am dritten Januar heirateten Brett und Carol.

»Wir hätten dich gern dabei«, sagte Brett am Telefon. »Du würdest auch Leute treffen, die du kennst – Ham Hamilton zum Beispiel. Du weißt doch noch!« Brett lachte. Ham war ein trinkfreudiger linker Reporter, an den Edith seit Jahren nicht gedacht hatte. Er gehörte zu den Bekannten aus ihrer und Bretts New Yorker Zeit.

Da Edith nichts sagte, fuhr Brett fort:

»Ich möchte nicht, daß du denkst, wir ständen dir unfreundlich oder – irgendwie gehemmt gegenüber. Wir könnten uns doch mal abends in New York treffen, meinst du nicht? Es braucht ja nicht so spät zu werden, damit du noch heimfahren könntest, wenn –«

»Ach, mir ist eigentlich gar nicht danach.« Bei dem Wort ›gehemmt‹ war Zorn in ihr aufgestiegen. *Er* wurde offenbar durch nichts gehemmt, das sah man! Im Februar wollte Carol eine Party geben (schon wieder eine!), weil ein Buch von ihr herauskam, es hatte einen blödsinnigen Titel, so ähnlich wie »Bloß nicht auf die Striche treten«, und war ein heiterer Ratgeber, wie man Faux-pas im Privat- und geschäftlichen Leben vermeidet. Und das von einer Frau, die angeblich intelligent war! Edith fand die Idee, eine Party in der Wohnung ihres Ex-Mannes und seiner neuen Frau mitzumachen, geradezu abstoßend. Wie konnte Brett sie überhaupt auffordern! Sie lehnte beide Einladungen ab.

»Wie geht es George?« fragte Brett.

Das könntest du ja auch selber feststellen, wollte Edith sagen. Sie wurde plötzlich kühl und erwiderte in einem Ton, der Tante Melanies Beifall gefunden hätte: »Es ist mir völlig wurscht, wie es George geht.« Damit legte sie auf.

Ja, es war ihr egal. Edith wußte, ihre Haltung hatte sich in den letzten Monaten geändert. Brett saß auf seinen vier Buchstaben und kümmerte sich keinen Deut um George. Jetzt verabscheute Edith den alten Mann und gestand sich auch ein, daß sie ihn verabscheute, was sie in all den Jahren niemals eingestanden hatte. Sie mußte jetzt zugeben, daß sie angefangen hatte, ihn so unhöflich und unangenehm zu behandeln, wie es ihr möglich war.

Glücklich war sie nur, wenn sie an ihrem Schreibtisch saß und sich in ihrem Tagebuch über Cliffies Fortschritte ausließ (Brett und George kamen immer seltener darin vor) und wenn sie Artikel für das *Signal* schrieb. Mitte Januar arbeitete sie an einem Artikel von etwa tausend Worten (mindestens tausend, und nicht für das *Signal*, sie wollte versuchen, ihn woanders zu verkaufen), für den der Titel noch nicht feststand. Die Überschrift auf dem Zettelblock lautete ›Für die Dritte Welt‹. Es ging um Länder, die den ersten und zweiten Weltkrieg mitgemacht hatten und die alle Hilfsmittel, mit denen die Länder der Dritten Welt unterstützt wurden, kontrollierten. Auf den Zetteln stand:

Zweck und evtl. Resultate

1. Selbstversorgung: auf allen Gebieten beschleunigen
2. Eliminierung von Korruption und Bestechung der gegenwärtigen Prozeduren
3. würde ein Element der Freundschaft und Zusammenarbeit zwischen dem Westen und der Dritten Welt ergeben
4. wichtiger Vorbehalt: Achtung für Werte und Lebensart der Dritten Welt muß erhalten bleiben. Förderung kleiner Industriezweige; Wegfall von Zöllen
5. Programm darf keinesfalls in Verwestlichung ausarten, Berater und Aufseher dürfen nicht paramilitärisch auftreten.

Vielleicht, dachte Edith, wäre Helfer ein besseres Wort als Berater – seit Vietnam hinterließ ›Berater‹ einen schlechten Geschmack.

17

Cliffie lag auf einer niedrigen Couch bei Mel und hielt eine fast leere Bierdose in der Hand. Er war die ganze letzte Nacht und auch den heutigen Tag nicht ins Bett gekommen, nur gegen fünf Uhr morgens und etwa um vier Uhr nachmittags hatte er kurz geschlafen. Er wußte, daß er furchtbar aussah und sich auch so fühlte, aber im Augenblick gefiel ihm das. Mel spielte Schallplatten.

»Heh! Andere Seite? Meinetwegen.« Mel stand auf und wendete den Plattenstapel. Er trug Motorradkleidung und hatte, dachte Cliffie, vermutlich seine Stiefel seit vierundzwanzig Stunden nicht ausgezogen.

Wieder füllte *Sergeant Pepper* lautstark den Raum. Cliffie rekelte sich genüßlich auf der Couch; er wußte, daß es draußen dunkel war (die Gardinen waren den ganzen Tag zugezogen geblieben), und es war ihm egal, wie spät es war. Er liebte Mels Zimmer – es war genau das, was er gern selber gehabt hätte. Von der Straße aus führte eine Holztreppe wie in einem altmodischen Etagenhaus (oder in einem guten Film) nach oben, dann stand man vor der Tür zu Mels einzigem und ganz phantastischem Zimmer: riesige Poster an den Wänden, Männer in Lederjacken mit gezückten Pistolen, nackte Mädchen. Ein alter Korbstuhl hing ohne besonderen Grund von der Decke herab und schwang hin und her, wenn man ihn anstieß. Taschenbücher und Kleidungsstücke waren so auf dem Boden verstreut, wie Cliffie es zu Hause niemals fertigbrachte, weil seine Mutter immer wieder etwas Ordnung machte. Mels Zimmer sah aus, als verkünde der Bewohner: »Ich scheiße auf alles.«

Mel saß auf seinem ungemachten Bett, vor sich ein Messer und eine Pinzette, mit denen er sich abwechselnd bemühte, kleine Glassplitter aus den Sohlen von einem Paar brauner Stiefel herauszuziehen. Die Sohlen waren aus geriffeltem Gummi, deshalb hatte sich das Glas so festgesetzt.

»Verdammt nochmal«, sagte Mel. »Ich muß gerannt sein wie 'n geölter Blitz an dem Abend. Das Scheißzeug sitzt fest.«

»Aber entwischt bist du ihnen doch«, sagte Cliffie mit erhobener Stimme, wegen der lauten Musik.

»Na klar.«

Gestern abend hatte Mel die Stiefel nicht angehabt. Das Glas stammte von einem andern Abend. »Mensch, war es nicht prima gestern abend?« sagte Cliffie und lachte träge. »Ha-haa!«

»Ja, war es. Aber du brauchst das nicht so oft zu sagen, verstanden?« Mel warf ihm einen Blick zu. »Die könnten mir hier in der Stadt sonst Schwierigkeiten machen. Du hast es gut – mit deiner Mutter und so.«

Cliffie nahm sich die Warnung zu Herzen; ernüchtert stellte er die Bierdose ab und setzte sich auf. Nur das nicht – eher würde er sich umbringen als etwas tun, das Mel mißfiel. Gestern abend hatte es auf einmal Streit gegeben zwischen Mel und einem Jungen, der ein Mädchen bei sich hatte, draußen vor der Cascade Bar im Norden von Brunswick Corner. Mel hatte die Faust erhoben, vielleicht halb im Scherz, aber Cliffie war dazwischen gekommen und hatte dem andern Jungen einen Schlag ins Gesicht versetzt. Dann war plötzlich der Inhaber der Cascade aufgetaucht, und dazu kam ausgerechnet ein Polizeibeamter aus Brunswick Corner in Zivil. *»Cliffie! Schon wieder besoffen! Du fährst doch* *hoffentlich nicht?«* Nee, er fuhr nicht, sie waren ja beide auf Mels Motorrad gekommen. Der Kerl mit dem Mädchen hatte das Motorrad weggeschoben – um Platz für seinen Wagen zu machen, sagte er – und jetzt war es Mel, dem der Kragen platzte. Denn, wie Mel später sagte, der andere hätte ja das Motorrad hinten in seinen Kombiwagen packen können, und genau das wollte er auch, behauptete Mel.

»Was haben wir denn gestern schon gemacht?« sagte Cliffie. Der Polizist war schließlich gegangen, das wußte er noch.

»Gar nichts. Aber wozu mußtest du dem eine langen? Das sag mir mal, Mensch. Kann gut sein, da kommt noch was nach!«

Cliffie ließ sich von der guten Musik, die ihm überaus elegant und gekonnt vorkam, durchfluten und beruhigen. »Okay, Mel, aber der Kerl ist ja dann weggefahren. Hat mit dem Cop gar nicht mehr geredet. Ich hab ihm ja auch nicht viel getan – 'n kleiner Schlag auf die Backe, das war alles.«

»Woher willst du wissen, was er heute unternommen hat?« Mel schob die Finger durch das wellige schwarze Haar. Er hatte außer dem kurzen Backenbart einen nach unten hängenden Schnauzbart wie ein Bösewicht des neunzehnten Jahrhunderts, lange schlanke Beine und ein paar interessante Narben auf den Fingerknöcheln.

Mels Einkünfte für Wohnung und Essen stammten zum Teil aus seiner sorgfältig verschleierten Arbeitslosenunterstützung, die er sich an verschiedenen Adressen in New Jersey und Pennsylvania, aber nicht in Lambertville auszahlen ließ, und ebenso aus einer zeitweisen Tätigkeit als Barmixer hier und da. Eine Motorradfahrt von dreißig Meilen zu irgendeinem Restaurant war für ihn gar nichts. Er handelte aber auch mit LSD und mit härteren Sachen, das wußte Cliffie. Er war sich klar darüber, daß Mel diese Seite seines Lebens – den Drogenhandel – vor ihm geheimhielt, nicht aber vermutlich vor seinen älteren oder auch nicht älteren, aber zuverlässigeren Kumpels, die er bei dem Geschäft brauchte. Cliffie wußte, er war für Mel ein kleiner Junge, vielleicht (hoffentlich) eine Art Lehrling, jemand, den er losschicken konnte, um Bier oder Zigaretten in der nächsten Kneipe zu holen.

Das Telefon klingelte; Mel stapfte über den Flur und nahm den Hörer auf.

Cliffie horchte. Vielleicht war das die Polizei – sie hatten doch gerade von der Polizei gesprochen –, aber Mel lachte und schien gutgelaunt. Cliffie warf einen Blick auf seine Uhr. Es war acht Uhr siebenundvierzig; seine Mutter hatte bestimmt schon zu Abend gegessen. Er graute sich davor, nach Hause zu gehen, und er wußte, in wenigen Minuten komplimentierte ihn Mel hinaus. In Mels Kühlschrank war auch nichts mehr zu essen, die Würstchen und das Steak hatten sie schon vor ein paar Stunden gegessen. Das Steak wollte Mel aus einem Restaurant mitgenommen haben. Cliffie hörte, wie Mel sich mit jemandem in Hopewell verabredete. Und er, Cliffie, mußte jetzt gleich gehen. Sein Jammer verdichtete sich, wurde zu einem Gegenstand, er sah George Howland vor sich, den weißen Leichnam im Schlafzimmer oben. Widerwärtige Kreatur! Seit einigen Monaten hatte Cliffie bemerkt, daß auch seine Mutter den Alten verabscheute. Ihre Stimme war scharf und angespannt, nicht einfach laut. Sie vermied es sogar, ihn anzusehen nach den ekelhaften Szenen mit George, den Scheißtöpfen und den widerlichen Taschentüchern.

Etwas mühsam kam Cliffie auf die Füße, als Mel den Hörer auflegte. »Ich muß wohl nach Hause. Geht ja nicht anders.« Lieber von selber gehen und nicht erst warten, bis Mel ihn aufforderte.

»Cliffie, so kannst du nicht gehen. Wasch dich mal 'n bißchen, hörst du?«

Von Mel nahm Cliffie so etwas nicht übel. Er ging in die winzige Toilette und bückte sich, um sich zu waschen, ohne vorher in den Spiegel zu blicken. Dann schrubbte er die schmutzigen Nägel; einer war häßlich abgebrochen, aber Cliffie war zu betrunken, um Schmerz zu fühlen. Mit Mels Kamm fuhr er sich durchs Haar und befühlte die Barthaare. Ohne Interesse blickte er auf die doppelseitige Photographie eines nackten Mannes, dann öffnete er die Tür und trat hinaus. Da ihm einfiel, daß er pinkeln mußte, ging er noch einmal zurück. Prüfend blickte er dann ins Becken. Ganz farblos. Er hatte heute reichlich viel Gin getrunken.

Mel war dabei, sein Zimmer aufzuräumen. Er warf Stiefel und Bücher unter das Bett und nahm sogar einen Besen zur Hand. Sicher erwartete er Mädchenbesuch, dachte Cliffie.

»Also Cliffie, du sagst nichts davon, daß wir gestern abend zusammen waren, hörst du? Falls sie dich ausfragen, meine ich. Könnt ja sein, sie übersehen mich.«

»Klar, Mel. Ich verstehe.«

»Ah, du verstehst also? Gut.« Mel lächelte leicht. Er hatte kleine Zähne, der linke vordere Schneidezahn war an einer Ecke abgebrochen. »Na, dann auf bald, Cliffie.«

Sein Volkswagen stand um die Ecke; er stieg ein und fuhr nach Hause; zunächst über die Brücke nach New Hope, dann links am Delaware entlang. Die Straße war gut, aber nicht sehr breit, und Cliffie fuhr vorsichtig, denn er konnte die Augen nicht auf einen Punkt konzentrieren. Im Wohnzimmer brannte Licht, das sah er von der Einfahrt aus. Der Ford stand vor ihm auf dem Platz, den die Garage eingenommen hätte, wenn seine Eltern jemals eine gebaut hätten. Cliffie nahm die Wagenschlüssel, trat durch die Haustür ein und legte die Schlüssel auf den Tisch in der Diele, wie er es gewöhnlich tat oder tun sollte, falls seine Mutter mit dem Ford wegfahren mußte.

»Bist du das, Cliffie?« rief seine Mutter aus der Küche.

»Ja, Mom.«

»Soso. Langen Tag gehabt?« Edith war fast mit Abwaschen fertig.

»Netter Tag«, gab Cliffie zurück. Plötzlich wurde ihm bewußt, wie schlampig er aussah, und er schämte sich. Er hob den Kopf etwas höher und fragte: »Jemand für mich angerufen?«

»Bedaure, nein.« Edith schwang das Geschirrtuch über die Daumen, faltete es einmal und hängte es über den Handtuchständer. »Cliffie, iß jetzt etwas und dann geh gleich zu Bett. Getrunken wird nichts mehr, versprichst du mir das?«

»Klar versprech ich das. Ich hab gar keine Lust, noch was zu trinken. Was gibt's zum Essen? Was gab's zum Essen?«

»Schweinekoteletts. Ich hab sie in den Herd gestellt – ich dachte, du wärst zum Essen zu Hause.« Edith ging hinaus.

Der Herd war nicht mehr eingeschaltet, aber die Koteletts waren noch warm. Cliffie aß sie im Stehen, an den Ausguß gelehnt; einen Rest Milch trank er aus dem

Pappbehälter. Auf einmal war sein Teller leer, auch der Kartoffelbrei war verschwunden. Er stellte den Teller in den Ausguß, zum Abwaschen war er zu müde. Von oben kam das schwache Tapptapp der Schreibmaschine.

Cliffie nahm ein Bad. Sein Schritt war jetzt sicherer. Die Tür zum Zimmer seiner Mutter, das nach vorn hinausging, war geschlossen, aber am Fuß der Tür sah man einen hellen Lichtstreifen und im Schlüsselloch einen hellen Fleck. Aus Georges Zimmer kamen Schnarchgeräusche, die alten verläßlichen Kratztöne, die anzeigten, daß der Kohlkopf noch Leben in sich hatte. Cliffie schob die Tür weiter auf, trat ins Zimmer und knipste das Licht an, ohne Scheu davor, daß der Leichnam erwachen könnte – hach, daran war gar nicht zu denken, dem mußte man einen Tritt versetzen oder eine Stecknadel in den Arm pieken, wenn er aufwachen sollte! Cliffie schlenderte hinüber zu der niedrigen Kommode, auf der ein weißes Handtuch lag; darauf standen Fläschchen aus durchsichtigem und aus braunem Glas, kleine Behälter mit Glas- oder Plastik-Stopfen. Ein kleines Plastikding lag daneben, das aussah wie eine Art Gerät für irgendwas. Augentropfen. Mein Gott nochmal! Cliffie wandte sich um und sagte in normaler Lautstärke:

»Na mein Teurer – was du brauchst ist Training.«

George schnarchte weiter; der Kopf lag schräg, die Nase wies auf die obere Zimmerecke.

Die Schreibmaschine machte eine Pause und klickte dann weiter.

Cliffie bückte sich und lachte lautlos. »Du müßtest viel mehr an die frische Luft!« Auf einmal brach ihm überall der Schweiß aus. Er hatte ein sehr heißes Bad genommen. Wieviel Codein und Schlafmittel und anderes Zeug war wohl nötig, um George umzubringen? Und wie fing man es an, daß er es herunterschluckte? Im Tee? Ja, vielleicht, wenn der Tee süß genug war. Cliffie stellte sich vor, wie die Schnarchtöne immer langsamer und schwächer wurden – und dann ganz aufhörten. Hach – wunderbar!

Sein Traumbild endete so plötzlich wie ein Fernsehprogramm, das man abschaltet. Ein widerwärtiges Zimmer, was machte er hier eigentlich? Na ja, da stand das Codein, das aus Opium gemacht wurde. Das Wort Opium gefiel ihm: es klang bösartig wie eine chinesische Lasterhöhle. Opiumfresser. Und Opium war – irgendwas war Opium fürs Volk, das war ein altes Sprichwort. Und da er nun schon hier war, warum nicht? Er nahm das braune Fläschchen, zog den Gummistopfen heraus und trank einen Schluck, und dann einen zweiten zur Abrundung und zum Beweis, daß er es vertrug. Cliffie nahm alle vier oder fünf Tage einen Schluck Codein. Seine Mutter hatte noch nicht bemerkt, daß die braune Tinktur – wieder ein so nettes Wort – jetzt schneller abnahm, sonst hätte sie bestimmt was gesagt. Aber jetzt hatte er aus Georges Reservefläschchen getrunken, das noch neu war. Gewöhnlich trank er aus dem Fläschchen, das auf dem Nachttisch stand. Das nahm er jetzt und goß daraus etwas in die Reserveflasche, der man dann nicht gleich ansah, daß sie schon angebrochen war, obgleich er sie nicht so voll füllte, wie sie gewesen war, sonst hätte die Flasche auf dem Nachttisch verdächtig leer ausgesehen. Ach Blödsinn, wenn die Flasche neben ihm stand, war es doch wohl denkbar, daß George sich selber zu einer Dosis verholfen hatte.

»Du bist wirklich ein –« Cliffie hielt inne, denn auf dem Flur hatte er ein Geräusch gehört.

»Cliffie, was machst du da?« Seine Mutter stand in der Tür.

»Gar nichts. Ich wollte bloß –« er hob die leeren Hände – »bloß mal nach ihm sehen, bevor ich zu Bett ging.«

Edith zog durch die Zähne die Luft ein. »Dann geh jetzt hinaus«, sagte sie, immer noch leise, als fürchte sie, George zu wecken. Sie wandte sich um und ging wieder in ihr Arbeitszimmer. Im Hinausgehen warf sie einen Blick zurück und sah, wie Cliffie in Georges Zimmer das Licht ausmachte. Dann ging er die Treppe hinunter.

Sie wußte, daß Cliffie an das Codein ging, aber wenn sie etwas sagte, machte sie die Sache nur schlimmer, davon war sie überzeugt. Cliffie würde erst leugnen; da er erwischt worden war, würde er eine Weile damit aufhören und dann von neuem anfangen. Es war lästig, zu allem andern eine weitere Plage, das Zeug immer wieder aus der Apotheke zu holen. Dr. Carstairs war der gestiegene Verbrauch bisher nicht aufgefallen, er hatte sie nicht gefragt, ob George jetzt mehr brauchte. Er hatte es wohl einfach nicht gemerkt; bei seinen kurzen Besuchen ging er auf Einzelheiten nicht weiter ein. Was tat er eigentlich? Er nahm Georges Blutdruck und kontrollierte die Temperatur, manchmal benutzte er auch sein Stethoskop. Edith blieb nicht immer im Raum, wenn er bei George war.

Edith seufzte auf, merkte, daß sie den Atem angehalten hatte, und starrte auf die Schreibmaschine. Sie wußte nicht recht, ob sie neu einfädeln und an dem »Brief« weiterschreiben sollte. Er las sich noch nicht glatt und einfach genug und mußte doch wohl noch einmal geschrieben werden.

Wo war Cliffie gewesen in der letzten Nacht? Sicher

bei Mel. Edith wußte, daß Mel Telefon hatte, sie hatte es im Telefonbuch nachgesehen, aber Cliffie dort anrufen, das wollte sie nicht. Orgien vielleicht, so stellte sie sich vor, Popmusik und LSD, wahrscheinlich auch Mädchen. Sie sah im Geist Cliffie dort sitzen und feixen, wenn Mädchen da waren. *Hör jetzt auf*, sagte sie sich. Sie wollte heute mit der letzten Fassung fertigwerden.

Wie ein Boot, dachte sie, das sacht an den Strand glitt, trat sie näher an den Arbeitstisch und setzte sich. Aber so war es ja gar nicht. Wenn schon auf dem Wasser, dann war sie eher wie ein Schiff ohne Ruder, ohne Anker, das auf dunklem Meer umherirrte, das die Richtung verloren hatte und unfähig war, sie einzuhalten, selbst wenn es sie wüßte. Es war Bretts Heirat vor drei Wochen, die sie aus der Verankerung gerissen hatte. Vorher hatte sie immer noch gehofft, Brett werde sich umbesinnen, mit dem Mädchen Schluß machen und zurückkommen. Aber er kannte Carol nun schon zwei Jahre, und mit der Heirat war es ihm Ernst. Dadurch war Edith zur Reaktion gezwungen worden, zu einem unbewußten und nun doch vollzogenen Ruck: sie hatte sich losgemacht von Brett. Sie war allein.

Sie zog die anderthalb Seiten näher heran und begann mit der Durchsicht und den Korrekturen.

18

Am 6. Mai schrieb Edith ein Gedicht in ihr Tagebuch, das sie morgens im Bett auf den Notizblock gekritzelt hatte, der immer auf ihrem Nachttisch lag.

> In der Morgenfrühe, Stunden nach meinem Tod,
> Wird um sieben die Sonne, wie an jedem Tag,
> Über den Bäumen erscheinen, die ich so gut kenne.
> Grün werden sie aufleuchten, und die dunkel-
> > grünen Schatten
> weichen der mitleidlos-sanften gefühllosen Sonne.
> Gefühllos stehen die Bäume in meinem – meinem
> > Garten,
> Ruhig und tränenlos am Tag meines Todes.
> Wie immer harren sie mit durstigen Wurzeln,
> Stehen gelassen im windstillen Morgen,
> Blind, schweigend, ungerührt –
> Die Bäume, die ich kannte
> Und aufwachsen sah und liebte.

Im Juni wurde Robert Kennedy beim Parteitag der Demokraten in Los Angeles erschossen. Edith erfuhr es von Cliffie, der an ihre Schlafzimmertür klopfte und sie weckte, um es ihr zu berichten. Er hatte es in seinem Transistorradio gehört. Edith stand auf und zog ihren Morgenrock an, und gleich darauf ging das Telefon. Gert Johnson rief an – sie hatte die Nachricht ebenfalls gerade gehört.

»Sie wissen noch nicht, ob er's überleben wird«, sagte Gert. Sie wollte herüberkommen.

»Klar – komm doch«, sagte Edith. Auf einmal war alles unwichtig geworden – die späte Stunde, die

Versandadressen, die sie gestern abend für das *Signal* getippt hatte. Geistesabwesend stellte sie die Kaffeekanne mit dem Rest Kaffee auf, obgleich Gert sicher lieber einen Drink wollte. Cliffie stand im Eßzimmer und lächelte. »Die Kennedys haben eben kein Glück«, sagte er.

Fahrige Unruhe erfüllte Edith. Sie stellte den Kaffee ab und nahm Eis für sich und Gert aus dem Eisfach. Gert kam, aufgeregt und redselig, und berichtete, was sie aus den Nachrichten erfahren hatte. Edith hatte weder Radio noch Fernsehen angestellt; sie hatte das Gefühl, jetzt alles wie durch einen Nebel oder aus weiter Ferne wahrzunehmen. Cliffie, ein Glas in der Hand, hörte sich alles mit an, fasziniert aber schweigend.

»Es ist bestimmt die CIA oder die Mafia«, sagte Gert überzeugt. »Bobby hat immer den Mut gehabt und gesagt, er wollte aufräumen mit dem ganzen Mob, das weißt du doch, Edie, nicht?« (Ja, natürlich wußte sie das.) »Er war ja auch Generalstaatsanwalt und hatte sich schon ein paar von denen vorgenommen.«

In der nächsten stündlichen Nachrichtensendung wurde Bobby Kennedys Zustand als kritisch bezeichnet. Den Täter hatten sie sofort gefaßt, es war ein Mann mit arabisch klingendem Namen, Sirhan hieß er. Wer mochte ihn bezahlt haben, dachte Edith. Sie war genau wie Brett überzeugt, daß Lee Harvey Osswald keinen der tödlichen Schüsse auf John Kennedy abgegeben hatte; daß Osswald nur der Prügelknabe gewesen war und nicht mal Geld bekommen hatte für seine Aufgabe, daß Ruby von der CIA angeheuert worden war und Osswald beseitigt hatte für den Fall, daß der seine Unschuld hätte nachweisen können.

»Gibt's was Neues von Brett?« fragte Gert, als sie

sich etwas beruhigt hatte. Cliffie hatte inzwischen das Zimmer verlassen.

»Nein, nicht viel. Er sagte, er arbeitet an seinem Manuskript und muß noch einige Seiten neu tippen.«

»Kommt denn Cliffie mal mit ihm zusammen?«

»Du meinst in New York? Ja, einmal, glaube ich. Cliffie ist mal nach New York gefahren, zu einem Popkonzert, da hat er bei ihnen übernachtet. Brett möchte immer –«

»Und was sagt Cliffie zu Carol?« fragte Gert halblaut. Der Drink hatte sie gewärmt.

Carol ist schwanger, dachte Edith sofort. Sie hatte es von Cliffie gehört. Das Kind sollte im Herbst kommen – das hatte man Cliffie entweder gesagt, oder er unterstellte es einfach. »Och, ich glaube – ich meine, Carol ist sehr nett zu ihm. Er kann eigentlich nichts gegen sie haben.«

»Arbeiten sie beide noch bei der *Post*?«

»Ja.«

»Sehr praktisch. So kann einer auf den andern aufpassen.« Gert lachte ihr lautes offenes Lachen.

Gleich darauf hielt sie Edith vor, sie müsse mehr ausgehen, sich mehr unter Menschen sehen lassen. Edith fand, sie ließe sich genügend sehen – jedenfalls so viel wie sie Lust hatte. Die Quickmans hatten sie mit zwei Ehepaaren in Tinicum bekannt gemacht. Gert spielte manchmal Golf in einem Club in New Jersey und hatte Edith ein paarmal eingeladen, aber Edith lag nicht viel an Sport. Ihr bißchen freie Zeit wollte sie lieber anders zubringen.

Noch ein Fingerbreit vom Klaren, den Gert pur trank, dann verabschiedete sie sich. Edith hätte die ganze Nacht aufbleiben, reden und auf weitere Nachrichten über Bobby Kennedy warten mögen. Vielleicht. Sie stellte das Radio in ihrem Arbeitszimmer ab. Erst jetzt fing sie langsam an zu begreifen, welche Folgen sein Tod haben konnte. Was für ein verbrecherischer Irrsinn war es, der diesen Schuß ausgelöst hatte. Und der republikanische Kandidat hieß Tricky Dick. Herrgott, was für eine Welt! Was für ein Amerika! Kalifornien war der Bundesstaat mit den meisten Verrückten, so hieß es, voll von Kultbewegungen, die meisten destruktiv – selbst wenn einer sich für die Erhaltung von Bäumen einsetzte, ging das nicht ohne Raserei vor sich. Aber John Kennedy war doch in Dallas umgebracht worden. Wo saß der Feind? Wer war es? Er saß hier in ihrem Haus – hier mitten im Haus, dachte Edith unruhig. Cliffie war ihr Feind – oder? Er machte sich lustig über ihre Arbeit, über alles, um das sie sich mühte, das *Signal* oder sonstwas. Sicher war sie auch in Cliffies Achtung gesunken, weil sie Brett ohne Kampf, ohne jeden Widerspruch aufgegeben hatte. Cliffie, der passive Beobachter. *Er* war natürlich fein raus, weil er sich von allem distanziert hatte. Wenn man nichts versucht, kann einem nichts mißlingen. Ihr fiel ein, wie sie zu Cliffie vor fünfzehn Jahren (oder mehr) einmal gesagt hatte, Versagen sei etwas ganz Normales, man versuchte es dann eben noch einmal. Sie hatte immer wieder versucht, in ihm die Freude an der Herausforderung, am Ansporn wachzurufen. Zum Lachen, wirklich.

Später in derselben Nacht wurde Edith vom Klingeln des Telefons aus dem Schlaf gerissen. Sie suchte nach dem Lichtschalter, sah, daß es fünf Uhr zehn war, und ging barfuß nach unten. Irgendwas mit Cliffie, dachte sie. War er denn fortgegangen? Sie war nicht sicher, aber sie nahm es an und hoffte, es sei nichts weiter als eine

Panne mit dem Volkswagen. Vielleicht war er auch zu betrunken, um zu fahren, und sie mußte ihn holen.

»Mrs. Howland?« sagte eine Männerstimme. »Hier ist das Polizeirevier in Hopewell. Ihr Sohn hat einen Unfall gehabt.«

»Mein Sohn – was ist passiert?«

»Ihm ist nichts passiert, aber der Wagen ist hin. Er hat einen Mann angefahren, der am Straßenrand ging.«

»Mein Gott! Ist der Mann schwer verletzt?«

»Beide Beine gebrochen. Na ja, Einzelheiten kann ich Ihnen jetzt nicht angeben. Aber wenn Sie zu Hause sind, bringen wir Ihren Sohn jetzt nach Hause.«

Von diesem Tage an war Ediths Bürde verdoppelt. Zu George kam nun auch noch Cliffie, der für die nächsten zwölf Monate seinen Führerschein los war. Gestrandet, so nannte er es. Edith erfuhr es früh am gleichen Morgen, als ein Polizeibeamter aus Brunswick Corner zusammen mit dem Beamten aus Hopewell ihren Sohn nach Hause brachte. Cliffie war betrunken, das sah man. Edith war tief beschämt – ein Gefühl, zu dem sie längst nicht mehr fähig zu sein glaubte, weil Cliffie schließlich erwachsen und für sich selber verantwortlich war. Er sah aus, als schliefe er halb, als sie ihn ablieferten; aber mit der nichtschlafenden Hälfte schien er seine Mutter zu beobachten, so als versuche er, ihre Reaktion festzustellen. Edith fragte besorgt nach dem Verletzten; es war, sagte der Beamte aus Hopewell, ein fünfundfünfzigjähriger Mechaniker, verheiratet, er sei jetzt im Krankenhaus in Trenton. Auf Ediths Bitte schrieb der Beamte den Namen auf und legte den Zettel zu den andern Papieren, die Cliffie morgen unterschreiben sollte, denn heute war er, wie die Beamten sagten, zu keiner Unterschrift imstande.

Am nächsten Tag wurde Robert Kennedys Tod bekanntgegeben. Cliffie schlief noch, als Edith sich um viertel vor zwei auf den Weg zum »Strohwinkel« machte. Sie arbeitete hartnäckig und verbissener als sonst. »Nicht nachdenken, weitermachen«, ermahnte sie sich immer wieder, und manchmal fügte sie hinzu: »Nicht nach einem *Sinn* suchen«, denn wenn sie auch nur ganz kurz nach irgendeinem Sinn suchte, fühlte sie, daß alles aus war, daß sie ihren eigentlichen Anker verloren hatte: nicht Brett, sondern eine Art fester und stabiler Resignation. Sie wußte nicht, wie sie es nennen sollte, aber sie wußte, was es war, sie kannte das Gefühl, und das Gefühl war einfach Sicherheit, und zwar die einzige Sicherheit, die sie jetzt noch kannte oder besaß.

Natürlich hatte sie noch ihr Tagebuch. Zwei Tage lang – nach Cliffies Unfall und Bobby Kennedys Tod – hatte sie keinen festen Boden unter den Füßen; das Geleise der täglichen Arbeiten, auf dem sie sich bewegte – George versorgen, Wäsche wegbringen – war schwankend und unsicher. So füllte sie die Seiten des starken braunen Buches mit ausführlichen und freudigen Schilderungen, auf die sie große Sorgfalt verwandte. Als müsse sie sich irgendwie gegen die Zukunft abschirmen, übersprang sie einfach vier Monate und schenkte Debbie und Cliffie ein gesundes Baby, eine kleine Tochter, die fast acht Pfund wog und dunkle Haare hatte (Debbies Haar war dunkelbraun). Im Tagebuch erschien Cliffie verspätet im Krankenhaus in Princeton – das Baby war vor zwei Stunden angekommen. Edith schrieb:

Debbie hat angerufen und erzählt, wie sehr sich ihre Eltern über Josephine freuen. Sie wollen sie besuchen, sobald sie zu Hause ist ...

Tatsache war, daß Ediths Eltern wenig von sich hören ließen – gerade jetzt, wo sie allein war und Zuspruch gebrauchen konnte. Aber dieser Gedanke kam Edith nur flüchtig, als sie weiterschrieb:

Es war reiner Zufall, daß Cliffie an dem großen Tag überhaupt hier war, denn er ist seit August in Kuwait stationiert. Seine Firma hatte ihn zu einer Besprechung nach New York bestellt, sagte er, aber ich nehme an, er hat ein bißchen dran gedreht und einen Heimflug für sich organisiert . . .

19

In diesem Sommer wurde Cliffie von Mel Linnell sozusagen abgeschrieben. Endgültig vollzog sich der Bruch etwa einen Monat nach dem Autounfall. Cliffie hatte Mel ein paarmal angerufen, und Mel hatte jedesmal gesagt, er sei heute nicht frei, er sei schon verabredet. Beim drittenmal rief Cliffie ihn um drei Uhr nachmittags an; ein Elektriker aus Lambertville, der im Hintergarten eine kleine Reparatur an der Außenbeleuchtung erledigt hatte, war gerade fertig und hätte, da er direkt nach Lambertville zurückfuhr, Cliffie mitnehmen können.

»Hör zu, Junge«, sagte Mel, »tut mir leid, das mit dem Wagen, aber ich muß jetzt vorsichtig sein, verstehst du? Besser, wenn du mal eine Weile nicht herkommst. Nichts für ungut, hörst du.«

Cliffie murmelte irgendwas, daß er alles verstehe, aber ihm war scheußlich zumute, schlimmer als damals, als sie ihn im Examen beim Mogeln erwischten, schlimmer als an dem Tag, da Tante Melanie ins Zimmer kam, während er Geld aus ihrer Handtasche stahl, als er noch ein kleiner Junge war. Er flog an allen Gliedern vor Enttäuschung, Kummer und Schock, und sein erster Gedanke war die Whiskyflasche im Wohnzimmer, aber dann fiel ihm der Elektriker ein, der noch wartend in der Küche stand, wo ihm Cliffie ein Bier angeboten hatte.

»Tut mir leid. Eh – ich meine, vielen Dank auch«, sagte er, »aber Sie brauchen mich nicht mitzunehmen.«

»Schön. Okay. Na, dann werd ich mal wieder gehen.« Der junge Mann stampfte in schweren Lederstiefeln hinüber zum Mülleimer neben dem Spültisch, warf die leere Bierdose hinein und wischte sich den Mund mit dem Handrücken ab. »Sagen Sie nur Ihrer Mutter, wir schicken ihr die Rechnung. Wird nicht viel werden – ich hab nur den Draht neu eingezogen.« Lächeln und Kopfnicken, dann war der Mann fort, kletterte in seinen kleinen Lieferwagen, der draußen stand, und fuhr pfeifend davon.

Einen Augenblick beneidete Cliffie ihn. Prima, so ein Job, bestimmt gut bezahlt (Elektriker verdienten immer gut), mit eigenem Wagen, unabhängig und frei, zeitlich ungebunden, so daß er kleine Abenteuer am Wege mitnehmen konnte, wenn er Lust hatte. Und die ältesten Sachen konnte er bei der Arbeit tragen. Dieser Kerl da war jünger gewesen als er. Dann kam es Cliffie ebenso plötzlich in den Sinn, daß der Mann leicht gelächelt hatte, beinahe höhnisch, als er sagte: »Nur den Draht neu eingezogen«, als ob es komisch sei, daß Cliffie das nicht selbst gemacht hatte. Na schön, er befaßte sich nun mal nicht gern mit elektrischem Kram, weil er nämlich einmal einen Schlag bekommen hatte. Seine Mutter erledigte hin und wieder kleine Reparaturen, aber mit dieser Außenbeleuchtung hatte sie sich auch nicht abgeben wollen.

Jedenfalls stand seinem Drink jetzt nichts mehr im Wege, und Cliffie schwenkte vom Wohnzimmer hinüber in sein eigenes Zimmer zu seiner eigenen Flasche. Er goß sich zwei Fingerbreit ein und trank es pur aus dem Becher. Die Flasche war zu zwei Drittel leer. Und im Taschengeld war auch Ebbe, er hatte vielleicht noch zwölf Dollar. Er müßte sich mal wieder um Arbeit im Chop House kümmern, bald – vielleicht heute nachmittag, aber wie, zum Teufel, sollte er da hinkommen um halb sechs oder um sieben, oder wann sonst er gebraucht wurde? Wenn sie mit kurz nach sieben einverstanden waren, könnte seine Mutter ihn hinbringen. Es war über eine Meile entfernt. Vielleicht konnte er auch über irgendjemand einen Kellner oder eine Kellnerin auftreiben, die ihn von zu Hause abholte.

Er schenkte sich noch einmal ein und dachte mit warmem Behagen an sein Sparkonto bei der Brunswick First National Bank. Mehr als zweihundert Dollar waren darauf. Davon wußte seine Mutter nichts, dachte er. Dabei würde es bei ihr sicher für ihn sprechen, wenn sie wüßte, daß er einen Teil seines Verdienstes beiseitegelegt hatte. Aber Cliffie wachte eifersüchtig über sein Geld; niemand sollte wissen, daß er ein Sparkonto hatte, und erst recht nicht den Betrag. Das Geld war wichtig für ihn, für seine Selbstachtung, und er wollte nicht von seiner Mutter, falls sie mal in einer Klemme steckte, um fünfzig Dollar gebeten werden, auch wenn sie versprach es zurückzuzahlen. Aus den Gesprächen mit ihr wußte er, daß sie jeden Monat Mühe hatte, mit dem Haushaltsgeld auszukommen.

»Tschuh!« sagte Cliffie mit lauter Stimme und stellte die Flasche zurück in den Schrank. Wenn seine Mutter auch nur die Hälfte der Artikel verkaufte, auf die sie so viel Zeit verwendete und die nie angenommen wurden, dann kämen sie schon aus. Jede Woche saß sie drei oder vier Abende an der Schreibmaschine in ihrem Zimmer, machte Durchschläge, schrieb manche Seiten neu und schmiß viele halb zerknüllt in den Papierkorb. Was für ein Zeitaufwand, und alles umsonst!

Er wußte, er müßte jetzt das Chop House anrufen, aber um es noch hinauszuschieben, ging er nach oben und schlenderte hinüber in das Zimmer seiner Mutter, wo die Tür stets nur angelehnt war, weil Nelson sich gern dort zum Schlafen niederließ. Cliffie ging nicht gern in das Zimmer seiner Mutter; selbst wenn sie nicht da war, hatte er das Gefühl, sie beobachte ihn von allen Wänden, so wie ihm als Kind gesagt worden war, daß Gott zu jeder Zeit alles sehen konnte. Er hatte das nie ganz geglaubt und glaubte es jetzt erst recht nicht. Cliffie schob sich steifbeinig weiter. Nelson hob den Kopf; er saß auf der Bank unter dem Fenster und blickte Cliffie ruhig an.

»Na, Nelson«, sagte Cliffie.

Die Schreibmaschine war weiter zur Seite gerückt als sonst, und in der Mitte des Tisches lag das dicke braune Tagebuch seiner Mutter. Komisch, daß es nach all den Jahren noch nicht voll war; aber es war andererseits dicker als das Telefonbuch von Manhattan, auch wenn es vielleicht nicht so viele Seiten hatte. Unvorstellbar, daß einer das in seinem Leben füllte, jedenfalls mit den Erlebnissen eines einzigen Menschen.

Cliffie erinnerte sich, daß er einmal ins Zimmer gekommen war, als seine Mutter nicht im Hause war. Da hatte das Tagebuch offen auf dem Tisch gelegen, eine Seite ganz und die andere halb gefüllt mit der sauberen schwarzen Schrift der Mutter. Er war auf einmal neugierig geworden, aber ein noch stärkeres Gefühl hielt ihn davor zurück, es zu lesen: er hatte sich vorgestellt, daß er etwas Schreckliches fände, über *sich selber*. Die Handschrift kam ihm plötzlich vor wie das Gekritzel von Ärzten auf den Rezepten, wenn er krank war und sich elend fühlte. Er wollte nicht beurteilt werden – das war es.

»Ich will *nicht* beurteilt werden!« sagte er fest, aber nicht sehr laut, obgleich er wußte, daß ihn George am andern Ende des Flurs gar nicht hören konnte.

Dann beugte er sich doch über den Schreibtisch und besah sich einen Zeitungsausschnitt, der da lag. Er schien aus der *Post* zu sein. Über seinen blöden Autounfall brachte die *Post* doch ganz sicher nichts. Stimmt – die Überschrift hieß: *Studentenaufruhr in Paris: Folgen für de Gaulle.* Das interessierte Cliffie nicht im mindesten; sowas vernebelte ihm geradezu das Gehirn.

Er wandte sich um und verließ das Zimmer. Die Tür ließ er so, wie sie vorher gewesen war. Er ging den Flur hinunter auf Georges Zimmer zu; er wußte, er konnte jetzt das Chop House anrufen, müßte es sogar. Immerhin hatte er seit der Sache mit dem Auto schon zweimal dort gearbeitet. Sie boykottierten ihn also keineswegs.

»Na mein Alter«, sagte er mit affektiert westlichem Akzent, wobei er überlegte, ob er eine Prise Codein gripsen sollte. Ach was, lieber nicht, das Zeug schmeckte manchmal fast wie Southern Comfort, der süßliche Whisky, den Cliffie nicht mochte. Aber für George wär's doch mal an der Zeit. Cliffie lachte vergnügt – weiß Gott, dies war eine Gelegenheit für einen Scherz. Er nahm die Flasche mit der Tinktur und goß reichlich davon in den Becher mit dem schweren sechseckigen Boden – ein gutes Stück, er hatte den gleichen in seinem Zimmer, Geschenk von Tante Melanie – fügte etwas Wasser hinzu und ließ auch noch zwei Aspirin hineinfallen. Das Aspirin war in einem Fläschchen enthalten, das mit Watte verschlossen und deutlich mit ASPIRIN gekennzeichnet war. Dann nahm er zwei kleinere Pillen aus einer Schachtel (oben weiß, unten rot) mit handschriftlicher Kennzeichnung, die er nicht entziffern konnte und wollte.

»Na denn mal los, Georgie boy«, sagte er in dem Ton, in dem Mel oft zu ihm sprach. George brauchte lange zum Erwachen, was Cliffie wie immer lächerlich vorkam. Er legte ihm die Hand hinter die knochigen Schultern.

»Hier – trink mal!«

»Wa – was ist –«

»Hat der Arzt verschrieben. Hier – wird dir guttun! Der Arzt hat's verschrieben, bestimmt!«

George trank, und Cliffie hielt ihm sorgsam den Becher an die Lippen. Die Unterlippe war gräßlich eingezogen, weil die Zähne fehlten.

»Schmeckt gut, was? Schmeckt wirklich prima!« sagte Cliffie.

George wand sich ein wenig, die grauen Augenbrauen waren zusammengezogen, aber dann sagte er:

»Danke schön, Cliffie. Wie – wie spät ist es?«

»Halb vier, Sir«, sagte Cliffie mit betont englischem Akzent. Scheiße, er mußte das Chop House anrufen.

»Also denn, gute Nacht, George.« Er ging schnell hinaus, damit George ihn nicht erst um die Flasche zum Pinkeln bitten konnte.

Da Cliffie es für besser hielt, an diesem Abend nicht zu Haus zu sein, falls George ungewöhnlich lange schlief, gab er sich Mühe bei dem Telefongespräch mit Sol, dem kleinen geschäftigen Mann, der das Chop House leitete, obgleich er nicht der Besitzer war. Sol sagte, er solle um halb sechs da sein, als Kellner, und legte auf, bevor Cliffie erklären konnte, daß er keinen Wagen habe.

Cliffie zog seine schwarze Drillichhose an – schwarze Hose war Vorschrift – und dazu ein weißes Hemd. Schwarze Krawatten und schwarz-rot gestreifte Westen stellte das Chop House seinen Kellnern gratis zur Verfügung. Dreiviertel des Weges ging Cliffie zu Fuß und versuchte, ein Auto anzuhalten. Als er nur noch hundert Meter vom Ziel entfernt war, hielt einer an, und Cliffie stieg trotzdem ein. Er strich zweiunddreißig Dollar an Trinkgeldern ein, als nach Mitternacht der Topf unter die acht Kellner und Kellnerinnen geteilt wurde; dazu kam sein Lohn von fünf Dollar. Ein anderer Kellner – er hieß Phil – nahm ihn mit und setzte ihn vor der Einfahrt ab.

»Wie lange hast du keinen Führerschein, Cliff?«

Der verdammte Unfall hatte sogar im *Signal* gestanden. »Och, bloß ein Jahr. Vier Monate sind schon rum. Macht mir doch nichts aus«, sagte er prahlerisch. »Vielen Dank auch, Phil.«

Oben im Zimmer seiner Mutter war Licht. Er hatte einen Zettel mit der Nachricht hinterlassen, daß er im Chop House arbeite.

»Cliffie?« rief seine Mutter, als er zur Haustür hereingekommen war.

»Ja, Mom!«

»Kannst du mal einen Augenblick raufkommen?«

»Klar.« Cliffie nahm zwei Stufen auf einmal und hielt sich dabei am Geländer fest. Vielleicht war George noch nicht aufgewacht? Oder tot? Das wollte sein Hirn noch nicht fassen, er konnte es sich im Augenblick nicht vorstellen, umso besser – so konnte er sich kühler geben.

Edith hatte sich, zornerfüllt, im Laufe des Abends mehrmals vorgenommen, Cliffie diesmal gründlich ins Gebet zu nehmen und ihm einen gehörigen Schrecken einzujagen. Sie wollte ihm klarmachen, falls er das nicht wußte, daß er mit seiner Überdosis Codein einen Menschen umbringen konnte. George schlief immer noch, alle dreißig Minuten war sie hineingegangen, um zu sehen, ob er noch richtig atmete oder überhaupt noch atmete. Sie hatte Angst gehabt, Dr. Carstairs anzurufen, Angst vor dem, was der Arzt sagen könnte – über Cliffie.

»Na –?« sagte Cliffie herausfordernd und baute sich mit den Händen auf den Hüften vor seiner Mutter auf. Sie sah ihn an, und alle Worte, die sie sich seit Stunden überlegt hatte – *dummer Streich . . . kriminelle Handlungsweise . . .* vielleicht sogar *Mord* – blieben ihr im Hals stecken, und sie brachte sie nicht heraus.

»War's ein guter Abend?« fragte sie.

»Och – fast dreißig Dollar. Für 'n Donnerstagabend war's ganz gut besetzt.«

Edith verschloß einen Briefumschlag. Alles *Signal*-Arbeit. »Cliffie, ich finde, es wird Zeit, daß du nochmal an Richard Gerber schreibst, oder ihn anrufst. Schließlich ist er –«

»Mein Gott, Mom!« Cliffie hob den Fuß, als wollte er aufstampfen, und wiegte den Kopf gepeinigt hin und her. Gerber war der Mann, den er angefahren hatte.

Edith wappnete sich. Sie stand auf. »Du bist nicht mal ins Krankenhaus gegangen!«

»Stimmt!« Die Vorstellung war ihm verhaßt, und er hatte sich mit einer Entschiedenheit geweigert, die er vermutlich aufgebracht hätte, um sein Leben zu retten.

»Feigheit ist das! Du hattest Angst, ihm gegenüberzutreten –«

»Himmel nochmal, ich hab ihm doch *geschrieben*! Du hast den Brief ja nicht gesehen!«

»Ich wollte ihn gar nicht sehen, ich hab gesagt, du mußt selber schreiben!«

»Woher willst du dann wissen, was ich geschrieben habe?«

»Darum geht's ja gar nicht!«

Sie redeten beide gleichzeitig und ohne Rücksicht auf Lautstärke. Ediths ganze Ängste waren auf Richard Gerber konzentriert, und sie war jetzt entschlossen, sich durchzusetzen.

»Er ist jetzt raus aus dem Krankenhaus und wohnt knapp acht Meilen von hier. Du mußt hingehen und ihn besuchen. Ich bring dich hin, ich warte dann draußen im Wagen.«

»Der Kerl ist doch versichert, wahrscheinlich freut er sich über 'n paar Wochen Krankfeiern. Was hat er schon ausgestanden?«

»Möchtest du dir beide Beine brechen, bloß weil irgendein betrunkener Idiot nicht aufpaßt?«

»Na klar!« Cliffie lachte laut, er stellte sich vor, er hätte sechs Beine, wenn also zwei gebrochen wären, auch gut. Im Bett liegen und sich erholen! Der Mann hatte eine Frau, die für ihn sorgte, so wie George jemand hatte, der alles für ihn tat. Wie ging's übrigens George – lag er im Koma? Cliffie hatte noch kein Schnarchen gehört, doch die Schnarchtöne waren nicht immer sehr laut. Aber Cliffie wußte, daß seine Mutter so böse war, weil George sicher ungewöhnlich schläfrig und der Pegel in den Flaschen ungewöhnlich niedrig gewesen war.

Edith wußte genau, was in Cliffie vorging, sie sah es seinem Gesicht an, dem leicht verschwommenen Lächeln. Er wartete gespannt darauf, daß sie etwas sagte von Georges fast bewußtlosem Zustand, von dem deutlich verminderten Inhalt der Flaschen, die er nicht mal mit Wasser aufgefüllt hatte. Sie hatte nicht vor, das alles zu erwähnen. Um zehn Uhr abends hatte sie mit der Taschenlampe einen Spaziergang gemacht. Es war unmöglich gewesen, George zum Essen aufzuwecken. Immerhin aber ging sein Atem stark und gleichmäßig; sie hatte keinen Grund zu der Annahme, er sei dem Tode nahe. Und wenn er es wäre? Wenn sie das geglaubt hätte? Dann hätte sie Carstairs angerufen, und wenn sie ihn nicht erreicht hätte, so hätte sie vielleicht versucht, George starken Kaffee einzuflößen. Das wäre wohl dann das Richtige gewesen. Und trotzdem war sie eine halbe Stunde spazieren gegangen und war zurückgekommen, um sich zu überzeugen, ob alles in Ordnung war, ob George immer noch atmete. In ihrer nervösen Unruhe hatte sie dann das Krankenhaus in Trenton angerufen und sich nach Richard Gerber erkundigt. Da hatte sie gehört, daß er schon zu Hause war. »Ich habe Gerbers Adresse«, sagte sie, »und du wirst ihn besuchen.«

»Das werde ich *nicht* tun!«

»Das wirst du wohl tun, dafür werde ich sorgen!«

Es war wie ein abschätzendes Spiel der Muskeln, dieses erneute Anschreien. Wie ein verstockter Berg saß Cliffie vor ihr – nicht sehr groß, aber halsstarrig für zwei.

»Du wirst ihn besuchen, oder du verläßt das Haus«, sagte Edith mit gesenktem Kopf. Sie sah sofort, daß das wirkte.

»Wenn du nicht zu Gerber gehst, kannst du Mel bitten, dich aufzunehmen«, fuhr Edith fort ... »Hier ist übrigens Gerbers Adresse und Telefonnummer. Du kannst ihn anrufen, oder sonst rufe ich morgen früh an. Einverstanden? Vormittags kann ich dich hinbringen, weil ich ja nachmittags arbeiten muß.«

Sie rammte es ihm noch einmal gründlich ein, daß er gestrandet war, dachte Cliffie, und daß er auch Mel nicht einfach anrufen konnte, denn Mel hatte ihn fallen lassen und das hatte seine Mutter erfahren, vielleicht über Gert Johnson, der alten Klatschtante entging so leicht nichts. Er sagte also nur: »Na schön, wenn du absolut willst«, wandte sich um und verließ den Raum.

Was, zum Satan, sollte er eigentlich bei Gerber? Was erwartete ihn dort – Zorn? Kaltes Schweigen? Cliffie hatte Angst davor – die gleiche Angst, die viele Leute angeblich vor dem Zahnarzt haben. Der Gedanke, dem Mann gegenüberzustehen, ihn anzusehen, war ihm verhaßt. Er nahm ein Buch mit Comics, das auf dem Fußboden lag, um eine Weile auf andere Gedanken zu kommen, aber es gefiel ihm nicht und er schleuderte es gegen die Wand.

Am nächsten Morgen gegen acht stellte Edith das Frühstück für George auf ein Tablett – ein weichgekochtes Ei, zwei Scheiben Toast, Butter, Orangenmarmelade und Tee – und brachte es hinauf. Es war etwa zwanzig Minuten früher als seine normale Frühstückszeit.

»George –?«

Er erwachte langsam, ruckweise, bewegte zuerst die

Hände, dann den Kopf, öffnete schließlich die Augen und ließ die halbzerrissenen Worte hören, die Edith längst kannte. Er war genau wie immer – kein Wort über das ausgefallene Essen von gestern abend. Mit Ediths Hilfe kam er etwas in die Höhe und ließ sie das Tablett auf seine Knie setzen. Wie ein altes Schiff, das wieder hoch kommt, dachte Edith. Graue alte Planken und Masten, zerfledderte Segel, aber unsinkbar.

»*Der Rest vom Tee!*« schrie Edith ihm ins Ohr. »*Ist hoffentlich stark genug!*«

»Wa – was? Ach ja, sicher.«

Edith merkte, daß er ihr heute morgen mehr als sonst verhaßt war. Verhaßt war ihr auch der Gedanke, daß sie Cliffie zu Gerber bringen mußte. Sie mußte bei ihrem Sohn mit schlechtem Benehmen rechnen und folglich auch mit einem Gefühl der Scham bei sich selber. Sie wollte auch gar nicht auf etwas anderes hoffen; besser rechnete man mit dem Schlimmsten. Und am besten tat man so, als werde alles noch gut werden. Wie brachte man das fertig? Noch bevor sie Georges Zimmer verließ, reckte sie ostentativ die Schultern und setzte ein schwaches Lächeln auf. Wenigstens sah man ihr nichts an, dachte sie. Wenn doch Tante Melanie – hier brachen die Gedanken ab. Die Großtante war in diesem Sommer nicht gekommen, sie war, wie sie sagte, zu müde gewesen. Und Edith hatte auch nicht abkommen können, wegen der Arbeit im »Strohwinkel«.

Die Post war gekommen: zwei Rechnungen, ein Bankauszug, drei Briefe, adressiert an sie oder an den »Herausgeber des *Signal*«. Für George war nichts dabei, wie fast immer, denn die paar Freunde, die ihm früher manchmal schrieben, hatten längst damit aufgehört. Heute morgen hätte sie ihm gern einen Brief gebracht, bloß um ihn aufzuheitern, den armen alten Kohlkopf. Natürlich könnte *sie* ihm einen Brief schreiben. Bei dem Gedanken mußte sie lächeln. Sie schenkte sich eine Tasse Kaffee ein, zündete eine Zigarette an und ging ans Telefon, um Gerbers anzurufen. Die Nummer sah sie auch jetzt wieder im Telefonbuch nach. Cliffie war noch nicht auf.

Nach einer Minute war das erledigt. Edith stand auf, die halbgerauchte Zigarette noch in der Hand, und war erstaunt, daß es so schnell gegangen war. Mrs. Gerber hatte sehr freundlich gesagt, natürlich könne ihr Sohn gern so um elf vorbeikommen, wenn er das wollte. Es ging Richard Gerber ganz gut. Hatte sie das nicht schon gesagt? Manchmal hatte Edith das Gefühl, daß die wirklichen Dinge gar nicht wirklich waren, und umgekehrt.

Nach dem Frühstück machte sie sich mit Cliffie um halb elf auf den Weg nach Hopewell Township, Cliffie anständig angezogen in Rollkragenpullover und blauem Blazer. Es war ein kühler Septembertag. Cliffie war im Auto sehr still, er starrte durch die Windschutzscheibe, nicht nachdenklich, eher geistesabwesend.

»Ich finde, du könntest ihm ein paar Blumen mitbringen«, sagte Edith.

»Blumen? Blumen bringt man *Mädchen* mit!«

»Nicht unbedingt. Ich werd am Blumengeschäft anhalten.«

»Das hättest du auch zu Hause sagen können, wo wir Blumen haben!« entgegnete Cliffie unruhig und gereizt.

Edith hielt in diesem Augenblick am Randstein und sagte: »Du kannst ruhig anderthalb Dollar ausgeben – Chrysanthemen oder sonstwas.« Sie hielt vor dem Blumengeschäft.

Cliffie stieg aus und schlug die Wagentür zu. Gleich darauf kam er zurück mit einem Strauß Chrysanthemen in grünem Seidenpapier. Der Laden stellte sie in Kästen – als Schnittware – auf dem Gehweg aus.

Schweigen.

Jetzt hatten sie das Viertel erreicht, wo die Gerbers wohnten, eine bescheidene Wohngegend. Einmal mußte sich Edith nach der Straße erkundigen, die sie dann fand, und Cliffie stieg mit bösem Gesicht aus. Die Blumen hielt er in der Hand.

»Ich warte, Cliffie. Macht nichts, wenn es lange dauert.«

Cliffie hätte gern gesagt, sie erwarte ja wohl nicht, daß er zum Essen dablieb, nicht wahr. Aber er nickte nur und schlurfte dann auf das Haus zu. Die Nummer war 13 b, das wußte er von dem Zettel, den ihm seine Mutter gestern abend gegeben hatte. Eine kleine Veranda vorn, ein zweistöckiges Haus, weiß und gelb. Cliffie läutete.

Die Frau war etwa so alt wie seine Mutter, und Cliffie war überrascht, daß sie lächelte.

»Ich bin Clifford Ho –«

»Ah ja, kommen Sie doch bitte herein. Ihre Mutter –«

»Ja, sie ist – sie holt mich gleich wieder ab, sie will nur noch etwas besorgen.« Sie wußten natürlich, daß er jetzt keinen Führerschein hatte.

Cliffie kletterte die Treppe hinauf hinter der Frau, die einen lila Faltenrock mit weißer Bluse trug. Richard Gerber saß im Bett und las die Zeitung. Er war ein Mann mit breitem Schädel, dichtem braunem graumeliertem Haar und kraftvollen Unterarmen. Er betrachtete Cliffie wie ein völlig gesunder Geschäftsmann, der von einem Besucher gestört wurde.

»Morgen, Mr. Gerber«, sagte Cliffie. »Ich wollte nur sagen, hoffentlich geht es Ihnen jetzt besser.«

»Morgen.« Gerber nickte leicht.

Im Sonnenlicht am Fenster sang ein Kanarienvogel, ahnungslos und unbekümmert.

»Er hat dir Blumen mitgebracht, Dick. Ich werde schnell eine Vase holen.« Die Frau ging hinaus.

Cliffie wußte absolut nicht, was er sagen sollte. *Gehen Sie schon wieder aus? Können Sie Ihre Arbeit bald wieder aufnehmen?* Nein, das war nicht so gut. Ob der Kerl überhaupt zur Arbeit zurückkehren wollte? Warum sollte er, wenn sein Lohn wie üblich weiterlief – vielleicht war es sogar mehr, wenn man die Versicherung mitrechnete. »Ich hoffe, es geht Ihnen schon – besser«, sagte er.

Richard Gerber betrachtete ihn mit leicht ironischer Überlegenheit; in den Augen stand ein harter Glanz. Er hielt den *Trenton Standard* in der Hand und ließ ihn auch nicht ganz sinken. Auf dem Schoß lagen noch andere Zeitungen.

Cliffie fühlte, wie ihm nach seinen ersten Worten der kalte Schweiß auf die Stirn trat. Was, zum Teufel, erwartete Gerber eigentlich, sollte er auf die Knie sinken, sollte er ihn anflehen, seinen Einfluß geltend zu machen, damit er seinen Führerschein wiederkriegte? Sollte er vielleicht versprechen, daß er nie wieder fahren würde? Wurden nicht jeden Tag Leute im Dunkeln angefahren, aus Versehen? Er konnte ihn ja fragen: *Was haben Sie da eigentlich zu tun gehabt, am Straßenrand? Waren Sie vielleicht auch besoffen? Ich soll wohl den Rest meines Lebens dafür büßen, was?*

»Hm-Hmm«, sagte Gerber. So klang es jedenfalls. Seine Augen waren immer noch auf Cliffie gerichtet. Er sah aus wie ein alter Räucherschinken oder ein Tier. Über die Stirn zogen sich Falten, die Augenbrauen hatten graue Haare. Ein robuster Kerl war das, bestimmt dumm, aber verdammt selbstsicher, so wie viele dumme Leute sicher sind. Der Mut verließ Cliffie, aber er straffte sich, warf die in Papier gewickelten Chrysanthemen auf das Fußende des Bettes und legte die Hände an die Hüften.

Jetzt kam die Frau zurück, trat rasch an das Bett und nahm die Blumen an sich. »Wollen Sie sich nicht setzen?« sagte sie höflich zu Cliffie.

Cliffie wußte, er hatte es verdorben, als er die Blumen auf das Bett warf. Gerbers Gesicht hatte sich deutlich verhärtet.

»Da hast du unsere tüchtige junge Generation«, sagte Gerber.

»Och-ch Dick!« Der Sopran der Frau klang wie eine Stimme aus der Oper. Jedenfalls hatte sie eine ungewöhnlich hohe Stimme.

Cliffie lächelte ihr kurz zu.

»Er ist doch zu dir gekommen«, sagte die Frau.

»Hätte er ja nicht nötig gehabt.«

Cliffie blickte sekundenlang in Gerbers ruhige abweisende Augen und erkannte, daß sie beide zornig waren, aber nicht über die gleichen Dinge. Ihre Gedanken gingen zwei verschiedene Wege.

»Es tut ihm bestimmt *leid*, was passiert ist«, sagte die Frau.

»Na schön, es tut mir *nicht* leid!« gab Cliffie schnell zurück und wandte sich zur Tür. Auf dem Flur bog er einmal falsch um, dann war er auf der Treppe und stürzte nach unten, die Frau hinter sich, aber er ging viel schneller. Als er draußen ankam, lächelte er breit über das ganze Gesicht. Der Teufel sollte sie alle holen. Er sah den Wagen der Mutter auf der Straße, er stand in der Richtung, die nach Hause führte.

Edith lächelte, als sie ihn lächeln sah. »Alles gut gegangen?« fragte sie.

Cliffie stieg ein und schloß die Tür. »Sehr gut. Netter Kerl.« Er sah sich nicht um, ob Mrs. Gerber auf der Veranda stand, als der Wagen losfuhr.

An einem Oktobermorgen kam ein Brief von Brett. Er lautete:

19. Oktober 1968.

Liebe Edith,
heute morgen hat Carol ein kleines Mädchen zur Welt gebracht. Ich wollte dich erst anrufen oder dir telegrafieren, aber ein Brief geht ja auch ganz schnell. Ich dachte, du würdest es gern wissen wollen. Beiden geht es gut. Ich hoffe, daß es mit Cliffie einigermaßen geht und daß du wohlauf bist, und auch George. Alles Gute und viele Grüße   Brett.
P.S. Anbei Scheck.

Ein Scheck über hundertfünfzig Dollar war beigefügt, obgleich er erst am ersten November fällig war. Brett schickte jeden Monat einen Scheck; einen größeren Betrag hatte Edith abgelehnt. Ihre erste Reaktion auf den Brief war Zorn; Wärme stieg ihr in Gesicht und Hals. Er »hoffte«, daß George wohlauf war, und ließ es bei dem »Hoffen« bewenden. Aber sie erstickte den Zorn sofort. Zorn war ein altvertrautes Gefühl und nicht mehr interessant, und nützen tat er gar nichts.

Sie wußte, die Wirklichkeit des Babys war es, die sie so verstört hatte.

20

An einem frostkalten Januarabend ging Edith eilig den Gehweg entlang, immer auf der Hut, damit sie nicht auf einer vereisten Stelle ausrutschte, obwohl kein Schnee lag. Mit der behandschuhten Rechten preßte sie den Wollschal an Mund und Nase. Sie war auf dem Weg zu einer Gemeindehaussitzung, die aber, weil im Gemeindehaus gerade das Dach repariert wurde, in der Unitarierkirche stattfand. Es ging da um eine Protestversammlung wegen der Erhöhung der Schulgebühren. Edith versprach sich gar nichts von dem Protest. Herrgott, war es kalt heute, es war erst halb sieben und schon ganz dunkel, und das gräßliche Lied, das Cliffie vorhin auf seinem Transistor herausgeheult hatte, wollte ihr nicht aus dem Kopf:

»Eiiinsam bin ich, eiiinsam bleib ich . . .«

Als sie das Haus verließ, hatte er das Ding allerdings gerade abgestellt, weil er telefonierte, vermutlich mit Mel. Sie hätte das nicht gewußt, wenn sie nicht nochmal umgekehrt wäre, um sich einen wärmeren Schal zu holen. Sie wußte, Cliffie lag viel daran, in Mels Klüngel zurückzukehren – der einzige Klüngel, der ihm je vertraut gewesen war.

Ihre Gedanken wurden von Charles und Mary Bell unterbrochen, die an der Ecke aus ihrem Wagen stiegen.

»Wie geht's denn, Edith?«

»Guten Tag – auch auf dem Weg zur Versammlung?« sagte Charles.

Edith erwiderte freundlich. Sie kannte die beiden kaum.

Die weiße Kirche mit dem Spitzdach war vorn hell

erleuchtet, die Schatten reichten bis zu dem dunklen Dach. Viele Wagen, viele Leute, die einander begrüßten. Wieder und wieder sagte Edith: »Hallo – wie geht's denn?« auf dem Weg zur Kirchentür. Sie dachte an Jackie Kennedy, die jetzt Jackie Onassis hieß. Als sie das letztemal – wo doch noch? – mit Bekannten zusammen war, hatte sich jeder entsetzt geäußert über Jackies Heirat mit einem Multimillionär, nach der Ehe mit John F. Kennedy. »Mit dem lebt sie nun zusammen! Eine Beleidigung für Amerika!« und dergleichen mehr. Jackie liebte Geld und Macht, davon war Edith überzeugt; beides war miteinander verbunden, und deshalb wunderte sie sich auch gar nicht über diese Heirat. Aber sie wußte, warum die andern sich aufregten: sie hatten sich in Jackie ein Ebenbild zu JFK gewünscht und hatten von ihr einen sehr amerikanischen Idealismus erwartet; daher die Enttäuschung und Empörung. Edith fand einen Platz in einer der breiteren Stuhlreihen. Erst jetzt sah sie Gert Johnson, die links hinter ihr saß, denn Gert war gerade aufgestanden und hatte sich umgedreht, um jemanden zu begrüßen.

Der Vorsitzende, dessen Namen Edith vergessen hatte, klopfte auf den Tisch und begann zu reden. Er erklärte, worum es ging, erläuterte die Situation, die verständliche Entrüstung der Leute, die fanden, sie bezahlten schon genug Steuern, und die außerdem vielleicht gar keine Kinder hatten. Edith zog die Handschuhe aus und bewegte die Zehen in den Stiefeln, als sie anfingen zu schmerzen.

Eine langweilige Männerstimme kam von weiter hinten. Jemand hatte sich zu Wort gemeldet. Es gab schwaches Gelächter, kaum hörbar.

Mein Gott, wie karg die Kirche wirkte, dachte Edith.

In ihrem Bemühen, keine Heiligenbilder und vergoldeten Säulen zu verwenden, hatten sie einfach eine sauber angestrichene Scheune hingestellt. Leere, die jeder mit den eigenen Gedanken auszufüllen hatte. Ein schwarzes Podium, nur leicht erhöht, und schwarze Fensterrahmen an kahlweißen Wänden.

»Wo soll das noch *enden*?« schrillte eine Frau. »*Meine* Steuern in diesem Jahr – ich habe meine Steuererklärung mitgebracht und werde Ihnen mal die Zahlen vom *letzten* Jahr vorlesen . . .«

Jetzt taten Edith auch die kalten Ohren weh.

»Wollen wir darüber abstimmen?« rief der Vorsitzende laut.

Abstimmen darüber, ob abgestimmt werden soll. Und wenn man an all die Homos dachte, wo kamen dann eigentlich die vielen Kinder her?

»Ja-ha!« sagte eine gute und herzliche Stimme, die Edith als Gerts Stimme erkannte. »Abstimmen, aber erst wollen wir mal abstimmen, oder einfach die Hand heben, damit wir sehen, wieviele Anwesende Kinder im Schulalter haben, die die Schulen besuchen, um die es hier geht. Ich finde das doch ganz *wichtig*.«

Starker Applaus. Gert war doch ein Prachtkerl, sie wußte, worauf es ankam. Viele Leute, und nicht nur die wohlhabenden, schickten ihre Kinder von dreizehn bis zum Collegealter auf eine Privatschule, die sich Pymbroke Academy nannte.

Nachdem sich zu dieser Frage viele Hände gehoben hatten – es sah aus wie etwa drei Viertel der Anwesenden –, ließ Ediths Interesse nach. Sie versank ins Träumen. Sie sah ein Baby auf dem Fußboden im Wohnzimmer herumkrabbeln. Bretts Baby. Bretts und Carols kleine Tochter. Was konnte sie im Tagebuch mit dem

Baby anfangen, überlegte sie und mußte kichern. Vorläufig hatte sie das Kind natürlich ausgelassen, so wie sie auch Carol ausgelassen hatte, jedenfalls in der letzten Zeit. Aber das Kind? Wieder sah sie das rosige Bündelchen vor sich, das in Windeln über den Wohnzimmerfußboden kroch und Nelson in Erstaunen versetzte. Die Katze sprang einen Fuß hoch in die Luft, und Edith wurde von unstillbarem Gelächter gepackt, das den angespannten Körper schüttelte.

Die Frau neben ihr blickte sie an.

Edith sah, daß sie hinaus mußte. Sie konnte nicht aufhören zu lachen, wenn auch lautlos; sie stand also auf und entschuldigte sich bei dem Mann, der rechts von ihr saß. Sie wählte den längeren Weg, weil links von ihr die Frau saß, die sie so angeblickt hatte.

Was entging ihr auch schon, wenn sie nicht länger blieb? Nun war sie draußen und frei. Sie wandte sich nach links und machte sich auf den Heimweg. Jetzt war das Lachen vorüber, genau so grundlos wie es gekommen war. Sie lächelte nur noch, freute sich auf das warme Zuhause und auf Nelson. Die Katze hatte in den letzten kalten Tagen einen Winkel hinter dem Griff der Heizung an der kleinen Bank in ihrem Arbeitszimmer entdeckt, wo es noch wärmer war als auf ihrem Bankkissen. Typisch für Katzen! Und Nelson hatte noch nicht mal das Baby gesehen, an das Edith gedacht hatte und das sie in ihrem Tagebuch nicht unterbringen konnte. Ihr *Tagebuch*! Wieder überfiel sie das Lachen, einen Augenblick krümmte sie sich und ging dann weiter. Was war daran bloß so komisch?

Cliffie stand an der Haustür und öffnete sie für seine Mutter, bevor sie sie angerührt hatte.

»O vielen Dank – was für ein Service!« sagte Edith.

»Sie haben – sie haben eben angerufen von Tante Melanie«, sagte Cliffie. »Es geht ihr nicht gut.«

Edith kam sofort zu sich. »Was heißt das – wieder ein Schlaganfall? Wer hat angerufen?«

»Weiß ich nicht. Eine Frau.«

»Mrs. Byrd?« Sie war Melanies Nachbarin. »Kam der Anruf aus der Wohnung oder aus dem Krankenhaus?«

»Ich glaube aus der Wohnung. Vom Krankenhaus hat sie nichts gesagt«, erwiderte Cliffie.

»Wie lange ist das her?«

»Eben gerade, vor fünf Minuten.«

Edith ging sofort zum Telefon, zog nur ihren Mantel aus, nahm den Hörer und wählte die Nummer.

Am andern Ende meldete sich Bertha, Melanies farbiges Dienstmädchen. »Ja, Miss Edith, es ist wieder ein Schlaganfall.« Es klang, als sei Bertha in Tränen ausgebrochen, sobald sie Ediths Stimme hörte.

»Ist sie zu Haus oder im Krankenhaus, Bertha?«

»Sie ist hier, Miss Edith. Ins Krankenhaus will sie nicht.«

»Sagen Sie ihr, daß ich komme, heute abend noch. Ich denke, ich bin um zehn Uhr dort.« Edith legte auf, sie wollte jetzt keine Minute mehr verlieren. Sie ging hinüber ins Wohnzimmer, wo Cliffie mit leeren Augen auf den Fernsehschirm starrte, obwohl der Ton abgestellt war. »Cliffie, ich fahre zu Tante Melanie. Ich – du willst sicher nicht mitkommen. Ich habe das Gefühl, als –«

Cliffie schüttelte den Kopf. »Nein, ich will nicht mit. Ich muß doch nicht, oder?«

»Selbstverständlich *mußt* du nicht.« Nun war Edith wieder im alten Fahrwasser, im Alltag der Gegenwart. Erstmal Frances Quickman anrufen. Cliffie war zu unzuverlässig, bei ihm konnte sie nicht sicher sein, daß er Nelson fütterte und die Blumen begoß. Die Putzfrau (Margaret hieß sie, sie kam einmal pro Woche) wohnte zu weit entfernt, als daß man sie bitten konnte, Nelson zweimal täglich Futter zu geben. Frances war zu Hause. Edith erklärte ihr die Situation, und Frances war voller Teilnahme. Sie sagte:

»Ich bin jedenfalls hier, Edie, und ich hab ja auch noch deinen Schlüssel, weißt du.«

Das war beruhigend. »Futter ist hier, aber ich lasse für alle Fälle drei Dollar da für Nelson, ich leg's oben auf den Kühlschrank, unter den Obstkorb.«

Dann packte sie eilig ein paar Sachen ein – einen warmen Schlafanzug, Hausschuhe, einen Pullover, die Zahnbürste. Sie rief Nelson, als sie mit dem Köfferchen nach unten ging, und gab ihm seine Abendmahlzeit in der Küche. Für Cliffie waren Würstchen und Eier da, die er sich immer gern selber machte, und sie bat ihn, George das gleiche hinaufzubringen.

Sie war schon viele Meilen von Brunswick Corner entfernt, als ihr einfiel, daß sie sich nicht von George verabschiedet und auch Cliffie nicht daran erinnert hatte, daß er morgen für Georges Mahlzeiten sorgen mußte. Aber daran würde er doch wohl denken, oder George würde rufen, wenn er etwas brauchte. Der arme Alte lag jetzt auf einem Gummiring, um sich nicht wundzuliegen, und unter dem Bettlaken hatte er eine Gummiunterlage. Und jetzt drückte sich der Gummiring in die Haut und machte ihm Wundschmerzen!

»Mein Himmel!« sagte Edith, ähnlich wie Cliffie. Sie hob die Hände vom Steuerrad und ließ sie sacht wieder fallen.

Das Fahren war eine Erholung, und sie kannte die

Straße gut. Vor vier Wochen erst, zu Weihnachten, war Melanie für einen Tag gekommen und hatte so wohl wie immer ausgesehen. Sie hatte Nelson eine hübsche Haarbürste mitgebracht: es war das letzte der Geschenke, die sie auspackte. »Hier, Nelson, eine Überraschung für dich! Fröhliche Weihnachten von der alten Ururururgroßtante Melanie!« Und die Katze hatte die Verpackung mit einer Begeisterung aufgerissen, die sie alle drei zum Lachen brachte – denn Melanie hatte eine Scheibe Roastbeef zu der Bürste eingepackt.

Das Licht über der Eingangstür brannte für Edith. Sie fuhr die gewundene Einfahrt zwischen den breitgesetzten Pappeln hinauf. Vor dem Haus stand ein großer Wagen. Wahrscheinlich Dr. Phelps, dachte Edith.

Bertha öffnete, als Ediths Wagen hielt. »Guten Abend, Miss Edith!« sagte sie mit ihrem guten Lächeln, das fast so breit war wie immer, aber nicht ganz.

»Wie geht's, Bertha?« Edith drückte ihr die Hand. »Ist der Arzt da?«

»Ja, der ist da. Sie werden's gleich sehen.« Bertha half Edith beim Ablegen des Mantels, den sie unten im Wandschrank aufhängte, und brachte dann den kleinen Koffer nach oben. Bertha trug einen schweren braunen Bademantel, vielleicht wegen der Kälte oder weil es schon spät war.

Die Schlafzimmertür war nur angelehnt, und Edith hörte ein leises freundliches Lachen, es kam von einem Mann. Bertha klopfte leicht an die Tür und sagte:

»Miss Edith ist hier, Ma'am – Sir.«

Edith trat ins Zimmer. Melanie lag unter einem Sauerstoffzelt aus Plastik. Die Leselampe am Bett brannte, war aber vom Bett abgewandt, und der Arzt hockte auf der Lehne eines großen Sessels. Er stand auf. »Guten Abend, Dr. Phelps«, sagte Edith.

Dr. Phelps war ein schmaler kleiner Mann, etwa sechzig, mit grauem Haar und Brille. Er lächelte immer noch. »Tag, Mrs. Howland. Wir erzählen uns Geschichten, Ihre Tante und ich.«

Melanie hatte den Kopf gewandt, um Edith besser zu sehen. Sie war durch Kissen gestützt und saß zurückgelehnt, ebenfalls lächelnd, aber das Lächeln wirkte verzerrt. »Tag, Kindchen«, sagte sie heiser. »Hübsch, mich hier so zu sehen, was?«

»Wie geht es dir, Liebes?« sagte Edith und drückte ihre Hand durch die Plastikhülle. Die Hand blieb schlaff.

»Das ist gerade die schlechte Seite«, sagte Melanie. »Ist Cliffie mitgekommen?«

»Nein.«

»Du bist wirklich ein Engel, daß du gekommen bist.«

»Nun bleiben Sie beide mal nicht die ganze Nacht am Schwatzen«, sagte der Arzt. »Ich fahre jetzt nach Hause, und ich bleibe dann, wenn Gott will, auch zu Hause. Sie wissen also, wo Sie mich erreichen, wenn Not am Mann ist, aber ich rechne nicht damit, daß Sie mich brauchen.« Er nickte ihnen zu und ging heiter lächelnd hinaus.

Das konnte alles heißen. »Ich bringe ihn hinunter und bin gleich wieder da«, sagte Edith.

Die Treppe war breit genug für zwei, aber der Arzt ließ Edith vorangehen. Das Treppengeländer, blank poliert, machte unten eine Biegung und lief in einen flachgewundenen Pfosten aus. Edith dachte an die Zeit, da sie sich – eine Stufe nach der andern – immer beim Hinuntergehen am Geländer festhalten mußte. Bertha war jetzt sicher aus Taktgründen oben geblieben. Der Arzt schlang sich den Schal um den Hals und sagte:

»Sie wollte nicht ins Krankenhaus.«

»Und – wie ernst ist es diesmal?«

»Ich fürchte«, sagte er im Flüsterton, »sie schafft es diesmal nicht. Man kann's auch wohl nicht mehr erwarten. Das Herz wird schwächer, und dabei kann man nichts machen, in ihrem Alter. Aber sie hat jedenfalls keine Schmerzen, daran müssen Sie denken. Heute abend kommt eine Pflegerin, kurz nach Mitternacht wird sie da sein. Sie heißt Ellie Podnanski, nettes Mädchen. Eine Pflegerin ist jetzt am besten hier.«

Es kam Edith vor, als ob ihr Kopf ganz leicht wäre, wie luftleer. Sie hörte die Worte des Arztes aus weiter Entfernung, fast wie im Traum. Sie holte tief Luft und fragte: »Sie wird sterben – glauben Sie bald?«

Er hob die Augenbrauen. »Vielleicht schon heute nacht. Sie wird einfach – auslöschen im Schlaf, so wie sie es sich wünscht. Kein schlimmer Tod, im eigenen Haus, umgeben von Menschen, die sie liebt. Ich glaube, es ist noch eine Nichte von ihr unterwegs.«

Wer wohl, dachte Edith. Der Arzt sprach mit Hochachtung, aber sie wußte, er mußte die gleichen Worte schon oft gesprochen haben. Und dabei ging es hier um ihre geliebte Tante, ihr eigenes Fleisch und Blut.

»Ich habe ihr vorhin eine Herzspritze gegeben. Die Sauerstoffanlage ist nicht hundertprozentig, aber sie hilft immerhin. Rufen Sie mich ja an, wenn Sie möchten, Edith, hören Sie? Ihre Tante und ich, wir kennen uns seit vielen, vielen Jahren.« Er drückte ihren Arm und ging hinaus.

Edith stellte den Fuß auf die unterste Treppenstufe

und packte den ersten Geländerpfosten. Dann stieg sie langsam nach oben.

Bertha stand in Melanies Zimmer, angespannt und mit leichter Angst im Gesicht. Melanie schien zu schlafen, die Augen waren geschlossen.

»Möchten Sie etwas essen, Miss Edith?«

»Nein, nein, nicht jetzt«, sagte Edith. Es war nach elf Uhr. »Wenn ich Hunger habe, hole ich mir später was aus der Küche.«

»Sie sehen blaß aus. Sicher haben Sie kein Abendbrot gehabt.«

Edith lächelte. »Macht nichts, Bertha.«

»Sie schläft«, sagte Bertha leise.

Bertha verließ das Zimmer und nahm ein leeres Glas und einen Teelöffel mit. Edith trat zum Bett und überzeugte sich, daß ihre Tante noch atmete. Über dem Bettpfosten war ein Metallbehälter aufgehängt. Wie lange mochte er reichen? Edith hob die Plastikhülle und nahm Melanies Finger in die Hand; sie fühlten sich nicht warm genug an, aber ein elektrischer Heizkörper war auf das Bett gerichtet, und der Raum war ganz warm. Melanies rechter Mundwinkel hing etwas herab, anders als sonst. Edith zwang sich zu glauben, daß Melanie noch atmete, weil sie wollte, daß sie noch atmete.

Dann setzte sich Edith in den Schaukelstuhl mit der hohen Lehne, auf das türkisfarbene Kissen, das Melanie vor Jahren gehäkelt hatte, und fast im nächsten Augenblick, so schien es, kam Bertha leise herein und brachte auf einem Tablett ein Glas mit gelblichem Inhalt.

»Ich dachte, Sie würden das gern trinken, Miss Edith. Ich hab's so gemacht, wie Sie es mögen.«

Dankbar nahm Edith das Glas. Ein steifer Whisky mit einem Eiswürfel, der fast geschmolzen war. Sie mochte ihre Drinks nicht ganz eiskalt. Sie zündete eine Zigarette an und holte sich einen Aschbecher, ein blau-weißes Souvenir mit dem Aufdruck »Florenz«, dann fiel ihr ein, daß man in der Nähe eines Sauerstoffzelts nicht rauchen durfte, und sie drückte die Zigarette schnell aus. Unten auf dem langen Bücherbord standen die alten ledergebundenen Bücher, die oberen Regale waren ange-füllt mit den Lieblingsbüchern der Tante, die neueren noch mit Schutzumschlägen. Der Drink half: sie war jetzt wärmer, dann müde und dann hungrig.

Sie nahm das Glas mit nach unten, blieb einen Augen-blick in der Diele stehen und ging dann auf die große weiße Tür mit dem Messinggriff zu. Links von der Tür war der Schalter, und sie machte sofort Licht, als müsse sie sich schützen vor einem vielleicht feindlichen Dunkel. Dies war die Bibliothek und gleichzeitig das Wohnzim-mer, wo Melanie immer mit ihren Freunden einen Drink vor der Mahlzeit nahm, wo sie auch Tee trank: ein Raum zum bequemen Sitzen und Plaudern, mit Bücherwänden, aber vor allem mit einem Kamin und einem großen niedrigen Tisch, den jeder von seinem Ses-sel aus erreichen konnte. Auch das alte Klavier stand hier, auf dem Melanie manchmal spielte. Der Teppich war schon ein wenig fadenscheinig, aber das Zimmer sah bewohnt aus. Edith ging schnell wieder hinaus, sie konnte es jetzt nicht ertragen – es war so sehr ein Teil ihrer Tante.

In der Küche öffnete sie den Kühlschrank, und sofort fiel ihr Blick auf einen mächtigen Schinken, der schon halb vom Knochen gelöst war. Sie hob die Platte heraus und nahm ein Messer. Ein Schinken wie aus alter Zeit, gekocht in braunem Zucker, mit geschmorten Ananas-resten, ein paar Nelken und süßer Sauce. Edith schnitt sich mit einem alten Küchenmesser ein paar Scheiben ab. Ein halber Laib Landbrot war auch noch da; sie schenkte sich ein Glas Milch dazu ein und ließ es sich stehend fünf Minuten lang schmecken.

Ein Wagen. Edith sah auf die Uhr, es war fast ein Uhr. Sicher Miss – Miss Podnanski. Edith öffnete ihr die Haustür.

»Guten Abend. Sie sind Mrs. Cobbs Nichte?« fragte das blonde Mädchen freundlich und legte den Mantel ab. Sie hatte blaue Augen und gesunde rötliche Wangen und sah wie knapp zwanzig aus.

Edith führte sie nach oben in Melanies Zimmer, wo die Pflegerin den Puls der Kranken fühlte und immer noch freundlich lächelte. Die Stimme war ruhig und sanft. Eine menschliche Maschine, dachte Edith, aber sie war froh, daß das Mädchen da war – sie wußte, was zu tun war, was zuerst kam. Sie lehnte auch Ediths Angebot, ihr Kaffee zu machen oder ein Sandwich zu bringen, ab; sie habe gerade gegessen.

»Sie können jetzt schlafen gehen«, sagte sie.

Das tat Edith. Sie nahm kein Bad mehr, wusch sich nur das Gesicht und bürstete die Zähne, dann fiel sie todmüde in das große breite Bett in dem Zimmer, das sie immer gehabt hatte, wenn sie hier war.

Ein leises Klopfen weckte sie, dann wurde ihr Name gerufen – das war natürlich die Pflegerin. Edith stand auf und zog einen Pullover über den Schlafanzug. Sie wurde am Telefon verlangt. Im morgendlichen Dämmerlicht fand sie sich in der Diele gerade zurecht. Der nächste Telefonapparat stand in Melanies Zimmer, dort hatte die Schwester den Anruf entgegengenommen. Die Uhr zeigte zehn Minuten nach sieben.

»Hallo, Edith!« sagte eine Frauenstimme unter viel

Knacken im Telefon. »Hier ist Penny – ich rufe aus Ankara an . . .«

Noch eine Nichte, fiel es Edith ein. Penny war mit einem Franzosen verheiratet, der im diplomatischen Dienst stand. Edith gab müde und mit leiser Stimme Antwort. Ja, Melanie hatte einen zweiten Schlaganfall gehabt, und der Arzt hatte nicht viel Hoffnung.

»Ich fliege morgen – nach eurer Zeit also heute abend, nehme ich an. Meine Tante hat meine Adresse . . . Wir haben ein Telegramm bekommen . . .«

Als sie aufgelegt hatte, drehte sich Edith um und sah erstaunt, daß Melanie den Kopf gewandt hatte und sie anblickte. »Das war Penny«, sagte Edith.

»Ach ja, Penny. Setz dich doch, Edie.« Das waren die letzten Worte, die Edith verstehen konnte.

Tante Melanie wollte sprechen. Die ruhige, blühend aussehende Pflegerin berührte Melanies Schulter durch die Plastikhülle und wies sie sanft an, keinen Versuch zum Sprechen zu machen. Melanies Lippen bewegten sich ein wenig, aber es kam kein Laut. Die Augen waren fast geschlossen. Es war das erstemal, daß Edith einen Menschen sterben sah. Sie setzte sich nicht. Auch die Pflegerin blieb stehen; nach wenigen Minuten wandte sie sich zu Edith und sagte immer noch sanft: »Es ist vorbei.« Und dabei nickte sie.

Edith blieb noch einen Augenblick stehen, als sei sie in Trance. Nur tropfenweise nahm ihr Bewußtsein die Tatsache auf, daß sie und die fremde Pflegerin die einzigen Lebenden im Zimmer waren.

Nachmittags fuhr Edith zurück nach Hause. Sie hatte noch alles erledigt, was zu erledigen war: mit dem Arzt und dem Beerdigungsunternehmen gesprochen, ein Telegramm an Penny geschickt und ihre Mutter angerufen, um ihr die Nachricht mitzuteilen. Die Mutter sagte, sie fühle sich nicht wohl, und einen Augenblick hatte Edith es ihr fast übelgenommen, daß ihr die eigene Gesundheit offenbar wichtiger war als Melanies Tod. Aber die Mutter hatte ein schwaches Herz und hatte also wohl Grund zur Sorge; sie hatte kein Übergewicht und rauchte auch nicht, aber das Herz war trotzdem nicht gesund. Morgen wollte sie zum Arzt gehen. Sie hatte schon einen Schlaganfall gehabt, vor etwa drei Jahren. Edith hatte sogar Cliffie angerufen, der bei der Nachricht von Melanies Tod nichts sagte als »Oh«. Kein Wort sonst. Ebenso mechanisch hatte Edith sich nach George erkundigt. Hatte Cliffie ihm zu essen gegeben? Cliffie bejahte die Frage, vage wie immer, und Edith wußte, George fehlte nichts weiter. Mehr erfuhr sie nicht, aber sie ahnte nichts Gutes hinsichtlich der Bettschüssel, denn Cliffie tat oft so, als höre er Georges Rufen nicht, und George versuchte sich dann selber zu helfen. Als sie jetzt nach Hause fuhr, befahl sich Edith, mit diesen Vorstellungen aufzuhören. Immer rechnete sie mit dem schlimmsten – einfach damit sie auf alles gefaßt war und manchmal sogar angenehm überrascht wurde.

Diesmal war es keine angenehme Überraschung, die sie zu Hause erwartete. Der erste Schreck: Cliffies Volkswagen war weg. (Er sollte seinen Führerschein erst im Juni zurückbekommen.) Die Haustür war nicht abgeschlossen. Nelson kam herunter, begrüßte Edith mit zärtlichem »M-wah-h!« und drückte sich mit erhobenem Schwanz an ihr Bein.

»Cliffie –?« rief Edith. Vielleicht war er in seinem Zimmer, vielleicht hatte er den Wagen irgendjemandem geliehen. Niemand antwortete.

Edith zog die Stiefel aus, legte den Mantel ab und ging mit dem Koffer in der Hand nach oben. Sie ließ ihn auf dem Flur stehen und ging auf Georges Zimmertür zu, die halb offen stand, aber ohne Licht. »George?« rief sie. Dann roch sie den Gestank.

Sie wußte sofort, was los war, und stürzte sich ohne Besinnen in die Arbeit. Teppiche, Flur, Bettvorleger. Sie öffnete das Fenster in Georges Zimmer und arbeitete verbissen weiter mit Eimer, Schwämmen und flüssigem Teppichreiniger. George schlief die ganze Zeit ruhig weiter und schnarchte leise, auch wenn Edith den Plastikeimer ab und zu hart aufsetzte. Dann kam die Bettwäsche dran – nein, erst das Becken (damit sie einen Augenblick ausruhen konnte), denn das war leichter zu säubern als die anderen Sachen; aber auch das mußte erstmal eine Weile in der Badewanne, die sie eine Handbreit mit Wasser gefüllt hatte, stehengelassen werden. Und das alles in noch nicht vierundzwanzig Stunden! Sie mußte George wecken, um die Bettwäsche zu wechseln; flink und geschickt rollte sie ihn halb über das Bett und wieder zurück. Cliffie hatte ihr einen unerhörten Streich gespielt, das war wohl als sicher anzunehmen; aber sie wollte zu ihm kein Wort davon sagen, denn das würde ihn höchstens freuen. Sie sah das wohlgenährte Gesicht und den harmlosen Ausdruck vor sich, wie er sagen würde: »Ich hab doch *gar nichts* getan!«

»Danke, Edith!« murmelte George zahnlos und drehte sich um zur Wand, um gleich weiterzuschlafen.

Edith warf einen Blick auf die Codeinfläschchen. Sie wußte gar nicht, wieviel noch darin sein mußte; es war ihr auch egal. Sie packte ihr Köfferchen aus, ging nach unten und stellte vor dem Kühlschrank fest, daß genug zu essen im Hause war, auch wenn Cliffie erscheinen sollte. Sie badete, zog die blaue Cordhose und einen Pullover an und ging in die Küche, um das Essen vorzubereiten – alles eine Wohltat im Vergleich mit dem, was sie oben in Georges Zimmer erledigt hatte. Sie schenkte sich einen Drink ein und rief Frances Quickman an, um sich zu bedanken.

»Du klingst ja immerhin ganz munter«, sagte Frances.

»Ja, warum nicht – was bleibt einem anders übrig? Du, Frances, du weißt wohl nicht, wo Cliffie ist? Als ich kam, war er nicht zu Hause, und sein Wagen ist auch nicht da.«

»Sein Wagen? Nein, ich habe keine Ahnung, Edie. Ich war zweimal im Haus, um Nelson zu füttern, und beide Male war Cliffie nicht da.«

Cliffie erschien jedoch kurz nach acht, als Edith bei einem zweiten Drink dem Requiem von Fauré auf dem Plattenspieler zuhörte. Wegen der Musik hatte sie Cliffies Wagen nicht kommen hören, wenn er überhaupt im Wagen gekommen war. Er hatte rotumränderte Augen und hielt eine großformatige Zeitung in der Hand, die er zu einer festen Rolle zusammengeknüllt hatte.

»Tag, Cliffie«, sagte Edith. »Hast du den Volkswagen gefahren?«

»Nein, ich habe ihn jemand geliehen. Der hat ihn – der hat mich zurückgebracht.«

Edith wußte, sie mußte den Volkswagen aus dem Weg räumen, wenn sie ihren Wagen hinausfahren wollte. Plötzlich hatte sie keine Geduld mehr für die Musik – sie war jetzt am Paradisum angelangt; wäre sie allein gewesen, hätte sie es gern angehört, aber in Cliffies Gegenwart wurde es zum Sakrileg. Sie stellte den Plattenspieler ab und sagte: »Tante Melanies Beerdigung ist morgen früh. Ich gehe früh zu Bett und fahre morgen sehr früh los. Willst du mit?«

Cliffie starrte sie unbewegt an, den Blick fest auf sie gerichtet, und erwiderte: »Nein.«

Das hatte Edith erwartet. »Danke auch noch für deine Hilfe bei George.«

»Dieses Arschloch!« Cliffie schleuderte die Zeitungsrolle auf das Sofa, und Nelson sprang herunter, obgleich sie ihn nicht berührt hatte.

Langsam und sorgfältig legte Edith die Platte zurück in die Hülle und nahm dann ihr halbgeleertes Glas mit in die Küche, wo sie zwei Lammkoteletts briet. Für sich wollte sie nur eins. Wenn Cliffie mitessen wollte, so konnte er das tun, wie üblich. Aber er kam nicht. Edith aß am Küchentisch, und bevor sie fertig war, klingelte das Telefon. Es war Brett. Er habe schon vorher versucht, sie zu erreichen, sagte er. Edith berichtete, warum sie ihn aus Delaware angerufen hatte (ohne ihn zu erreichen), und erzählte, daß Melanie gestorben sei. Vielleicht lag ihm daran, es zu erfahren, sagte sie.

»Morgen kann ich unmöglich hinkommen, Edith. Es tut mir schrecklich leid, daß sie gestorben ist, aber sie war ja wirklich schon alt, nicht wahr?«

Als Edith aufgelegt hatte, war ihr Herz erfüllt von Gallenbitterkeit. Bretts Worte hatten sich unecht angehört. Der Mann, den sie geliebt, dessen Kind sie geboren hatte, war so unecht wie irgendein Fremder, der versuchte, die richtigen Worte zu finden.

Ihr Kopf fühlte sich plötzlich eisklar an. Sie betrachtete den vertrauten Raum, den Flur mit der Treppe, die Garderobenhaken, mit ganz neuen und fremden Augen; so kam es ihr jedenfalls vor. Auf einmal haßte und verabscheute sie das alles: Cliffie, George, selbst ihren Garten. Sie öffnete die Haustür und ließ die kalte Luft herein, sie atmete die Kälte durch die Nasenflügel ein, wo sie zu kleinen Eiskristallen zu werden schien. Sie dachte an das ruhende Gesicht ihrer Großtante; die Verzerrung, die der Schlaganfall hervorgerufen hatte, schob sie von sich. Melanies Geist war noch immer bei ihr.

21

20. März 1969. Die Bildhauerei geht gut voran. Ich habe mit einem Kopf von C. angefangen, aber er hat natürlich nie Zeit, mir zu sitzen, ich muß es nach Fotos machen (wie bei Tante M.) und nach schnellen Skizzen, bei den seltenen Gelegenheiten, wenn er mit oder ohne D. mal hier ist. J. ist nun fast ein Jahr alt, und C. läßt sie auf seinem Rücken reiten und hält ihre kleine Hand dabei ganz fest. Der große Ingenieur kriecht auf den Knien durchs Zimmer! Manchmal fällt er dabei auch um und lacht.

Bretts kleine Tochter fand keinen Platz in Ediths Tagebuch, sie hatte sie nie erwähnt, und bei dem Gedanken an das Kind in ihrem Wohnzimmer mußte sie heute nicht mehr lachen. Cliffie und Debbie hatten jetzt ein hübsches Haus nicht weit von Princeton, gerade in der richtigen Entfernung von Debbies Eltern, und Edith fuhr manchmal hin und besuchte sie dort. Brett war aus dem Bild verschwunden wie ein Schatten, den es nie

über Epsteins Werk, das sie sehr bewunderte. Den lebensgroßen Kopf von Melanie hatte sie ein wenig im Stil von Epstein ausgeführt: es war ja nichts dabei, dachte sie, die großen Meister nachzuahmen, das hatten auch berühmte Künstler zu Anfang nicht anders gemacht. Als sie mit der Bildhauerei begann, hatte Gert Johnson sofort gesagt: »O ja – laß uns doch eine Klasse bilden, oder einen Club!«, aber davor hatte Edith sich gedrückt. Sie hielt nichts von einem Haufen halbtätiger Frauen, die mit Begeisterung etwas anfingen und nach vier Wochen wieder aufgaben. Außerdem, wer war schon dabei, der ihnen etwas beizubringen verstand?

Außer Melanies Kopf in Plastilin hatte Edith noch zwei Abstrakte gemacht, jedes etwa dreißig Zentimeter lang, sechs Zentimeter breit und hoch. Das eine sah aus wie eine kauernde gehörnte Kröte, obgleich man auch vieles andere herauslesen konnte: einen interessanten Stein, Spitzdachhäuser oder die Alpen. Das andere war ein »Vierbeiniges Tier«, nicht zu identifizieren; es lag schwer auf dem Bauch und hatte den Kopf aufmerksam zur Seite gewandt. Das war das Stück, das Gert am besten gefiel.

In Wahrheit war Edith unglücklich, und es gab auch Augenblicke, in denen ihr das klar wurde, wie etwa Ende Januar, bald nach Melanies Tod, als sie sah, wie sich die ersten Schneeglöckchen durch den gefrorenen Boden drängten – zu welchem Zweck und Ziel? Sie wußte, ein neuer Frühling war nahe (im März wurde es wirklich schon Frühling), und ihm würde ein neuer Sommer folgen: rote Rosen, Dahlien und anderes. Wozu? Die Natur hatte ihren eigenen Kreislauf, und Edith hatte das Gefühl, draußen zu stehen, nicht mehr dazu zu gehören. Sie wußte, wenn sie logisch nachdachte (oder doch glaubte, logisch nachzudenken), daß das nur an ihr lag, daß ihre trüben Gedanken sie immer noch deprimierter und unglücklicher machten. Doch der Gedanke des Draußenstehens besaß eine eigene Wahrheit und Wirklichkeit, warum also sollte sie ihn nicht denken? Sie konnte ihn nicht einfach »wegleugnen«, wie es die Anhänger der Christian Science taten, und sich von diesem Akt trösten lassen.

Und so ließ sie sich bei der Bildhauerarbeit, auch wenn sie noch so stümperhaft und ungeschickt war, doch ablenken von der Kopfhängerei. Es war so etwas wie eine zweite Krücke; die erste war ihr Tagebuch. Man mußte sehen, wie man zurechtkam. Im »Strohwinkel« verging die Zeit schnell, die Arbeit brachte Geld ein und war überdies eine gesunde Ausflucht, denn sie kam mit Leuten zusammen, durfte sich äußerlich nicht gehen lassen, mußte freundlich und tüchtig sein. Manchmal glaubte sie, sich ganz objektiv zu betrachten, und das war sicher gut: sie stellte sich vor, sich aus großer Höhe zu sehen, wie sie um zehn Minuten vor zwei die Main Street entlang trottete bis zum »Strohwinkel«: ein unbedeutendes Rädchen in der Riesenmaschinerie der Menschheit, angefüllt mit Nahrung und den richtigen Vitaminen, zum Sterben bestimmt wie jeder andere.

Edith ging nach unten, um nach dem Essen zu sehen. Heute war Sonntag, sie hatte einen Schmorbraten im Herd, umgeben von Karotten, Zwiebeln und kleinen Kartoffeln. Alles brodelte leise in brauner Sauce. Zwanzig Minuten brauchte der Braten wohl noch. Cliffie war draußen im Garten, was Edith eigentlich wunderte; mit den Händen in den Taschen schlenderte er herum wie ein Großfürst. Er trug das Tweedjackett mit den grellblauen Streifen, das Edith nicht mochte, aber ihm zu Gefallen hatte sie ihm ein Kompliment gemacht, als er es kaufte. Sie sah jetzt, wie er etwas schwankte beim langsamen Hin- und Hergehen; sie wußte, er war leicht betrunken, und war froh, daß es ihr nichts ausmachte. Sie ging wieder nach oben in ihr Arbeitszimmer, das sie jetzt als Studio bezeichnete.

Die Büste von Cliffie, an der sie arbeitete, zeigte ein freundliches aber entschlossenes Gesicht mit Augen, die etwas nach links blickten. Die starken Augenbrauen waren leicht zusammengezogen, die geschlossenen Lippen nach oben gebogen. Der dichte Haarschopf stand in die Höhe, als habe ihn der Wind verweht, und ging an den Seiten über in einen schmalen Backenbart. Hinten war das Haar nicht lang, nicht annähernd so, wie Cliffie es meistens trug. Seit zwei Monaten sah er aus wie ein ungepflegter Jesus, und er kämmte und wusch sein Haar natürlich auch nicht, weil es ihm sicher viel zu verfilzt war.

Eine Weile betrachtete Edith die beiden Fotos von Cliffie, die in erreichbarer Nähe auf einem Bücherbord standen; dann nahm sie ein wenig Plastilin und füllte damit den rechten Backenknochen aus. Der muskulöse Hals gefiel ihr am besten, der war wirklich gut gelungen – er hatte Schwung und war für sie ein dauernder Anreiz, den Rest des Kopfes ebenso gut gelingen zu lassen. Der dunkle Ton ließ Cliffie wie einen jungen Gott erscheinen, so wie er auch in ihrem Tagebuch auftrat, Eroberer von Kontinenten, Beherrscher der Meere, idealer Gatte und Versorger, Erzeuger der zauberhaften kleinen Josephine.

Wie immer flog die Zeit schnell vorbei, und schon waren fünfundzwanzig Minuten vergangen. Edith ging ins Badezimmer, um sich die Hände zu waschen, und dann nach unten. Sie stellte den Herd ab und schenkte sich einen Whisky mit Wasser ein, ohne Eis. Sie ging zur hinteren Tür und rief Cliffie, aber er war nicht da.

»Cliffie?« rief sie zu seinem Zimmer hinüber.

»Ja –?«

»Das Essen ist in einer Minute fertig.«

Der Tisch war gedeckt. Edith stellte noch einen Krug mit einfachem italienischem Wein auf den Tisch und begann, den Braten aufzuschneiden. Er sah köstlich aus, und sie war hungrig. Cliffie kam herein und setzte sich schweigend an den Tisch.

»Cliffie, würdest du wohl die Musik abstellen?« Diesmal war es nicht der Transistor, sondern der Plattenspieler, auf dem ›Hey, Jude‹ zum xten Mal ablief.

»Warum? Das ist doch 'n gutes Stück.« Cliffie blickte sie mit rotgeränderten Augen an und schob die Gabel in sein Bratenstück.

»Ich weiß, es ist ein gutes Stück, aber du spielst es nun schon zum sechstenmal –«

»Das sechstemal ist das nicht.«

Edith nahm sich zusammen. Sie hätte selbst hinübergehen und den Apparat abstellen können, aber sie wollte keinen Streit.

»Ist ja schließlich mein Plattenspieler«, sagte Cliffie in dem sanften Ton, mit dem er zuweilen seiner Mutter Trotz bot. »Ich hab ja wohl auch einige Rechte hier.«

Edith seufzte und aß langsam weiter. »Ist was passiert heute morgen – oder gestern abend?« Cliffie war erst zwischen drei und vier Uhr nach Hause gekommen; Edith nahm an, er hatte in Mickeys Bar gesessen, denn soviel sie wußte, ging er nie woanders hin.

»Passiert? Wieso?« Cliffie tat erstaunt. »Was soll

denn passiert sein? Was hackst du eigentlich immer auf mir rum?«

Edith ignorierte die Frage; sie hatte viele Mahlzeiten dieser Art überstanden, es hatte keinen Zweck, sich das sonntägliche Dinner durch einen Streit zu verderben. Lieber führte sie eine imaginäre Unterhaltung mit einer imaginären Person, die rechts oder links von ihr saß. Und damit ihr das Schlucken leichter fiel, sagte sie sich, daß Melanies Tod Cliffie heftig erschreckt haben mußte, auch wenn er kaum ein Wort geäußert hatte. Er war gleichsam erstarrt gewesen, die Zunge war wie gelähmt, vielleicht vor Kummer, denn Melanie war das Bindeglied zu seiner Kindheit gewesen. Vielleicht, dachte Edith hoffnungsvoll, war Cliffie doch normalerer und tieferer Gefühle fähig, als sie und Brett ihm je zugetraut hatten. Auch Edith selber war noch eine Woche nach dem Tod, obgleich sie ihre Arbeit wie sonst erledigte, halb gefühllos gewesen vor Schmerz; sie hatte Verständnis für ihren Sohn.

»Weißt du, Cliffie«, sagte sie, »mir fehlt Melanie auch ganz schrecklich – sie wird mir immer fehlen. Aber du mußt nicht allzu traurig sein über ihren Tod. Wir müssen alle sterben. Ich wollte bloß, daß du weißt, mich deprimiert es auch. Ich bin oft sehr traurig, weil sie nicht mehr da ist.«

Cliffie schleuderte sein Messer so heftig auf den Tisch, daß es sich anhörte, als sei der Teller zerbrochen. »Mir sind die Toten *total* egal! Warum glaubst du eigentlich, ich mach mir was draus? Was kann man schon dran ändern? Was hat es für 'n Sinn, so viel darüber zu quatschen?«

»Ich hatte nicht die Absicht, viel darüber zu quatschen«, gab Edith schnell zurück.

»Dann hör doch auf damit!« Cliffie hatte seinen Stuhl zurückgestoßen; er nahm sein Glas, leerte es in einem Zug und ließ dabei Rotwein auf den Pullover kleckern. Er riß eine Serviette an sich, fuhr damit über den Pullover, wischte sich den Mund ab, ließ die Serviette fallen, ging hinaus und verschwand in seinem Zimmer. Eine Sekunde später ertönte »Hey, Jude« noch lauter.

Edith nahm ihren Teller in die Küche, schloß die Tür und beendete ihre Mahlzeit. Zum Nachtisch sollte es Bratäpfel geben, die zum Warmhalten in der Pfanne auf dem Herd standen, aber Edith hatte keinen Appetit mehr. Herrgott, sie hatte ihm doch nur beistehen wollen in seiner Bedrängnis oder was sonst ihn quälte, er sollte wissen, er war nicht allein, wenn er unruhig oder ratlos oder mutlos war. Und nun hatten seine Augen geradezu geflammt vor Zorn, so kam es ihr vor.

Sie wusch etwas Geschirr ab, damit nicht zu viel in der Küche herumstand, wenn sie sich später daranmachte. Natürlich mußte auch George noch versorgt werden. Er aß immer später und weniger als sie, aber bis jetzt hatte ihm Edith regelmäßig seine drei Mahlzeiten und gewöhnlich auch den Nachmittagstee gebracht. Sie stellte alles auf ein Tablett, hübsch zurechtgemacht: einen Teller mit warmem Essen, ein halbes Glas Wein – der sicher gut für ihn war – und brachte es nach oben.

In ihrem Arbeitszimmer hatte sie jetzt ihr altes Radio installiert, weil sie, seit sie mit dem Modellieren angefangen hatte, dort viel Zeit verbrachte. Sie stellte den Apparat an: Nachmittagsmusik mit Beethovens viertem Klavierkonzert, noch ganz am Anfang. Herrlich. Sie nahm ein hölzernes Gerät zur Hand, das aussah wie ein zugespitzter Löffel, und drückte damit ein tieferes Fältchen unter die unteren Augenlider des modellierten Kopfes, die mit einem leichten Aufwärtsschwung abgerundet wurden. Ausgezeichnet! Das war wirklich gelungen, und an den Augen wollte sie nun auch nichts mehr ändern. Sie war froh. Aber den Mund wollte sie noch etwas schmaler machen, mit dem gleichen verwirrten und amüsierten Ausdruck.

Sie machte sich an die Arbeit, zündete eine Zigarette an und arbeitete weiter. Auf dem Fußboden stand jetzt immer ein großer Aschbecher aus Metall.

In die letzten Takte, mitten ins volle Orchester, das sich anhörte wie das Finale einer Symphonie, drang ein lauter Brüllton, den sie zuerst für eine Autohupe hielt. Aber von der Straße war das nicht gekommen. Sie hielt inne, das hölzerne Gerät in der erhobenen Hand. Der Ton kam von hinten. Cliffie war in Georges Zimmer und schrie ihm irgendetwas zu. Ja, das war es. Plötzlich hörte sie die Musik nicht mehr, die Freude daran war ihr vergangen.

Was ging da vor? Aus Neugier legte sie das Gerät auf das quadratische Holzbrettchen und trat dann an die Tür. Sie blickte hinaus.

Cliffies Stimme klang jetzt beruhigend. Er lachte sogar. Dann war nur Schweigen. Edith trat näher. Sie sah Cliffie durch die halboffene Tür, wie er sich über George beugte und etwas in der Hand hielt.

»So – na, nun mal los!« sagte Cliffie.

Noch ein Schritt, und eine Diele knackte unter Ediths Füßen. Sofort wurde die Tür wie üblich zugestoßen – sicher wieder mit dem Fuß, dachte Edith. Aber was machte Cliffie da drinnen? Im ersten Moment wollte sie »Cliffie!« rufen, unterließ es aber dann. Vielleicht stellte er die Sachen auf dem Tablett zusammen, ließ George noch den letzten Rest Wein austrinken, damit er dann alles mit nach unten nehmen konnte. Aber sie wußte, daran dachte er gar nicht. Cliffie tat niemals etwas Konstruktives. Das war als sicher anzunehmen.

Der Teufel sollte ihn holen! Der Teufel sollte sie beide holen!

Edith drehte sich auf dem Absatz um, überblickte noch einmal ihr Zimmer, wo Beethoven weiter erklang, dann wandte sie sich wieder zu Georges Zimmer und starrte auf die geschlossene Tür. Wenn sie so neugierig war, sagte sie sich, warum ging sie dann nicht hin und spähte durchs Schlüsselloch? Oder klopfte einfach an und öffnete die Tür?

Sie wollte die Tür nicht öffnen. Sie wollte stehen bleiben, wo sie stand, und die Tür anstarren, ohne auch nur hinzuhören. Bei der Musik konnte sie sowieso nichts hören, höchstens ganz laute Geräusche. Ob Cliffie da drüben einfach im Zimmer herumschlenderte, vor sich hin pfiff, einen Schluck aus der Codeinflasche nahm und vielleicht häßliche Bemerkungen machte, die der alte Mann nicht hörte? Aber im Geist sah Edith, wie Cliffie sich über George beugte, ein Glas in der Hand, bösartig grinsend und leise vor sich hin lachend.

»Ahaa! – Ha-ha!« Das war jetzt Cliffie. Er lachte sein Bühnenlachen, eine triumphierende Burleske ohne jede Heiterkeit.

Wieder wandte sich Edith zu ihrem Zimmer und ging darauf zu, und in diesem Augenblick war die herrliche Musik zu Ende, es folgten einige Sekunden ergriffenen Schweigens im Publikum, dann setzte der Applaus ein, wurde stärker, stieg und stieg und knallte zurück von den Wänden, als sie ihr Zimmer betrat und die Tür hinter sich schloß. »*Bravo!*« rief eine Stimme. »*Bravo! Hee!*« Tausend Hände klatschten in stürmischer Begeisterung. »*Bravooo!*«

Edith nahm das hölzerne Gerät zur Hand, hob es bis zur Stirn des Tonkopfes und legte es dann wieder hin. Eine Stimme kündigte gerade ein Stück von Schubert an. Sie nahm den Holzlöffel und begann zu arbeiten; nach wenigen Sekunden war sie ganz bei der Sache und hatte alles andere vergessen. Heute kam sie gut voran. Prima. Und plötzlich fiel ihr ein, daß sie um halb sieben bei den Quickmans zu einem Drink eingeladen war. Wieder eine kleine Freude.

Später – sie wußte nicht wieviel später – hörte sie von weitem das Zuschlagen der Haustür. Sicher Cliffie, der entweder ausging oder nach Hause kam. Das Radio setzte mit Popmusik ein. Edith stellte es ab; sie bückte sich und schüttelte die kleinen Tonreste auf dem Plastiktuch in ein Häufchen zusammen und nahm sie dann mit dem Handbesen auf. Sie richtete sich auf, straffte sich und betrachtete den Kopf im Profil. Nicht schlecht. Was wohl Gert dazu sagte? Sie war ein strenger Kritiker, ihre Lieblingsausdrücke für viele Sachen in den Andenkenläden waren *blöd* und *kitschig*, und die unechten rustikalen Töpfersachen und industriell hergestellten Holzgegenstände nannte sie *zum Kotzen* und *lachhaft*.

Es war Zeit für Georges Tee – eigentlich schon reichlich spät, fast sechs Uhr. Edith ließ sich Zeit mit ihrem Bad. Sie wählte einen Wickelrock aus Madrasleinen, den sie Monate oder Jahre nicht getragen hatte, eine weiße Rüschenbluse, schwarze Lacksandalen mit halbhohen Absätzen. Sie ging ja schließlich nur nach nebenan. Die Quickmans wollten sie wieder mal mit einem »netten Mann« bekannt machen. Edith mußte lächeln; es war nicht das erstemal. Junggesellen eines gewissen Alters, die noch zu haben waren. Bisher hatte keiner sie hinzureißen vermocht (und keiner war vermutlich von ihr hingerissen gewesen), aber sie war den Quickmans dankbar für ihre Freundlichkeit, oder fand doch, sie müsse ihnen dankbar sein.

»Und was möchtest du nun, Admiral Nelson?« sagte sie zu der Katze, die ihr die Treppe hinunter gefolgt war. Sie spülte noch schnell das restliche Geschirr, weil noch fünf Minuten Zeit war.

Cliffie war offensichtlich ausgegangen; in seinem Zimmer brannte kein Licht, und der Transistor war stumm. Edith gab Nelson nur zwei Keks; da sie selber später aß, sollte auch die Katze dann ihre Mahlzeit haben.

Der Gast, den die Quickmans ihr vorstellten, hieß Lawrence Hodgeson oder Hodson, ein großer schlanker Mann mit schwarzem Haar, das an den Schläfen grau wurde. Er war Steuerberater in Philadelphia. Im Kamin brannte ein Feuer.

»Du siehst aber sehr gut aus heute«, sagte Frances zu Edith. »Schönen Tag gehabt?«

»Nicht besonders. Doch, ja, du hast recht. Ich habe ein bißchen modelliert, heute nachmittag. Und im Radio war ein wundervolles Konzert – habt ihr es zufällig auch gehört?«

Das Konzert interessierte Ben und Frances nicht, aber auf ihre Modellierarbeit gingen beide eifrig ein. Ben fragte:

»Wann lädst du uns mal ein zur Ausstellung?«

»Ich glaube, Ben hätte gern sein Porträt von dir, oder wie man das nennt«, sagte Frances. »Seine *Büste*!«

Gelächter. Edith nahm ihnen die Bemerkungen über ihren neuen Zeitvertreib niemals übel.

»Wollte Cliffie nicht mitkommen?« fragte Frances.

»Ich glaube, er ist ausgegangen«, erwiderte Edith. »Mir ist so, als hätte er gesagt, ich soll euch danken für die Einladung, aber beschwören kann ich's nicht.«

Dann begann Edith zu frösteln. Sie fühlte, wie sie zusammenschauerte, und rückte näher ans Feuer. Lawrence fragte sie, ob sie oft nach Philadelphia käme, und die Quickmans erzählten von seinem Sommerhaus oder Blockhaus am See; Ben freute sich schon aufs Fischen dort, im Sommer. Ediths Zähne klapperten, und Frances brachte ihr einen dicken Pullover.

»Ich weiß gar nicht, was mit mir los ist. Eine Erkältung ist das nicht«, sagte Edith. Sie kam sich albern vor in der weißen Bluse, die zwar lange Ärmel hatte, aber ganz dünn war. Bloß weil sie hübsch aussehen wollte! Wozu? »Zu dumm von mir, mich anzuziehen, als ob Sommer wäre. Meine Schuld.«

»Macht nichts – zieh nur den Pullover an«, riet Ben.

»Wir hatten gehofft, du könntest zum Essen bleiben, Edie. Geht das nicht? Wenn wir Cliffie kommen sehen, holen wir ihn auch noch herein.«

»O vielen Dank, Fran, aber ich glaube, ich muß nach Hause. Ich muß auch noch –« Sie brach ab. Sie hatte sagen wollen, daß sie noch für Georges Dinner zu sorgen hatte.

Sie gaben Edith noch einen Drink. Der alte rotbraune Setter lag schlafend am Feuer zu Ediths Füßen, ein Bild der Ruhe und Behaglichkeit.

»Wenn die Quickmans nächstesmal nach Philadelphia kommen, dann kommen Sie vielleicht mit?« sagte Lawrence. »Ich bin nämlich ihr Steuerberater, schon seit vielen Jahren.«

Der Rest blieb für Edith verschwommen. Sie wußte

noch, daß die gute Frances mit dem freundlichen sommersprossigen Gesicht sie besorgt ansah, als sie sich an der Haustür verabschiedete. Sie waren alle enttäuscht, daß sie nicht zum Essen blieb.

Edith sah Licht im Flur, als sie auf die Tür zuging. Sie trat ein und rief: »Cliffie?«

»Ja!« Die Stimme kam aus dem Wohnzimmer. Cliffie saß vor dem Fernsehschirm, ein Glas in der Hand.

»Die Quickmans haben nach dir gefragt. Du solltest rüberkommen.«

»Davon wußte ich nichts.«

Das stimmte. Edith hatte es nicht erwähnt, denn gewöhnlich hatte er doch keine Lust mitzukommen. »Es ist schon nach acht. Willst du was essen oder hast du schon gegessen?«

Das bärtige Gesicht wandte sich um und erschien an der Sessellehne. »Ich kann ja später was essen. Jetzt will ich dies ansehen.«

»Ich muß wohl erstmal George etwas bringen.«

»Er will nichts«, sagte Cliffie schnell und drehte sich noch einmal zu ihr um.

»Wieso will er nichts? Hast du ihn gefragt?«

»Ja, hab ich.« Cliffie blickte wieder auf den Bildschirm.

Edith ging über den Flur in die Küche. Nelson jedenfalls wollte sicher etwas haben. Nelson kam jetzt heran und blickte zu ihr auf. Sie sprach zu ihm, setzte Wasser auf, schnitt ein paar Scheiben Herz in kleine Stücke und goß heißes Wasser darüber, damit sie nicht ganz kalt waren. Sie goß das Wasser ab und stellte den kleinen Teller auf die Plastikmatte. Leise schmatzend begann Nelson seine Mahlzeit. So hatte er seit jeher gefressen; Cliffie sagte oft: »Dir schmeckt's, Nelson, was? Man hört's.«

Für sich selber legte Edith etwas kaltes Fleisch, Salat und geschnitzelte Möhren auf einen Teller, merkte aber dann, daß sie keinen Appetit hatte, und stellte alles in den Kühlschrank. Sie beschloß, jetzt das Silber zu putzen, auch das Teegeschirr, das ihr Melanie einmal geschenkt hatte. Margaret, die Putzhilfe, war nie begeistert, wenn sie Silber putzen sollte, oder fand nicht die Zeit dazu, deshalb machte Edith das oft selber.

Zehn Uhr.

Es war ja noch gar nicht zehn – wie kam sie darauf? Aber sie wußte warum: weil sie bis zehn noch einmal nach George sehen mußte. Und warum nicht jetzt gleich? Weil sie nicht wollte. Sie hatte Angst. Oder war es was anderes? Wollte sie vielleicht das Zeug, das Cliffie ihm gegeben hatte, lange genug wirken lassen? Hatte ihm Cliffie überhaupt etwas gegeben? Natürlich hatte er. Hatte sie es nicht selber gesehen? Nein, nicht genau. Nicht richtig aus der Nähe. Konnte auch Leitungswasser gewesen sein. Warum argwöhnte sie überhaupt etwas? Nein, sie wollte nichts davon sagen, daß Cliffie auch sonst schon George zu viel Codein gegeben hatte, vielleicht zweimal oder so. Nein. Sie und Cliffie gehörten zusammen. Ja. Nein. Also das war nun tatsächlich merkwürdig, der Gedanke, daß sie und Cliffie zusammengehörten.

Das Silber schimmerte. Sie betrachtete ihr Gesicht in der Teekanne, länglich und eiförmig. Sie stellte die Sachen wieder auf das Sideboard im Eßzimmer.

Cliffie kam hereingeschlendert, das leere Glas in der Hand, die andere Hand in der Tasche. »Du siehst ja heute so elegant aus.«

»Ich hatte Lust, mal den langen Rock anzuziehen.«

»War was Besonderes?« Ein Schluckauf trennte die

Worte. Cliffie war auf dem Weg zum Kühlschrank, um sich ein Bier zu holen.

Edith fuhr fort mit dem Silberputzen, nahm aber nicht alles in Angriff, nur die große Suppenkelle und den Gemüselöffel, und dann die beiden Leuchter. Sie war zu müde, um auch noch die Bestecke zu putzen. Cliffie war wieder im Wohnzimmer verschwunden.

Sie ging nach oben. Es war noch nicht ganz zehn. In Georges Zimmer war alles dunkel, die Tür war angelehnt. Sie ging darauf zu, ohne Zögern und ohne auf das Schnarchen zu lauschen, wie sie es sonst fast immer tat. »George –?« rief sie durch die Tür und trat dann ein. »George?« Sie zog die Bogenlampe zu sich heran und drückte auf den Knopf.

George lag auf dem Rücken; der Mund stand etwas offen, das blasse Fleisch war unter den Backenknochen eingesunken. Von Schnarchen war nichts zu hören.

»*George!*« rief sie und faßte ihn an der Schulter.

Er atmete – jedenfalls glaubte sie das. Aber sie hörte nichts und sah auch kein Heben und Senken der Brust. Sie sah sich nach einem Spiegel um, den sie ihm unter die Nase halten wollte. Ihre Augen blieben an den Flaschen auf dem Medizinschrank hängen – so nannte sie bei sich die kleine Kommode mit den Medikamenten. Dort standen jetzt weniger Flaschen als sonst, und sie sah auch gleich warum: sie standen direkt neben ihr, neben der Bogenlampe. Codeintinktur, Aspirin, die Fläschchen mit verschiedenen Schlaftabletten, eine Sorte gelb, die andere lila. Die Fläschchen waren fast leer; eines war ganz leer.

Edith merkte, daß sie nach Luft schnappte; sie hatte fast eine Minute lang den Atem angehalten. Sie zwang sich jetzt, Georges Schulter anzufassen, und schüttelte sie leicht. »George!« Wenigstens warm fühlte er sich an.

»George!« schrie sie ihm ins Ohr. Dann hielt sie ihm den Finger unter die schmalen Nasenlöcher. War da noch Wärme zu spüren oder nicht? Sie brachte es nicht über sich, nach seinem Herzschlag zu suchen, und der Gedanke, den Puls zu fühlen, widerstand ihr. Sein Arm lag oben auf der Bettdecke. Sie hatte Angst. Sie hatte Angst, weil sie Bescheid wußte.

Sie wollte hinausgehen. Das Licht brannte, sie zögerte und ließ es dann brennen. Sie ging ins Badezimmer und wusch sich die Hände. Sechs oder sieben Stunden war es jetzt her, seit Cliffie ihm all das Zeug eingegeben hatte. Sie mußte mit ihm sprechen. Sie mußte den Arzt anrufen. Sie schob es vor sich her – absichtlich, das merkte sie. Und wenn sie sich nun das Ganze nur einbildete? Wenn die Tabletten einfach aufgebraucht waren, ganz normal? Wozu die ganze Aufregung?

Schwarzseher.

Seltsam: jetzt war sie wieder ruhig geworden, und eine Weile hielt die Ruhe an. Sie legte den langen Rock ab und zog die alten blauen Cordhosen und einen Pullover an; dann machte sie Ordnung auf ihrem Schreibtisch, wo noch eingesandte Artikel für das *Signal* lagen, die sie redigieren und an Gert schicken mußte. Gert brachte sie dann nach Trenton.

Was sollte sie zu Cliffie sagen? Wie sollte sie anfangen?

Sie stellte das Radio an, das Jazzmusik sendete. Sie hörte kaum hin. Melanies Kopf, noch in der dunkelgrauen Plastilinmasse, blickte mit einer Spur von Hochmut, aber liebevoll-amüsiert auf sie herab. Cliffies Tonkopf sah heute abend geradezu heiter aus, trotz der energischen Stirn und Augenbrauen.

Was sollte sie zu Cliffie sagen?

Auf morgen verschieben. Dann stellte sie sich vor,

daß sie in einer Stunde zu Bett gehen und zu schlafen versuchen würde. Nein, ganz unmöglich.

Fünf nach elf. Wieder ging sie hinüber zu George. Er lag noch so da wie zuvor. Sie wollte seinen Namen rufen und konnte nicht. Sie faßte ihn noch einmal an der Schulter und schüttelte sie, jetzt mit Widerwillen. Dann ging sie ohne Besinnen hinaus und stieg die Treppe hinab. George hatte sich steif angefühlt. Kalt? Sie war nicht sicher. Sie trat ins Wohnzimmer und sagte: »Cliffie?« Der Fernseher lief, aber Cliffie war nicht da. Sie hatte das deutliche Gefühl, daß Cliffie vor einer Sekunde in sein Zimmer geflüchtet war. Sie ging ins Eßzimmer und über den Flur. Ja, er war in seinem Zimmer. »Cliffie –?«

»Waas?« Da stand er, mit rotgeränderten Augen.

»Also.« Edith war plötzlich außer Atem.

»Also was?«

»Du hast es wieder getan. Stimmt's?«

»*Was* wieder getan?«

Ihr Atem ging in kurzen schnellen Zügen. »Ich muß wohl den Arzt rufen, nicht wahr.«

»Den Arzt? Warum?« Blöde, mit stumpfem Trotz, blickte er sie an. Er schwankte. »Was ist denn los mit ihm?«

Edith wandte sich um und ging ins Wohnzimmer. Einen Drink brauchte sie jetzt. Nein, lieber nicht. Doch, beschloß sie sofort, ein Drink war jetzt genau das Richtige. Hielt sie auf den Beinen. Sie schenkte sich einen Whisky pur ein und trank die Hälfte in kleinen Schlukken, während sie schwerfällig zu dem Schluß kam, es sei nun angebracht und richtig, den Arzt anzurufen. Mit dem Glas in der Hand ging sie zum Telefon und wählte die Nummer.

Eine fremde weibliche Stimme meldete sich. »Ja, ich bin seine Tochter – Vater ist heute abend eingeladen in Flemington, er wird nicht vor zwölf oder so nach Hause kommen. Ist es dringend?«

»Ja – doch. Kann ich ihn in Flemington anrufen?«

Die Tochter – Edith fiel ein, daß sie sie irgendwann mal gesehen hatte – nannte die Nummer, und Edith schrieb sie auf und rief gleich darauf an. Sie mußte mehrere Minuten warten, dann meldete sich ein Restaurant, und schließlich kam Dr. Carstairs an den Apparat.

»Hier ist Edith Howland. Es tut mir wirklich leid, Sie zu stören, Dr. Carstairs –«

»Ja? Ist es –«

»George, ja. Er – ich glaube, er liegt im Koma. Ich weiß nicht. Könnten Sie kommen und ihn ansehen?«

Der Arzt versprach, in einer halben Stunde, spätestens in dreiviertel Stunden dort zu sein.

Edith überkam für eine Weile ein Gefühl der Sicherheit. Sie ließ ihr Glas im Wohnzimmer stehen und ging hinüber in Cliffies Zimmer. Sie klopfte schnell und trat ein. Cliffie lag auf seinem Bett, den Transistor auf der Brust.

»Cliffie, Dr. Carstairs kommt gleich. Du mußt entweder schnell nüchtern werden oder dich gar nicht erst sehen lassen.«

»Warum sollte ich mich sehen lassen? Ich habe nicht die Absicht, mich heute abend sehen zu lassen!«

»Dann mach das Licht bei dir aus, wenn er kommt.«

»Was hab ich überhaupt damit zu tun?« schrie Cliffie.

Edith dachte daran, wie er seit jeher gelogen hatte – von dem Tag an, da er sprechen konnte. Sie wußte nichts zu erwidern. Irgendwie imponierte ihr jetzt seine Verlogenheit – es war auch eine Art von Stärke. Es hätte gar keinen Sinn, wenn sie behauptete: Du hast ihm Tabletten gegeben, eine ganze Menge, und sicher noch allerhand anderes dazu.

»Vielleicht hat er's selber genommen«, sagte Cliffie achselzuckend und sah seine Mutter dabei kaum an.

22

Cliffie war noch betrunkener als er aussah, und wußte das auch. Er beglückwünschte sich, weil er bis jetzt keine Fehler gemacht hatte, aber er sagte sich auch warnend, daß er vorsichtig sein müsse. Als seine Mutter das Zimmer verlassen hatte, ging er in die Küche und machte sich eine Tasse Pulverkaffee, tat Zucker und Milch hinein und nahm sie mit in sein Zimmer.

Der Alte oben ist tot, dachte Cliffie. Darum ging es bei dem ganzen Zirkus, und deshalb kam auch der Arzt: um es *offiziell* zu bestätigen. Cliffie blickte mit weitgeöffneten Augen starr auf die Wände in seinem Zimmer und beschwichtigte sich mit den vertrauten Farbflecken, hellrot, gelb-blau, den Pullovern der Rennfahrer, Fußballspieler, Pin-up-Schönheiten mit nichts als einem schmalen gelben Band, etwa einem Schal, den sie lässig über die Beine hielten. Brüste fesselten ihn im Augenblick nicht. Ja, es war alles etwas anders, wenn eine Leiche im Haus war. Er hoffte bloß, sie würden ihn heute abend noch abholen.

Cliffie wollte sich waschen, aber nach oben ins Badezimmer neben Georges Zimmer wollte er nicht gehen. Er wusch sich am Spülstein in der Küche und trocknete sich mit einem Küchentuch ab, das er danach auf die Heizung warf. Dann zog er seinen Pyjama und den alten Bademantel an; das war nach Mitternacht sicher das richtige.

Die Stimme seiner Mutter, hoch und besonders liebenswürdig, ließ Cliffie aufhorchen. Dr. Carstairs war gekommen. Cliffie stellte schnell die Flasche in den Schrank zurück und ging langsam den Flur hinunter. Er wollte kein Wort von der Unterhaltung versäumen.

Seine Mutter sprach von einem Koma. Und Dr. Carstairs war in Abendkleidung! Jedenfalls trug er einen schwarzen Schlips. Cliffie sah sofort, daß der Arzt keinerlei Trauer empfand; er lächelte heiter und sagte etwas von der Geburtstagsfeier eines Freundes.

»Tag, Cliffie«, sagte der Arzt.

»'n Abend, Herr Doktor«, erwiderte Cliffie.

»Na, dann wollen wir mal nachsehen«, sagte der Arzt und stieg die Treppe hinauf. Edith folgte ihm, und dann Cliffie. Cliffie blieb draußen auf dem Korridor stehen, weil seine Mutter am Nachttisch stand und ihm den Weg versperrte.

»Oh. Oh. Mm-mm«, sagte der Arzt, und auf Ediths leise Frage: »Ja, ich glaube wohl. Ja. Ja.«

Cliffie sah, wie Dr. Carstairs eins der Codeinfläschchen – es war leer – vom Nachttisch aufnahm.

». . . fast alle«, murmelte der Arzt. »Ja, ich sehe schon. Ja.«

»Ich war aus«, sagte Edith, »bei Freunden. Aber heute nachmittag war ich dort in meinem Zimmer und habe gearbeitet. Um vier oder fünf Uhr sah ich, daß er schlief, aber das war nichts Ungewöhnliches.«

»Nein«, sagte der Arzt und nahm das Aspirinfläschchen in die Hand, in dem, wie Cliffie sich deutlich erinnerte, noch eine Tablette klapperte.

Langsam hob Edith die Augen bis zu Cliffies Augen.

Cliffie blickte sie fest an und überlegte, ob sie wohl das gleiche dachte wie er: daß der Arzt, wenn er die Fläschchen anfaßte, Cliffies Fingerabdrücke auslöschte oder jedenfalls undeutlich machte. Na *prima*, dachte Cliffie.

Der Arzt murmelte weiter. ».. . immer schwächer geworden – auch im Kopf wohl schon etwas wirr.«

Dann sprachen beide gleichzeitig über die Bestattung, ein Beerdigungsunternehmen und über Brett; seine Mutter meinte, sie müsse ihn wohl anrufen, und Carstairs beruhigte sie. Er sagte dann, eigentlich könne man Soundso so spät nicht mehr anrufen, aber er werde es doch tun, weil er die Leute gut kannte. Die Leute von dem Beerdigungsunternehmen.

Cliffie mußte fast lachen: kein Wunder, daß Carstairs die Leute gut kannte, wenn ihm so viele Patienten starben! Ha-ha!

».. . kann's vielleicht auch selber gewollt haben«, sagte Carstairs jetzt.

Sollte das heißen, daß George sich vielleicht selber umbringen wollte? So klang es jedenfalls.

Und als Dr. Carstairs jetzt hinter seiner Mutter aus dem Zimmer kam und Cliffie gegenüberstand, sah Cliffie auf seinem Gesicht ein schwaches Lächeln – selbst als er ihn anblickte –, und das Lächeln sah tatsächlich nach Erleichterung aus. *Erleichterung,* ganz bestimmt. Cliffie trat an der Treppe zur Seite, um die andern vorgehen zu lassen, und sie gingen vorbei, als ob sie ihn gar nicht gesehen hätten. Cliffie straffte sich; er hätte gern einen Fluch in Georges Zimmer geschickt, wo das Licht noch brannte. Raus, verdammte Leiche! Raus aus dem Haus! Er tat einen großen Schritt auf das Zimmer zu und warf mutig einen schnellen Blick hinein.

Das Laken war über das Gesicht gezogen.

Cliffie wandte sich um und ging die Treppe hinunter. Carstairs stand am Telefon. Cliffie hörte nicht zu, sondern ging in die Küche, wo seine Mutter frischen Kaffee machte. Cliffie war seltsam zumute. »Ist er wirklich tot?«

»Was dachtest du denn?« Edith runzelte die Stirn.

Cliffie wandte den Blick ab.

»Warum gehst du nicht ins Bett?«

»Warum soll ich?« erwiderte er, die Hände in den Taschen des Bademantels. Er sah, wie seine Mutter ihm von der Seite einen Blick zuwarf – was meinte sie damit? Auf einem Tablett stellte sie Tassen und Untertassen zurecht.

Dr. Carstairs kam zu ihnen und berichtete, er habe den Mann erreicht, den er haben wollte; in etwa zwanzig Minuten werde jemand hier sein. Dann wurde wieder über Brett geredet. Nichts als Banalitäten, dachte Cliffie. Reden, reden, blahblahblah. Cliffie stand abwechselnd still oder schlenderte in der Küche umher. Niemand achtete auf ihn.

»Ja, das werde ich. Das werde ich«, sagte seine Mutter. Als ob sie einen Schwur ablegte.

»Kann doch sein, daß er wirklich gern sterben wollte«, sagte Dr. Carstairs. Er lehnte am Küchenschrank und hob die Kaffeetasse an die Lippen.

Dann unterhielten sie sich über Melanie. Leichen. Tod. Alter. Aber seine Mutter sah viel froher aus, als sie von Melanie sprach, obgleich die Tante tot war.

»Und was treibst du so, Cliffie?« fragte der Arzt und lächelte Cliffie an.

Cliffie hatte sein Lächeln nie gemocht. Carstairs gehörte nicht zu dem lächelnden Menschentyp. In diesem Augenblick hörte man, wie draußen eine Handbremse angezogen wurde, das ersparte Cliffie die Antwort.

Ein langer schwarzer Wagen stand in der Einfahrt, oder vielmehr am Anfang der Einfahrt, denn der Ford und der Volkswagen waren dort geparkt. Jetzt hielt sich Cliffie im Hintergrund im halbdunklen Wohnzimmer. Man hörte viele Füße und Stimmen auf der Treppe, und nach drei Minuten dann schwere Schritte und halblaute Anweisungen. *Raus*, verdammte Leiche! Jetzt war sie endlich draußen. Cliffie trottete zum Barwagen hinüber und goß sich einen Whisky pur in die leere Kaffeetasse. Das war einen Schluck wert, weiß der Himmel. Er hatte reichlich Zeit, die Tasse zu leeren, während sich seine Mutter von Dr. Carstairs verabschiedete, der in seinem Wagen nach Hause fuhr. Cliffie stieß einen tiefen Seufzer aus.

Als seine Mutter zurückkam, blieb sie einen Augenblick im Flur stehen, warf aber keinen Blick ins Wohnzimmer, sondern ging gleich nach oben. Cliffie trank seinen Whisky aus und folgte ihr.

Seine Mutter war in Georges Zimmer. Langsam nahm sie ein Glas in die Hand, stellte einen Löffel hinein, hob ein zerknülltes Taschentuch vom Boden auf. »Cliffie, kannst du mir ein Tablett holen?« sagte sie schnell. »Hier – nimm dies mit.«

Cliffie nahm die beiden Gläser mit den Löffeln, lief schnell nach unten und kam mit zwei Tabletts zurück. Seine Mutter hatte schon das Bett abgezogen und war jetzt dabei, die Decken und Laken zusammenzulegen. Der Papierkorb war angefüllt mit allerhand Abfällen. Das eine Fenster hatte sie geöffnet. Cliffie ging mit dem Papierkorb nach unten, die schmutzige Bettwäsche trug er unter dem Arm. Er warf sie im Flur auf den Boden, so nahe an der Haustür wie möglich. Klirrend fielen die leeren Flaschen in den Mülleimer, der außen an der Hintertür stand. Er trug den leeren Papierkorb zurück nach oben. Seine Mutter hatte Georges Koffer hervorgeschleppt, und Cliffie hätte gern Georges Kleidung und alle seine Sachen hineingestopft, aber plötzlich hielt seine Mutter inne und hob die Hände zum Gesicht, ohne es zu berühren.

»Ich muß doch Brett anrufen«, sagte sie und ging hinaus und die Treppe hinunter.

An der Haustür klopfte es, und gleichzeitig wurde sie geöffnet, und Frances Quickman kam herein. »Edith! Dir fehlt doch nichts? Ich stand grade am Fenster und sah den Krankenwagen oder sowas – Wir dachten, ob du – Es ist sicher was mit George, nicht wahr.«

Edith nickte. »Ja, er ist tot. Offenbar im Schlaf gestorben.«

Cliffie hörte die Worte, als er langsam die Treppe herunterkam.

»Liebe Zeit – das war sicher ein Schreck für dich, du Arme!« sagte Frances. »Aber vielleicht war es so das beste – ich meine, wenn er friedlich eingeschlafen ist.«

»Ich wollte gerade Brett anrufen – das muß ich wohl«, sagte Edith. »Meinst du nicht –«

»Ja, dann will ich lieber gehen – außer wenn ich dir irgendwie helfen kann.« Frances hielt einen Regenmantel um sich, in der einen Hand hatte sie eine Taschenlampe. Sie trug Hausschuhe.

»Nein, ich wüßte nicht. Aber vielen Dank auch, Frances.«

»Ich bin morgen den ganzen Tag zu Hause, oder fast den ganzen Tag – wenn ich irgendwas für dich tun kann, Edith. Du brauchst es nur zu sagen, wirklich. – Tag, Cliffie.«

»Tag«, gab Cliffie zurück.

Frances ging, und Edith trat ans Telefon, ohne Cliffie auch nur anzusehen. Sie wählte Bretts Privatnummer, aber es meldete sich niemand. Vielleicht hatte sie falsch gewählt – sie drehte noch einmal. Komisch, daß niemand zu Hause war, wo das Baby erst sechs Monate alt war (sonst hätte ja sicher der Babysitter sich gemeldet). Vielleicht waren sie alle übers Wochenende bei Carols Eltern in der Nähe von Philadelphia. Die Nummer konnte sie bei der Auskunft erfahren, aber sie wollte nicht bei Carols Eltern anrufen. Lieber versuchte sie es morgen früh in Bretts Büro.

»Ist Dad nicht zu Hause?« fragte Cliffie. Er nannte ihn manchmal Dad, manchmal auch Brett. »Nein. Ich rufe ihn morgen früh an. Willst du nicht zu Bett gehen?«

»Nein. Ich helf dir beim Aufräumen – oben.« Cliffie war auf einmal heiter zumute, aber er fügte wie üblich achselzuckend hinzu: »Warum auch nicht?« als ob Aufräumen um zwei Uhr morgens nichts Außergewöhnliches sei.

In der nächsten halben Stunde wusch Edith den Nachttisch und die Kommode mit warmem Seifenwasser ab und fuhr mit dem Staubsauger über Fußboden und Teppich. Georges zwei Koffer waren vollgepackt mit all seinen Kleidern und Wäschesachen, nur einen alten Regenmantel, der weggeworfen werden sollte,

legte sie zusammengefaltet neben die Koffer. Mit Cliffies Hilfe schob sie das Bett quer durchs Zimmer; jetzt
stand es anders herum in einer Ecke, ein Fenster am
Kopfende und eins links vom Fußende. Auch die Bilder
sollten umgehängt werden, aber damit wollte sie heute
nacht nicht mehr anfangen.

»So, das reicht jetzt«, sagte sie endlich und lächelte ein
wenig. Die körperliche Arbeit hatte ihr wohlgetan.
Doch selbst Nelson hatte schließlich keine Lust mehr
zum Zuschauen gehabt und war verschwunden.

»Weißt du, wo sie ihn hingebracht haben?« fragte
Cliffie, ein Staubtuch in der Hand. Er hatte die Schublade des Nachttisches ausgewischt. Der Papierkorb war
schon wieder voller Abfälle.

Nein, Edith wußte es nicht genau, das fiel ihr jetzt
ein. »Ein Bestattungsunternehmen natürlich. In Doylestown – es fängt mit C an. Ich werde morgen Carstairs
fragen.«

Um sieben Uhr war Edith wieder auf und gar nicht
mehr müde. Mit der ersten Tasse Kaffee ging sie ans
Telefon, um Brett zu erreichen, bevor er ins Büro fuhr.

Carol meldete sich.

»Tag, Carol, hier ist Edith. Entschuldigen Sie, daß ich
so früh anrufe, aber ich muß Brett etwas Wichtiges
sagen.«

»Ach – Brett ist leider nicht da. Ich bin – er hat
nämlich mich und die Kleine gerade vor ein paar Minuten nach Hause gebracht und ist dann gleich weiterge-
fahren nach Long Island.«

»Ja – wo denn in Long Island? Kann ich ihn da
erreichen?«

»Er ist zu einer Verlegerkonferenz, ich glaube in

Locust Valley. Internationale Verleger. Ich könnte aber den Ort – ich meine die Telefonnummer von seiner Sekretärin erfahren. Kann ich ihm irgendwas bestellen?« Carol schien sehr bereitwillig.

»Ja, das können Sie. Es geht um seinen Onkel George – er ist gestern abend gestorben, offenbar im Schlaf. Um ein Uhr früh oder so habe ich versucht, Brett anzurufen.«

»Ach, liebe Zeit! Natürlich werde ich gleich versuchen, ihn zu erreichen, Edith. Wir waren gestern abend bei meinen Eltern.«

Edith war ungeduldig und kam sich etwas töricht vor, als sie aufgelegt hatte. Aber Himmel nochmal, sie versuchte, das Nächstliegende und Richtige zu tun. Sie schenkte sich noch eine Tasse Kaffee ein und rief Carstairs an. Von ihm erfuhr sie, daß das Bestattungsunternehmen Crighton hieß. Crighton in Doylestown.

»Ich denke, daß ich Brett bis heute mittag erreicht habe, oder schon früher. Er wird wahrscheinlich die Sache selber in die Hand nehmen wollen.« Aber ob das stimmte? Es war auch durchaus möglich, daß er sagte: ›Jetzt ist das ja nicht mehr so wichtig, nicht wahr?‹ Etwas sicherer fügte sie hinzu: »Die Leute wissen ja, was zu tun ist. Brett wird jedenfalls zur Beerdigung kommen wollen, das weiß ich.«

»Ja, natürlich«, sagte Carstairs.

Um elf hatte Brett noch nicht angerufen. Edith fuhr, wie sie vorgehabt hatte, zum Supermarkt nach Lambertville, der besser war als der Supermarkt in Brunswick Corner, und kaufte alles ein wie sonst, auch Toilettenpapier. Gottseidank brauchte sie nicht mehr an die Extrapackung Kleenex, an Schlaftabletten, Abführmittel und mehrere Kartons mit Watte zu denken. Sie kam sich selber geradezu gesünder vor.

Sie war gerade beim Auspacken der Kartons und Tüten, als das Bestattungsunternehmen anrief und fragte, ob sie am Nachmittag hinkommen könne, um den Sarg auszusuchen.

»Wir müssen auch noch ein paar andere Einzelheiten besprechen«, sagte die freundliche Frauenstimme.

»Ja, aber ich hoffe, daß mein Mann – wie lange haben Sie heute geöffnet?«

»Oh, wir haben immer geöffnet, Tag und Nacht, Madam. Es ist immer jemand hier.«

Brett rief um halb eins an. Er unterbrach Edith gleich und sagte: »Ja, Carol hat's mir gesagt. Hör zu, wir fangen hier gerade mit den Cocktails vorm Lunch an, das ist die einzige Zeit, wo ich einen Augenblick frei bin, und dann erst wieder um – nicht vor fünf, schätze ich, so wie es jetzt aussieht. Heute nachmittag sind die Konferenzen –«

»Das Beerdigungsunternehmen ist Tag und Nacht geöffnet, das haben sie mir gesagt.« Wie der Tod selber, dachte Edith. Sie hatte etwas kühl gesprochen. »Du kannst also jederzeit kommen. Wir sollen den Sarg aussuchen und noch so einiges.«

»Ja. Ich habe jedenfalls den Wagen hier. Wie ist es gekommen, was meinst du?«

»Na ja, er war ja schließlich siebenundachtzig, Brett.«

Als das Gespräch zu Ende war, hatte Brett gesagt, er werde, wenn alles glatt ging, etwa um halb acht in Brunswick Corner sein, dann könnten sie zusammen nach Doylestown fahren. *Sie.* Edith war es ebenso recht, wenn er allein fuhr.

Cliffie schlief noch und kam erst um halb zwei zum Vorschein, als Edith eine Kleinigkeit gegessen hatte und im Begriff war, sich auf den Weg zum »Strohwinkel« zu machen. Wie üblich schenkte er sich nur eine Tasse Kaffee ein, um wach zu werden. Seine Schultern sahen breit und fest aus, wenn auch etwas rundlich unter dem verschlissenen chinesischen Hausmantel mit dem abgewetzten schwarzen Revers. Er hatte ihn vor kurzem unter lauter alten Sachen im Schrank ausgegraben und liebte ihn sehr.

»Dein Vater hat angerufen«, sagte Edith. »Er kommt um halb acht. Wir müssen zu dem Bestattungsunternehmen in Doylestown. Du brauchst aber nicht mit, wenn du keine Lust hast.«

Cliffie kaute jetzt an einem alten Stück Kuchen und ließ die Krumen auf die Tischmatte fallen. »Nee – ich glaube nicht, daß ich mitkomme. Sicher nichts als Leichen, überall. Gräßlich. Wie das wohl riecht? Ich kann's mir aber schon vorstellen.«

Er war nervös und unsicher. Heute wären ein paar Drinks vielleicht ganz angebracht, dachte Edith; aber daran brauchte sie ihn gewiß nicht zu erinnern. Sie hatte auch keine Lust, ihn wie ein Kind darüber zu belehren, daß die Toten in einem Bestattungsunternehmen nur den nächsten Verwandten noch einmal gezeigt wurden, und wenn sie dann – sie zwang sich, nicht weiterzudenken; aber sie hatte das Gefühl, der heutige Tag habe große Fortschritte gebracht.

»Zu essen ist reichlich da, Cliffie, ich bin zum Supermarkt gefahren. Jetzt muß ich fort. Bist du heute abend zu Hause, wenn Brett kommt?«

»Weiß ich nicht. Kann schon sein.«

Es klang, als werde er zu Hause sein.

Im Geschäft war Edith abends mit dem Aufräumen so rechtzeitig fertig, daß sie um kurz nach sieben gehen konnte. Heute hatte sich niemand nach Georges Befinden erkundigt, was sonst von seiten der Angestellten oder der Kunden häufig geschah. Sie ging zu Fuß nach Hause. Wenn Brett früher als erwartet gekommen war, hatte er wahrscheinlich keinen Schlüssel bei sich, und Cliffie war womöglich auch nicht zu Hause.

Brett war noch nicht da. Edith sah im Telefonbuch die Adresse des Bestattungsunternehmens Crighton nach; dann wusch sie sich das Gesicht und machte sich zurecht: Rock mit weißem Pullover und Schal. Jetzt hörte sie Bretts Schritt an der Veranda. Er klopfte, und sie ging die Treppe hinunter. Die Tür war nicht abgeschlossen, und Brett kam herein. Er sah blaß und etwas dünner aus, und ihr fiel ein, daß er einen langen Tag hinter sich hatte und dazu die lange Fahrt von New York.

»Hallo, Brett!«

»Tag, Edith. Traurige Geschichte, was.«

Edith bemühte sich, möglichst ruhig zu erscheinen. War Cliffie zu Hause? Sie hatte noch nicht nachgesehen. »Mal mußte es kommen, Brett.«

Ja, einen Drink wollte er gern haben. Er setzte sich auf das rechte Ende des Sofas, seinen alten Lieblingsplatz. Er trug einen braunen Tweedanzug, den Edith noch nicht kannte. »Im Schlaf ist er gestorben«, sagte Brett nach dem ersten Schluck.

»Ja. Ich hab's erst gemerkt – Cliffie sagte, er hätte ungefähr um sieben mit ihm gesprochen, da wollte George nichts essen. Kein Dinner. Wir hatten spät zu Mittag gegessen – du weißt ja. Deshalb habe ich bis elf gar nicht gewußt, daß irgendwas los war.«

»Los war – wieso?«

»Ja – ich wollte ihn wecken, aber er wurde nicht wach. Deshalb habe ich den Arzt angerufen – Carstairs, der war zum Essen eingeladen in Flemington und kam dann erst so um Mitternacht.«

Brett runzelte die Stirn, und die trockene Gesichtshaut wurde noch faltiger. »Aber was hat er denn gesagt, *woran* er gestorben ist?«

Edith hörte den Fußboden im Flur leise knarren, dann erschien Cliffie in der Tür und kam herein.

»Hallo, Dad!« Er streckte die Hand halb aus und zog sie zurück mit einer Geste, die wie ein linkisches Winken aussah.

»Tag, Cliffie. Wie geht's dir?«

»Danke, ganz gut.« Cliffie wandte sich um und trat an den Barwagen, wo er die Whiskyflasche herausnahm und öffnete.

»Es war wohl eine Art Herzversagen«, sagte Edith zu Brett.

»Prost, Dad!« Cliffie erhob sein Glas. Er fühlte sich wohl, er war ausgeruht, angemessen angezogen, leicht angeheitert, aber nicht zu sehr. Sein Vater sah älter und kleiner aus als das letztemal. Cliffie hatte keine Angst vor ihm.

Brett war nervös und ungeduldig geworden, als Cliffie ihm zutrank. Er blinzelte zu Edith hinüber und rieb sich die Augen, als schmerzten sie ihn. »Die ganzen Jahre – ich weiß, er war eine große Last. Scheußlich für dich. Ich bin dir sehr dankbar.«

Cliffie wandte sich wieder den Flaschen zu, um sein Lächeln vor dem Vater zu verbergen.

»Ich würde gern von Carstairs erfahren, was tatsächlich die Todesursache war«, fuhr Brett fort.

»Du kannst ihn ja fragen«, gab Edith zurück. »Sehr überrascht schien er nicht zu sein.«

Brett leerte sein Glas und stand auf. »Ja, ich werde ihn mal anrufen. Jetzt gleich. Ist vielleicht wichtig. Hast du seine Nummer zur Hand, Edith? Ich weiß sie nicht mehr.«

Carstairs' Nummer stand auf der abgewetzten ersten Seite des Notizblocks neben dem Telefon. Edith zeigte sie ihm und ging dann zurück ins Wohnzimmer. Cliffie war noch einigermaßen nüchtern, aber er trug das scheußliche grellblaue Jackett. Er war in guter Stimmung und strahlte vor Selbstsicherheit aus allen Poren. Edith vermied es, ihn anzusehen, merkte aber, daß er sie beobachtete.

Brett hatte jetzt Carstairs erreicht.

»Ah ja . . . da sind Sie also ganz sicher? Aha . . . nein, das hat sie nicht . . . ja, ich verstehe.« Sehr lange Pause. »Ja. Aha. Aber sollte man dann nicht eine Obduktion vornehmen? . . . Nein, aber – Sie haben also nichts angeordnet?«

Edith nahm eine Zigarette und trat näher an das Gartenfenster, wo sie weniger hören konnte; sie versuchte nichts zu hören. Sie drehte sich um und fragte Cliffie: »Du willst also nicht mitkommen?«

»Nein.« Die weichen rosigen Lippen inmitten des Bartes lächelten, in den Augen stand Belustigung. Er schwenkte sein Glas und trank.

Brett kam zurück und stieß den ärgerlichen Seufzer aus, den Edith so gut kannte. »Carstairs hat nicht mal eine Obduktion angeordnet. Er hält es für möglich, daß George selber eine Überdosis genommen hat. Was meinst du dazu? Sieht ihm gar nicht ähnlich, nach all den Jahren.«

»Ich kann's wirklich nicht sagen.« Die Antwort kam tonlos und mit aufrichtiger Stimme, fand Edith. Sie brauchte sich nicht weiter anzustrengen.

»Carstairs sagt, mehrere der Flaschen auf seinem Nachttisch waren fast leer. Die er da neben sich stehen hatte.«

»Ja, ich weiß. Aber offen gestanden, ich hab's auch nicht kontrolliert, was da drin war.«

»Aber wer hat's ihm denn gegeben? Hat er es immer selber eingenommen?«

»Nein, manchmal hab ich's ihm gegeben. Ich hab ihn gefragt, ob er schon seine Vitamintabletten oder sonstwas genommen hätte. Es stand da alles auf seinem Nachttisch. Die Schlaftabletten hat er immer selber genommen, je nachdem wieviel er brauchte.« Brett schien anzunehmen, er habe ein Krankenhaus vor sich! Edith haßte das Gespräch. Da war ihr Cliffies höhnisches Grinsen schon lieber, das sie links ganz nahe neben sich sah. »Manchmal wollte ich ihm seine Pillen oder das Codeinzeug geben, und dann sagte er, er habe es schon genommen.«

»Ich glaube, wenn es nicht schon zu spät ist, möchte ich – Ich denke an die Versicherung – wie heißt das Bestattungsinstitut?«

Edith nahm das Telefonbuch, suchte das Unternehmen Crighton und zeigte Brett die Nummer. Er zog seine Brille heraus und wählte. Edith ging zurück ins Wohnzimmer.

»Mein Himmel nochmal«, murmelte Cliffie, der immer noch neben dem Barwagen stand. »In seinem Alter – ob er nun selber zu viel genommen hat oder nicht –« Cliffies Stimme war zum Flüstern herabgesunken.

»Ja, finde ich auch«, sagte Edith. Cliffie lächelte.

Bretts Stimme wurde jetzt lauter. »Ja – weil ich gar nicht mal sicher bin, daß das gesetzlich zulässig ist in so einem Fall. Ich möchte annehmen, der Coroner – ach so, der *Arzt*, meinen Sie!«

Edith hörte, wie er sich aufgeregt verhaspelte und

dabei versuchte, das Gespräch höflich zu beenden. Heftig warf er den Hörer auf die Gabel und kam ins Zimmer.

»Diese Idioten haben bereits – Er ist schon einbalsamiert. Komm jetzt, Edith, wir wollen gehen.«

23

Es war nach elf, als Edith und Brett nach Hause kamen. Sie hatten im Cartwheel Inn, einem Restaurant an der Landstraße, zu Abend gegessen. Cliffie war, wie Edith erwartet hatte, nicht zu Hause. Brett wollte mit ihm sprechen. Brett hatte mit dem Beerdigungsunternehmen eine Einäscherung vereinbart, was, wie er sagte, Georges Wünschen entsprach. Er hatte George noch einmal sehen wollen, aber der Angestellte – ein junger Fußballertyp mit kurzgeschnittenem Haar und sauberem weißem Kittel – hatte ihm gesagt, der Tote – oder hatte er einen anderen Ausdruck gebraucht? – sei noch nicht bereit zur Besichtigung, das könne erst morgen früh um neun geschehen. Brett hatte verschiedene Papiere unterschrieben, und währenddessen hatte Edith in der Marmordiele auf einer blankpolierten Holzbank gewartet, wo sie von dem Gespräch fast nichts hörte. Brett hatte mit dem jungen Mann an einem Tisch in einer entfernten Ecke gesessen.

Brett wollte über Nacht bleiben. Edith hatte gesagt: »Du siehst ganz erschöpft aus, du solltest jetzt nicht zurückfahren.« Es war ihr ernst damit, denn selbst nach dem Essen sah er grau und müde aus.

Jetzt waren sie zu Hause, und Edith überlegte, wo er schlafen sollte. Im Gästezimmer natürlich, klar. Das Bett war bereit. In Cliffies Zimmer fand sie einen Pyjama, sauber aber ungebügelt; sie machte sich nicht mehr die Mühe, da es Cliffie völlig egal war. Brett schlief gern im Pyjama. Er rief noch Carol an und kam dann nach oben, während Edith das Bett im Gästezimmer aufdeckte.

»Ich muß morgen früh vor sieben weg«, sagte Brett. »Und ich möchte mit Cliffie sprechen.« Zum zweitenmal betonte er das. »Glaubst du, er wird die ganze Nacht ausbleiben? Dann werde ich ihn eben früh aufwecken, was anderes bleibt mir nicht übrig.« Er sah aus, als werde er noch im Stehen einschlafen.

»Ich habe wirklich keine Ahnung, was er macht.« Edith ging auf die Tür zu. Sie hatte die Nachttischlampe für Brett angemacht.

»Kann ich wohl Georges Zimmer nochmal sehen?« Brett stand schon auf der Schwelle und knipste das Deckenlicht links von der Tür an. »Ah – schon alles umgestellt.«

Edith schwieg. Sie hätte sagen können: ›Ja, mir lag daran‹ oder ›Es war wirklich deprimierend‹, aber sie mochte nichts sagen.

Brett ging im Zimmer umher, die Hände in den Hosentaschen. »Und die ganzen – die ganzen Medikamente?«

»Ich glaub, die habe ich alle weggeworfen. Wer will schon Codein im Hause haben?«

Brett nickte kurz und geistesabwesend. »Hältst du es für möglich, daß Cliffie ihm eine Überdosis gegeben hat? Du sagtest –«

»Cliffie hat sich kaum jemals um George gekümmert, Brett, das kann ich dir sagen. Offen gesagt, er hat mir niemals geholfen.«

»Sagtest du nicht, er hätte um sieben Uhr festgestellt, daß George nichts essen wollte?«

»Ja, das stimmt.« Edith ging in ihr Arbeitszimmer, um eine Zigarette zu holen. Gewöhnlich lag dort ein angebrochenes Päckchen auf dem Tisch; sie fand es auch jetzt.

»Mi-iauu«, mauzte Nelson, leicht verwirrt. Er lag auf der kleinen Bank an der Heizung.

»Ach – sieh an. Du modellierst«, sagte Brett, der ihr nachgegangen war. »Na sowas! Und Cliffie – der sieht ja aus wie ein – wie ein römischer Kaiser. Nein, eigentlich noch besser!« Brett lachte, als sei die Plastik ein großer Spaß, eine Karikatur.

Edith fühlte, wie Groll und dann blanker Zorn in ihr bis zu den Augen hochstieg. Sie lächelte steif, aber Brett sah gar nicht sie an, sondern erst Melanies Kopf und dann die Abstrakten, die er nur mit einem Blick streifte. Er lächelte immer noch – dümmlich, dachte Edith. »Soso. Neuer Zeitvertreib, was? Aber interessant, Edie – wirklich gar nicht schlecht.« Er ging hinaus auf den Flur.

Er hatte ihr Zimmer betreten! Edith kochte. »Wenn du baden willst, bitte. Du weißt ja, wo die Handtücher liegen. Wann willst du morgen geweckt werden?«

»Am besten um halb sieben. Kannst du mir nicht den Wecker geben? Ich mach mir dann schnell eine Tasse Nescafé, wenn ich aufstehe.«

Sie gab ihm den Wecker aus ihrem Zimmer und wußte, sie würde doch aufwachen, wenn sie morgens die ungewohnten Geräusche im Hause hörte. Und *sein* neuer Zeitvertreib war Carol! Edith wußte, das letzte, was sie sich wünschte, war, mit Brett im Bett zu liegen.

Sie lag lange schlaflos wach in dieser Nacht, obgleich sie versuchte, sich zu entspannen und Kräfte zu sammeln für morgen. Cliffie kam heute nicht nach Hause, das wußte sie. Er war schon ein paarmal über Nacht bei einem der jungen Leute geblieben, die im Chop House arbeiteten; sie hatte den Namen vergessen, weil er nicht wichtig war. Sie dachte an Dinge, die sie zu Brett niemals sagen würde, etwa: »Und wenn nun George selber die Überdosis genommen hat? Und wenn Cliffie sie ihm gegeben hat? George war ein alter Mann – also was soll's? Wenn einer doch sterben muß, ist Einschlafen nicht das allerbeste? Wer denkt daran, was ich in diesen dreizehn Jahren durchgemacht habe?« Wieder kam Groll hoch, und gleichzeitig schämte sie sich ihrer Gereiztheit; die Anspannung ließ sie nicht schlafen, überwach und mit steifen Muskeln warf sie sich im Bett hin und her und versuchte dann erneut, tief zu atmen und ruhig zu werden. Sie wollte Cliffie schützen, und Cliffie wußte das. Seltsam. Und sogar der Arzt, der alte Dr. Carstairs, war auf ihrer Seite. Edith lachte – aber nur halblaut, und ihre Tür war ja sowieso geschlossen.

Eine Wagentür fiel ins Schloß, dann wurde der Motor falsch angelassen, und Edith erwachte, weil es sich ganz nahe angehört hatte, direkt in der Einfahrt. Brett, dachte sie. Fuhr er jetzt fort? Ohne Eile schlüpfte sie in die Hausschuhe, ging hinüber ins Arbeitszimmer (die Tür des Gästezimmers stand offen) und sah, wie sich Bretts Wagen eben vom Kantstein löste und abfuhr. Na sowas! Merkwürdig, daß sie ihn nicht die Treppe hatte hinuntergehen hören, aber Brett konnte sehr leise sein, wenn er wollte.

Sie ging ins Gästezimmer, wo die Bettdecke zurückgeschlagen war. Ob er einen Zettel hinterlassen hatte? Nein, nichts. Im Flur standen noch Georges zwei Koffer vor seiner Zimmertür und daneben der englische Druck mit den Pferden, den sie gestern abend eingepackt hatte. Sie hatte Brett gefragt, ob er die Sachen nicht mitnehmen wolle, vielleicht war ein Anzug für die Beerdigung notwendig, aber er hatte ja nun eine Einäscherung angeordnet.

Mit aufflammendem Ärger fiel ihr ein, daß Brett gestern abend gesagt hatte: »Du wirst so merkwürdig, Edie. Ich glaube, du solltest mehr unter Leute kommen.« Sie hatte erwidert, daß sie im »Strohwinkel« jeden Tag etwa hundert Leute traf, mit ihnen redete und fertigwerden mußte, und daß sie auch oft genug abends zum Essen eingeladen wurde. Ebenso hatte sie guten Kontakt mit den Inserenten des *Signal*, bei denen sie die Anzeigentexte oft selber abholte, aber davon hatte sie nichts gesagt.

Es war gerade sieben, aber Edith hatte keine Lust, nochmal für eine Stunde ins Bett zu gehen. Sie ging nach unten, warf einen Blick in Cliffies Zimmer und sah, daß er nicht da war. Auf dem ungemachten Bett lag eine blaue Decke, hoch aufgebauscht – es wäre denkbar gewesen, daß ein Mensch darunter lag. In der Küche goß sie den Rest des alten Kaffees weg und fing an, frischen zu machen. Die Haustür wurde geschlossen. Sicher Cliffie.

Im Eßzimmer erschien Brett. Edith sah ihn erstaunt an. »Morgen. Ich habe den Wagen weiter weggestellt. Wenn Cliffie den Wagen sieht, kommt er gar nicht erst rein. Ich kenne meinen Sohn. Heute morgen will ich mit ihm reden.« Entschlossenheit klang aus jedem Wort.

»In sechs Minuten ist der Kaffee fertig«, sagte Edith.

»Kann ich wohl inzwischen ein paar Telefongespräche erledigen?«

Edith versuchte nicht hinzuhören, was nicht schwer war, denn sie konnte in der Küche kaum den Ton seiner Stimme hören. Sie schenkte Orangensaft ein und machte Toast.

Mit leicht gefrorenem Lächeln kam Brett zurück. »Carstairs kann nicht vor halb elf hier sein. Tut mir leid, daß ich hier so lange rumhängen muß, Edith, aber es ist mir wichtig. Ich habe Carol angerufen, sie sagt in meinem Büro Bescheid.«

Na prima, dachte Edith. Sie setzten sich an den Tisch.

»Vergiß nicht, die beiden Koffer mitzunehmen«, sagte Edith. »Ein paar Papiere sind auch noch da, oben, in zwei Kästen.«

Edith hatte einiges zu tun. Sie nahm ein Bad, zog sich bequem an und sah zunächst die Sachen durch, die auf ihrem Schreibtisch lagen. Fünf Mahnungen an Abonnenten mußten abgeschickt werden (die monatlichen Unterlagen hielt sie in einem Ordner fest). Dann die Leserbriefe: die üblichen Klagen über die ›Outsider‹-Rowdies, die – weil jetzt samstags und sonntags mehr Autobusse fuhren – die Stadt jedes Wochenende überfielen. Und die alte Mrs. Charlton Riggs, die immer gegen die Abtreibung wetterte, hatte sich auch wieder gemeldet. Gestern abend beim Essen hatte Edith Brett lachend erzählt, wie sie darauf in einem kurzen Artikel von fünfzehn Zeilen antworten wollte. »Du klingst wie ein Extremist«, hatte Brett gesagt, und Edith hatte erwidert: »Die einzigen Menschen, die etwas zustandebringen in der Welt, sind Extremisten.« Ausgerechnet von ihm, dachte sie. Wie sehr hatte er sich verändert. Als sie die Mahnungen alle frankiert hatte, spannte Edith einen Bogen in die Maschine und schrieb:

Die Leute, die es mit der Heiligkeit des Lebens halten, stellen Quantität über Qualität und geben das auch zu. Sie hätten vermutlich, als die *Titanic* sank, alle mit dem Ruf »Das Leben ist heilig!« in die Boote gejagt, und auf diese Weise alle umgebracht. Auch wir leben auf einem Schiff, auf dem Weltraumschiff Erde – wollen wir unser Schiff wirklich durch Überladen zum Sinken bringen? Wollen die Retter der Ungeborenen uns mal erklären, was sie in der Situation der *Titanic* getan hätten, wenn sie selber im sicheren Rettungsboot gesessen hätten, also hoffen durften, gerettet zu werden?

Das mußte natürlich noch poliert und verbessert werden, aber die Idee war da. Edith legte den Bogen beiseite. Brett stand im Flur über die Koffer gebeugt. Edith wollte kurz Luft schnappen und ihre Briefe in den Kasten werfen.

Auf der Straße sah sie sich nach Cliffie um. Manchmal kam er zu Fuß, manchmal brachte ihn ein Freund nach Hause. Der Volkswagen stand noch vor der Tür.

»O Edie!« Peggy Ditson, eine jüngere Nachbarin, die vor Jahren viel bei der *Signal*-Arbeit geholfen hatte, kam auf sie zu. »Ich hab gehört, von George. Es tut mir so leid – wirklich traurig, aber –«

»Woher hast du's gehört?«

»Gert Johnson rief mich an, gestern abend. Edith, ganz ehrlich, es ist doch eine Erlösung, meinst du nicht?« Peggy zog die Stirn in ungewohnte Falten und ließ die Mundwinkel sinken, um Trauer und Teilnahme auszudrücken. Sie war im Grunde ein Typ, der immer lächelte, wenn sie nicht gerade lachte.

Edith nickte. »Ja, er wurde alt, das ist wahr.« Woher Gert es wohl erfahren hatte?

»Sicher hat Brett – er war doch Bretts Onkel, nicht wahr?«

»Ja. Natürlich weiß Brett Bescheid.«

Sie trennten sich.

Kurz nachdem Edith wieder zu Hause war, erschien Cliffie. Es war nach zehn Uhr. Cliffie sah erstaunlich wohl aus, nicht als ob er die ganze Nacht auf gewesen sei. Brett war oben beschäftigt, aber man hörte nichts von ihm. Edith hatte Lust auf eine Tasse Kaffee, sie stellte den Topf auf und schenkte dann sich und Cliffie ein.

»Wo warst du denn?« fragte sie nebenbei.

»Bei Johnsons.«

Das überraschte Edith, denn Gert gehörte nicht zu Cliffies großen Freunden – sie war auch nicht gegen ihn, sie verhielt sich neutral. »Hast du bei ihnen übernachtet? Wie bist du denn hingekommen?«

»Ich hab Dinah getroffen, sie war mit einem Freund, im Auto. Sie fuhren nach Hause.«

Dinah war Gert Johnsons Tochter. »Dann hast du ihnen wohl von George erzählt.«

»Ja, hab ich.« Cliffie lehnte sich in den Stuhl zurück und schob die Brust vor. Er aß ein zweites Stück Toast mit Orangenmarmelade.

Von oben kam ein Geräusch, ein Koffer wurde abgesetzt. Cliffie schrak zusammen, das Lächeln verschwand von seinem Gesicht.

»Brett ist oben.«

»Ach.« Cliffie setzte sich gerade und ließ seinen Toast auf den Teller fallen. »Ich hab seinen Wagen nicht gesehen. Was macht er da oben?«

An der Haustür klopfte es. Edith ging hin und ließ Dr. Carstairs eintreten.

»Tag, Edith«, sagte Dr. Carstairs mit seinem trockenen schmalen Lächeln. »Worum geht's denn? Ich hab nur fünfzehn Minuten Zeit. Patienten warten.«

»Ja, ich glaube –« Edith wußte, worum es ging: Brett wünschte eine Sterbeurkunde, in der die Todesursache angegeben war. »Brett ist oben – ich rufe ihn. – Brett –?«

»Ich komme schon!« Er war schon halb die Treppe herunter.

Edith ließ die beiden miteinander reden. Sie hörte, wie Brett sagte:

»Mir liegt nur daran, ein paar Fakten von Ihnen zu bekommen, Doktor – an Haarspalterei ist mir nichts gelegen, dazu kennen Sie mich doch lange genug, hoffe ich.« Brett bemühte sich, möglichst liebenswürdig zu sein. »Meinen Sohn hätte ich gern dabei.« Er rief nach Cliffie.

Cliffie war in seinem Zimmer und erschien erst nach einigen Minuten. Er trug jetzt einen schmierigen Rollkragenpullover voller Flecken, anscheinend von weißer Farbe. Edith ging mit ihm ins Wohnzimmer.

»Nun – in dem Alter«, sagte Carstairs gerade. »Tag, Cliffie. In dem Alter würde ich auf Herzversagen schließen. Da versagt dann eben das ganze Körpersystem.«

»Sie sprachen von leeren Medizinflaschen. Wollen Sie sich nicht setzen, Doktor –«

Carstairs setzte sich schließlich aufs Sofa. »Brett, über die Flaschen kann ich nichts Bestimmtes aussagen.«

»Es wundert mich, daß Sie keine Obduktion angeordnet haben.«

»Dafür lag keine Veranlassung vor. Edith hat auch nicht darum gebeten.«

»Aber die Tatsache, daß Sie von leeren Medizinflaschen sprachen – gestern abend, das –«

Ruhig unterbrach ihn Carstairs. »Das kann ich nun wirklich nicht wissen, ob da welche leerer waren als sonst, denn schließlich hat ja Edith immer – Brett, Sie wissen doch, es ging die ganzen Jahre glatt mit George, er bekam eine bestimmte Menge Codein und dazu gelegentlich eine Morphiuminjektion, die ich ihm gab und die nicht wesentlich erhöht zu werden brauchte, nicht *annähernd* so wie bei Krebs, darauf können Sie sich verlassen, darüber führe ich ja auch Buch. Sie haben doch auch kein zusätzliches Codein angefordert, nicht wahr, Edith?« Er blickte sie an.

»Nein.« Edith lehnte sich gegen die Sessellehne. »Ich konnte gar nichts zusätzlich anfordern. In der Apotheke werden die Rezepte aufbewahrt; ich bin nur hingegangen, wenn irgendwas zu Ende ging. Die Rezepte sind alle datiert, Brett.«

»Ja, aber wenn er das ganze Zeug auf einmal genommen hat –«, sagte Brett zu Edith. »Wieviel war denn noch in den Flaschen drin?«

»Brett, ich habe wirklich nicht jede Flasche kontrolliert. Ich *weiß* es nicht.«

Wieder wandte sich Brett an den Arzt. »Ich nehme an, Sie haben die Sterbeurkunde ausgestellt, Doktor.«

»Ja. Allgemeine Schwäche, kardiovaskulares Versagen. Also Brett, wenn Sie an eine Überdosis denken – die konnte sich der alte Mann auch selber geben. Dazu hätte nicht viel gehört in seinem Zustand.«

Hier lachte Cliffie ganz kurz auf, aber es hörte sich an wie Husten oder Hüsteln. Die Unterhaltung machte ihm

Spaß. Carstairs redete tatsächlich beinahe so, als ob er mit ihm unter einer Decke steckte!

Brett sah aus, als hätte er Cliffie gern eine Ohrfeige versetzt. »Ich muß bestimmt den Versicherungsleuten irgendwas sagen«, sagte er. »Wenn Sie –«

»O nein, das ist meine Sache«, erwiderte Carstairs, »und ich hab die Papiere schon abgeschickt. Edith bekommt eine beglaubigte Durchschrift, die kann sie Ihnen dann schicken.«

Brett holte tief Luft, aber Carstairs sprach schnell weiter.

»Wenn Sie glauben, daß George vielleicht – daß er vielleicht selber eine Überdosis genommen hat, versehentlich oder auch absichtlich – das spielt unter diesen Umständen gar keine Rolle. Es ist ja nicht wie beim Selbstmord eines jungen Menschen. Ich muß jetzt aber wirklich gehen.« Carstairs warf einen Blick auf seine Armbanduhr und glitt an den Rand des Sofas. »Wenn sonst nichts mehr ist –«

Das Telefon klingelte.

»Jetzt nicht, aber vielleicht später«, sagte Brett. »Vielen Dank, daß Sie gekommen sind, Doktor.«

Das war sicher Gert, dachte Edith, als sie den Hörer aufnahm. Es war ein Ferngespräch, und die Stimme stellte sich heraus als die von Sarah Belleter; sie war ebenfalls eine Großnichte von Tante Melanie und eine entfernte Cousine von Edith. Sie war in Melanies Haus und fragte, ob Edith diese Woche hinkommen könne, vielleicht Mittwoch; die Anwälte waren jetzt weitergekommen mit dem Testament, es gab einiges zu besprechen, und außerdem würde sich Sarah sehr freuen, Edith wiederzusehen. Die Stimme klang warm und freundlich.

Edith war glücklich. Die Einladung von ihrer Seite

der Familie war wie ein Geschenk, gerade jetzt. Sie hatte Sarah ein paarmal getroffen und mochte sie sehr: sie hatte ganz dunkle Haare, schön geschwungene Augenbrauen und eine bezaubernde und gleichzeitig beruhigende Stimme. Sie war in England und in der Schweiz zur Schule gegangen und war mit einem Schweizer Architekten verheiratet. »Ich komme schrecklich gern!« sagte Edith, dann fiel ihr die Arbeit im »Strohwinkel« ein, die sie nicht einfach im Stich lassen konnte. »Mittwoch abend gegen neun – ist das zu spät? Ich arbeite nämlich nachmittags.«

»Aber natürlich, Edith! Du klingst, als ob es dir prima geht. Ich freue mich sehr. Du mußt natürlich über Nacht bleiben – auch mehrere Nächte, wenn du kannst!«

Froh ging Edith ins Wohnzimmer zurück. Cliffie stand wie zuvor an die Wand gelehnt, aber sein Gesicht war jetzt weiß geworden. Cliffie hatte Angst.

»Ja. Ich kenne meinen Sohn«, sagte Brett zu Edith.

Ediths Herz schlug lauter. »Wovon redet ihr denn?« fragte sie in einem Ton wie Tante Melanie.

»Ich habe ihn gefragt, ob er George an dem Nachmittag seine Medizin gegeben hat. Sonntag.«

»Hab ich *nicht*«, sagte Cliffie fest, aber die Stimme zitterte.

»Sieh ihn dir an«, sagte Brett kopfschüttelnd. »Genau so wie damals, als er zehn war – oder *fünf*! Immer hat er alles abgestritten. Als er die Schlafzimmerwand mit deinem Lippenstift beschmiert hatte – weißt du noch, Edith?«

Ja, Edith wußte es noch. »Aber wenn du nichts beweisen kannst, Brett – warum läßt du's dann nicht auf sich beruhen?«

»Weil *ich* nicht *hier* war! Wo bist du an dem Abend gewesen?«

»Das sagte ich dir ja – in meinem Arbeitszimmer. Wir haben alle nicht richtig zu Abend gegessen, an dem Abend.«

»Das Abendessen ist mir völlig egal. Ich muß fort.« Brett ging leicht gebückt, wie ihn Edith tausendmal gesehen hatte, wenn er in Eile war, aber jetzt war er tiefer gebückt. Dumm sah er aus. Er ging in den Flur, wo sein Mantel am Haken hing.

Edith lächelte breit, ihr war fast nach Lachen zumute. Was für eine Unverfrorenheit – Absurdität – nein, Brutalität, jemanden zu beschuldigen – oder doch so gut wie beschuldigen – wenn man ihm gar nichts nachweisen konnte! Einen derartig zu kränken, bloß um sich selber –

»Was ist daran so komisch?« bellte Brett. Er stand in der Tür und zog seinen Mantel an.

»Cliffie derartig zu kränken! Wie kommst du dazu? Was hast *du* denn jemals getan –«

»Getan? Wovon redest du?«

»Du hast damals nicht mal George in dieses – dieses *Sunset Pines* schaffen können!« Der Name brachte sie nun wirklich zum Prusten. Cliffie stimmte männlich lachend ein. Die Farbe war in sein Gesicht zurückgekehrt.

»Ich weiß, ich weiß. Aber das hat ja wohl hiermit nichts zu tun«, sagte Brett nervös. »Hör jetzt auf, Edith, du bist ja hysterisch. Beruhige dich!«

»Ha!« Cliffie lachte spöttisch.

»Die Trauerfeier«, begann Brett und zögerte einen Augenblick. »Morgen vormittag um elf. Sicher nur kurz. Fängt an beim Bestatter. Kommst du hin?«

Edith war der Gedanke verhaßt – so verhaßt wie viele Aufgaben in ihrem Leben, aber sie sagte ohne Zögern: »Ja.«

»Gut. Dann sehen wir uns dort.« Brett berührte sie am Arm und zog die Hand zurück. »Edie, ich weiß, du hast sehr viel durchgemacht. Ich weiß, ich hätte ihn schon vor Jahren zwingen sollen, in das Pflegeheim zu gehen.«

Edith sah ihn an, ohne irgendetwas zu denken, nur mit dem Wunsch, er möge bald gehen.

»Leb wohl, Edith. Ich danke dir sehr. Wiedersehen, Cliffie.« Brett ging hinaus.

»Leb *wohl*«, sagte Cliffie mit tiefer Stimme, als die Tür sich geschlossen hatte, und schwenkte mit einer Drehung des Körpers und ausgestrecktem Arm herum zu der Whiskyflasche.

»Gib mir auch einen«, sagte Edith.

Cliffie schenkte ihr ein und fügte Sodawasser hinzu. »Ich gehe morgen *nicht* mit«, verkündete er, als er seiner Mutter das Glas reichte.

24

Am Mittwoch abend um halb acht machte sich Edith mit einem Köfferchen, das ihr Nachtzeug enthielt, im Wagen auf den Weg nach Hollyhocks, Melanies Haus. Es war wunderbar, frei zu sein und in den Abend hinein zu fahren, und auch verlockend, sehr schnell zu fahren, aber sie war vorsichtig und hielt sich an das vorgeschriebene Tempo, was ihr nicht weiter schwer fiel. Sie freute sich auf das Haus – auch wenn jetzt sicher nicht mehr alles so war wie früher –, auf Sarah und Peter, ihren Mann, auf eine sorgfältig zubereitete Mahlzeit und auf die Nacht – hoffentlich – in ihrem alten Zimmer. Cliffie hatte nicht mitkommen wollen, auch als sie ihm zugeredet hatte: »Komm doch mit, warum eigentlich nicht? Wir können Frances bitten, Nelson zu füttern.« Er hatte gezögert und beinahe Ja gesagt, war dann aber doch bei dem Nein geblieben. Immerhin, auch das war schon ein Fortschritt, dachte Edith. Er war deutlich sicherer geworden seit Georges – Auszug. So hatte er sich zum Beispiel erboten, jetzt Nelson zweimal am Tag zu füttern, und diesmal hatte Edith das Gefühl, sie könne sich auf ihn verlassen.

Sie fuhr an den bekannten Wegmarken vorbei, und es schien ihr, als sähe sie alles mit anderen Augen an: liebevoller und fröhlicher. Es war wirklich erstaunlich! Nur weil George aus dem Hause war, nur weil das Haus nun wieder ihr gehörte und sie mit dem Zimmer jetzt machen konnte, was sie wollte! Eigentlich schrecklich, daß man so empfand, wo der alte Mann gerade erst tot war; aber in der letzten Zeit war er wirklich nichts als undankbar und egoistisch gewesen, nie hatte er für sie oder für das Haus ein paar Extradollar übriggehabt, als Weihnachtsgeschenk oder so. Und sie war ganz sicher, daß er ihr auch testamentarisch nichts hinterlassen hatte; aber das war ihr nun auch egal. Sicher war Brett der einzige oder doch der Haupterbe. Und was hätte eine Pflegerin gekostet, die ganzen Jahre – all die Mahlzeiten, die Pflege, das Topfausleeren!

Es war zum Lachen, und sie lachte laut, über das

Lenkrad gebeugt, und wischte sich dann die Tränen aus den Augen. Herrgott, war das komisch! Sie öffnete das Fenster und ließ sich den Wind durch die Haare fahren.

Der Mond, fast rund und voll, schien schräg über das weiße Haus. Wie in einer Bühnendekoration, dachte Edith, als sie in die Einfahrt einbog. Im Hause brannte Licht, aber nicht auf der Eingangstreppe, doch als sie jetzt anhielt, ging die Tür auf und Sarah kam heraus.

»Willkommen, Edith«, sagte sie herzlich. »Hast du Cliffie mitgebracht?«

»Tag, Sarah! Nein, Cliffie ist zu Haus und füttert die Katze.«

In der Diele stand Bertha und nahm ihr gleich das Köfferchen ab. Eine Minute später saß Edith im bequemsten Sessel im Wohnzimmer, ganz nahe am Feuer, in der Hand ein Glas Whisky-on-the-rocks. Peter Belleter, groß und mit rosigen Wangen und glattem schwarzem Haar, saß auf einem Hocker und lächelte ihr zu, freundlich und noch etwas scheu. Edith fragte nach den beiden Kindern, die jetzt in Zürich waren. Sarah und ihr Mann erkundigten sich nach dem *Signal* und nach Cliffie. Da Brett nicht erwähnt wurde, nahm Edith an, daß Melanie ihnen von der Scheidung berichtet hatte.

Sarah zog die dunklen Augenbrauen zusammen. Sie saß auf der Lehne des Ledersofas, graziös und aufrecht. »Da war doch – ihr hattet doch noch einen Verwandten von Brett bei euch, nicht wahr?«

»Du meinst George.« Edith war froh, daß Sarah davon angefangen hatte. »Er ist leider – er ist letzten Sonntag gestorben.«

»Ach«, sagte Peter, der gerade eine kleine Bierflasche in den Händen hielt. »Letzten Sonntag!«

»Ja, aber er war schon sehr alt. Über neunzig«, sagte Edith. »Im Schlaf ist er gestorben. Die Bestattung war erst heute – heute morgen, in Doylestown. Brett war auch da.«

»Liebe Zeit!« sagte Sarah mitfühlend.

Doch gleich darauf war George erloschen, vergangen wie ein Wölkchen Zigarettenrauch oder ähnliches, und Edith war glücklich, daß sie nun über andere fröhlichere Dinge sprachen. Sarah war, wie sie sagte, von ihrer Mutter »beauftragt worden«, sich um Melanies Nachlaß zu kümmern, um das Silber, die Möbel und die Bücher. Melanie hatte testamentarisch bestimmt, daß Edith sich einiges von den Teppichen und den Büchern aussuchen sollte, ebenso eins der beiden kleinen Sofas mit dazugehörigen Sesseln. Das war schön. Edith kannte die Sachen und wußte, was sie gern haben wollte. Aber vor allem war es die Atmosphäre des Augenblicks, die sie genoß, die frohe Stimmung, Sarahs Offenheit und die Achtung für Melanie, die aus ihrer Stimme sprach.

»Natürlich haben wir eine Kopie mitgebracht, nicht wahr, Peter?« sagte Sarah zu ihrem Mann und fügte dann etwas im Schweizer Dialekt hinzu, das Edith nicht verstand.

»Aber ja, natürlich«, sagte Peter lächelnd.

»Peter sagt immer, ich vergesse das Wichtige und behalte nur das Unwichtige«, meinte Sarah. »Wir haben Fotokopien machen lassen, vom Testament. Du kannst es gern sehen, wenn du willst.«

Bei den letzten Worten hörte man schnelle Schritte auf der Treppe – nicht Berthas Schritte.

»Ah, Geoff!« sagte Sarah. »Dies ist meine Cousine Edith Howland.«

»Guten Abend.« Ein hochgewachsener Mann in

grauer Hose und Pullover trat näher und verbeugte sich leicht vor Edith. »Sie sind gerade gekommen –?«

»Ja«, sagte Edith, überrascht und leicht erschrocken, daß ein Fremder oben im Haus gewesen war. Aber er sah reizend und höflich aus: eine Falte lief über die Stirn, zwei die Wangen hinunter. Ein Mann, der viel im Freien war, oder der sich etwas zu viel Gedanken machte. Als er sich verneigte, spürte sie einen schwachen Duft von Aftershave-Lotion, oder vielleicht war es Pfeifentabak. Sehr hübsch war der blaßgraue Kaschmir-Pullover. War sie im Begriff, sich zu verlieben – auf den ersten Blick? Sie hörte nicht mehr auf das, was die andern sagten. Sarah hatte offenbar seinen Namen wiederholt:

»... Geoffrey Vrieland. Er ist auch Anwalt, aber nicht unserer. Ich sag das bloß – ich meine, wir haben keine – wie nennt man das?« fragte Sarah lächelnd.

»Beruflichen Beziehungen, meinst du?« sagte Peter. Er sprach mit leichtem Akzent.

Geoffrey Vrieland lachte und schob sich Popcorn in den Mund.

Edith war wohl und froh zumute. Sie zwang sich, nicht mehr daran zu denken, wie gut dieser Anwalt aussah, der vermutlich verheiratet war; vielleicht war seine Frau sogar ebenfalls oben, oder sonst in Basel, wo er, wie Sarah erzählte, wohnte. Edith dachte an ihr kleines Sofa mit den beiden Sesseln. Sie wollte das beige Satinsofa nehmen, mit dem kleinen Rosenknospenmuster, und dafür den abgenutzten grünen Sessel loswerden, in den sich Cliffie immer fallen ließ. Brett hatte gesagt: »Die Wände oben müßten mal frisch gestrichen werden«, und Edith hatte zugestimmt, aber etwas scharf hinzugefügt: »Das ganze Haus müßte mal aufgefrischt werden.« Was stellte sich Brett eigentlich vor, wie sie mit dem bißchen Geld auch noch große Erneuerungen machen sollte?

Bertha erschien und bat zum Essen. »Wir essen spät heute – hoffentlich sind alle recht hungrig«, sagte Sarah.

Der Tisch war mit Melanies georgianischem Silber und mit den alten Hohlsaumservietten festlich geschmückt. Es gab kaltes Huhn mit Salat, dazu hatte Bertha heiße Küchlein gemacht, die in kleinen Leinentüchern steckten. Den Nachtisch – heißen Apfelauflauf – konnte Edith nicht mehr aufessen. Es war kurz nach elf, als sie fertig waren und Sarah fragte, ob sie sich die Sachen oben noch ansehen wollte.

»Vielleicht bist du zu müde? Dann machen wir es morgen vormittag. Du hast gesagt, du brauchst nicht vor halb zwölf zu fahren, das stimmt doch?«

Edith war nicht nur müde, sondern auch traurig geworden. Sie nahm sich zusammen und sagte, sie wollte die Sachen gern noch ansehen. Sie gingen nach oben.

»Tante Melanie hat dich *sehr* liebgehabt«, sagte Sarah leise und faltete die Hände, die in ihrem weiten Rock versanken, zwischen den Knien. Sie saßen beide auf dem Fußboden neben einer Schublade, die Sarah herausgezogen hatte, weil man die Bettdecken und Handtücher dann besser sehen konnte. »Die letzte Woche muß für dich sehr schwer gewesen sein. Es tut mir so leid, Edith.«

»Ja, aber – offen gesagt, ich kann nicht behaupten, daß George mir wirklich nahestand. Er war Bretts Onkel, weißt du.«

Sarah nickte. »Ja, Melanie hat es mir erzählt. Du, Edith, das hier hat gar keine Eile. Jedenfalls kannst du dir aussuchen, was du willst, und wir können das alles morgen machen. Von einigen Sachen ist ein Dutzend da, von andern ein halbes Dutzend. Erstaunlich, wie gut sie das alles gehalten hat, nicht? Es kommt mir vor wie ein Blick ins vorige Jahrhundert!« Sarah lächelte fröhlich.

Ach ja, Sarah war ja kaum vierzig, dachte Edith. Zwei Kinder, die schon aufs College gingen und sicher gut vorankamen. Sarahs Teint war der einer Zwanzigjährigen.

Edith nahm ein heißes Bad, das Sarah ihr geraten hatte, weil sie abgespannt aussehe. Sie fühlte sich gar nicht abgespannt. Sie hob eine Handvoll Wasser in die Höhe und ließ es über die Knie laufen. Im Schlafzimmer schien der Mond blendend hell, es war fast wie künstliche Beleuchtung. Edith blinzelte; sie freute sich über die andere Atmosphäre hier, über die gebogene Sessellehne und das undeutliche Muster des Teppichs, das sie jetzt fast erkennen konnte. Sie stieg aus dem Bett und trat ans Fenster.

Der Aussichtsturm da drüben sah bezaubernd aus, wie ein japanischer Traum. Oder war es doch nur ein englischer Turm aus der viktorianischen Zeit?

Edith schlüpfte in ihre Hausschuhe, zog einen Pullover über den Pyjama an und ging nach unten. Das ganze Haus lag im Dunkel, nur durch die Dielenfenster kam etwas Mondlicht. Von der Garderobe nahm sie einen Mantel – irgendjemandes Regenmantel – und ging nach draußen, schloß leise die Haustür hinter sich und ging um das Haus herum zum hinteren Rasen. Es war ihr plötzlich in den Sinn gekommen, sich Melanies kleinen Bach anzusehen – ja, da war er, geschäftig und rastlos floß er leise murmelnd über die Steine. Sie sah kleine Wirbel im Mondlicht glitzern. Wie oft hatte sie hier im Wasser gewatet, als sie vier Jahre alt gewesen war oder noch jünger. Im Sommer, wenn es heiß war und sie auf dem Rasen herumgetobt hatte – wie herrlich war es gewesen, die Füße im Wasser zu kühlen. Edith schlüpfte aus den Hausschuhen und setzte vorsichtig einen Fuß in den Bach: es war eine Stelle, von der sie noch wußte, daß sie sandig war. Sogar der alte Pfirsichbaum, der niemals viel getragen hatte, war noch da, und sie konnte sich an ihm festhalten.

Das Wasser war eisig kalt. Sie ließ den Zweig des Pfirsichbaums los und blieb aufrecht stehen; sie hätte auch die Augen geschlossen, nur war sie nicht sicher, ob sie ihr Gleichgewicht halten konnte. Jetzt fühlten sich die Füße nicht mehr erstarrt an. Sie blickte auf das schlafende Haus ihrer Tante. Was hatte Goethe gesagt – »*Kennst du das Haus? Auf Säulen ruht sein Dach.*« Es war alles so in Ordnung, so ruhig und richtig. Gert Johnson würde das Haus vermutlich snobistisch finden, veraltet, vielleicht sogar unmoralisch. Edith kicherte leise; sie fröstelte. Sie stieg aus dem Wasser auf das taufeuchte Gras und schlüpfte wieder in die Hausschuhe. Zwecklos, sich hier auf den Tod zu erkälten. Beinahe hatte sie das Geheimnis des Lebens gelöst. Aber nur beinahe. Wie oft war sie schon nahe daran gewesen? Sicher zwanzigmal oder so. Immer waren es die gleichen Elemente gewesen (auch jetzt an Land erkannte sie sie so deutlich wie eben im Wasser), und sie hatten etwas mit Bewußtsein und Wahrheit zu tun. Vielleicht auch mit dem, was die Menschen tun *müßten*, aus moralischen ... Ihre Gedanken verwirrten sich, als sie versuchte, den Gürtel des Mantels fester zu ziehen. Wieviele Menschen oder Staaten taten, was sie tun *müßten*? Nein, was sie im Sinne hatte, war individuell. Auf individuelle Ehrlichkeit und Offenheit kam es an, auf die Bereitschaft, Fakten ins Auge zu sehen.

Mit halberstarrten Beinen trottete Edith auf das Haus zu und blickte zu den dunklen Fenstern auf. Kaum sichtbar war die Einfassung der hellen Gardinen. An einem schmalen Fenster oben, dem dritten von rechts, wo der Flur lag, sah sie eine geisterhafte Gestalt. Stand dort Sarah und beobachtete sie? Spontan hob Edith den Arm und winkte, und als sie wieder hinblickte, war die blasse aufrechte Gestalt verschwunden. Hatte sie sie überhaupt gesehen? Ja. Ja.

Edith war darauf gefaßt, Sarah oben an der Treppe zu finden, als sie ins Haus kam. Edith hängte den Mantel zurück an den Haken in der Garderobe und ging dann leise die Treppe hinauf. Sie sah sich nach Sarah um, aber niemand war da, auch nicht im oberen Flur. Sie ging wieder ins Bett, wickelte sich den Pullover um die Füße und schlief todmüde bald ein.

Das Frühstück wurde geteilt eingenommen; Peter war schon sehr früh erschienen, weil er Briefe zu schreiben hatte, sagte Sarah. Geoffrey Vrieland saß mitten in einem Sonnenstrahl am Tisch und sah noch faszinierender aus als gestern abend. Ob er es gewesen war, der sie in der Nacht vom Fenster aus beobachtet hatte? Kaum möglich – er trug bestimmt kein Nachthemd! Edith sagte zu Sarah:

»Ich bin nachts nochmals rausgegangen – ich wollte den Bach gern sehen, und als ich zurückkam, sah ich dich oben am Fenster stehen. Du hast sicher gedacht, ich bin nicht ganz richtig.«

»Ich –?« Sarah schien konsterniert von beiden Feststellungen: daß Edith hinausgegangen war und daß sie am Fenster gestanden haben sollte. »Nein, Edith, ich war das nicht.«

»Na, dann hab ich mich wohl vom Mondlicht narren

lassen. Ich wollte gern den Bach wiedersehen, weißt du. Und der Mond schien so herrlich, ganz klar und hell!«

Sarah ging freundlich darüber hinweg, aber einige Minuten später, als Sarah und Geoffrey über andere Dinge sprachen, hatte Edith das Gefühl, daß Sarah sie argwöhnisch ansah, als halte sie Edith für nicht ganz normal, weil sie bei Mondschein nach draußen gegangen war.

»Wir haben noch gut zwei Stunden«, sagte Sarah fröhlich.

Sie meinte: zwei Stunden Zeit, um die Möbel und anderen Sachen anzusehen.

Als Edith heimfuhr, lag hinten im Wagen ein Bündel, eingepackt in ein Wollplaid und lose zugebunden; es enthielt Servietten, Handtücher, Bettlaken und ein silbernes Briefmarkenkästchen, das Edith immer geliebt hatte. Sarah hatte gesagt: »Nimm doch das Kästchen! Ich sehe doch, es gefällt dir.« Es war schön, solche Verwandten zu haben. Sofa, Sessel und zwei kleinere Stühle sollten folgen, spätestens in einer Woche, sobald Sarah eine Transportmöglichkeit gefunden hatte.

Edith hatte auch Geoffrey Vrielands Karte bei sich, mit seiner Zürcher und Basler Adresse. Er hatte gesagt, sie müsse zum Essen zu ihm kommen, wenn sie einmal die Belleters in Zürich besuchte. Er kochte sehr gern.

Um zehn Minuten nach eins war sie zu Hause; sie hatte gerade noch Zeit, die Sachen auszupacken und eine Kleinigkeit zu essen, bevor sie sich auf den Weg zum »Strohwinkel« machte. Cliffies Transistor spielte. Edith ging über den Flur, um ihm Gutentag zu sagen, und sah erstaunt mehrere Decken und Kartons vor seiner Zimmertür liegen. Cliffie lag auf dem Fußboden und war offenbar dabei, seine Bücher neu zu ordnen. Der Staubsauger stand im Zimmer.

»Was *machst* du denn da?«

»Och – ich räume bloß 'n bißchen auf, weiter nichts.« Er war sichtlich verlegen.

Sprachlos wandte sich Edith ab. Sie hatte einen Blick auf die beiden Kartons geworfen: sie enthielten vergilbte alte Zeitschriften, Zeitungen, sogar alte Tennisschuhe. Was war denn bloß passiert? Wieso – George war nicht mehr da. *Das* war passiert.

Nelson kam mit erhobenem Schwanz in die Küche und stieß einen hohen freudigen Ton aus.

»Hallo, Nelson!« Edith hob ihn auf; er war plötzlich völlig entspannt und ließ sich seidenweich durch ihre Hände gleiten, dabei schnurrte er, als sei sie tagelang fort gewesen.

Edith setzte Wasser auf, sie brauchte jetzt Tee. »Soll ich dir helfen, Cliffie?« rief sie.

»Nein danke, ich werd schon fertig.«

»Hunger?«

»Ja!«

Edith machte Tee und Toast, öffnete eine Dose Thunfisch und machte Sandwiches. Cliffies Transistor spielte »Old Buttermilk Sky«. Edith merkte, daß sie gern zuhörte. Wie oft hatte sie im stillen geflucht, nahe daran, Cliffie anzuschreien, er solle das Radio abstellen, überhaupt alles abstellen. »Fertig!« rief sie.

»Nanu, das ging ja schnell.« Cliffie kam herein, einen Staubfleck genau über dem Nasenrücken. Ein gelbes Staubtuch hing ihm aus der Hosentasche.

»Dein Zimmer wird fein aussehen!« sagte Edith frohgelaunt.

»Ja-ha.« Cliffie biß in ein Sandwich. »War's schön in Delaware?«

Sie lächelte. »Sehr schön. Du hättest doch mitkommen sollen. Ich bin nachts runtergegangen und hab im Bach gewatet.«

»Bei diesem Wetter?«

»Sarah hat nach dir gefragt. Sie ist reizend, Cliffie. Und ihr Mann auch.« Und Edith erzählte weiter. Hörte Cliffie eigentlich zu? Wie immer hatte sie das Gefühl, er höre nur die Hälfte. Sobald er sein Sandwich gegessen und die Milch ausgetrunken hatte, verschwand er wieder in seinem Zimmer. Edith hatte nicht die Absicht, ihn bei seiner ungewohnten Geschäftigkeit zu unterbrechen; sie rief nur: »Wiedersehen!« und ging hinaus.

»Hallo – Mom!« Cliffie kam über den Flur gelaufen. »Ich wollte nur – ich wollte nur sagen, um halb acht kommt ein Mädchen zum Drink. Okay? Bist du zu Hause?«

»Wieso – soll ich?«

»Och – ganz egal.«

»Ich muß noch etwas arbeiten, in meinem Zimmer. Ich werde euch nicht stören. Jetzt muß ich laufen.« Sie ging. Ein Mädchen! Wer das wohl war? Und sie kam sogar selber. Na ja, warum sollte Cliffie sie auch holen. Edith lächelte vor sich hin.

Cliffie setzte seine Aufräumungsarbeiten den ganzen Nachmittag fort und trank dabei zwei Bier. Träumerisch besah er sich von Zeit zu Zeit sein Werk. Noch niemals hatte er irgendwas weggeworfen, höchstens mal woanders hingelegt. Es war wie der erste Schwimmversuch, oder wie damals, als er als kleiner Junge von der Brücke gesprungen war. Aber heute wollte er die Sachen wegwerfen. War auch höchste Zeit. Er trug zwei Kartons mit Abfall hinunter und stellte sie hinten neben den Mülleimer, der Samstag geleert wurde.

Das Mädchen hieß Luce – eigentlich Lucy. Cliffie hatte sie gestern abend im Cartwheel Inn an der Bar kennengelernt. Sie hatte kurzes glattes braunblondes Haar und eine Ponyfrisur – nicht der Typ, auf den er flog oder auf den überhaupt einer flog, dachte Cliffie, aber sie hatte ein interessantes Lächeln, etwas scheu und doch freundlich, sogar ein bißchen sexy. Als er sie fragte, wie alt sie sei, sagte sie achtzehn. Sie war allein gewesen, er hatte einen Gin und Tonic für sie bestellt und sich zu ihr an den Tisch gesetzt. Sie kam aus Philadelphia. *Fremd in diesen Breiten*, hatte er zu ihr gesagt – nicht gerade ein Genieblitz, aber gestern abend schien er Wunder gewirkt zu haben. Luce hatte zugesagt, heute um halb acht zu ihm zu kommen, und nachher wollten sie zusammen essen gehen. Cliffie war auf der Bank gewesen und hatte vierzig Dollar abgehoben; im ganzen hatte er jetzt zweiundsechzig Dollar bei sich.

Um fünf hatte er sich kurz ausgeruht, erschöpft von den ungewohnten Anstrengungen. Im Feinkostladen war er auch noch gewesen und hatte Fritos und Chips geholt. Gin und Tonic war im Hause. Als er aufwachte, erschrak er, als er auf die Uhr blickte und sah, daß es nach sechs war, und sofort kam ihm der Gedanke, daß Luce ihn vielleicht versetzen würde. Das war durchaus möglich, er stellte sich darauf ein. Wenn sie ihn versetzte (um acht oder viertel nach acht würde er das wissen) und seine Mutter eine Bemerkung machte, dann würde er ganz nebenbei sagen, sie habe angerufen und gesagt, sie könne nicht kommen.

Sein Zimmer war jetzt in Ordnung, es sah sogar ganz nett aus, fand er. Eins der besseren Posters – eine Popgruppe – hatte er hängen lassen, und man sah an den weißen Flecken an der Wand, wo die andern gehangen hatten, aber was machte das schon. Er war ja schließlich keine pingelige ältliche Dame. Aber etwas war doch komisch: er war noch gar nicht sicher, ob er Luce überhaupt auffordern wollte, sein Zimmer anzusehen. Andererseits – sie *konnten* die Cocktails auch in seinem Zimmer trinken. Er überlegte.

Als Edith kurz nach sieben nach Hause kam, fand sie Cliffie im Flur; er sah so verlegen aus, als sei überraschend seine Freundin erschienen. Edith sah erstaunt, daß dreiviertel seines Bartes verschwunden war, nur der dichte Rand rund um das Kinn war geblieben. Sein Haar sah aus, als habe er gerade gebadet, und er trug den blauen Blazer, für den er, wenn er ihn zuknöpfte, eigentlich etwas zu dick war.

»Na – alles in Ordnung?«

»Prima, Mom.«

Edith ging nach oben und nahm ein Bad – das zweite heute. Ihr war besonders wohl zumute, und sie wollte sich ihr Tagebuch vornehmen. Sie hatte zuletzt von George geschrieben und daß er im Schlaf gestorben war. Von der *Einäscherung* wollte sie nichts sagen, sie war ja auch gar nicht dabei gewesen, und Brett auch nicht, aber die Trauerfeier – mein Gott, wie kurz war das gewesen, kurz und unglaublich sachlich. Brett hatte auch gar nicht versucht, noch Verwandte von George – wenn es sie gab – zu benachrichtigen; aber Edith hatte ihrerseits ebensowenig Gert oder die Quickmans dazu gebeten, die wahrscheinlich gekommen wären. Traurig, traurig war das alles. Sie hatte auch gemerkt, daß es in Brett immer noch leise brodelte. Zum erstenmal seit langer Zeit fühlte sie Mitleid mit dem armen George, dem alten einsamen Mann, der zu taub geworden war, um noch Radio zu hören, und das Fernsehen bis zuletzt verachtet hatte.

Und nun Cliffie – nervös und unruhig. Es freute Edith, daß er eine Freundin hatte. Aber er hatte doch auch schon früher mal ein Mädchen mitgebracht – oder nicht? Darüber konnte sie natürlich im Tagebuch nichts schreiben, denn Cliffie war ja verheiratet – in ihrem Tagebuch.

Edith zog ihre blauen Cordhosen an, und plötzlich fiel ihr das Bündel unten im Wohnzimmer ein. Sie ging hinunter. Cliffie war im Wohnzimmer und ging hin und her, einen Whisky in der Hand. Das Bündel lag genau dort, wo sie es hingelegt hatte, vor dem Sofa.

»Entschuldige, Cliffie. Ich werde das wegräumen.«

»Ach – das. Ja. Na ja – ist es schwer?«

»Nein, gar nicht.« Edith trug das Bündel nach oben und öffnete es auf dem Doppelbett im Schlafzimmer. Wunderschöne glatte Leinenwäsche, und dann noch ein paar andere Leinensachen, weich vor Alter. Und das Silber! Auch eine Daguerrotypie, die Edith bewundert hatte, war von Sarah ohne Ediths Wissen dazugelegt worden: Melanies Mutter. Das Bild war gerahmt; Sarah hatte gesagt, Name und Datum stünden auf der Rückseite.

Sie hörte, wie Cliffie die Haustür aufmachte. Stimmen drangen herauf. Edith war froh, daß das Mädchen ihn nicht versetzt hatte. Sie legte die Wäschestücke in die unterste Schublade der großen Kommode in ihrem Zimmer und hängte die Wolldecke zum Glätten über einen Stuhl. Dann ging sie in ihr Arbeitszimmer und schloß die Tür.

Sie zog ihr Tagebuch heran und öffnete die Füllfeder.

Heute war ich in Melanies Haus, Hollyhocks, bei Sarah und Mann und ihrem Freund Geoffrey Soundso. Es war reizend. (Gestern morgen Trauerfeier für George, karg und düster, Brett in keiner guten Laune.)

Seit langer Zeit war dies das erstemal, daß sie Brett erwähnte, aber es ging ja schließlich um George und da mußte sie Brett schon erwähnen.

Ich kann nicht leugnen, daß ich froh bin, daß er in Frieden ruht, wie es so schön heißt. Tröstende Worte! Ewige Ruhe – heimgegangen – undsoweiter. Und alle kommen in den Himmel – hoffe ich. Jedenfalls die meisten.

Sarah, lieb und reizend, sah wohl und glücklich aus; sie schenkte mir viele schöne Sachen aus Melanies Nachlaß und schickt sogar noch ein paar Möbel. Als angenehme Aufgabe nehme ich mir jetzt vor, Georges altes Zimmer neu zu machen, vor allem in anderer Farbe, vielleicht blaßrosa, jedenfalls nicht so grauweiß wie bisher.

Edith hielt inne und träumte vor sich hin. Von unten war Stimmengemurmel zu hören, aber sie hatte bereits beschlossen, nicht hinunterzugehen; vielleicht hätte das Cliffie geärgert. Sie schrieb weiter:

Cliffie ist wieder im Ausland, aber Debbie kam netterweise nach Doylestown zu G.s Trauerfeier. Sie trug einen dunkelbraunen Hut mit Schleier und sah aus wie eine trauernde Gestalt aus einem alten Stich, auch die Blässe paßte dazu, vor allem zu den braunen Augen. Brauner

Mantel mit Cape. Aber nachher legte sie die Trübsal ab und schwatzte mit uns. Immer soll ich zum Wochenende hinkommen, ob C. dort ist oder nicht. Ich weiß nicht, ob sie wieder ein Kind erwartet – sie sieht so strahlend glücklich aus?

Unten klingelte das Telefon. Edith hörte es nur schwach und öffnete die Zimmertür, um abzuwarten.

»Mom?«

»Ja, danke!« Sie lief nach unten. Cliffie war wieder im Wohnzimmer verschwunden.

Gert meldete sich. »Wie geht's dir, Edie? Ja, ich hab's gehört, von George. Ich hätte dich Montag angerufen, aber bei uns ging's etwas drunter und drüber – Norm mußte sich die Mandeln rausnehmen lassen und bekam gleich darauf wahnsinniges Fieber ... Ja, danke, jetzt geht's wieder, er bekommt Antibiotika.« Alles andere war geschäftlich, Sachen, die das *Signal* betrafen. Der Drucker in Trenton lag mit Blinddarmentzündung, die nächste Ausgabe konnte sich verspäten, denn jetzt war nur noch der Lehrling da, und selbst der – wie der Drucker – hatte noch einen anderen Job. Aber Edith sollte ihren Text und auch die Leserbriefsachen lieber so abliefern wie sonst auch.

»Du bist sicher schon dabei, Georges Zimmer neu zu machen!« sagte Gert mit ihrem alten kräftigen Lachen.

Chartreuse, dachte Edith plötzlich. Und dazu eine dunkelrosa Kommode. Ja, das war's. »Recht hast du!« sagte sie.

»Mom –?«

Edith hatte gerade aufgelegt. Cliffie winkte sie ins Wohnzimmer.

»Ich möchte dir Luce vorstellen – Lucy Beckman«, sagte er mit einer Handbewegung in Richtung auf das Mädchen in dem grünen Sessel.

Sie saß leicht vorgebeugt, in Sandalen, dunklen Slacks und rosa Hemdbluse. Sie sah aus wie ungefähr zwanzig, schlank, fast drahtig. »Guten Abend, Mrs. Howland«, sagte sie etwas zögernd mit tiefer Stimme. Es klang, als ob sie sich den Anschein von Sicherheit geben wollte. »Guten Tag, Luce. Habt ihr denn auch alles, was ihr braucht?«

»O ja«, sagte Cliffie.

»Bestimmt«, fügte das Mädchen leicht geziert hinzu.

»Möchtest du was trinken, Mom?«

»Nein danke, jetzt nicht. Also dann noch viel Vergnügen.« Sie ging hinaus und stieg die Treppe hinauf.

Komisches Mädchen. Und um die machte Cliffie soviel Gezappel. Das Gegenteil von den Busenschönheiten, die er in seinem Zimmer aufhängte. Sie sah eigentlich aus wie die Mädchen, die man heute Drop-out nannte. Zerfahren, vielleicht. Kein Make-up. Möchte selbstsicher erscheinen. Na ja, wer weiß? Vielleicht war sie das alles nicht. Edith hatte sie knapp eine Minute gesehen.

25

Cliffie konnte nun zwar wieder Auto fahren, war aber einverstanden gewesen, daß sie Luces Wagen nahmen. Er hatte getan, als zögere er – dabei war es ihm sehr recht gewesen für den Fall, daß er zu viel trank. Im Restaurant Cross-Keys bestellte er weitere Drinks (Luce trank allerhand für ihr Alter), und nach dem Dinner dann Napoleon Brandy. Da er sonst nicht oft Brandy bestellte, hatte ihn die Kellnerin doch tatsächlich fast *verbessert*, weil sie nicht wußte, was er meinte. Der Brandy *von* Kaiser Napoleon, das war der Werbeslogan, den Cliffie in den Anzeigen gelesen hatte. Richtig hieß es offenbar Courvoisier, das sagte jedenfalls die Kellnerin, und den bestellte er dann.

»Was bist du bloß für ein Kind«, sagte Luce gegen Mitternacht.

Cliffie war ernüchtert. Er hatte seine besten Witze ausgegraben, und dann noch mindestens zwei gute Anekdoten. Er hatte auch nicht versucht, ihre Hand zu halten oder gar den Arm um sie zu legen, wie es viele Männer taten, wenn sie ein Mädchen zum Essen einluden. »Ich bin durchaus kein Kind.«

Luce lachte nur. Sie hatte einen etwas breiten Mund mit viereckigen Zähnen. Ihr Lachen, ruhig und tief, war wie ihre Stimme. Cliffie hätte ihr gern gesagt, wie sehr es ihm gefiel, daß sie kein Make-up trug, nicht mal ein bißchen blassen Lippenstift.

»Wieso wohnst du noch bei deiner Mutter – in deinem Alter?«

»Weil ich – warum eigentlich nicht? Ich bin jetzt der Mann im Hause, wo mein Vater doch abgehauen ist.«

Luce, fand Cliffie, behandelte ihn reichlich obenhin. Beinah nichtachtend. Ob das ein gutes Zeichen war? Vielleicht tat sie nur so gleichgültig?

»Die Musik taugt nichts, findst du nicht auch?« Cliffie zog ein Gesicht. Konservenmusik – heute kam sie aus den Wänden, und das Orchester hörte sich an wie lauter alte Männer; Cliffie stellte sich fünfzehn Greise vor, die alle aussahen wie George im Nachthemd, sie kratzten ihre Geigen und ließen die Saxophone heulen – Cliffie mußte husten vor Lachen.

»Du bist ja hysterisch«, sagte Luce von oben herab.

»Nein, bin ich nicht, ich dachte nur gerade an was Komisches. Aber ich will dich nicht langweilen damit. Was machst du Samstag abend? Ich – übermorgen, meine ich.« Luce hatte ihm erzählt, sie sei von zu Hause ausgerückt, es habe einen Streit gegeben wegen ihres College. Das College lag irgendwo in der Nähe von Philadelphia, Cliffie hatte nie davon gehört.

Luce seufzte und sagte: »Was geht uns Samstag an. Erstmal sind wir jetzt hier, oder?«

»Ja!« sagte Cliffie begeistert. »Du – ist es wahr –« Er wünschte plötzlich, er hätte eine Zigarre mitgebracht, Zigarrerauchen sah so erwachsen aus. »– daß du im Cartwheel schläfst?«

»Was – in diesem Loch!«

Cliffie lachte vergnügt. »Ja, das kann man wohl sagen! Aber wo dann?«

»Ist doch ganz egal.« Sie hatte sich eine Marlboro angezündet und schüttelte überaus graziös das Streichholz aus. »Ich habe Freunde in Brunswick Corner.«

»Wo? Wer ist das?«

»Hmm. Sag ich nicht«, erwiderte sie halblaut mit leisem Lächeln.

Cliffies Herz schlug lauter, und er lächelte ebenfalls. Das war es also, dachte er. So war es, wenn man sich verliebte. Ganz anders, als wenn man sich Brüste ansah oder eine nackte Blonde auf einem Poster. Dies hier war magisch. Magisch – Magie. Ein törichtes Grinsen erschien auf seinem Gesicht.

Sie hatte keine Lust, noch woanders hinzugehen,

weder zum Chop House noch zum Club Odette, um die Szene zu wechseln und noch einen Brandy zu trinken. Sie sagte irgendwas davon, ihn nach Hause zu fahren; es bedrückte Cliffie, aber er wollte nicht widersprechen, um keinen Streit hervorzurufen. Er sagte:

»Wir können bei mir noch einen Nightcup trinken – meine Mutter hat bestimmt nichts dagegen, das weiß ich. Du hast ja noch nicht mal mein Zimmer gesehen.«

Luce lachte leise und sagte nichts darauf. Dann schwang sie plötzlich den Wagen nach rechts und hielt vor so einem blöden Steakhouse mit großem Neonschild, man mußte ein paar Stufen hinaufsteigen, er machte sich gar nichts aus dem Lokal, keine Atmosphäre, aber wenigstens blieben sie noch eine Weile zusammen.

»Zwei Courvoisiers!« bestellte er mit fester Stimme.

»O bitte sehr!« erwiderte der junge Barmixer, ein richtiger Affe, Cliffie kannte ihn von irgendwoher. Unverschämter Kerl. Cliffie wandte die Augen ab.

Und wen sah er wenige Schritte entfernt stehen? Mel Linnell! »Mel!« rief Cliffie, außer sich vor Freude, denn er, Cliffie, hatte ein Mädchen bei sich. »Mel – komm doch, ich möchte dich mit Luce Beckman bekannt machen.« Er zog Mel am Ärmel seiner Wildlederjacke mit sich.

»'n Abend«, sagte Mel.

»Tag«, erwiderte Luce mit rauchig-heiserer Stimme. Sie hockte wie ein kleiner Vogel oben auf dem Barhocker und ließ das linke Bein schlenkern.

Auch Mel hatte ein Mädchen bei sich, aber er stellte sie nicht vor. Sie waren anscheinend im Begriff zu gehen. »Wie geht's, Cliffie?«

»Ausgezeichnet, danke. Und wie geht's selber, Mel?« Mit plötzlicher Sicherheit fügte er hinzu: »Komm doch

irgendwann mal rüber zu mir! Meine Mutter ist nachmittags nicht da, sie arbeitet, und mein Onkel George,
der – der ist abgekratzt.« Ein Lächeln begleitete die
Worte.

»Ach –?« Mel ging auf die Tür zu. »Hast du 'ne
Arbeit?«

»Ja, ab und zu«, gab Cliffie zurück. »Das war Mel
Linnell«, sagte er zu Luce und berichtete ihr ausführlich
von Mels interessanter Wohnung in Lambertville, von
seinen geheimnisvollen Beziehungen zu allerhand großen Leuten, aus denen nicht recht schlau zu werden war;
es konnte sich da um Drogen oder um heiße Ware oder
sowas handeln, meinte Cliffie wichtig, aber er wollte
andererseits die illegalen Aspekte von Mels Tätigkeit
nicht allzu sehr betonen, er wollte Luce nur beweisen,
daß er mit recht amüsanten Leuten befreundet war.

Als Cliffie an diesem Abend allein war und eben das
Licht in seinem Zimmer angedreht hatte, wurde ihm klar,
daß es in seinem Gedächtnis eine Lücke gab, nachdem er
sich von Mel verabschiedet hatte. Luce hatte ihm gerade
Gutenacht gesagt, am Bordstein vor dem Haus. Hinein-
kommen wollte sie nicht. Die Zeiger auf seinem alten
kitschigen Micky-Maus-Wecker (der aber immer noch
funktionierte) zeigten auf zwanzig Minuten vor zwei.

Cliffie legte die Hände vors Gesicht und sagte:
»Herrgott!« Er schwenkte herum, die Hände noch vor
den Augen, und sprach zu sich selber, wand sich und
fühlte dann, wie ihn Freude durchströmte, Sicherheit,
Vertrauen in die Zukunft mit Luce. Es folgten Grimas-
sen, Erinnerungsfetzen von Dingen, die sie abends
gesagt hatten, und diese halbe Agonie hielt etwa zehn
Minuten an, während sich Cliffie aus dem Wohnzimmer
noch einen Whisky holte und sich halb auszog.

»Mensch – was für 'n Mädchen!« flüsterte er vor sich hin.

Er hatte ihr seine Adresse gegeben. Ja. Zweimal sogar. Einmal bestimmt heute abend, und dann natürlich beim erstenmal, als er sie kennenlernte, im Cartwheel, da hatte er sich noch einen Zettel und Bleistift von dem Kellner geben lassen. Leider hatte er ihre Adresse nicht, die hatte sie ihm nicht geben wollen. Bei diesem Gedanken stürzte Cliffie in Shorts und Socken hinaus auf den Flur, wo das Telefonbuch lag, aber der Teil für Philadelphia enthielt so viele Beckmans, daß Cliffie es aufgab und in dem andern Buch mit den kleineren Städten nachsah, doch dann fiel ihm ein, daß er Luce nicht nach dem Vornamen ihres Vaters gefragt hatte. Wie sollte er sie nun erreichen – wenn sie ihn nicht anrief?

Er war zu betrunken, um diesem Gedanken weiter nachzuhängen; er ging daher in die Küche, wusch sich, putzte die Zähne und ließ sich dann ins Bett fallen, zu müde für ein Spiel mit der Socke, das er sich noch vor ein paar Stunden, als er sich so großartig vorkam, fest vorgenommen hatte.

Am Samstag morgen klingelte das Telefon bei Edith. Dr. Carstairs war am Apparat.

»Ich habe einen komischen Brief von Ihrem – von Bretts Anwalt bekommen«, sagte er. »Brett hat offenbar wegen der Einbalsamierung seines Onkels mit dem Anwalt gesprochen – er heißt Gorewitz. Er ist der Ansicht, ich hätte eine Obduktion anordnen sollen.«

»Ja –?«

Aus Carstairs' Stimme sprach zuversichtliches Lächeln. »Nein, nicht mal ein Coroner hätte – also ich bin da einfach anderer Ansicht. Ich habe den Brief jetzt weitergeschickt an *meinen* Anwalt. Keinerlei Grund zur Aufregung oder Sorge, Edith. Sagen Sie auch Brett nichts davon. Ich bin durchaus bereit, alle Fragen zu beantworten.«

»Ja, aber – wird Ihnen denn irgendwas vorgeworfen?«

»Ich würde sagen, Brett oder der Anwalt ist dabei, erstmal Fragen zu stellen. Sehr schön – aber wenn sie versuchen wollen, mir Fehler oder Fahrlässigkeit nachzuweisen, da werden sie auf Granit beißen. Ich wollt's Ihnen nur sagen, Edith, damit Sie sich nicht aufregen, falls Brett etwas erwähnt.«

Edith hatte, um sicher zu sein, in ihrem Lexikon nachgesehen, was Coroner bedeutete: ein Coroner wurde gerufen, wenn Verdacht bestand, daß ein Todesfall nicht auf natürliche Ursachen zurückging. »Ja, ich weiß, daß Brett mit dem Einbalsamieren nicht einverstanden war, weil George in seinem Testament etwas von Einäscherung gesagt hatte, was *ich* aber nicht wußte.«

»Im Krematorium werden die Leichen auch einbalsamiert, wenn es aus irgendwelchen Gründen zu einer Verzögerung kommt. Das Krematorium möchte ich sehen, das nicht irgendwas in dieser Richtung vornimmt, heutzutage. Dieser Gorewitz behauptet, eine Obduktion müsse vorgenommen werden, wenn der Tod durch eine Überdosis eingetreten sein *kann*. Wer weiß denn hier irgendwas Bestimmtes von einer Überdosis? Ich nicht. Darüber kann man streiten, bis man blau wird.«

»Mein Gott – und deshalb soviel Unannehmlichkeiten!« Edith war plötzlich ungeduldig geworden – mit Brett.

»Lassen Sie nur, Edith, das ist meine Sache, mir macht

das weiter keine Kopfschmerzen und meinem Anwalt auch nicht, ich habe mit ihm gesprochen.«

Dabei beließen sie es. Carstairs versprach, in zwei oder drei Tagen wieder anzurufen. Aber Edith war der Tag verdorben. Wie konnte sich Brett nur da einmischen! Nachdem er sie mehr als zehn Jahre lang als unbezahlte Pflegerin benutzt hatte, versuchte er jetzt – so sah es jedenfalls aus – ihr Nachlässigkeit vorzuwerfen. Heutzutage, dachte sie zum zwanzigstenmal, nahmen viele Leute eine Überdosis an Schlafmitteln, oder der Arzt gab sie ihnen, und kein Hahn krähte danach. »Heiligkeit« des Menschenlebens – klar, alles schön und gut, solange jemand da war, der die Bettschüsseln ausleerte. Ich möchte mal den Papst sehen, der eine Bettschüssel leert, dachte Edith, oder das achte Kind auf die Welt bringt, womöglich per Steißgeburt. Ewige Schwangerschaft für den Papst, ewige Ängste! Denn das war es, was er sehr vielen Frauen zumutete.

Ihr Zorn, hauptsächlich gegen Brett gerichtet, legte sich, an seine Stelle trat sofort die Sorge um Cliffie und seine augenblickliche Stimmung – es war wie die Schaltung in einen niedrigeren Gang der Gefühle. Cliffie schien zum erstenmal in seinem Leben verliebt zu sein, und Edith ahnte, daß Luce schon genug von ihm hatte und er nicht wußte, wie er sie erreichen konnte. Gestern war er ins Cartwheel Inn gegangen, um sich zu erkundigen, das wußte sie; er hatte ihr zwar gesagt, er sei hingegangen, um Luce dort zu treffen, hatte aber später berichtet, Luce sei nicht dort gewesen und wohne auch gar nicht mehr dort. »Ich hätte mir wirklich ihre Telefonnummer geben lassen sollen«, hatte er heute früh gesagt. Edith war ganz erstaunt gewesen über so viel Offenheit.

Sie ging wieder nach oben ins Gastzimmer (sie zwang sich, es auch in Gedanken nicht mehr ›Georges Zimmer‹ zu nennen), wo Cliffie in alten blauen Hosen auf den Knien lag und der kleinen Kommode den ersten blaßrosa Farbanstrich gab.

»Was war denn da los?« fragte er. »Carstairs?«

»Ach, gar nichts weiter.«

»Was ist denn mit George? Ich hab's doch teilweise mit angehört, Mom.«

»Brett war nicht einverstanden mit der Einbalsamierung. Wahrscheinlich sehr teuer. In Georges Testament war irgendwas bestimmt wegen einer Einäscherung.«

Cliffie sah sie an, ihre Blicke trafen sich, dann nahm er seine Arbeit wieder auf. Sie wußte, daß er beunruhigt war, wenn auch nur leicht, wegen der Schlafmittel. Aber er war vermutlich stärker beunruhigt wegen des Mädchens Luce. Edith war heute abend bei den Johnsons zum Dinner eingeladen. Sie könnte Gert fragen, ob sie ein Mädchen namens Luce Beckman kannte. Gert war immer über alles in ihrer Gegend auf dem Laufenden.

Edith lag jetzt ebenfalls auf den Knien und bürstete die Holzverkleidung, die auch mit angestrichen werden sollte. Sie hob den Kopf und betrachtete das kahle Fenster, wo bald die neuen Gardinen hängen sollten. Gestern hatte sie in einem Laden in Brunswick Corner genau den Stoff und den Farbton gefunden, den sie suchte – ein Glücksfall, den sie als gutes Omen nahm. Und die Wandfarbe – da konnte sie bestimmt ein helleres Chartreuse oder Cézanne-Gelb zusammenmischen, und mit zwei Malerrollen konnten sie und Cliffie das Zimmer dann in einem Vormittag streichen – vielleicht Montag oder Dienstag. Morgen war Sonntag, da wollte Edith die Gardinen auf ihrer Maschine nähen, und zwar hier in diesem Zimmer, ihrem alten Näh- und Bügelzimmer, und dabei so tun, als habe es George nie gegeben.

Auf dem Weg nach Washington Crossing besorgte Edith in Lambertville eine Flasche Roggenwhisky, der den Johnsons lieber war als französischer Wein. Dann fuhr sie wieder über den Delaware nach Pennsylvania und wandte sich nach Osten. War es nicht wirklich verrückt, dachte sie, daß Cliffie sich mit vierundzwanzig zum erstenmal Hals über Kopf verliebt hatte! Nur besaß er leider höchstens die Erfahrung eines Achtzehnjährigen. Er blieb nicht kühl und beherrscht, er reagierte wie auf einen Donnerschlag. Heute morgen hatte er weder sein Ei noch eine einzige Scheibe Toast aufgegessen.

»Tag, Norm!« rief Edith, als sie die unregelmäßigen steinernen Stufen zu Johnsons Haus hinaufstieg. Vorn war ein Garten, wenig gepflegt und steil abfallend; jedesmal wenn sie ihn sah, dachte Edith, wieviel Erde hier verlorengehen mußte, weil alles nach unten in den Rinnstein rutschte.

»Hallo, Edie!« Norms Hemd sah unter dem Pullover hervor. Er war offenbar mit Rosenschneiden beschäftigt, genau konnte Edith es nicht erkennen.

»Hallo, Edith!« Gert, die in der rauchigen und lärmerfüllten Küche am Herd stand und Hähnchen briet, drückte ihr schnell einen Kuß auf die Wange. »Blendend siehst du aus!«

»Hier – Whisky.« Edith stellte die Tüte auf den runden Tisch mit der Korkplatte; sonst war nirgends Platz. »Tag, Dinah«, sagte sie zu der Dunkelhaarigen, die mit einem Schulbuch weiter unten am Tisch saß.

»Tag«, sagte Dinah. Sie hob die Augen, schien aber

nichts zu sehen. Sie war Gert Johnsons Jüngste, etwa sechzehn.

Norm kam herein und machte Drinks mit dem neuen Whisky. Die Eiswürfel hatten noch keine Form angenommen, denn Gert hatte gerade den Kühlschrank abgetaut und die Würfel waren noch nicht fest geworden. An den Wänden hingen Posters mit Anti-Vietnam-Bildern. »Alles für LBJ« stand quer über einem Poster – diesmal nicht die übliche hochschwangere Negerin, sondern ein amerikanischer Soldat ohne Hände und Füße, im Rollstuhl.

»Was arbeitest du denn?« fragte Edith Dinah mit lauter Stimme, um das Zischen und Brutzeln aus den beiden Pfannen zu übertönen.

»Chemie!« Es klang niedergeschlagen.

»Ja –? Sicher schwer, was?« Edith versuchte mitfühlend auszusehen, hatte aber das Gefühl, es sei Dinah ganz egal, wie teilnehmend jemand aussah. Sie schien mit den Gedanken weit weg zu sein. Edith wußte nicht mehr, ob sie im letzten Jahr der Oberschule oder im ersten Collegejahr war, und fragen mochte sie nicht. Dinah war von den drei Kindern am wenigsten geraten, sie war zweimal von zu Hause ausgerückt und hatte auch schon mit der Polizei zu tun gehabt – wegen Ladendiebstahl. Aber die beiden Jungens machten sich gut, das wußte Edith. Gerade ihr gegenüber stand ein unordentliches Bücherregal mit einem Foto auf dem obersten Bord: ein dickes Baby in Windeln. Sicher Dereks Baby. Derek war ein Jahr älter als Cliffie. Edith wollte sich nach dem Baby erkundigen, unterließ es dann aber.

»Nicht gerade ein Essen, bei dem man sich gut unterhalten kann, was? Haha!« schrie Gert vom Herd herüber.

Edith lachte mit. Sie hatte sich nicht hingesetzt.
»Kann ich was helfen? Salat machen oder so?«

»Nöö – Salat ist langweilig. Wir haben schöne Eiscreme als Nachtisch – Pfirsich!«

Das Brutzeln und Zischen ließ nach, als Gert die letzten Stücke aus der Pfanne nahm und das Gas abstellte. Dinah, die inzwischen in ihr Zimmer gegangen war, erschien – wie eine Zigeunerin oder eine Leprose oder völlig Fremde, dachte Edith – und holte sich mit den Fingern einige Bratenstücke, ließ sie auf einen Teller fallen und verschwand damit im Innern des Hauses. Gert und Norm nahmen keine Notiz davon. Alle setzten sich und fingen an zu essen.

»Du, Gert, kennst du ein Mädchen namens Lucy Beckman?« fragte Edith.

»Beckman? Woher?« Gert biß in einen Hühnerknochen.

»Irgendwo um Philadelphia. Cliffies neue Freundin. Ich dachte – ja ja, tatsächlich!« sagte sie lächelnd; Gert hatte sie mit einem erstaunten Ausruf unterbrochen. Edith beschrieb das Mädchen, achtzehn, schlank, blond, selbstsicher.

Gert kannte das Mädchen nicht, obgleich sie vor langer Zeit mal irgendwelche Beckmans in Flemington gekannt hatte.

»Ist es Cliffie denn ernst damit?« fragte Norm.

»Na ja – so ernst wie er eben ist.« Es tat Edith schon leid, daß sie das Mädchen erwähnt hatte, sie redete sonst kaum jemals von Cliffies Privatsachen. Aber sie waren schon zu einem andern Thema übergegangen – wieder mal Lyndon Johnson. Die Vietnamesen.

»Die Menschen haben ein Recht darauf, sich ihre Regierung selber auszuwählen«, verkündete Gert und klopfte mit den rundlichen Fingern auf den Tischrand. »Wenn sie Sozialismus oder Kommunismus wollen –«

»Ja, Süße, das kennen wir.« Norm war jetzt dabei, in den Zähnen zu stochern. Die Zahnstocher standen in einem Glas auf dem Tisch.

Die altbekannten Worte liefen auch an Edith ab wie Wasser. Es gab keinen Wein zu Tisch; sie hatte gerade ihren zweiten Whisky mit Sodawasser getrunken. »Sozialismus ist nicht dasselbe wie Kommunismus«, sagte sie. »In England haben sie Sozialismus – jedenfalls eine Art Sozialismus. Kommunismus ist –«

»England hat eine Mischung von Sozialismus und Kapitalismus«, stellte Norm fest.

»Aber das Wort Kommunismus bedeutet doch Moskau – ich meine, Moskau und Stalinismus«, meinte Edith.

»Nicht unbedingt«, erklärte Gert.

Edith wußte, es war hoffnungslos. Aber menschliche Stimmen waren irgendwie tröstlich, beruhigend. Als ob man Gedichte aufsagt, dachte sie. Der Herr ist mein Hirte – mir wird nichts mangeln. Laut sagte sie: »Da der Kommunismus nicht aufzuhalten ist, ist das alles bloß Verzögerungstaktik. Vietnam –«

»Ja, schon«, gab Gert zu, »aber es muß ja nicht gerade der Moskauer Kommunismus oder Sozialismus sein.«

Ich treibe nach rechts, dachte Edith. *Ich werde bald zu den verfluchten Faschisten gehören – vorausgesetzt die Rechten sind wirklich Faschisten –* »Wenn man nun Beobachter und Organisatoren in alle Länder der Dritten Welt schickte – mit Hilfsgütern und Lebensmitteln aus andern Ländern –«

»Nicht schlecht«, sagte Norm.

Edith freute sich. »Auf diese Weise könnte man Korruption und Überfluß eindämmen –«

»Und unseren Way-of-Life demolieren. Demonstrieren, meine ich.« Gert lachte.

»Nein, das nicht. Aber ich gebe zu, es wäre wieder ein Schritt zum Autoritätsprinzip. Hab ich nicht vor zwei Jahren mal einen Leitartikel im *Signal* darüber geschrieben?«

Gert versuchte nachzudenken. Das Gespräch ging weiter. Edith war für ›Überwachung‹, Gert für ›Freiheit der Wahl‹. Natürlich war auch Edith für Freiheit der Wahl, aber wie wollte man das durchführen in Ländern, wo viele Menschen nicht lesen konnten, wo die gierige Oberklasse das von anderen Staaten aufgebrachte Geld sinnlos verschleuderte, wo Lebensmittel und Werkzeuge nicht richtig verteilt wurden?

»Es hat keinen Zweck weiterzureden«, sagte Edith, »wir müssen uns spezielle Länder vornehmen, etwa Indien. Oder spezielle Fälle.«

»Du redest wie –«

Gleich darauf sagte Edith: »Sogar Johnson hat gesagt, man kann nicht einfach Geld in den Rinnstein schmeißen und dann erwarten, daß damit Probleme gelöst werden. Nehmt bloß mal das ›Unternehmen Vorsprung‹ – zugegeben, es war hauptsächlich für schwarze Kinder. Angeblich ist es mißlungen, aber die Idee war doch phantastisch – die Kinder zwei Jahre früher als die andern einzuschulen und ihnen Lesen beizubringen.«

»Hat denn Johnson gesagt, es sei mißlungen?« fragte Gert erstaunt.

Edith nickte. »Ja, ich hab's irgendwo gelesen. Na

schön, es war nicht der Erfolg, den sie erhofft hatten. Es *gibt* aber eine Möglichkeit, mit der ›Rückständigkeit‹« – sie betonte die Anführungsstriche – »der Farbigen fertigzuwerden: indem man sie nämlich, wenn sie ein oder zwei Jahre alt sind, ihren Eltern wegnimmt und sie in weißen Mittelstandsfamilien aufwachsen läßt, wo sie Bücher kennenlernen und Musik und ein geordnetes Zuhause. Dann würde man bald merken –«

»Na – ziemlich drastisch, scheint mir«, meinte Gert, die eben eine große blaue Plastikschüssel mit Pfirsicheis auf den Tisch stellte.

»Ja«, fuhr Edith mit weicher Stimme fort, weil sie hoffte, mit Sanftheit eindringlicher zu wirken, »aber nur so läßt sich dieser Teufelskreis brechen. Die Schulen mögen noch so gut sein: die Kinder verbringen doch mehr Zeit außerhalb als in der Schule. Wenn farbige Kinder in weißen Familien aufwüchsen, dann könnten wir sehen und beweisen, daß Umgebung und wirtschaftliche Lage schwerer wiegen als Erbmasse.«

»Hört hört«, sagte Norm.

Dinah war wieder hereingekommen, um sich Eis zu holen.

Edith war beim Reden nachdenklich geworden. Glaubte sie wirklich, daß Umgebung schwerer wog als Erbmasse? Während sie ihr Eis löffelte, kam sie zu der Umkehrung des vorher Gesagten. Das Erbgut war der wichtigere Teil, es wog doch etwas schwerer als die Umgebung. Als sie das jetzt vorbrachte, empörte sich Gert. Das war ja Rassismus.

»Arischer Blödsinn!« sagte Gert.

Aber Edith gab nicht nach. Lincoln hatte seine Rechenaufgaben auf eine Schaufel geschrieben. Seine Schule hatte keine großen Spendenbeträge erhalten.

»Nun mal ruhig, ihr zwei!« sagte Norm und mußte es wiederholen, weil sie beide gleichzeitig sprachen.

»Herrgott nochmal!« sagte Gert entrüstet.

Edith war etwas verstört nach dem Streit. Dieses Mädchen, Luce, gab es die eigentlich in Wirklichkeit? Natürlich gab es sie, klar. Sie hatte sie ja selber gesehen, zu Hause im Wohnzimmer, sie sah sogar noch die rosa Hemdbluse vor sich. Jetzt brachte Gert den Kaffee, und danach zeigte sie Edith das Kinderfoto, das Edith schon aufgefallen war. Es war tatsächlich Dereks kleiner Sohn. Gerts Stimme war jetzt wieder freundlich, aber Edith spürte, daß irgendetwas zwischen ihnen sich verändert hatte, vielleicht für immer. Oder bildete sie sich das nur ein, einfach weil Gerts Widerspruch sie gekränkt hatte? Jedenfalls war die Atmosphäre, als sie sich verabschiedete, immer noch kühl, nur Norm schien unverändert. Einen Augenblick geriet Edith in Verlegenheit, als sie die hübsche rote Papiertüte sah, die neben ihrem Mantel auf dem alten Sofa lag. Sie hatte Gert ein Geschenk mitgebracht; wenn sie es ihr jetzt gab, sah es aus wie ein Versöhnungsversuch. Aber wieder mitnehmen konnte sie es erst recht nicht.

»Ach, ich hab dir ja was mitgebracht, Gert! Und Norm auch. Hier – fürs Haus«, sagte sie und gab Gert das Päckchen.

»Ach – wie nett!« Gert zog das quadratische weiße Leinentischtuch heraus. »Das ist ja wunderbar! Sicher von deiner Tante, was?«

»Ja. Eigentlich – mehr zur Dekoration, weißt du. Paßt wohl gerade für den Bridgetisch, oder vielleicht hängt der Rand etwas über.«

»Wirklich wunderhübsch«, sagte Norm und berührte

die Decke behutsam. »Sicher mindestens hundert Jahre alt.«

Edith lächelte. »Vielen Dank für das schöne Dinner, Gert.«

Norm brachte sie zum Wagen, und sie fuhr nach Hause, immer noch mit dem Gefühl leichter Unsicherheit und ohne zu wissen warum. Ihr lag an Gerts Freundschaft, sie wollte sie nicht verlieren oder auch nur abkühlen lassen. Vielleicht war es Cliffie, der ihr im Kopf herumging – oder Brett? Bei dem Gedanken an Brett wurde sie von zornigem Groll gepackt. Der Brief seines Anwalts an Carstairs war doch kaum ernst zu nehmen: einfach ein Ausdruck seiner Gereiztheit. Wenn Brett oder der Anwalt jemand beschuldigen wollte, warum taten sie es dann nicht direkt und ohne Umweg und bezichtigten entweder sie oder Cliffie?

Am Mittwoch der folgenden Woche kam ein maschinengeschriebener Brief von Brett, auf einem Briefbogen der *Post*. Er lautete:

Liebe Edith,

ich erhielt heute morgen einen Brief von Dr. Carstairs' Rechtsanwalt. Er schreibt, ich hätte, ›wie bereits unmißverständlich festgestellt‹, keinerlei Grund zu irgendwelchen Befürchtungen (wegen Georges Todesursache) und betont, Carstairs sei durchaus bereit, weitere spezifische Fragen zu beantworten, wenn ich das wünschte.

Ich persönlich bin überzeugt, daß Cliffie ihm eine Überdosis an Schlafmitteln gegeben hat. Aber wer hat heute Lust, sich für alte Menschen in die Nesseln zu setzen; sowas passiert vermutlich alle Tage. Ich habe ja C. auch direkt gefragt. Was hätte es schon genützt, wenn ich ihn unter vier Augen eine halbe Stunde lang ausgefragt hätte? Er hätte alles wie ein Irrer bestritten – ich sehe ihn vor mir. Hab keine Angst, Liebes, ich habe nicht die Absicht, die Sache weiter zu verfolgen, aber ich werde auch von meiner Ansicht nicht abweichen. Wahrscheinlich wird man es nie mit Bestimmtheit sagen können, vor allem nicht nach der voreiligen Behandlung des Beerdigungsunternehmers.

Ich brauche dir nicht zu sagen, daß ich nach dieser Sache nicht gerade stolz bin auf meinen Sohn, oder ihn lieber habe als früher. Für mich ist und bleibt er ein Rätsel, und für dich sicher auch.

Das Testament ist noch nicht eröffnet. Sollte ich Haupterbe sein, so werde ich dir einen Scheck über mindestens 10 000 Dollar schicken.

Liebe Grüße und alle guten Wünsche   Brett.

Langsam faltete Edith den Brief zusammen und trug ihn geistesabwesend nach oben, wo sie alle Papiere aufbewahrte. Eine Gemeinheit, dieser eiskalte Brief. Wenn er die Wahrheit aus Cliffie herausziehen wollte, hätte er nicht ihm selber vorsichtig und taktvoll schreiben können? Und wieder merkte sie, wie ihre Gefühle in die Bahn zurückglitten, in der sie sich schon eingerichtet hatten, als sie Brett zuletzt sprach: es war eine Unverfrorenheit, immer wieder auf der Todesursache herumzuhacken, wo George schon seit Jahren fast zu schwach gewesen war, aus dem Bett zu kriechen und durch sein Zimmer zu gehen! Er hätte bloß mal hinzufallen brauchen – ein kalter Luftzug im Winter hätte genügt, um das Ende herbeizuführen. Und nun wollte Brett einen Mordfall konstruieren!

Sie wollte Carstairs nichts davon sagen – er mochte selber anfangen, wenn er Lust hatte.

Als Edith ruhiger geworden war, setzte sie sich an ihren Arbeitstisch und schlug das Tagebuch auf. Die letzte Eintragung stammte vom Sonntag nach dem Dinner bei den Johnsons, als sie abends noch die Vorhänge für das Gästezimmer genäht hatte. Sie war in heiterer Stimmung gewesen und hatte beschrieben, wie hübsch das Zimmer aussah und daß nun bald der Frühling kam.

»C. ist wieder im Lande, am nächsten Wochenende kommt er mit D. und dem Baby zu mir. Ich habe einen warmen Pullover – weiß mit rosa – für die Kleine gestrickt. Am ersten Abend soll es Hummer geben, am zweiten gebratene Tauben, die ich schon bestellt habe. Die beiden sind Feinschmecker, da muß ich mich anstrengen.

Das Leben sieht wieder heller aus – ich mache allerhand am Haus, Malerarbeit und so. Ich bin froh und fühle mich sehr wohl.

D. ruft mindestens zweimal in der Woche an. Josephine kann schon einen ganzen Satz richtig sagen und mehrere Buchstaben lesen. Und sie ist noch keine zwei Jahre alt.«

26

In den Wochen, die dem Zusammensein mit Luce folgten, war Cliffie mehrmals im Cartwheel Inn erschienen. Der dicke Inhaber, so schien es Cliffie, wand sich innerlich oder stöhnte lautlos, wenn er ihn zur Tür hereinkommen sah. Cliffie blickte sich immer erstmal im

Lokal um, ob Luce da war. Er konnte nicht anders – er mußte sich umsehen, obgleich er sich jedesmal vornahm, kühl und unbeteiligt an den Bartresen zu gehen und ein Bier zu bestellen, und sich dann erst umzusehen. Vielleicht würde auch Luce, wenn sie dort war, auf ihn zukommen. Das war jedoch nie geschehen.

Sie hatte auch ihre Privatadresse nicht hinterlassen; das hatte er schon vor Monaten festgestellt. Jetzt war es Oktober geworden. Cliffie hatte sogar die Kellner ausgefragt. Möglichst lässig hatte er sich erkundigt, ob ein Mädchen namens Lucy Beckman (oder eine, die aussah wie sie) vielleicht mal im Lokal erschienen war und irgendwas bestellt hatte, Essen oder Drinks, und den Betrag auf den Namen ihrer Eltern hatte anschreiben lassen; dann müßte die Adresse angegeben sein. Auch hier Fehlanzeige. Auch in zwei Läden in Brunswick Corner hatte er nachgefragt, und der eine Inhaber hatte ihn gefragt, ob er etwa Rechnungen eintreiben wolle. Aber die meisten Ladenbesitzer kannten Cliffie und wußten, daß er hinter dem Mädchen her war. Es paßte ihm gar nicht, daß sie das wußten oder ahnten, aber es ließ sich nicht ändern.

Zu einem der Ladeninhaber – Bart Newman, Geschenkartikel – hatte Cliffie scherzend gesagt: »Wie 'n Plakat, wenn einer gesucht wird. Die Leute halten dann jedenfalls die Augen offen.« Das war an einem schönen sonnigen Morgen gewesen, und Cliffie war optimistisch, fand alle nett und war in glücklicher Stimmung. Luce machte ihn eben gleichzeitig glücklich und unglücklich, so hieß es ja auch in vielen Schlagern.

Seine Mutter hatte auch meistens Verständnis; aber zweimal hatte sie mit nervösem Kopfschütteln (eine Angewohnheit der letzten Zeit) zu ihm gesagt: »Manchmal denke ich, wir haben das Mädchen bloß geträumt. Komisch.«

»Du hast sie doch selber gesehen, Mom!« hatte Cliffie erwidert. Und beim zweitenmal hatte sie den Blick abgewandt, als ob sie nicht zugeben wollte, daß sie sie gesehen hatte.

An drei Tagen hatte Cliffie dann im Sommer im *Philadelphia Inquirer* inseriert: Lucy Beckman wird gebeten, C. H. in Brunswick Corner anzurufen. Äußerst dringend. Dazu seine Telefonnummer. Auch das war erfolglos geblieben, und weitere Anzeigen wären rausgeschmissenes Geld gewesen.

Bis zum Oktober hatte Cliffie zwanzig Pfund abgenommen. Er hatte neue Hosen gekauft, weil er keine Lust hatte, die alten mit einem Gürtel zu halten. Er arbeitete immer noch ab und zu im Chop House, wo die Kollegen über seine neue Schlankheit witzelten und fragten, ob ein Mädchen daran schuld sei oder eine neue Diät. Das hörte er nicht gern; außerdem wußten sie wahrscheinlich, daß es ein Mädchen war, vermutlich hatten sie von Luce gehört. Vor allem ärgerte er sich über ihre leicht zynische Haltung, die anzudeuten schien, daß es keine Rolle spielte, ob es ein Mädchen war oder nicht, weil er doch niemals eine kriegen würde.

Cliffies Unbehagen in der Stadt wurde noch verstärkt durch die Tatsache, daß sich seine Mutter offenbar durch ihre Leitartikel im *Signal* immer häufiger in die Nesseln setzte oder die Leser jedenfalls nicht gerade für sich einnahm. Kürzlich hatte sie irgendwas über Geburtenkontrolle geschrieben, ein andermal über die neue Siedlung südlich von Brunswick Corner – irgendwas gab es immer. Cliffie hatte den Artikel über die Geburtenkontrolle nicht gelesen, aber seine Mutter war bestimmt dafür gewesen, und obgleich er selber – wie sicher fast jeder intelligente Mensch – auch dafür war, so war es doch erstaunlich, wie viele anscheinend kluge Leute dagegen waren. Das konnten nicht alles Katholiken sein – ganz sicher nicht. Auf der Straße hatten ihn zwei Frauen angeredet, eine ältere, eine junge, und die ältere hatte gesagt: »Was sagt denn Ihre Mutter bloß zu all den Briefen über die – die Geburten –«

»Och – da macht sie nicht viel Wind draus«, hatte Cliffie lächelnd erwidert. Gräßliche alte Ziege. Es war ein windiger Tag gewesen, und er hatte seine Antwort für sehr passend gehalten. Er wußte auch, daß seine Mutter über Abtreibung geschrieben hatte; die jüngere der beiden Frauen (sie war schwanger) hatte das Wort Abtreibung benutzt. Cliffie haßte das Wort, es war ihm ekelhaft und er hatte sich nie bemüht zu verstehen, warum man so viel Aufhebens darum machte. Bei diesem kurzen Zusammentreffen hatte er nicht gut abgeschnitten, weil ihm keine intelligente Antwort eingefallen war. Er wollte seine Mutter fragen, was sie geschrieben hatte – das Erscheinungsdatum war lange her und er wußte auch gar nicht mehr, wann es gewesen war; aber das Thema war ihm so gräßlich, daß er es nicht über sich brachte zu fragen. Seine Mutter hätte ihm bestimmt alles erklärt, wenn er fragte, denn er merkte, daß sie sich da sicher fühlte und sich sogar gegen die andern stellte. Einmal hatte sie am Telefon eine lange Unterhaltung (wahrscheinlich darüber) mit Gert Johnson geführt, und als Cliffie sie fragte, was los war, hatte sie gesagt: »Ach, Gert findet einen Text, den ich geschrieben habe, zu scharf. Wo kommen wir denn hin, wenn wir nicht mehr scharf schreiben dürfen?« Und wie sie das gesagt hatte, »zu scharf« – es hatte wie ein Hohn auf Gert geklungen.

Sie redete auch viel gegen Nixon, und mit derselben Bitterkeit. Wie man sich über diese Schwadroneure in Washington überhaupt so aufregen konnte, begriff Cliffie nicht. Die waren doch alle gleich. Vor Jahren, als er sich noch für Profis beim Football interessierte, hatte seine Mutter behauptet, *die* wären alle gleich. Das konnte er ihr weiß Gott zurückgeben bei Präsidenten, Gouverneuren und überhaupt sämtlichen Politikern. Jeder spielte sein eigenes Spiel, dachte Cliffie und hielt das für eine philosophische Bemerkung. Jedenfalls in Gedanken.

Einmal hatte er sich ausgedacht, nach Luces Abbild eine Puppe zu machen. Für sich, für sein Zimmer. Nicht unbedingt, um mit ihr zu schlafen – aber es mußte großartig sein, die lebensgroße Figur vor sich zu haben, süß und schlank in den dunkelblauen Slacks und der rosa Bluse. Bloß – woraus? Am besten wohl Leinen, mit Stroh ausgestopft. Das Problem der Herstellung brachte ihn dann davon ab. Er konnte es auch wohl kaum vor seiner Mutter verstecken. Wenn er allein wohnte, hätte er sich so eine Puppe gemacht – bestimmt. Wenn jemand kam, steckte er sie einfach in den Schrank, außer wenn er das Glück hatte, die richtigen Leute kennenzulernen, die mit ihm zusammen darüber lachen würden, wenn sie ihn besuchten.

Auf seinem Sparkonto hatte er jetzt über sechshundert Dollar, die ihm jährlich viereinhalb Prozent Zinsen einbrachten, und außerdem etwas mehr als hundert auf einem Girokonto. Seine Mutter kannte die Summen nicht. Es war ein gutes Gefühl, etwas Geld hinter sich zu haben; es bedeutete potentielle Freiheit, man konnte sich mal eine Reise leisten oder sowas. Er sparte das meiste – etwa dreiviertel – von seinem Lohn und den Trinkgeldern im Chop House und von anderen Gelegenheitsarbeiten, und gab seiner Mutter jede Woche mindestens fünfzehn, manchmal zwanzig Dollar. Sie sagte immer, sie »komme gerade aus« oder »es habe eben gereicht«, wenn der Monat zu Ende war. Wenn sie wirklich mal in Schwierigkeiten geriet, wenn irgendwas mit dem Haus los war, konnte er vielleicht ein paar hundert bar auf den Tisch legen, damit sie klar kam. Er kam sich heldenhaft vor bei diesem Gedanken. Aber er wußte auch, gern täte er's nicht. Sein Vater konnte ja einspringen in so einem Fall, dachte Cliffie; schließlich verdiente er gut in New York und war außerdem mit einer reichen Frau verheiratet.

Der versprochene Scheck über zehntausend Dollar von Brett kam kurz vor Weihnachten. In einem Brief, dem Edith ansah, daß er ihm nicht ganz leicht gefallen war, hatte Brett sich mit höflicher Wärme und Anteilnahme nach ihr und Cliffie erkundigt und gesagt, das Testament sei immer noch nicht rechtswirksam (sowas dauerte ein Jahr, nahm Edith an), aber er wolle ihr dies jetzt schon senden, es sei ihr sicher für Weihnachten willkommen. Der Scheck trieb ihr wieder den Zorn ins Blut; dann mußte sie lachen. Sie war allein, als sie den Brief öffnete; Cliffie war draußen und bastelte an seinem Volkswagen herum.

Sie hatte Cliffie nichts von dem Scheck gesagt; er lag jetzt zusammengefaltet unter der Untertasse mit dem Usambaraveilchen, das in der Küche auf dem Fensterbrett stand. Die Putzfrau kam heute nicht – es war eine neue, sie hieß Rosalie und kam immer Freitag morgens – und es war Edith egal, ob Cliffie ihn sah oder nicht. Sie hatte den Tag wie üblich verbracht; morgens saß sie an der Schreibmaschine und schrieb einen Artikel neu, den sie an die Zeitschrift *Ramparts* schicken wollte, denn woanders hatte man ihn abgelehnt. Für *Ramparts* war er aber nicht heftig genug, da mußte er viel intensiver und phantasiereicher sein, und nach Bretts Brief mit dem Scheck war sie dazu in genau der richtigen Verfassung.

»Du bist ja heute so guter Laune«, sagte Cliffie, als sie sich zu einem frühen Lunch an den Tisch setzten. Er wurde heute im Chop House um eins als »Extra« erwartet, sie hatten eine Geburtstagsfeier, die normalerweise bis etwa vier Uhr dauerte und gute Trinkgelder versprach.

»Ja – warum nicht?« meinte Edith.

Auch der Nachmittag im »Strohwinkel« verlief gut; sie war energiegeladen und nahm sich vor, den Artikel, dem nur noch der letzte Absatz fehlte, heute abend fertig zu schreiben und auch gleich alles Nötige zu verbessern. Dann konnte sie ihn morgen früh auf der Maschine tippen, mit zwei Kopien, und an *Ramparts* abschicken. Eine Kopie ging an Gert, damit sie was zu lachen hatte, und eine behielt sie selber.

Cliffie war zu Hause, als sie um viertel nach sieben kam. Er sah etwas müde, aber zufrieden aus, als er, eine Bierdose im Arm, vor dem Fernsehschirm saß.

»Na, wie war's?« fragte Edith.

Cliffie raffte sich auf und folgte ihr in die Küche. »Achtundvierzig Dollar an Trinkgeldern.« Er hatte es diesmal nicht bei sich behalten können.

»Gar nicht – schlecht!« sagte Edith.

Nelson miaute, als sei er ebenfalls überrascht, obgleich er ruhig aussah wie immer, und Edith wußte, er dachte an sein Abendessen. Er wurde stets gefüttert, bevor sie und Cliffie sich zu Tisch setzten.

Edith bat Cliffie, ihr einen Whisky mit Soda zu bringen. Als er damit zurückkam, fragte sie: »Hast du dies schon gesehen?« und nahm Bretts Scheck in die Hand.

»Nee –. Ein Scheck?«

»Ja. Geschenk von Brett.«

»Oo –? Wieviel?«

»Zehntausend Dollar.«

»Meeensch! Tatsächlich?« Cliffie langte nach dem Scheck, den sie auf den Küchentisch hatte fallen lassen. »Heiliger Bimbam! Ich hab noch nie einen Scheck über zehntausend Dollar gesehen!«

»Wenn du mal ein Haus kauftest, würdest du ihn vermutlich sehen.« Edith fing an, Nelsons Futter – heute waren es rohe Nieren – in kleine Stücke zu schneiden. »Wahrscheinlich von George. Brett hätte es aber auch sagen können.«

»Was – George! Das glaub ich nicht. So ein Geizhals – der hat bestimmt in seinem ganzen Leben kein Trinkgeld gegeben! Oder vielleicht fünf Cents oder so.«

Die Uhr im Wohnzimmer schlug mit silbernem Klingeln halb acht. Es kam Edith viel deutlicher vor als sonst. Sie war jetzt dabei, das Essen für sich und Cliffie fertigzumachen.

»Nein – ich meine, er hätte ja *sagen* können, daß es von George ist, einfach so – aus Nettigkeit oder Höflichkeit.« Edith lachte kurz und laut auf. »Nein, dies kommt sicher von Brett selber. Ziemlich großes Geschenk – wo das Testament noch nicht mal rechtswirksam ist.«

»Ach – du meinst also, George hat uns vielleicht sogar noch mehr hinterlassen.«

Wieder mußte Edith lachen. Es schüttelte sie, Tränen traten ihr in die Augen, und sie konnte nicht sprechen.

Cliffie grinste. »Nein, ich verstehe schon. Okay. Er will sich loskaufen, falls George nicht mehr hinterlassen hat. Meinst du das?«

Der Gedanke, daß George irgendjemandem – noch dazu ihr – etwas hinterlassen haben könnte, rief in Edith geradezu hysterische Lustigkeit hervor. Sie krümmte sich vor Lachen. »Tja, wer weiß?« keuchte sie.

»Na Himmel nochmal, Brett muß doch das Testament eingesehen haben. Nein? Ist er nicht der Haupt – er erbt doch alles, oder nicht?«

»Ja, ich glaube schon.«

»Na dann –« Cliffie machte eine Handbewegung und betrachtete den Scheck, der auf dem Tisch lag. »Ich an deiner Stelle würde verlangen, das Testament einzusehen.«

Edith trat plötzlich an den Tisch, nahm den Scheck und riß ihn mitten durch.

»So. *Soviel* halte ich von dem Scheck, *und* von George.«

»Mom –! Du bist ja wahnsinnig!«

»Ich will ihn nicht. Er widert mich an.« Sie sah sein erstauntes Gesicht: sie wußte, sie hatte ein Publikum gebraucht für das, was sie eben getan hatte, und sie war etwas beschämt, weil das Publikum nur aus ihrem Sohn bestand und er gar nicht richtig begriff, warum sie es getan hatte. Sie wußte warum, sie hätte es auch in Worte fassen können, aber für Cliffie lohnte es nicht.

»Na –« Cliffie war etwas blaß geworden. »Brett kann dir ja einen neuen Scheck ausstellen.«

»Ich will keinen neuen.«

»Warum denn nicht, wenn das Geld von dem Alten stammt? Warum denn nicht, wo wir – wo du so viel für ihn getan hast? Mom, du siehst das jetzt nicht ganz richtig. Den Scheck können wir doch zusammenkleben, oder? Mit Klebstreifen, so wie die Dollarnoten geflickt werden.«

Edith preßte die Zähne zusammen. *Du bist nicht mein Sohn*, wollte sie sagen. Falsch – er war ihr Sohn. Sie hatte keine Lust, alles noch einmal zu sagen. Sie beschlossen, im Wohnzimmer zu essen, im Fernsehen gab es irgendein Programm, das nicht schlecht war, sagte Cliffie. Er hatte schon morgens davon gesprochen. Er sagte noch etwas von dem Scheck, aber Edith erwiderte nichts mehr. Sie hatte, um ihn nicht länger zu hören, einfach abgeschaltet, so wie sie durch Knopfdruck das Radio oder den Fernsehapparat ausschaltete.

Es war sinnlos, Cliffie in ihre Gedanken und Pläne einzuschließen, dachte Edith, als sie vor ihrem Teller saß und auf den Bildschirm starrte, ohne irgendetwas zu sehen. Cliffie – ein Mann von fünfundzwanzig, der eine Streichholzschachtel – eine *Streichholzschachtel*! – von Luce Beckman aufbewahrte wie eine Reliquie, obgleich er Luce jetzt fünf oder sechs Monate nicht gesehen hatte. Das Heiligtum aus dem Cross-Keys Inn lag auf dem Tisch in Cliffies Zimmer, er hatte einen kleinen runden Platz inmitten des Chaos freigemacht, und da lag die Schachtel. Als Edith einmal in seinem Zimmer stand und sich eine Zigarette anzünden wollte, hatte sie danach gegriffen, und er hatte gerufen: »Nicht anfassen! Ich will sie aufbewahren – ich meine, ich will die Zündhölzer behalten.« Er war an dem Abend damals mit Luce im Cross-Keys gewesen und wußte auch, daß Edith das wußte. Er war nachher nochmal hingegangen und hatte gefragt, ob Luce noch einmal gekommen sei. Das alles hatte er, fast unter Tränen, Edith erzählt, als er betrunken war. Ach ja – auf seine Art deprimierte er sie genau so wie früher George. Edith war froh, als sie mit Essen fertig war, für sich und Cliffie Kaffee gemacht hatte und wieder hinaufgehen konnte in ihr Arbeitszimmer, um ihr Tagebuch vorzunehmen.

Sie öffnete den Füllfederhalter und schrieb:

Herrlicher Tag. Langer Brief von Cliffie, mit Fotos von einem kleinen Dorf, wo er – wie er sagt – manchmal sonntags hingeht, weil dann Markttag ist. Kamele, viele Orangen, verschleierte Frauen. D. rief an. Wenn die Kleine etwas älter ist, will D. zu C. fahren. Ich finde das ganz richtig. Seine kurzen Heimreisen alle zwei Monate sind nicht genug. Früher fand ich das eigentlich ganz gut, ich dachte es hält die Liebe frisch und so, aber jetzt weiß ich doch nicht recht. Sie sind so glücklich, wenn sie zusammen sind – wer weiß, wie lange so etwas anhält? Natürlich wird es anhalten, aber es kann so viel passieren, sogar Todesfälle. Es wäre schlimm, wenn man nachher dächte, sie hätten auch nur eine einzige glückliche Woche versäumt. C. deutet etwas an von einer weiteren ›Beförderung‹, er sagt, er werde etwa gleichzeitig mit dem Brief ankommen, das wäre also spätestens übermorgen. Natürlich fährt er zuerst nach New Jersey, und ich freue mich schon so, seine Stimme am Telefon zu hören. Ein Jammer, daß B. nicht mehr erlebt hat, wieviel Erfolg C. im Beruf hat! 20. Dez. 1969

Edith hatte im letzten Monat beschlossen, daß Brett seit etwa drei Jahren tot sein solle. Es spielte keine Rolle, daß das nicht mit Georges Tod und der Trauerfeier, bei der Brett anwesend war, übereinstimmte. Was sie im Tagebuch schrieb, war für sie selber bestimmt, dafür durfte sie dichterische Freiheit in Anspruch nehmen.

Noch immer freue ich mich über die großen und kleinen schönen Sachen, die mir Tante M. hinterlassen hat: die alten Servietten, die große ovale Tischdecke und die runde, das kleine Sofa mit dem Sessel, die beiden Bettdecken. Wie kann man so eine Decke beschreiben, die ein geliebter Mensch gemacht hat. Jeder Stich bedeutet Liebe und Sorgfalt, so stelle ich es mir vor. Liebendes Gedenken – das ist es.

Sie hätte ebenso dankbar die zwanzigtausend Dollar erwähnen können, die ihr Tante Melanie in Form von Schatzanweisungen hinterlassen hatte – überaus großzügig, denn Melanie war zwar kinderlos gewesen, hatte aber unzählige Nichten und Neffen und Großnichten undsoweiter gehabt. Aber Edith mochte in ihrem Tagebuch nichts über Geld schreiben. Brett hatte seine monatlichen Zahlungen von hundertfünfzig auf hundert Dollar reduziert. Was war daraus zu schließen? Daß er fand, Cliffie könnte für sie sorgen? Ob er die Zahlungen allmählich ganz einstellen wollte? Er hatte wohl anfangs nur sein Gewissen beruhigen wollen. Ja sicher, so war es.

27

Ein Bier, bitte«, sagte Cliffie zu dem Barmann im Cartwheel Inn. »Na klar, Miller's ist prima.« Cliffie war heute abend ganz kühl und gelassen in seinem neuen Blazer, den er nicht zugeknöpft hatte. Ein Bein lag über dem Barhocker. Er hatte sich nicht mal nach Luce umgesehen, wie er es meistens tat, und gratulierte sich im stillen.

Tock – da stand sein Bier, und die Dollarnote lag auch schon auf dem Tresen. Jetzt blickte Cliffie aber doch zur Tür, zweimal, als neue Gäste hereinkamen. Der alte dicke Wirt stand manchmal eine Weile am Eingang und begrüßte die Gäste. Auch heute stand er dort.

»Ach ja, Cliffie – noch was«, sagte der magere Barmann, ein richtiger Bubi, »heute stand was in der Zeitung.« Er zog ein zusammengefaltetes Zeitungsblatt aus der Tasche. »Da – ist das nicht das Mädchen, nach dem du immer gefragt hast? Schon 'ne ganze Weile her?« Er zeigte auf eine kurze Meldung im *Philadelphia Inquirer*, Cliffie erkannte die Seite sofort: es war ›Aus der Gesellschaft‹. Er las die einspaltige Überschrift ›Verlobte: Lucy G. Beckman und Kenneth L. Forbes.‹ Cliffie fuhr leicht zusammen, blieb aber auf dem Barstuhl hocken. »Ach ja. Ja«, sagte er.

»Lucy Beckman – das war doch die, nach der du gefragt hast?«

»Ja, aber das ist schon *Jahre* her. Stimmt – ich wußte das schon.« Er schob die Zeitung beiseite.

»Na siehst du«, sagte der Barmann lachend und ließ einen Haufen Eiswürfel krachend in eine kleine Wanne prasseln. »Bin doch 'n guter Detektiv, was?«

Cliffie sagte nichts mehr. Er zog sich in sich selbst zurück, wie eine geschlagene Armee, die ihre Wunden zudeckt, weil sie weiß, draußen wartet der Feind. Natürlich war es schon lange her, das Treffen mit Luce – zwei Jahre, nein, schon etwas mehr. Cliffie mochte das Wort *Jahre* nicht. Er hatte Angst davor. Einerseits hatte er natürlich Luce längst aufgegeben, andererseits aber nicht, denn Liebe gab niemals auf, so hieß es immer in den Liedern und Gedichten. Er dachte daran, wie oft – wie oft er sich vorgestellt hatte, sie im Bett bei sich zu haben. Und jetzt mußte er das Bild ändern: all die Monate und Jahre war sie vielbeschäftigt gewesen, hatte Leute kennengelernt, Männer, mit denen sie vielleicht auch geschlafen hatte, und hatte sich schließlich einen zum Heiraten ausgesucht! Auf Cliffies Gesicht stand ein schwaches nachlässiges Lächeln; jetzt zündete er sich mit leicht zitternden Händen eine Zigarette an. Um den Barmann kümmerte er sich nicht mehr, der ahnte gar nicht, was er ihm da mitgeteilt hatte, außerdem war es ihm vollkommen piepe, und überhaupt war der Kerl ja schwul, was verstand der schon von solchen Dingen. Kenneth Forbes. Sicher so ein gutaussehender oder reicher Affe, der schon eine Weile mitgespielt hatte; vielleicht war es der, mit dem Luce einen Streit gehabt hatte? Sie hatte mal von einem Streit gesprochen, entweder mit ihren Eltern oder mit einem Mann. Und nun war der Kerl also am Ziel – vielleicht am Ziel. Cliffie hatte auf einmal Lust, den Mann aufzusuchen und umzubringen. Im Kampf, von Mann zu Mann. Ihm das Gesicht zu zermalmen. Ihn so zusammenzuschlagen, daß er durch die gebrochene Nase nicht mehr atmen konnte. Cliffie bestellte einen Whisky.

An diesem Abend geschah gar nichts – absolut gar nichts. Cliffie war mit dem Volkswagen gekommen und war ziemlich angesäuselt, als er kurz nach elf heimfuhr, aber er fuhr vorsichtig und kam gut nach Hause. Als er die Haustür öffnete, hörte er oben das Klicken der Schreibmaschine. Es war warm im Haus. Welcher Monat war dies – April? Ja, klar, April. Fast drei

Jahre war es her, daß er Luce kennengelernt hatte. Darauf leerte Cliffie noch ein Glas. Ein Nightcap – das war schließlich nicht schlimm, wenn man schon zu Hause war.

Klick-klick. Pause. Dann wieder eine Anzahl Klicks. Manchmal arbeitete seine Mutter bis zwei Uhr morgens. Cliffie schüttelte milde lächelnd den Kopf. Entweder klicken oder picken – sie pickte und meißelte an dem Tonzeug, bei der Modellierarbeit. Cliffie lachte leise. Woran arbeitete sie jetzt? Es war irgendwas Abstraktes, etwa zwei Fuß im Quadrat. Er hatte auch den Kopf gesehen, den sie von ihm gemacht hatte (sie mochte es allerdings nicht gern, daß er in ihr Arbeitszimmer kam), und war überrascht und erfreut gewesen, weil er so hübsch aussah. Vielleicht hatte ihn seine Mutter *doch* gern: das war seine erste Reaktion beim Anblick der Büste gewesen, aber er hatte natürlich bloß gelächelt und etwas von guter Arbeit gesagt. Dann hatte seine Mutter diesen verrückten Artikel an *Ramparts* oder *Shove It* oder sowas verkauft und war auch noch stolz darauf gewesen, sie hatte es gleich ihm und auch den Quickmännern berichtet, und dabei wußte Cliffie ganz genau, daß das lauter schräge exaltierte Blätter waren, die nichts als extreme scheußliche Sachen druckten – Sachen, die einem womöglich Verleumdungsklagen einbrachten.

Er stand jetzt schwer gegen das Sideboard gelehnt, den Rest des zweiten Drinks noch in der Hand, und starrte auf das glanzlose Silbertablett mit dem silbernen Service. Es war ihm schon vor Monaten aufgefallen, daß seine Mutter das Silber nicht mehr so gut putzte wie früher. Die Frau, die einmal in der Woche zum Reinmachen kam, hatte dafür bestimmt keine Zeit.

Dann merkte er auf einmal, daß er sich mit all diesem Quatsch nur beschäftigte und darüber nachdachte, weil er dann nicht an Luce denken mußte. Luce – die war nun fort. Zwar noch nicht verheiratet, aber umgeben von lauter Verwandten, alten und neuen; und mit all diesen Leuten hätte er es zu tun, wenn er versuchte, die Heirat zu verhindern, die für Mitte Mai vorgesehen war, das wußte er noch. Blind stolperte Cliffie in sein Zimmer, und als er die Tür hinter sich zugemacht hatte, ließ er den Tränen freien Lauf. Er hielt die Hand über die Augen, schwankte und wäre fast hingefallen; dann ließ er sich auf sein Bett sinken und weinte laut.

Edith bemerkte die Veränderung in Cliffie; das erste Anzeichen war eine gewisse Unruhe, und das hieß, daß er auf irgendetwas wartete oder etwas vor ihr verbarg. »Ist was los?« hatte sie gefragt, ohne mit einer offenen Antwort zu rechnen, und sie hatte auch keine erhalten. Gar nichts war los, hatte er gesagt. Vielleicht hatte ihn die Polizei wegen irgendwas verwarnt.

Die Aufklärung kam dann von Gert Johnson, am Ende eines langen Telefongesprächs, bei dem es zunächst um andere Dinge ging. »Du, dieses Mädchen Luce Beckman – weißt du noch, daß du mich vor langer Zeit mal gefragt hast, ob ich sie kenne? Ich habe gerade in der Zeitung gelesen, daß sie in Philadelphia geheiratet hat. Das muß die sein, auf die Cliffie so scharf war.«

»Ach. Ach – ja.« Plötzlich war Edith alles klar. »Cliffie hat nichts davon erwähnt – vielleicht weiß er es gar nicht. Jedenfalls redet er nicht mehr von ihr.«

»Ihr Vater scheint irgendein großes Tier zu sein, Präsident von – ich weiß nicht mehr was.«

»Ja, ich glaube, Cliffie denkt gar nicht mehr an sie, Gottseidank. Also dann Sonnabend, gegen elf, Gert.

Wiedersehen.« Gert wollte mit Edith über einen *Signal*-Leitartikel reden, den Edith geschrieben hatte und der am nächsten Dienstag gesetzt werden sollte.

Jetzt verstand Edith. Cliffie hatte längst die verlorenen Pfunde wieder aufgeholt, vielleicht sogar mehr, und er würde noch mehr zunehmen, wenn er weiter so viel trank. Sein Konsum an Bier und Drinks war in den letzten Tagen wieder gestiegen. Die geheiligte Streichholzschachtel, die jahrelang auf seinem Tisch gelegen hatte, war nun auch verschwunden. Hatte er sie in einem Anfall von Groll weggeworfen, oder bewahrte er sie irgendwo hinten in einer Schublade auf? Edith überlegte, ob sie Luce erwähnen und Cliffie ein Wort des Mitgefühls sagen sollte, damit er sah, daß sie teilnahm an seinem Leben; aber sie beschloß dann, es nicht zu tun. Vielleicht hätte es ihn verletzt.

Gert war wieder mal aufgebracht wegen eines Leitartikels von vierhundert Worten über Schülerverhalten und Demonstrationen an der Brunswicker Schule. Edith hatte sich in ihrem Text auf Aussprüche von Eltern und von einem der Lehrer bezogen und war daher ganz sicher, daß sie mit ihren Ansichten nicht alleinstand. Sie ahnte, daß es wieder zu dem alten Kampf kommen werde: auf der einen Seite Gert, die für Zerreißen des Artikels war, auf der anderen Edith, die für Ändern und Verbessern eintrat. Gert stand auf Seiten der Kinder. Komisch – alles, was sie letzthin schrieb, fand Gert abwegig und widersinnig, während Edith der Meinung war, daß sie immer konservativer wurde.

Diese Woche im Mai war einigermaßen ruhig, bis eines Nachts um halb zwei das Telefon klingelte. Edith stand gerade in ihrem Arbeitszimmer und schob Plastilin in das abstrakte Gebilde, das sie »City« nannte. Sie hatte gar nicht gewußt, wie spät es war, bis sie, als das Telefon klingelte, auf ihre Armbanduhr blickte. Unten auf dem Flur brannte noch Licht, Cliffie war also noch nicht zu Hause.

Eine Stimme fragte, ob sie Mrs. Howland sei, und teilte ihr dann mit, ihr Sohn habe sich den Kiefer gebrochen und müsse diese Nacht und vielleicht auch noch morgen im Krankenhaus von Doylestown bleiben.

»War es – ein Autounfall?« fragte Edith.

»Nein, Mrs. Howland«, sagte die Stimme. »Es war offenbar eine Schlägerei.«

»Kann ich ihn erreichen – telefonisch? Fehlt ihm sonst noch etwas?«

»Nein, nein, sonst fehlt ihm nichts. Gar nicht weiter gefährlich, nur kann er nicht richtig sprechen.«

Am nächsten Abend gegen halb acht wurde Cliffie in einem Krankenwagen nach Hause gebracht, nachdem man vorher die Zeit mit Edith abgemacht hatte. Edith hatte angegeben, sie arbeite bis sieben. Der Krankenwagen erschien hinter Cliffies Volkswagen, in dem ein Sanitäter am Steuer saß. Cliffies Kopf war in weiße Bandagen gehüllt; er war angezogen und konnte auch gehen, aber nur mit Mühe sprechen. Der eine Sanitäter sprach mit Edith über flüssige Nahrung und über die Extraktion von einem oder zwei Zähnen im Unterkiefer (die man bereits vorgenommen hatte). Er gab ihr auch schmerzstillende Tabletten und meinte, Cliffie müsse wohl morgen eine weitere Penicillininjektion haben. Dann fuhren die beiden Männer fort.

Cliffie war fast so weiß wie sein Verband. Edith war erstaunt, daß er zugab, bewußtlos gewesen zu sein. Schrecklich. Merkwürdigerweise war ihr ganz kühl und distanziert zumute; sie kam sich vor wie eine echte

Krankenschwester und benahm sich auch so: sie machte Cliffies Bett zurecht, vergewisserte sich, daß er die richtigen Tabletten genommen hatte und daß er imstande war, ein Glas Milch mit geschlagenem Ei zu trinken, das sie ihm dann in der Küche zubereitete. Es gab ja auch noch Suppen – verhungern würde er nicht. Irgendwie mochte sie ihn nicht fragen, mit wem er sich geprügelt hatte; vielleicht wußte er es auch selber nicht. Wie lange sollte er den Verband behalten – hatte der Sanitäter nicht gesagt, eine Woche?

Am Samstagmorgen erschien Gert Johnson. Edith hatte frischen Kaffee gemacht und einen wunderbaren Kuchen gebacken – rund, mit Zuckerguß und Nüssen obendrauf –, und natürlich stand auch der Barwagen bereit. Edith hatte Lust auf ein heiteres Zusammensein; ihr war auch tatsächlich fröhlich zumute. Der Kuchenduft nach Zimt und Butter lockte Cliffie von seinem Schmerzenslager (auf dem er zwei Tage nicht ungern lesend und dösend verbracht hatte); aber leider konnte er den Kuchen noch nicht hinunterbringen.

»Du – ich hab schon gehört, von Cliffie«, sagte Gert noch bevor sie sich hingesetzt hatte.

»Ja – der Kiefer ist gebrochen. Sie haben Krach gehabt – ich weiß gar nicht wo, ich glaube in einem Lokal in Tinicum.«

»Hoffentlich war keine Polizei dabei.«

»Ich hab noch kein Wort von Polizei gehört.«

Das Thema war bald erledigt. Gert ließ sich Kaffee und Kuchen schmecken und kam dann auf den Leitartikel zu sprechen, dem Edith die Überschrift ›Auch einige von uns‹ gegeben hatte.

»Du wirst mal wieder eine ganze Menge Leute gegen uns aufbringen, Edith.«

Sicher, ein paar von den Eltern. Aber »mal wieder«? Edith wartete geduldig.

»Wir haben Leser unter den Eltern der Kinder.«

»Ja natürlich, das weiß ich.«

»Ich finde, solche Worte wie ›schmählich‹ und ›niederträchtig‹ solltest du vermeiden.«

»Das habe ich doch aus der *Times* entnommen – aus einem alten Brief, den ein Professor der Universität Hunter an die *Times* geschrieben hatte.«

»Ja, aber du hast es gleichgesetzt mit . . .«

Und schon waren sie wieder mittendrin, obgleich Edith Ruhe bewahrte. Erst kürzlich waren Polizeibeamte in der Brunswicker Schule erschienen, wegen Drogenhandel unter Schülern. Mindestens die Hälfte der Dreizehn- bis Siebzehnjährigen hatte zugegeben, »ständig oder gelegentlich« Stoff einzunehmen. Das war dann in einer statistischen Übersicht veröffentlicht worden, von der Edith einen Ausschnitt in Händen hatte, weil er im *Trenton Standard* abgedruckt worden war. Gert hielt das für weniger wichtig; ihr ging es in erster Linie um Ediths Behauptung, die Kinder ahmten dämlicherweise die älteren Collegeschüler nach und machten sich einen Spaß daraus zu rebellieren, Lehrer zu beschimpfen und Rechte zur Mitverwaltung des Schulwesens zu verlangen.

»Wenn die Schüler tatsächlich erst so viel wie die Lehrer von der Verwaltung oder von ihren Lernzielen wissen«, sagte Edith, »dann brauchen sie vielleicht gar nicht mehr zur Schule zu gehen.«

»Ach, Edith!« Gert tupfte sacht mit dem Handballen auf ihr Haar, das in den letzten zwei Jahren die Farbe von Pfeffer-und-Salz angenommen hatte. »Und woher hast du das andere Zitat?«

»Von Penny Ditson. Sie hat –«

Gert unterbrach sie spöttisch lachend. Sie tat wirklich, als sei Penny Ditson ein Schwachkopf; dabei war sie ein guter Beobachter und verstand sich auch auszudrücken; sie hatte einen sechzehnjährigen Sohn und eine siebzehnjährige Tochter in der Brunswicker Schule, der Sohn hatte so viel LSD geschluckt, daß er seine Zeugnisse verpatzt hatte, und seine Mutter machte sich Sorgen. Die Tochter – mit der hatte Edith sich unterhalten. Sie erzählte Gert das alles.

»Der Text ist einfach zu extrem, weißt du. Wir müssen ihn ein bißchen runterschrauben.«

Widerwillig gab Edith nach. Sie grollte auch mit sich selber, weil sie nachgegeben hatte. Aber die Alternative war vermutlich ein Bruch mit Gert, denn es war ihr klar, daß ihre Artikel die Beziehung zu Gert schon genug belastet hatten, vor allem die über Geburtenkontrolle und Abtreibung vor zwei Jahren. Weder sie noch Gert waren Eigentümer des *Signal*, und jeder brauchte den andern, um das Blatt am Leben zu halten. Edith wechselte schließlich das Thema und erzählte Gert von einem Artikel, den sie an die Zeitschrift *Shove It* verkauft hatte. *Shove It* war eine Untergrund-Zeitschrift. Sie hatte einfach einen Aufsatz, der von anderen abgelehnt worden war, umgeändert, ein paar vulgäre Einschübe hinzugefügt und ihn dann abgeschickt. Gert schien überrascht zu sein, ihre Gratulation fiel nicht sehr warm aus.

»Mensch, aber dieses Blatt«, sagte Gert kopfschüttelnd. Sie war jetzt bei Roggenwhisky angelangt, mit wenig Wasser. »Die sind wirklich bescheuert.«

Edith lachte vergnügt. »Na klar, sonst würden sie ja mein Zeug nicht nehmen. Ich hab noch eine Idee – ein tolles Spiel, das ich . . .«

»Was – du hast ja den neuen Erich Fromm!« Gert hatte auf dem Couchtisch ein Buch aus der Bücherei entdeckt.

Edith ärgerte sich über die Unterbrechung. Aber sie kannte das: Gert unterbrach immer alle Leute, und wenn sie was getrunken hatte, unterbrach sie noch öfter. Wie viele Jahre noch, dachte Edith, würden sie wohl so zusammenkommen, miteinander reden und streiten und unbedeutende Dinge so ernst nehmen? Vielleicht bis sie siebzig oder achtzig waren, wer weiß. Die Menschen wurden ja uralt heutzutage, wie George, wenn sich nicht jemand fand, der sie erlöste. Eigensinnig fuhr jetzt Edith dazwischen und sagte: »Wart's nur ab, bis du mein Spiel gedruckt vor dir siehst. Es heißt ›Präsidentenwahl‹, wenn mir nicht bis dahin noch was Tolleres einfällt. Es geht da um zwei maskierte Männer, den zukünftigen Präsidenten und Vizepräsidenten, die werden bei der Amtseinführung erschossen, aber es war gar nicht der richtige Präsident und Vize, die sind nämlich noch am Leben, und auf diese Weise werden dem Publikum vier Morde vorgesetzt, weil die richtigen eine Stunde später drankommen.«

»Sag mal, wieviel hast du getrunken?« fragte Gert und lachte.

»Gar nichts.« Edith schwenkte auf den Zehenspitzen herum und trat an den Barwagen. »Die Maskierten waren nämlich die Leibwächter, die Gorillas vom Sicherheitsdienst, und die werden nun erschossen, auf einem Parteikongreß, wie Bobby Kennedy, oder bei der Einführung. Sie könnten natürlich auch kugelsichere Westen oder solches Zeug tragen. Oder sogar Stahlplatten vor dem Gesicht, wie die – wie die alten Ritter. Das ginge auch, wenn sie Masken tragen, was sie ja tun.«

Gert konnte sich für die Idee nicht recht erwärmen, oder sie nahm sie zu ernst, jedenfalls machte sie eine abfällige Bemerkung – nicht schwerwiegend, aber damit nahm sie Edith für diesmal endgültig gegen sich ein.

»Was macht Brett?« fragte Gert und blies den Rauch ihrer Zigarette leicht in die Luft. »Hörst du manchmal von ihm?«

Edith zuckte die Achseln. »Nicht sehr oft. Er hat bestimmt viel Arbeit. Die Kleine ist jetzt fast vier – vielleicht haben sie auch schon ein zweites, ich weiß es nicht.« Sie lachte, und plötzlich, blitzartig, kam ihr Cliffies Josephine in den Sinn – etwas älter und viel niedlicher.

»Aber er schickt dir doch immer noch Geld fürs Haus. Die Verbindung ist nicht ganz abgerissen.«

Edith hatte vergessen, daß sie Gert das erzählt hatte, aber es spielte keine Rolle. »Ja, das stimmt, und ich gebe zu, daß ich's brauche. Allein die Grundsteuern, und dann die Heizung –«

»Na, davon kann ich ein Lied singen.«

»Ich brauche auch das Geld, das ich selber verdiene. Und das Haus hat einen neuen Anstrich nötig, überall!« Sie zwang sich zum Lachen.

»Das glaube ich dir gern. Es würde sich aber auch lohnen, Edie. Vor allem die Außenwände.«

Dann verabschiedete sich Gert. Edith hatte es ihr überlassen, den Artikel neu zu schreiben – sie wollte jetzt nichts mehr damit zu tun haben. Trauer und Groll stiegen in ihr auf, als sie allein war; um beides loszuwerden, ging sie nach oben in ihr Arbeitszimmer und öffnete das Tagebuch.

30. Mai 1972. Lieber nicht so oft Klarheit gewinnen. Im Tun liegt die Freude im Leben. Nicht das Vollbrachte bewerten oder viel Dank erwarten.

Dann las sie noch einmal den Artikel des Professors aus der *Times* vom 1. April 1970. Er begann:

»Angesichts der unglaublichen Zustände im College hält es der Schreiber, ein Mitglied des Lehrkörpers, für seine Pflicht, die Öffentlichkeit davon zu unterrichten, wie weit ein hochangesehenes College dieser Stadt gesunken ist.

Ein harter Kern von rebellischen Studenten ist dazu übergegangen, Kollegen und Lehrer vorsätzlich und bösartig zu drangsalieren. Sie tun das in der Überzeugung, daß niemand sie zur Rechenschaft ziehen wird für die schmählichen und niederträchtigen Äußerungen, die sie mündlich oder im Druck von sich geben.«

Weiter hieß es:

»Eine junge Dame setzte den Lehrkörper unverfroren davon in Kenntnis, daß, wenn man gegenüber den ›gegenwärtigen Forderungen‹ nach fünfzigprozentiger Vertretung in allen Fakultätsausschüssen hart bleibe, die Studenten erwägen würden, ›unsere Forderungen zu verschärfen‹, denn ›schließlich gibt es neunzehntausend Studenten und eintausend Dozenten, und nach dem Obersten Gericht gilt der Grundsatz der Demokratie: ein Mann, eine Stimme‹. Wilde Hochrufe und stürmischer Applaus.

Ein überaus passender Gruß zum hundertsten Geburtstag der Hochschule.«

Sie schob den Brief in einen Aktendeckel mit der Aufschrift ›Zeitungsausschnitte‹ und wandte sich wieder ihrem dicken Tagebuch zu, das nun zu mehr als drei

Vierteln gefüllt war. Ja – es waren sogar schon vier Fünftel, das sah sie jetzt. Sie würde in Zukunft wohl etwas kleiner schreiben müssen, damit das Tagebuch für den Rest ihres Lebens reichte – oder doch jedenfalls noch ein paar Jahre. Sie blätterte und las eine Eintragung von vor zwei Jahren:

Der Unterschied zwischen Traum und Wirklichkeit: das ist die wahre Hölle.

Auf einer anderen Seite stand nur:

Träume – zu viel Magensäure.

Was sollte das bloß heißen? Ob sie an einen Titel für irgendwas gedacht hatte? Es war jedenfalls nichts, woran sie zu leiden hatte. Auf einer anderen Seite hatte sie etwas vor erst fünf Jahren geschrieben, obgleich es eine Erinnerung aus der Kinderzeit war:

Kleine Notizen für Tante Melanie, geschrieben auf Birkenrinde aus den Wäldern hier; man muß sie ganz vorsichtig abziehen, um eine möglichst große Oberfläche zu gewinnen, und dann behutsam in einen Umschlag stecken. So hell und rein! Innen etwas feucht, hellbraun, die Oberfläche zum Schreiben weich und glatt; die Rückseite trocken und lockig, dünne weiße Rinde mit braunen Flecken, wie indianische Kanus. »Liebe Tante Melanie, wir haben vor, in einem Motel bei Birmingham zu übernachten, wenn wir so weit kommen. Heute machten wir ein Picknick auf lauter Tannennadeln, mitten im Wald. Dies ist richtige Birkenrinde...« Und wie die Feder über die Rinde fuhr, mit jungfräulichem Juchzer!

ihre Alkoholika noch immer in New Jersey, was als illegal galt, und brachte sie im Wagen nach Hause.

Der Voranschlag für die Malerarbeit belief sich auf siebenhundert Dollar. Das hatte Edith ungefähr erwartet; aber sie zog ein langes Gesicht und sprach davon, einen zweiten Voranschlag einzuholen bei einer Firma, deren Namen sie nannte, und daraufhin wurde der Preis auf sechshundert reduziert. Damit war sie einverstanden. Die Männer erschienen am Freitag der gleichen Woche. Cliffie hatte inzwischen allerhand vorgearbeitet, die Wände abgeschabt und die Rosen zusammengebunden, damit sie nicht beschädigt wurden.

Die Malerarbeit ging weiter bis zum folgenden Dienstag, denn am Samstag wurde nicht gearbeitet. Edith hatte inzwischen die zweite Fassung ihres Artikels »Schießt auf den Präsidenten« fertig geschrieben und schickte sie jetzt ab an *Shove It* in New York. In dieser Version trug der designierte Vizepräsident die Maske des designierten Präsidenten; er wurde bei der Amtseinführung erschossen nach der Theorie (so schrieb Edith), daß Vizepräsidenten sowieso nicht beliebt waren. Damit blieb der richtige Präsident am Leben und konnte als zukünftige Zielscheibe bei öffentlichen Belustigungen dienen. Es war ein Spiel mit verschiedenen Variationsmöglichkeiten. Designierte Vizepräsidenten, immer in der Maske des designierten Präsidenten, hielten die Rede bei der Amtseinführung, wurden erschossen und sofort von einem andern Mann, ebenfalls in der Maske des designierten Präsidenten, ersetzt, der die Rede fortsetzte und weiterlas, während die unseligen Attentäter, die nicht ahnten, was da gespielt wurde, von den Zuschauern überwältigt oder angeschossen und von Geheimpolizisten getötet wurden. Abgesehen von dem

Spaß für das Publikum hatte das Spiel auch noch den Vorteil, daß auf diese Weise richtige Mörder im Volk ausgemerzt und vernichtet wurden. Edith war recht zufrieden mit ihrem Artikel, aber sie hatte nicht die Absicht, ihn Gert zu zeigen. Gert würde ihn viel zu extrem finden. Cliffie war bisher Ediths einziger Leser, ihm gefiel es großartig, und das freute sie.

Als Edith Dienstagabend kurz nach sieben von der Arbeit nach Hause kam, fand sie die drei Maler in der Einfahrt; sie hatten das Gerüst zusammengepackt und tranken Bier mit Cliffie. Es war ein schöner Juniabend, nicht zu warm; vom Delaware kam eine erfrischende Brise. Der Mond war im Aufgehen, obgleich es noch nicht dämmerig war; und ihr Haus sah wieder strahlend sauber aus, stolz und prächtig mit den dorischen Säulen und weißen Fensterläden und dem dunkelgrauen, fast schwarzen Ziegeldach.

»Na, Cliffie, hast du nichts anderes gefunden als Bier?« fragte sie.

»Oh, das Bier ist wunderbar«, sagte einer der Männer. »Wir haben so geschwitzt, wissen Sie –«

Einer der Kollegen lachte laut auf und machte eine Bemerkung über die Trägheit des Mannes.

Das Telefon klingelte, und Edith ging ins Haus. Es war Brett. Edith merkte, wie sie stammelte. Brett – das war wie eine andere Welt, eine andere Sprache, die sie völlig vergessen hatte.

»Was – was sagtest du, wo du bist?«

»In Lambertville. Ich sagte, ich habe einen Freund bei mir, Pete Starr. Ich will ihn nach Doylestown bringen. Können wir bei dir vorbeikommen? Nur für ein paar Minuten – jetzt gleich?«

»Ich – na schön. Ja, Brett.«

Gräßlich war das. Sie hätte doch eine Verabredung vorschieben können, aber darauf war sie einfach nicht gekommen. Sie sah nach, ob genug zu trinken da war, falls sie etwas wollten, ob das Wohnzimmer einigermaßen ordentlich aussah und keine Zeitungen und Illustrierten herumlagen. Kartoffelchips? Erdnüsse? Ja, alles da. »Herrgott«, flüsterte sie vor sich hin. Sie war nicht in der Stimmung, Brett zu sehen.

Kurz darauf hatten die Maler das Haus verlassen, und Cliffie kam mit einem Haufen leerer Bierdosen herein.

»Brett kommt gleich«, sagte Edith.

»Was? Ist nicht möglich! Tatsächlich?«

»Ja, nur auf ein paar Minuten. Er bringt einen Bekannten nach Doylestown.«

»Ins Leichenschauhaus, hoffentlich.«

Ein Wagen hielt, und Brett kam herein. Er war noch dünner geworden, grauer und irgendwie bekümmert, aber vielleicht bildete sie sich das auch nur ein. Der Freund war ein untersetzter langweiliger Mann, etwa sechzig, mit grauem Haar, dunklem Anzug und Krawatte – er konnte Senator, Buchprüfer oder sonst was sein, nur kein Journalist, dachte Edith.

»Pete ist Schriftsteller«, sagte Brett, als sie sich gerade gesetzt hatten; es waren die ersten Worte, die er sagte, außer »Tag« und dem Namen seines Freundes. »Sachbücher. Und politische Sachen.«

»Ach«, sagte Edith interessiert. Sie stand neben dem Barwagen, um die Wünsche entgegenzunehmen. »Whisky?«

Brett sprang auf, er wollte ihr helfen. Whisky-on-the-rocks, mit einem Schuß Soda, das wollten sie beide, Brett und Mr. Starr.

Jetzt kam Cliffie herein. Sein Kinn war immer noch

362

geschwollen, dadurch sah er im ganzen etwas dicker aus.
»Tag, Dad.«

»Tag, Cliffie. Wie geht's? Hier – dies ist Pete Starr.
Mein Sohn.«

Cliffie nickte kurz, murmelte etwas und schob die
Hände in die Hosentaschen. Er schlenderte langsam
durchs Zimmer, um sich einen Drink zu holen.

»Bei welchem Verlag sind Sie?« fragte Edith.

»Ich – ach ja, jetzt bei Random House«, erwiderte
Mr. Starr.

Brett erkundigte sich nach Gert und nach dem *Signal*.
»Schreibst du immer noch diese –«

»Ja, wie immer. Bekommst du es denn nicht? Ich
dachte, du stehst auf der Liste für Freiabonnements.«
Sie lächelte liebenswürdig. Sie wußte, daß er es regelmäßig bekam.

Brett lächelte ebenfalls. »Ich erkenne deine Sachen
nicht immer«, sagte er.

»Ach.« Edith blickte zu Mr. Starr hinüber, der sie
prüfend ansah (sie hatte sich gesetzt), als ob er sie ein-
schätzen wolle – aber wozu, in ihrem Alter?

»Warum sind die Rosen alle zugedeckt?« fragte Brett.

»Oh, hast du das nicht gesehen? Das Haus ist gerade
neu gestrichen worden! Na ja, es ist wohl schon dunkel
draußen. Sie sind heute erst fertig geworden.«

»Miff-miff!« sagte Cliffie und zog die Nase hoch.
»Riechst du nicht die Farbe, Brett?«

»Ja, natürlich«, sagte Mr. Starr. »Jetzt rieche ich's
auch.«

»Was macht deine Arbeit im – wie heißt es noch?«
fragte Brett.

»Flohwinkel«, sagte Cliffie.

Edith ignorierte Cliffie. »Im Geschäft. Ja, geht alles

gut.« Sie zündete sich eine Zigarette an. »Ich kann das Geld gut gebrauchen. Aber die Arbeit gefällt mir auch. Und ich –« Sie brach ab.

»Was?« fragte Brett.

»Nichts.« Sie hatte ihm von dem Verkauf ihrer Story erzählen wollen, aber Brett schätzte solche Blätter wie *Ramparts* nicht und fand auch sicher nichts Komisches an *Shove It*. Edith wollte ihm auch noch sagen, daß er tot sei, schon seit etwa drei Jahren. Mr. Starr bewegte den Arm – mit langen Pausen – um sein Glas an die Lippen zu heben, und Edith mußte an Spielzeug-Enten denken, die mit dem Schnabel Wasser aufnahmen, wodurch ihr Kopf jedesmal nach hinten absackte. Mr. Starrs Kopf fiel auch immer etwas nach hinten, wenn er das Glas an die Lippen gesetzt hatte. »Und wie geht's bei dir zu Hause?« fragte sie Brett.

»O danke, sehr gut.« Brett lachte leise auf, fast wie früher, wo er oft in sich hineinlachte, wenn er froh war und sich wohl fühlte, aber jetzt sah es aus wie eine Angewohnheit, eine Geste – so wie man sich beim Gähnen den Mund zuhält. »Cliffie – ich sehe, du hast wieder zugenommen.«

»O danke«, sagte Cliffie mit deutlich englischem Akzent.

Edith lachte.

»Er trinkt gern Bier, mein Sohn«, sagte Brett zu Starr. »Man sieht's.«

»Ja, Marke Millers, danke«, sagte Cliffie todernst. Die Unterhaltung machte ihm Spaß, er hob sein Glas und trank den beiden Männern zu. Befriedigt sah er, daß sein Vater es vorzog, sich von ihm abzuwenden und wieder auf seine Mutter zu konzentrieren.

»Und was macht deine –«

»Darf ich Ihnen nachschenken, Mr. Starr?« sagte Edith im gleichen Augenblick und stand auch schon auf, denn Mr. Starr zögerte erst, gab dann nach und hielt ihr das leere Glas hin. Sie machte den Drink zurecht, und Brett fragte:

»Was macht deine Bildhauerei, Edith? Ich würde sie Pete sehr gern zeigen, wenn es dir –«

»Mein Arbeitszimmer ist im Augenblick nicht in einem Zustand –«

»Ach was, das macht doch gar nichts«, meinte Brett.

Feigling. Es wäre feige, wenn sie sie nicht hinaufgehen ließe. »Also gut.« Sie gab Mr. Starr sein Glas. »Es ist oben«, sagte sie.

Sie stiegen hinauf, nur Cliffie blieb unten. Edith machte Licht. Melanies und Cliffies Büsten standen unverhüllt und frei im Zimmer, und »City«, das Gebilde, an dem sie gerade arbeitete, stand auf dem hölzernen Sockel, fast fertig und daher ohne die Plastikunterlage auf dem Fußboden. Nachdenklich, die Hände auf dem Rücken, schlenderte Mr. Starr im Zimmer umher und betrachtete die Abstrakten, nicht die beiden Köpfe, das sah Edith. Der Arbeitstisch war wie immer in halber Unordnung, aber das Tagebuch lag – geschlossen natürlich – am richtigen Platz, links hinten in der Ecke, unter den letzten beiden Ausgaben des Signal.

»Interessant. Ja. Wie nennen Sie dieses hier?« fragte Mr. Starr.

»Einfach ›City‹.«

Er lächelte. »Wie ein Kaninchenbau. Ja, Sie haben ganz recht. Verstört durch – Übervölkerung. Ja. Hmmm. Vielleicht hatten Sie Lorenz im Sinn.«

Edith zögerte; sie war eigentlich nicht zu hundert

Prozent für Lorenz. »Ich bin kein Lorenz-Fan. Mir liegt Fromm eher, offen gesagt.« Sie wußte nicht, ob Starr verstand, daß sie an die Notwendigkeit der Aggression nicht glaubte; aber es war ihr auch völlig egal, ob er sie verstand. Sie wollte ihn noch fragen, ob er etwas von Daniel Bells Werk hielte, aber sie ließ auch das fallen. Sie wollte beide nicht länger in ihrem Zimmer haben.

Sie gingen hinaus, voran Mr. Starr, der schon die Treppe hinunterstieg. Brett blieb auf dem Flur stehen.

»Edie, sag mal, wie geht's dir wirklich?«

»Nicht schlecht. Warum?«

»Cliffie sieht nicht gerade hervorragend aus«, sagte Brett halblaut. »Gert hat mich angerufen, weil sie meint –«

Das hatte Edith geahnt. »So –? Was meint sie?«

»Daß du mit den Nerven herunter bist. Du hast auch nie den Scheck eingelöst – die zehntausend.«

»Nein, danke. Ich wollte es nicht. Ich will auch von dem Dreyfusgeld nichts haben – die vierzehntausend, du weißt. Ich sag's dir, damit da in Zukunft nichts unklar bleibt. Ich komme schon zurecht, Brett.«

»Aber diese alberne Arbeit, die du da machst.« Dann ließ er das fallen und sagte flüsternd: »Und Cliffie trinkt genau so wie immer.«

Was wollte er bloß, dachte Edith. Ihre Sorgen und Nöte aufzählen? »Wieso ist meine Arbeit albern, möchte ich wissen? Und wenn du dir um Cliffie Gedanken machst: was hast du denn für ihn getan? Hast du ihn jemals nach New York kommen lassen, um mal mit ihm zu reden, ihm eine Stellung zu verschaffen oder sonstwas?«

Brett verzog leicht das Gesicht, als sei der Gedanke,

Cliffie eine Stellung zu verschaffen, geradezu absurd und würde höchstens ein schlechtes Licht auf seinen Vater werfen. »Ja, ich habe ihn eingeladen – vor zwei Monaten etwa, telefonisch. Hat er's dir nicht erzählt? Es schien ihn nicht zu interessieren.«

Das kann ich mir denken – nachdem du ihn beschuldigt hattest, er habe George umgebracht, dachte Edith. Sie trat an die Treppe und ging nach unten.

Mr. Starr hatte sich nicht wieder hingesetzt und meinte jetzt, sie müßten wohl gehen. Edith hatte ihn im Verdacht, mit Cliffie gesprochen zu haben, der in Melanies geblümtem Sessel saß.

»Ihre Skulptur ist wirklich sehr interessant«, sagte Mr. Starr eindringlich. »Nehmen Sie irgendwo Unterricht, oder haben Sie –«

»Nein. Ich mach's nur als Zeitvertreib.«

»Nein, nein, es ist wirklich gut! Ich glaube, Sie sind mit Leib und Seele dabei!« sagte Mr. Starr herzlich. »So – wenn Sie beide noch etwas zu besprechen haben – ich gehe schon hinaus zum Wagen. Noch vielen Dank für die schönen Drinks, Mrs. Howland.« Er ging.

Cliffie saß im Sessel und beobachtete alles.

Brett winkte Edith nach vorn in den Flur, wo Cliffie ihn nicht hören konnte. »Das Haus müßte auch mal von innen gestrichen werden. Und es gibt sicher noch allerhand anderes –«

»Ja, es gibt allerhand anderes.«

Brett nickte ihr zu. »Ich möchte, daß du es bequem hast, Edie.«

Sie sagte nichts darauf.

»Ja dann – auf Wiedersehen, und noch vielen Dank.« Er steckte den Kopf ins Wohnzimmer. »Wiedersehen, Cliffie!«

»Wiedersehen, Brett.«

Brett ging hinaus, und mit leisem Schnurren fuhr der Wagen ab.

Cliffie wand sich, als habe er Insekten unter dem Hemd. »Mensch – was für ein Schleimer! Den alten meine ich.«

»Findest du?« Edith hatte ihr Glas noch nicht ausgetrunken und nahm es in die Hand. Sie dachte an ihren Artikel »Schießt auf den Präsidenten« und freute sich – zugegeben, sicher zum zehntenmal – über die gelungene Arbeit. Sie hatte noch eine Sache im Kopf, Einbruch ins Hauptquartier der Demokraten; auch damit wollte sie bald anfangen.

»Der Kerl sieht aus wie ein Spion. Wie einer von der CIA«, fuhr Cliffie fort. »Der ist nicht echt – bestimmt nicht.« Cliffie erhob sich, um sein Glas nachzufüllen.

»Sag mal, Cliffie, hast du Bretts Scheck an dich genommen? Die zehntausend, du weißt schon.« Edith wußte, sie hatte den Scheck durchgerissen auf dem Küchentisch liegen lassen.

Cliffie war verlegen, aber nicht allzu sehr. »Ja, hab ich. Liegt in meinem Zimmer. Anfangen kann ich ja doch nichts damit, er ist ja auf dich ausgestellt. Ich will auch gar nichts damit anfangen.«

»Ja, weiß ich, aber dann kannst du ihn ebensogut zerreißen. Brett hat danach gefragt.« Sicher wollte er ihn nur ab und zu betrachten und sich an der Summe freuen.

»Na ja – macht es was aus, ob ich ihn zerreiße oder nicht?«

Edith lachte. »Nein, offen gesagt nicht.«

Sie ging in die Küche, um das Essen vorzubereiten. In Gedanken war sie bei Gert Johnson; sie hatte also Brett

angerufen und ihm irgendwas von »Nerven« erzählt –
und was sonst noch? Jedenfalls war es ein sehr privates
Gespräch gewesen, das mit der Zeitungsarbeit nichts zu
tun hatte. Edith hatte das Gefühl, sie werde eingekreist.
Erste Anzeichen von Verfolgungswahn, dachte sie und
lächelte leicht. Sie war *froh* darüber, daß Brett bemerkt
hatte, wie schäbig das Haus von innen aussah, trotz der
neuen Möbel von Melanie, die er wahrscheinlich gar
nicht gesehen hatte. Jedenfalls ging es immer noch einigermaßen mit dem Haus. Georges altes Zimmer hätte er
sehen sollen – das war wirklich fabelhaft geworden.
Wieder lächelte Edith in sich hinein.

Bang! Die Gedanken machten einen Sprung – jetzt
waren sie bei den alternativen »Gewinnen« und
»Gewinnern« am Ende ihres »Schießt auf den Präsidenten«-Artikels. Einer der Gewinner war natürlich der
richtige designierte Präsident, der (nach zahlreichen
Ablösungen) *nicht* erschossen worden war, weil es unter
den Zuschauern am Ende keine Mörder mehr gab. Dann
dachte sie an Brett, an sein geordnetes Leben in einer
schönen Wohnung in Manhattan, mit einer reizenden
jungen Frau, die jeden Abend neben ihm im Bett lag
und vielleicht schon wieder schwanger war. Ob er wohl
zu Carol dieselben Worte sagte, die er früher zu ihr,
Edith, gesagt hatte? Na wenn schon – sollte er doch.

Es war gerade noch Zeit für ein paar Minuten Fernsehen, während der Makkaroniauflauf mit Käse (aus dem
Tiefkühlfach) im Backofen bräunte. Aha – Nixon
plante eine Reise nach China – als erster Präsident der
USA, der nach China reiste undsoweiter undsoweiter.
Edith kochte vor Empörung, obgleich sie wußte, daß es
unsinnig war. Nixon war nicht ganz dicht. Er versuchte
einfach alles, um nicht geradestehen zu müssen, um den

Fragen seines Volkes und der Journalisten aus dem Wege zu gehen. Sogar Gert hatte das zugegeben.

»Stell das ab, Cliffie, mir wird schlecht. Komm jetzt zum Essen.«

Edith brachte Cliffies Büste nach Philadelphia zu einem Kunstgießer. Bronze kam wegen der Kosten nicht in Frage, aber es gab ein neues Material, eine Art Gips, das man mit Sandpapier auf kleinen Flächen, wie etwa der Nasenspitze oder den Stirnwülsten, aufhellen konnte, dann sah das Resultat aus wie Bronze. Die Bibliothekarin in der Brunswicker Bücherei hatte Edith von der Gießerei erzählt, und Edith war ihr dankbar dafür. Der Mann hatte noch andere Arbeiten und sagte, es werde etwa drei Wochen dauern und ungefähr fünfzig Dollar kosten. Edith war glücklich. Nun bekam der Kopf seinen festen Platz im Haus, es war ein fertiges Werk, genau wie ein Bild, und nicht mehr bloß ein Klumpen Plastilin oben im Arbeitszimmer. Auch auf »City« war Edith stolz: lauter gesprenkelte, rastlos wirkende kleine Kleckse, die Menschen darstellten in ganz kleinen »Räumen« – Menschen, die hin- und herliefen, hinausschauten, oder auch schliefen, grübelten, umfielen. Davon einen Guß herzustellen, wäre sicher sehr schwierig und wahrscheinlich unmöglich. Edith fing eine neue Kurzgeschichte an, diesmal reine Belletristik ohne politische Nebenabsichten. Das Vorhaben, mit Gert zu reden wegen ihres Anrufs bei Brett, hatte sie aufgegeben, was sicher ratsam war. Gert rief mindestens zweimal in der Woche an, immer wegen Sachen, die das *Signal* betrafen, aber Edith sagte kein Wort von Brett. Eines Morgens berichtete Gert am Telefon, der Papierlieferant mache sein Geschäft zu, er wolle sich zur Ruhe setzen. Als

Ersatz kamen zwei andere Firmen in Frage, beide waren teurer.

»Na ja, es wird eben alles teurer«, meinte Edith geduldig.

»Ich bin in der Nähe – kann ich mal reinkommen?«

»Aber natürlich!«

Edith saß an der Schreibmaschine, als Gert erschien; aber sie unterbrach die Arbeit gern und ging hinunter. Es war kurz nach zehn. Gert trug lavendelblaue Slacks, dazu eine rötliche ärmellose Bluse, die über dem Busen spannte. Auch die Hosen spannten über den Schenkeln. Gert hatte X-Beine.

»Whuhh – schwül heute«, sagte Gert.

Sie erörterten die Papierfrage und beschlossen, wie Edith vorausgesehen hatte, die Firma mit dem günstigeren Preis zu nehmen. Das *Signal* hatte jetzt eine Auflage von fünftausend. Viele Leute schickten das Blatt an ihre Kinder, sogar nach Australien.

Schweigen. Dann: »Brett sagte mir, du hättest ihn vor einiger Zeit angerufen. Er war hier.«

»Ach ja, stimmt. Ich hab ihm von deinen Stories erzählt, und auch von deiner Bildhauerei.«

»Kennst du seinen Freund Starr? Peter Starr?« Die Frage interessierte Edith am meisten.

»Nein.«

»Was hast du Brett denn erzählt?«

»Wieso – was meinst du?«

Edith holte tief Luft. »Ich hatte den Eindruck, er machte sich Sorgen um mich, und ich wollte wissen warum.«

»Na-hein«, sagte Gert lächelnd. »Ich glaube, ich hab ihm erzählt, du hättest sogar einen Artikel an die Untergrundpresse verkauft.«

Edith nahm eine Zigarette.

»Also die Geschichte – die war wirklich komisch«, sagte Gert. Der muntere Ton klang nicht ganz echt.

»Wer ist dieser Peter Starr? Ein Psychiater oder was?«

»Ich kenne ihn nicht. Nie gehört.«

Das war vermutlich wahr. »Ich hatte das Gefühl, er und Brett betrachteten mich als Fall, und ich wußte nicht wieso und warum. Dann sagte Brett, du hättest ihn angerufen.«

Gert sah leicht verlegen aus, oder sie tat nur so. »Also, Edie – ja. Ich machte mir nämlich Sorgen um dich, und Brett kennt dich doch so gut, da dachte ich, es könnte nicht schaden, wenn er mal herkäme und mit dir spräche. Das macht doch nichts, oder? Ich finde, er besucht dich überhaupt viel zu wenig, wo ihr doch gut miteinander steht.«

Edith sah Peter Starr vor sich. Höflich, vorsichtig. Sie hatte irgendwo mal von einem Ehemann gehört, der plötzlich einen Psychiater mit nach Hause brachte, dann wurde die Frau einfach in die Klapsmühle verfrachtet – entführt, konnte man beinahe sagen. »Außerdem kann man von der Untergrundpresse wenigstens sagen, daß sie amüsant ist –«

Gert starrte blicklos ins Leere, vielleicht auf den Barwagen.

»Du warst ja auch mal ziemlich extrem, Gert«, fuhr Edith ruhig fort; sie wollte so viel wie möglich von Gert erfahren. »Aber mich hast du doktrinär – oder reaktionär genannt, damals bei euch! Schwenker nach rechts, hast du von mir gesagt. Na, ich weiß nicht. Ich bin überzeugt, daß Autorität wieder im Kommen ist, weil es notwendig ist. Das ist eine historische – oder jedenfalls eine objektive Tatsache, mit mir persönlich hat das nichts zu tun. Die Gesellschaft wird zunehmend komplexer.«

»Das ist doch nicht dasselbe, als wenn man selber daran glaubt und Autorität predigt. Du willst immer alles nach deiner Mütze organisieren, Edie!«

»Unsinn – wie kann ich denn? Aber glauben kann man natürlich immer daran, wenn man will. Findest du es nicht intelligenter – und auch interessanter, mit offenen Augen zu sehen, was kommen wird, und sich darauf einzustellen?«

»Auf den Faschismus? Auf Autorität? Du meinst wohl Nixon, diesen Schleicher?«

»Wieso ist er denn gewählt worden? Werbung, Zeitungen, Fernsehen! Erwartest du Urteilsfähigkeit von Leuten, die sich täglich den Quatsch im Fernsehen vorsetzen lassen? Jeder Bürger der Vereinigten Staaten sitzt durchschnittlich vier Stunden pro Tag vor dem Bildschirm!«

Gert stöhnte, als langweile sie das alles; als sei das, wovon sie selber sprach – konnte man es Hoffnung nennen? – etwas ganz Konkretes, für das zu kämpfen sich lohnte.

»Nixon – das ist galoppierender rechtsradikaler Faschismus«, sagte Edith, »und dabei nicht mal der richtige! Wenn ich für die Untergrundpresse schreibe, dann sage ich damit bloß: warum zum Teufel soll man nicht mal lachen über diese Situation? Was soll der tierische Ernst? Ich meine, wem nützt es was, wenn du immer bloß sagst, Nixon müßte rausgeschmissen werden? Ich stelle wenigstens seine dreckigen Methoden an den Pranger – wie er seine Gegner ausschaltet, die bloß –«

Gert rollte sich auf dem Sofa von einer Seite zur andern, und Edith mußte an Mutter Erde denken, an ihr unaufhaltsames Abrollen vom Sommer über die Mittelachse zum Winter. »Edie, du machst mir Sorgen«, sagte Gert.

Edith machte sich, wenn sie ehrlich war, zuweilen ebenfalls Sorgen um sich selber, um ihren geistigen und seelischen Zustand. Aber was fehlte ihr eigentlich? Sie war gesund, das Haus war bestimmt nicht verlottert, sie und Cliffie hatten genug zum Leben, sie hatte eine Stellung und arbeitete noch mehrere Stunden jede Woche für das *Signal*. »Red' weiter«, sagte sie endlich.

»Du hast in den letzten drei oder vier Jahren viel durchgemacht. Brett, Georges Tod, Melanies Tod, und Cliffie trinkt zu viel, sei ehrlich«, sagte Gert leiser mit einem Blick auf Edith. Cliffies Transistor tönte in voller Lautstärke, es klang so ähnlich wie »Ring around the Rosie«. »Glaub mir, Edie, ich finde, du hältst dich wirklich gut.«

Edith wurde ungeduldig – das alles klang wie ein Trostwort für Sterbende. »Also im Klartext, hast du zu Brett gesagt, ich brauchte einen Psychiater oder sowas?«

»Ja, das hab ich. Das schadet doch wirklich nichts, Edie. Ich mach mir Sorgen, und Norm auch. Weißt du, es ist nur – eine Stütze, oder ein Halt. Jemand, mit dem du alles besprechen kannst –«

»Ha – dieser neulich wollte gar nicht reden. Er hat mich auch nicht wieder angerufen in –«

»Du hast doch nichts dagegen, mit jemandem zu sprechen, nein? Einfach so, wie man sich beim Arzt mal untersuchen läßt. Mehr ist es nicht«, sagte Gert mit freundlichem Achselzucken.

»Nein, dagegen hab ich nichts. Aber er hätte ja offen sagen können, was er wollte. Vielleicht sind sie jetzt schon beide dabei, irgendwas zu unterschreiben, und kommen dann mit der Zwangsjacke her?« Edith lächelte ihr zu – der alten guten Freundin Gert Johnson, die gar nicht eine so gute Freundin war, die niemals so offen zu ihr gewesen war, wie Edith immer geglaubt hatte.

»Aber Edie, das ist doch Unsinn – so ist es absolut nicht. Wenn du mal mit einem Psychiater über all deine Sorgen und Kümmernisse sprechen könntest, dann könnte das alles wieder in Ordnung kommen. Brett hat übrigens gesagt, er würde es bezahlen. Wenn du also einverstanden bist – es brauchte ja nicht der Mann von neulich zu sein –«

»Ja, das will ich auch hoffen. Er machte nicht gerade einen überwältigend klugen Eindruck. A.B.C. nannte ihn Cliffie – Außergewöhnlich Blöder Clown. Der wählt bestimmt Nixon. Na ja –« Edith versuchte, sich heiter zu geben, etwa wie jemand, dem gerade eröffnet wurde, er habe Krebs oder Leukämie. »Dann bin ich also wohl einverstanden.«

Gert schien erleichtert. »Auch Träume, weißt du – wenn du sie behalten kannst.«

Dazu sagte Edith nichts. Von zwölf Träumen behielt sie vielleicht einen. Sie waren eher geheimnisvoll als beängstigend, und sehr oft komisch. Gert wollte keinen Kaffee, trank aber gern einen Whisky. Alles, was sie erörtert hatten, schien jetzt so belanglos im Vergleich zu Nixons Versuchen, noch gerade mit heiler Haut davonzukommen, und zu der nackten Tatsache, daß das Land, ein großes und machtvolles Land, ohne Führung war. Nixon versprach immer wieder, sämtliche Streitkräfte aus Vietnam herauszuziehen, er warf mit Zahlen um sich – »Wieder fünfhundert Heimkehrer diese Woche!« – weil im ganzen Land Eltern wie die Johnsons auf die

Heimkehr ihrer Söhne warteten; aber er verlor kein Wort über die Philosophie oder die Strategie der amerikanischen Präsenz in Vietnam, wie es überhaupt dazu gekommen war und wie man jetzt die Heimkehr bewerkstelligen wollte. Jetzt hatte er nur noch Angst um sein Amt, jetzt wollte er nach China fahren, damit man ihn auf dem Bildschirm an der Großen Mauer oder mit Eßstäbchen in der Hand bewundern konnte. Schatten von George Orwell und seinem Buch »1984«. Alles Ablenkungsmanöver!

»Soll ich nun eigentlich warten, bis Brett mir einen Psychiater schickt?« fragte Edith, als Gert aufbrechen wollte. »Oder soll ich selber zu einem gehen? Du scheinst mehr zu wissen als ich.«

»Ach Edie, das weiß ich wirklich nicht. Wenn du den nicht magst, den er neulich mitgebracht hat –« Wieder zuckte Gert etwas hilflos mit den Achseln. Sie war offenbar froh, jetzt zu gehen.

Wenige Minuten später saß Edith an der Schreibmaschine. Jetzt hatte sie Lust, mit der Story über den Präsidentenwahlkampf anzufangen. Als Arbeitstitel schrieb sie darüber: *Die Welt, wie ihr sie euch wünscht,* oder *Warum haben wir nicht Maggo gewählt?*

Der Artikel ging nur kurz auf die Taktik der Republikaner ein, auf die Art, wie man Nixon der amerikanischen Öffentlichkeit verkaufte (mit neuem Lächeln und Make-up im Fernsehen, und für Edith immer noch widerwärtig) und wie man seine stärksten Wahlgegner, Muskie und Humphrey, durch üble Ehrabschneidereien ausgeschaltet und auf diese Weise das demokratische Feld dem schwächsten Kandidaten, McGovern, überlassen hatte. Das alles waren Tatsachen, die jeder Amerikaner erkennen konnte, wenn er wollte. Aber Edith ließ ihre Phantasie schweifen. Sie sah mit Trauer, daß McGovern in diesem Wahlkampf haushoch verlieren würde, aber sie wollte trotzdem ihn und nicht Nixon wählen, und sie konnte natürlich auch Cliffie dazu überreden. SCHWARZE SÄUBERN HARLEM: so war eine ihrer Aktionen unter der idyllischen Regierung von Maggo betitelt. Es folgte ein Bericht über frischgeputzte Fenster und saubere Straßen in Harlem, über Maggos Programm »Neue Freude« und über den spontanen Entschluß der Bevölkerung, ab jetzt Harlem mit Doppel-a zu schreiben, um die Erinnerung an das alte holländische Dorf wachzuhalten, nach dem der Ort genannt worden war. Lächelnd las den Edith den Artikel durch:

SCHLUSS MIT PUSHERN UND SCHIEBERN!
New York. – Lottoschieber und Drogenpusher sehen in New York, vor allem in Harlem, einer bösen Zukunft entgegen. Präsident Maggos Programm »Neue Freude« beginnt Früchte zu tragen. Physische Arbeit – Säuberung und Verschönerung von Straßen und Plätzen, von den meisten mit Begeisterung aufgenommen – treibt den jungen Leuten die Drogen aus den Knochen, und die Geheilten lassen ihren Eltern keine Ruhe, bis sie ebenfalls auf Drogen oder Alkohol verzichten. Der beste Beweis sind die langen Gesichter mancher Dealer, wenn frühere Kunden auf ihre Angebote mit Kopfschütteln antworten.

Die Berufsschulen sind voll, der Schulbesuch ausgezeichnet; junge Leute üben sich in Klempner- und Maurerarbeiten nicht nur für den eigenen Bedarf – gratis, als nachbarliche Hilfe. Ehemalige Unterstützungsempfänger geben ihre Gelder an die Behörden zurück (ein Beamter der Zahlkasse soll einen Herzanfall erlitten haben).

Wer solche Berichte und Überschriften dem bisherigen trüben Lesefutter vorzieht, der kann nur MAGGO WÄHLEN. Man denke zum Beispiel an das Gesundheitswesen, das hoffentlich alle interessiert. Ist Maggo erst gewählt, wird ein Zeitungsbericht etwa so aussehen:

Mit der Volksgesundheit geht es deutlich aufwärts. Unter Maggos Führung ist der Staat die einzige Instanz, die sich der Gesundheit seiner Bürger annimmt; in seinen Verträgen gibt es nichts Kleingedrucktes. Es gibt nämlich überhaupt keinen Vertrag, man schreibt sich nur ein wie in der Leihbücherei – einfacher geht's nicht, das sehen alle ein. Die Versicherung gilt für die gesamten Vereinigten Staaten, nicht nur für ein Bundesland; und mit blödsinnigen Vorschriften, nach denen ein Patient in Pennsylvania leer ausgeht, weil sein Spezialarzt leider in New York wohnt (wie es oft genug vorkommt): mit sowas ist endgültig Schluß. Nur zu gut kennen wir all die Blaukreuzler und Grünkreuzler – »private« (und dubiose) Versicherungsgesellschaften – und anderen miesen Kreuzler, die seit langem in unserem Land ihr Unwesen treiben. Kürzlich wurde in Manhattan die Klinik für Akupunktur aus technischem Anlaß geschlossen – warum? Weil durch Akupunktur tatsächlich eine ganze Reihe von Menschen gebessert oder geheilt worden ist, und was noch schwerer wiegt: es kostete nicht mal viel, denn man brauchte keinen Anästhesisten, kein Schlachtfeld im Operationssaal, keine teuren »Nachbehandlungen« im Krankenhaus. Erraten: es war die American Medical Association, der wir die Schließung der Akupunkturklinik zu verdanken haben. Und die AMA hegt noch einen anderen Groll: nur sechzig Prozent aller amerikanischen Ärzte gehören zu ihrem geldgierigen Verein, der jedem möglichst langwierige Krankheiten an den Hals wünscht; die andern vierzig Prozent, vor allem junge Ärzte, weigern sich beizutreten. Amerika nimmt allmählich Vernunft an. Der Steuerzahler, ausgesaugt von all den Kreuzlern, hat es satt, für ärztliche Versorgung doppelt und dreifach zu zahlen, weil die sogenannte Versicherung von dem Geldsegen den Rahm abschöpft.

Unser Führer, unser Mann, unser Präsident heißt Maggo!

Ganz am Ende des Artikels ließ Edith den Präsidenten von kleinen weißbekittelten Männern aus einem Gebäude heraustragen (es war sein Hauptquartier, das bereits von FBI oder CIA gewaltsam geöffnet und durchsucht worden war – Edith hatte Nixon höchstselbst dabei im Verdacht), denn das Establishment dachte natürlich nicht daran, solche Aufrufe einfach hinzunehmen – ebensowenig wie es jemals einen Präsidenten ans Ruder kommen ließ, der Steuerschwindel verhinderte und einkommensschwache Familien von der Lohnsteuer befreite.

Was würde Gert dazu sagen? »Zu scharf?«

29

Merkwürdigerweise verging der ganze Sommer und Herbst und sogar Weihnachten, ohne daß sie von Brett irgendetwas wegen des Psychiaters hörte. Nur der

Scheck über hundert Dollar kam pünktlich jeden Monat, zusammen mit einem kurzen freundlich-nichtssagenden Brief. Wenn Gert aus Gründen anrief, die das *Signal* betrafen, so klang ihre Stimme unverändert, wie in der alten Zeit, weder kühl noch besonders warm, Gottseidank. *Rolling Stone* kaufte »Schießt auf den Präsidenten« – nach längerem Warten, denn *Shove It* hatte dichtgemacht, und eine andere Untergrund-Zeitschrift hatte Ediths Manuskript verloren. Da Edith immer alles dreifach tippte, schickte sie dann im Januar eine Kopie an *Rolling Stone*. Sie zahlten nicht besonders gut, aber Ediths Lebensgeister hoben sich.

Cliffies Kopf war in dem neuen metallähnlichen Material gegossen worden und wog mehr als 20 Pfund. Edith hatte vorgehabt, ihn auf dem Eichenholzsockel (für den sie 12 Dollar bezahlt hatte) ins Wohnzimmer zu stellen, aber sie konnte sich für keinen Platz entschließen. Vielleicht würde es auch etwas zu prätentiös aussehen und wäre am Ende peinlich für Cliffie. Der Kopf blieb also oben in ihrem Arbeitszimmer.

Ende Januar saß Edith eines Tages mit Elinor Hutchinson, Besitzerin und Manager des »Strohwinkels«, beim Nachmittagskaffee in dem kleinen Hinterzimmer, wo ein Gaskocher und Kühlschrank Platz hatten; und bei diesem Gespräch teilte ihr Mrs. Hutchinson sanft und überaus freundlich mit, daß sie Edith entlassen müsse.

»Wir sind etwas zu viele im Geschäft«, sagte sie und blinzelte Edith durch die dicken Brillengläser prüfend an, »deshalb dachte ich, es wäre das beste, die jungen Mädchen zu behalten. Für Sie ist es sicher keine Katastrophe.« Ihr Lächeln war fast ein Lachen.

Edith war bestürzt, und die beiden Gründe erstaunten sie. Es traf nicht zu, daß sie zu viele waren, und die zwei jüngeren Mädchen waren Gänse. »Ja natürlich. Ich verstehe.«

»Selbstverständlich können Sie bis zum Monatsende bleiben, wenn Sie wollen, und auch noch bis Mitte Februar.« Immer noch ließ Mrs. Hutchinson Edith nicht aus den Augen – so wie sie manchmal im Geschäft die Kunden musterte, denn unter den Touristen am Wochenende gab es immer wieder Ladendiebe. »Üblich ist ja ein Monat Kündigungsfrist, so wollen wir es also auch halten. Gar keine Eile, Edith. Sie waren von Anfang an eine sehr gute Verkaufsassistentin.«

Women's Lib-Vokabular, Verkaufsassistentin. »Ich hab den Laden wirklich gern«, sagte Edith mit offenem Lächeln. »Es gibt schlimmere hier in Brunswick.«

Elinor lachte, als habe Edith einen Witz gemacht.

Edith ging wieder an die Arbeit. Vielleicht war sie nicht mehr so tüchtig wie früher? Oder zu alt geworden, nicht mehr präsentabel, nicht mehr so, wie ein Geschäftsinhaber seine Verkäuferin zu sehen wünschte? Vielleicht hatte Elinor einen oder zwei ihrer Leitartikel im *Signal* gelesen und mochte sie nicht? Jedenfalls hatte sie sich im Umgang mit den Kunden nichts vorzuwerfen; die andern Verkäuferinnen oder Verkaufsassistentinnen bewunderten oft ihre Geduld mit unentschlossenen Kunden, mit Leuten, die sich immer mehr vorlegen ließen und nie etwas kauften, oder die sich umbesannen, wenn sie schon bald wieder draußen waren. Edith hatte das immer interessant oder sogar amüsant gefunden, es gehörte für sie zur menschlichen Natur. Die Kündigung bedeutete ein Minus von monatlich etwa dreihundert Dollar; das würde sie merken, milde gesagt.

Abends erzählte sie es Cliffie; er war zum Essen zu

Hause, die Augen noch röter als sonst. Der Tag war kalt, regnerisch und unfreundlich gewesen, und Cliffie hatte anscheinend nur herumgesessen und sich allerhand einverleibt.

»Hach – dieser Flohwinkel!« sagte Cliffie verächtlich und spießte sein Kotelett auf die Gabel, um die letzten Fleischreste herunterzusäbeln. »Es gibt schließlich noch andere Läden, wozu ist dies 'ne Touristenstadt. Warum tut sie so hochtrabend?«

»Sie tut durchaus nicht hochtrabend«, widersprach Edith. »Wir haben eine Rezession, das weißt du. Die Leute halten ihr Geld fest. Vielleicht kann sie mit einer weniger auskommen, der Weihnachtstrubel ist ja vorbei.« Elinor hätte ihr das auch vor Weihnachten sagen können, dachte Edith; aber natürlich hatten sie zum Fest alle gern Überstunden gemacht, dafür hatte jede zwanzig Dollar extra bekommen. »Es geht jetzt darum, daß wir monatlich dreihundert Dollar weniger haben. Ich werde versuchen, was anderes zu kriegen. Aber du könntest es auch versuchen, weißt du.«

Cliffie blickte von seinem Teller auf, die dunklen Augen leicht verstört – erschrocken. »Ich –?«

»Du könntest ja zusehen, daß sie dich im Chop House fest anstellen. Nicht nur ab und zu ein paar Stunden. Oder sonst irgendwas. Also wirklich, Cliffie, du bist jetzt siebenundzwanzig, im besten Alter – warum suchst du dir nicht eine feste Arbeit?«

»Zum Beispiel was?« Es hörte sich an, als sagte er: was um Gotteswillen hat mich meine Familie oder die Gesellschaft denn lernen lassen?

»Schließlich hast du –«

»Was habe ich?«

»Nichts. Nein – nichts«, sagte Edith und winkte ab.

Schließlich hast du Frau und Kind, hatte sie sagen wollen. Das fehlte noch! Edith verzog das Gesicht zu einem Lächeln und lachte dann plötzlich auf. Sie blickte zu Cliffie hinüber, der verwirrt dasaß und sie nicht verstand. »*Nichts!*«

Edith war beunruhigt. Es war wie ein kleiner Wirbelsturm, dachte sie, nicht sehr stark, aber sie war mittendrin. Sie räumte die Küche auf. Das Fernsehprogramm, das Cliffie heute abend sehen wollte, interessierte sie nicht, sie ging nach oben in ihr Arbeitszimmer. Es war noch einiges zu tun, ein paar Sachen für das *Signal* und dann die Kurzgeschichte, an der sie gerade saß und die erst halb fertig war, die andere Hälfte sollte in einem Zug geschrieben werden, wenn sie mal in der Stimmung war. Sie schlug ihr Tagebuch auf. Vor acht Tagen, das sah sie am Datum, hatte sie etwas geschrieben, das sie völlig vergessen hatte. Sie las es und fand es gut.

Eine Katze müßte »Du« heißen, weil es das Wort ist, das jede Katze am häufigsten hört, wenn man überhaupt zu ihr spricht.

Sie blätterte etwas zurück. Vielleicht fand sie irgendwo eine kleine Eintragung, die ihr Mut machte. Sie fand:

Dahlien pflanzen, indem man sie wie Bomben fallen läßt?

Edith schraubte die Füllfeder auf, setzte das heutige Datum unter den Satz von der Katze, und schrieb:

Eine gute Nachricht: Debbie ist wieder *enceinte*. Sie

rief mich an. Sie sagt, sie hat es C. nach Kuwait telegrafiert. Sie klang sehr glücklich. Wir hoffen beide, daß es diesmal ein Junge wird . . .

Sie schrieb noch etwa zwanzig Minuten weiter, die Seite füllte sich mit ihren sauberen kleinen Schriftzügen. Einmal fuhr es ihr durch den Kopf, daß man ihr gekündigt hatte. Keine Stellung. Aber liebe Zeit, sie dachte nicht daran, etwas so Deprimierendes in ihr Tagebuch aufzunehmen. Als sie mit der Eintragung über Cliffies Familie fertig war (das zweite Baby sollte im nächsten August kommen), nahm sie den Strohbesen, der in einer Ecke stand, und fegte den Fußboden. Sie schüttelte die Plastikdecke aus, fegte die kleinen Tonreste zusammen und ließ sie in den Papierkorb fallen.

Nelson saß auf dem alten Kissen auf der kleinen Polsterbank, wo auch Mildew immer gesessen hatte, und sah ihr aufmerksam zu.

»Du«, sagte Edith, »möchtest du so heißen? Du?«

Nelson gab keine Antwort.

Jetzt mußte sie auch bald Melanies Kopf zu dem Kunstgießer bringen, dachte Edith. Darauf freute sie sich – zwei richtige Kunstwerke! Eigenlob, aber das machte nichts. Ihre beiden liebsten Menschen. Na ja, Melanie bestimmt. Cliffie – wenigstens der Kopf war ihr gut gelungen, der Kopf, den *sie* gemacht hatte. Ja, das war etwas zum Freuen. Bloß die Kosten – ohne ihre Stellung mußte sie jetzt erstmal rechnen. Feststellen, wie die Lage genau aussah. Aber heute abend wollte sie nicht an Geld und Finanzen denken.

Von Brett kam ein Brief, Anfang Januar datiert, mit dem er ihr in leicht gespreizten Worten riet, einen Psychiater in Philadelphia aufzusuchen, dessen Namen und

Adresse er angab. Dr. Herman L. Stetler, eine Autorität für Blahblah. Brett schien ihr beibringen zu wollen, es sei wirklich ein netter Mann. Das Datum des Briefes wunderte Edith, sie prüfte den Umschlag und sah, daß Brett sich zuerst im Ort geirrt hatte: er hatte New Brunswick geschrieben, das war eine Stadt in New Jersey.

»Soviel ich sagen kann, Edith, wird dir ein Besuch bei ihm – oder auch mehrere – gut tun und dir Erleichterung verschaffen (wie es stets der Fall ist, wenn man seine Probleme mit einem anderen erörtert). Vielleicht kann Dr. Stetler es einrichten, daß du jede Woche einmal zu ihm kommst, etwa vier Wochen lang oder so. Ich kenne seine Methoden nicht, weiß nur, daß er sehr flexibel ist und dich nicht auf dreimal wöchentlich festnagelt, wenn du nicht willst. Ganz abgesehen von den 10 000 Dollar, an denen dir anscheinend nichts liegt, wird es mir eine Freude sein, diese Behandlung für dich zu bezahlen . . .«

Der Brief schloß mit den besten Wünschen für ihr Wohlergehen. Sicher wunderte er sich, daß sie gar nicht geantwortet hatte. Edith hatte keine Lust, einen Psychiater aufzusuchen. Vielleicht war das der übliche Widerstand dessen, der ihn nötig hatte, dachte sie. Und was war nun mit diesem Mann Starr (hieß er denn wirklich so?), von dem Gert behauptet hatte, er sei Psychiater? Edith hatte nicht die Absicht, Brett mitzuteilen, daß sie erfahren hatte, Starr sei Psychiater. Hatte Gert das nicht gesagt? Obgleich sie doch angeblich nie von ihm gehört hatte?

Ein paar Wochen später, als ihre Arbeit im »Strohwinkel« aufgehört hatte, setzte sich Edith eines Abends kurz vor Mitternacht hin und schrieb an Brett. Sie hatte an diesem Abend erst alles erledigt, was sie sich vorgenommen hatte: alle Schränke und Regale in der Küche gesäubert und neu geordnet. Es war die Art Arbeit, die sie lieber nachts vornahm, wenn es nicht auf die Zeit ankam. Es war Mitte Februar, und morgen war St. Valentinstag.

Sie schrieb an Brett, sie verstünde nicht, warum ihm so viel an einer psychoanalytischen Behandlung für sie läge, und sie erklärte ihm, sie antworte erst jetzt, weil er seinen Brief nach New Brunswick geschickt habe. Sie sei im Augenblick ohne Stellung, bemühe sich aber um eine neue, da das notwendig sei, aus finanziellen Gründen. Das war beides durchaus wahr; Edith hatte zunächst aus einem Gefühl des Stolzes heraus ihm den Verlust der Stellung verschweigen wollen, doch dann hielt sie es für besser, ehrlich zu sein. »Hat dein Freund Starr einen so schlechten Bericht über mich abgegeben?« schrieb sie im letzten Absatz. »Nach dem Mord an Allende, den wir dem Druck der CIA und der üblichen Gaunerei der Amerikaner zu verdanken haben, kommt es mir so absurd vor, daß du dich mit einer einzigen Frau – mit mir – in einer pennsylvanischen Kleinstadt beschäftigst . . .« Sie las den Brief noch einmal durch und dachte an den Abend mit Starr und daran, daß Brett Cliffie beschuldigt hatte, dem Alten Kohlkopf eine Überdosis an Schlafmitteln verabfolgt zu haben; und sie konnte nicht anders, sie mußte noch einen Satz hinzufügen: »Versuchst du wirklich, mir zu helfen – mir und Cliffie? Oder verfolgst du uns?« Auch der Watergate-Skandal brachte ihr Blut zum Sieden – die traurige Tatsache, daß ehrliche Männer auf offene Fragen nicht mal eine Antwort von Nixon erhielten – aber das lag jetzt so offen zu Tage, es war in jeder Zeitung zu lesen, daß es wohl überflüssig war, einem Zeitungsmann vorzuhalten, das alles sei wichtiger als ihr kleines Geschick.

Edith nahm sich vor, im Sommer einen Teil der Erdbeeren und Himbeeren aus ihrem Garten zu verkaufen. Natürlich war es noch lange nicht Sommer, aber die Erdbeerpflanzen, die sie in geraden Reihen im Garten pflanzte, sahen so gut aus! Vielleicht nahm ihr der Crakker Barrel ein paar Kisten ab, das war das Feinkostgeschäft, für das Cliffie ab und zu – meist samstags und in der Ferienzeit – Waren auslieferte, entweder zu Fuß oder mit seinem Volkswagen. Es gab noch mehr Leute, die Obst aus dem eigenen Garten verkauften – Äpfel, Kirschen, Himbeeren. Sie konnte das Geld gebrauchen, für sich und Cliffie. Sie hatte im Japan Shop in der Stadt (die Inhaber waren keine Japaner, aber sie verkauften Japanwaren) vorgefragt, aber die hatten genug Personal und brauchten keine Verkäuferin oder Verkaufsassistentin, waren jedoch sehr freundlich gewesen. Ganz anders als im Pullover Shop, einem neuen Laden nur für Frauen, wo die Inhaberin etwas von oben herab gesagt hatte: »Nanu – ich dachte, Sie wären Journalistin.« Vielleicht hatte sie es nett gemeint, Edith fand es jedenfalls besser, es so aufzunehmen, sie hatte lächelnd erwidert: »Manchmal brauchen auch Journalisten ein bißchen Extrageld.« Hatte die Frau nicht noch was gesagt über *Rolling Stone*? Edith wußte es nicht mehr. Sicher kannten in der Stadt nur wenige Leute *Rolling Stone*, und sehr wenige schätzten das Blatt; es war nicht nur extrem, sondern auch noch porno. Als der März zu Ende ging, hatte Edith das Gefühl, daß man sie boykottierte. Sie hatte es nicht glauben wollen; aber vier Läden hatten sie abgelehnt. Im »Strohwinkel« (falls jemand fragen sollte) stellte man ihr bestimmt ein gutes Zeugnis aus; sie sah also keinen Grund für die Ablehnungen. Dauernd fielen jüngere Verkäuferinnen aus, heirateten oder hörten aus anderen Gründen auf. Einer der Läden hätte sie bestimmt genommen, wenn da nicht irgendwas los war.

Es waren diese Gedanken und Vorstellungen, die Edith immer mehr verhärteten in ihrer Einstellung zur Gemeinschaft, zum Kreis der Bekannten. Ärgerlich war das. Und damit nicht genug: Cliffie war in einer ähnlichen Lage, wenn auch aus ganz anderen Gründen. Er hatte einen zweifelhaften Ruf. Man wußte, er war eigentlich immer etwas angeheitert; sicher war es für viele ein Wunder, daß er überhaupt noch autofahren durfte, wenn er Waren lieferte oder zum Chop House und zurück fuhr, wo er immer noch gelegentlich als Kellner oder Barmann tätig war. Cliffie war der Allerweltsclown; wo er Waren ablieferte, bekam er zu trinken, besonders in der Ferienzeit, und für viele Leute in Brunswick Corner, die die Woche über in Manhattan wohnten, war jedes Wochenende Ferienzeit, genau so wie für die Touristen und Urlauber, die mit Drinks sehr freigebig waren. »Sie haben mich in der Küche behalten, und wir haben alle *Witze* erzählt!« berichtete er dann, wenn er gegen acht nach Hause kam und nicht mehr in der Verfassung war, im Chop House zu arbeiten, wo man ihn um halb acht erwartet hatte, so daß entweder er oder Edith dort anrufen und irgendeinen erfundenen Grund angeben mußte. Erstaunlich, daß sie ihn immer noch behielten, wenn auch nur stundenweise, aber er war eben der Allerweltsclown und – wie Edith annahm – bei vielen sogar beliebt.

Brett hatte auf ihren Brief, in dem sie ihn bat, sich wegen des Psychiaters etwas deutlicher auszudrücken, nie geantwortet. Vielleicht hatte er sich umbesonnen und hielt sie doch für stark genug, allein fertig zu werden? Hoffentlich war es so. Sie verkaufte zwölf Kistchen wunderbarer Erdbeeren und fünfzehn Kistchen Himbeeren an den Cracker Barrel und brachte es im Spätsommer noch einmal auf die gleiche Menge. Der Laden stellte ihr die kleinen flachen Kisten für die Früchte zur Verfügung, und der alte Mr. Glenn, der Inhaber, war liebenswürdig und großzügig – sogar wenn es Cliffie betraf.

Mit Gert hingegen schien das Verhältnis kühler zu werden. Sie ließ sich auch in der schrecklichen Woche nicht sehen, als Edith sich ihre unteren Schneidezähne – alle vier auf einmal – ziehen lassen mußte, weil sie sich aus dem Zahnfleisch lösten. Sie mochte sich kaum vor irgendjemandem sehen lassen. Dr. Payne, der Zahnarzt, brauchte gräßlich lange für die Brücke, aber Edith war doch lieber zu ihm gegangen als zu einem andern in Philadelphia, für den sie mehr als zwei Stunden Fahrzeit gebraucht hätte.

Die Watergate-Untersuchung schleppte sich hin und wurde immer langweiliger, was durchaus in Nixons Absicht lag, aber Edith verfolgte den Fall mit nie erlahmendem Interesse. Nixon behauptete, durch die Untersuchung würden Staatsgeheimnisse gefährdet. Er glich einem erschöpften Schakal, gehetzt von – von was? Von Hunden vielleicht. Aber die Hunde hatten seine Spur. Edith kam so weit, daß ihr sogar Nixons Anwalt leid tat. Dann kam im August Nixons Rücktritt, und durch das ganze Land ging ein hörbarer Seufzer der Erleichterung. Kein Jubel, wie er selber vielleicht annahm: nur die Erleichterung nach der Anspannung und dem unerträglichen Gefühl der Rechtlosigkeit.

Wieder kam Weihnachten. Edith nahm die Zinsen von Melanies zwei Aktien, dazu noch etwa hundert Dollar aus ihrem Girokonto, und kaufte neue Gardinen fürs Wohnzimmer. Die geblümten, fast zwanzig Jahre alt, waren schlaff und verblichen.

In Cliffies Zimmer herrschte wieder die alte Unordnung. Für Edith war es der längst vertraute und auch ganz gemütliche Zustand. Monate nach dem großen Aufräumen für Luce hatte Cliffie es einigermaßen ordentlich gehalten, fast als erwarte er, sie werde eines Tages wiederkommen und sich alles ansehen. Dann setzte der alte Kehrmichnichtdran wieder ein, wie eine Illustration zu der Tatsache, daß er die Hoffnung aufgegeben hatte, dachte Edith, obgleich ihr so negative Gedanken eigentlich keinen Spaß machten.

Einmal, als das Zimmer noch ganz nett aussah (Edith hatte ihm eine Begonie auf den Tisch gestellt, nur durfte sie nicht vergessen, sie zu gießen), hatte sie gefragt: »Hat Luce eigentlich dein Zimmer gefallen?«

Cliffies Augen sprühten. »Wieso – Ja. Klar hat's ihr gefallen, sicher. Sie hat's gesagt.«

Edith bereute sofort, Luce erwähnt zu haben. Es war so lange her. Zu dumm von ihr – sie hatte ihm doch gewiß nicht wehtun wollen. Ihr war nur niemand eingefallen, der jemals sein Zimmer gesehen hatte, auch nicht nach der großen Aufräumaktion von damals. Selten genug brachte Cliffie mal einen Kumpan auf ein Bier mit nach Hause. Neue Poster waren inzwischen nicht hinzugekommen. Er hauste jetzt wieder wie früher mit halboffenen Schubladen, Schuhe und Socken lagen auf dem Boden herum, das Bett wurde nicht gemacht, der

Schlafanzug blieb liegen, wo er ihn fallen ließ. »Es ist doch ein *nettes* Zimmer«, schloß sie etwas hilflos. Lieber aufhören mit dem Thema.

In Cliffie schwelte das Gespräch noch stundenlang nach. Er *wußte*, daß Luce sein Zimmer nicht gesehen hatte, daß er an dem Abend, als sie zum Drink gekommen war, die Zeit gehabt hätte zu fragen: Willst du nicht mal eben mein Zimmer sehen? – aber er hatte es nicht gesagt. In Gedanken tat er oft so, als sei sie in seinem Zimmer gewesen, als hätten sie mit den Drinks ein paar Minuten auf seinem Bett gesessen und er hätte sie in den Arm genommen, bevor sie dann zum Essen ausgingen. Aber er wußte, so war es nicht gewesen. Und dabei hatte er sich so viel Mühe gegeben mit dem Zimmer, hatte so lange daran gearbeitet, einiges sah man sogar jetzt noch, und sie hatte keinen Blick hineingeworfen! Warum hatte auch seine Mutter von Luce anfangen müssen! Luce – heute hatte sie sicher schon zwei schreiende Gören. Zum Satan mit dem Schweinekerl, den sie geheiratet hatte.

Es war ein scheußlicher Winter. Ein Dutzendmensch war Präsident geworden – nachdem man sich vergewissert hatte, daß er zu keinem wichtigen Thema eine eigene Meinung besaß, dachte Edith. Die Außenpolitik, in der Amerika nach Ediths Ansicht die schlimmsten Fehler machte (man brauchte nur an Nahost und an Chile zu denken) war für Ford terra incognita. Kissinger – das war der Mann der Außenpolitik. Und westlich der Appalachen, dachte sie, war den Leuten sowieso alles egal. Salvador Allende war brutal ermordet worden, nachdem er sich bis zuletzt gegen Banditen in Uniform gewehrt hatte. Ein Triumph für die CIA, die seit Monaten damit beschäftigt war, ihre Spuren dort zu verwischen, so daß sie nun entrüstet fragen konnte: »Was – *wir*? Was haben *wir* damit zu tun?« Die in der OPEC zusammengeschlossenen Länder erhöhten die Ölpreise, so daß Heizöl und Benzin teurer wurden und noch weiter steigen sollten. Edith fuhr nach Doylestown zum Optiker, weil sie stärkere Gläser brauchte (es war Altersweitsichtigkeit, wurde also schlimmer) und zum Zahnarzt wegen drei Backenzähnen. Einer war schon plombiert, bei einem war nichts mehr zu machen, und einer ließ sich vielleicht durch Wurzelbehandlung retten, aber sie hatte mit Dr. Payne vereinbart, daß alle drei gezogen wurden. Die Brücke, die er dann machen mußte, kostete über fünfhundert Dollar. Im Oktober war sie vierundfünfzig geworden, und niemand, weder Cliffie noch Gert, die sonst fast immer wenigstens eine Karte schickte, hatte davon Notiz genommen.

Freude und wirkliches Leben gab es nur in ihrem Tagebuch. Debbies und Cliffies neues Baby war ein kleiner Junge namens Mark, ein fröhlicher und intelligenter kleiner Kerl, der schnell heranwuchs und Ärzte und Freunde in Erstaunen versetzte. »Ich will nicht gerade behaupten, daß er klüger ist als seine große Schwester«, schrieb Edith (aus einem Brief von Cliffie) in ihr Tagebuch, »aber aufpassen muß Josie schon.«

Edith freute sich oft an den frohen und glücklichen Notizen. Manchmal erinnerte sie sich kaum noch daran, aber das war ja auch zu erwarten, da sie vieles aus Briefen von Cliffie oder Debbie abgeschrieben hatte. In Kuwait hatte sich inzwischen manches geändert. Cliffie wohnte nicht mehr in dem modernen klimatisierten Hotel, denn seine Firma hatte für ihre Angestellten Häuser und Wohnungen gebaut. Die Firma war vom Staat Kuwait übernommen worden und hatte eine große Schule für die Ausbildung arabischer Techniker errichtet, und einer der Ausbilder war Cliffie. Heimatflüge (mit Jets) waren für die Angestellten und ihre Angehörigen kostenlos; Debbie flog alle drei oder vier Monate nach Hause zu ihren Eltern und besuchte natürlich auch Edith. Manchmal kam auch Cliffie mit, wenn er sich freimachen konnte. Er kam Edith jetzt immer sehr groß vor, vielleicht weil er sich so gerade hielt; und er war natürlich immer braungebrannt, denn er war ja viel im Freien, um die Arbeit zu beaufsichtigen. Unter dem Datum des 18. Februar 1974 las Edith:

C. & D. waren entzückt von den beiden Pullovern, die ich für J. & M. gestrickt hatte, beide hellblau mit weiß. Sie sagten, die Nächte in Kuwait könnten recht kalt sein, aber vielleicht sagten sie das auch bloß der Oma zuliebe!

Sie konnte sich nicht entsinnen, daß sie das geschrieben hatte, aber es stand da. Und das Komische war, daß auch die beiden Pullover existierten; sie hatte sie in ihrer Freizeit gestrickt, und sie lagen in der untersten Schublade der Kommode in ihrem Schlafzimmer. War das nicht merkwürdig? Nein, eigentlich gar nicht. Sie strickte manchmal nachts zwischen zwei und halb vier in ihrem Arbeitszimmer, entspannt und gelöst, und ließ die Gedanken wandern. Cliffie wußte sicher nichts davon, daß sie überhaupt strickte; es war kein großes Talent (jedenfalls bei ihr nicht), sie hatte es mit etwa fünfzehn gelernt und seither nicht viel Gebrauch davon gemacht. Aber es wäre besser, wenn sie nicht an die beiden Pullover dächte. *Denk lieber an die Zukunft*, mahnte sie sich, wie sie sich immer ermahnt hatte, seit – ja, seit sie zwanzig war. Man mußte hoffen, wenn man leben wollte. Natürlich war Hoffnung im Grunde nichts als eine Idee, und Zukunft auch. Aber schließlich war alles, was in der Welt und in der Geschichte überhaupt zählte, eine Idee und nichts anderes gewesen – jedenfalls am Anfang. Auch die Zukunft. Dann konnte sie also auch ruhig bald damit anfangen, für Josephine und ihren kleinen Bruder Hemdchen, Blusen, Kleider und Hosen zu kaufen. Ganz leichte Sachen natürlich, wenn Cliffie weiter in Kleinasien arbeitete. Aber sie kamen ja auch mal zu Besuch zu ihr (im Tagebuch waren sie bisher zweimal dagewesen), und wenn sie im Winter kamen, würden sie frieren, wenn sie hier nichts Wollenes hatten.

Edith saß am Tisch, die Füllfeder in der Hand, und träumte vor sich hin. Die Kinder waren gekommen, Debbie und Cliffie und die beiden Kleinen; sie sah eine fröhliche Dinnerparty, vielleicht waren auch die Johnsons dabei, es gab viel Gelächter, Cliffie erzählte von seiner Arbeit an den Dämmen und Bewässerungsprojekten und von den Modellen für die Schule in Kuwait. Hatte Debbie eigentlich die Kinder vor dem Essen zu Bett gebracht? Debbie und Cliffie blieben natürlich über Nacht.

Das Telefon klingelte.

Als Edith nach unten ging, hatte sie das Gefühl, es habe schon acht- oder neunmal geklingelt und werde sicher aufhören, bevor sie an den Apparat kam, aber sie beeilte sich nicht. Vermutlich war es das kleine Café, dachte sie, wo sie diese Woche – oder war es letzte Woche – nachgefragt hatte, ob sie jemand stundenweise brauchten, das heißt samstags und sonntags. Sie werde Bescheid bekommen, hatte man ihr gesagt. Ganz egal, ob es jetzt das Café war oder nicht, sagte sie sich. Nur wenn man so dachte, hatte man Glück.

»Edith, ich möchte dich gern sprechen«, sagte die Stimme. »Ich bin ganz in der Nähe, am Stadtrand. Kann ich hinkommen und dich ein paar Minuten sprechen?«

Die Stimme erschreckte sie. »Brett –?«

»Ja natürlich, ich bin's, Edith, das sagte ich doch.«

Zögernd, aber höflich stimmte sie zu. In zehn Minuten wollte er da sein.

Es war Nachmittag, nicht ganz vier Uhr. Ein Mittwoch im Februar. Komische Zeit für so einen Anruf, dachte Edith.

Diesmal brachte Brett einen Arzt mit, einen Dr. Stetler; Edith war fast sicher, daß er den Namen in seinem Brief vor einem Jahr schon genannt hatte. Ein schlanker dunkler Vierziger, ruhig und nachdenklich. Es kam ihr vor, als blicke er weder ihr noch sonst jemandem ins Gesicht, er schien eher zu träumen. Sie saßen im Wohnzimmer. Edith trug wie üblich einen alten Pullover (zwei, weil sie mit Heizung sparen mußte), Cordhosen und Turnschuhe – was konnten die schon erwarten, wenn sie ihr nur zehn Minuten Zeit gaben?

»Wie geht's denn Gert?« fragte Brett.

Wieder fuhr Edith zusammen, wie vorhin am Telefon; sie hatten doch gerade über die Poinsettien im Wohnzimmer gesprochen. »Oh – sicher gut. Doch, ja. Vor ein paar Tagen habe ich mit ihr gesprochen.«

Brett blickte zu Dr. Stetler hinüber, der Edith jetzt ansah.

»Und die Zeitungsarbeit – mit dem *Signal*? So heißt sie doch, nicht wahr?« Dr. Stetler sprach mit leichtem deutschem oder jüdischem Akzent.

»Ja. Das ist alles wie immer«, erwiderte Edith.

Brett rutschte auf dem Sofa etwas zur Seite und

seufzte; er sah aus, als habe er etwas sagen wollen und es dann unterlassen. »Bei Gert hört es sich anders an, Edie.«

»Ach –? Hat sie wieder mal angerufen?« fragte Edith mit erzwungenem Lächeln.

»Na ja, sie sagt, daß du – du schreibst gar nicht mehr viel für das Blatt.«

»Nein, weil denen meine Artikel offenbar nicht passen. Das ist der Grund, ganz klar. Auch Gert – die wird allmählich links-konservativ, und was Schlimmeres gibt's nicht. Hauptsächlich lag es, glaub ich, an dem Dings über die Geburtenkontrolle und an dem Zeug über das akademische Niveau von heute. Ich bin immer noch für das Leistungsprinzip, weißt du. Aber bei Gert ist es so, daß sie es jedem rechtmachen will, und wohin das führt, das weißt du, du hast es selber oft genug gesagt. Aber vielleicht hast du dich ebenfalls geändert.«

Brett lächelte sein unsicheres Lächeln und blickte wieder zu Dr. Stetler hinüber, der jetzt noch angestrengter auf einen Punkt in der Mitte zwischen sich und dem Kamin starrte. »Nun lassen wir mal die Politik«, sagte Brett. »Gert hat –«

»Warum lassen?« fragte Edith.

»Sie hat gesagt, du schwenkst sogar nach rechts um.«

»Weil ich was von Autorität halte. Das kann man auch, wenn man extrem links ist. Es heißt doch nichts anderes als staatliche Kontrolle. – Ich tue jedenfalls noch eine ganze Menge für die Abonnements und die Anzeigensachen, und da ist alles in Ordnung – es hat sich jedenfalls noch keiner beschwert.«

»Edith – laß uns doch zur Sache kommen – ich –« Brett schien außer Atem, oder ihm fehlten die Worte.

»Mr. Howland ist der Ansicht, Sie seien nicht sehr

glücklich«, sagte Dr. Stetler mit sanftem Lächeln und sanfter Stimme. »Deshalb möchte er gern, daß wir einmal miteinander reden, Sie und ich. Wenn Sie einverstanden sind.«

Edith hatte das erwartet und blieb ganz ruhig. »Worüber?«

»Über Ihre Gedanken. Was Sie gern haben – und nicht gern haben.«

Edith schwieg.

»Edith«, sagte Brett, »der Kontrast zwischen dem Äußern und Innern des Hauses –«

Ja ja, gut – innen sah es wohl wirklich schlimm aus, die Farbe blätterte ab, der Teppich war verschlissen und die Möbel waren nicht mehr blankpoliert, schon ein paar Monate nicht.

Buuum! Das war die Haustür. Cliffie kam. Alle drei blickten auf die Tür.

Cliffie trat herein, schwankend, mit geröteten Augen, das sah Edith. Ausgerechnet heute!

»Nanu nanu!« sagte Cliffie. Er blinzelte zu seinem Vater und dem andern Mann hinüber; die dunklen fettumrandeten Augen wurden noch kleiner.

»Mein Sohn«, sagte Brett völlig unbeteiligt.

Der Arzt warf ihm einen abschätzenden Blick zu, nickte kurz und wandte sich wieder an Edith. »Vielleicht würden Sie mir Ihre Skulpturen einmal zeigen, Mrs. Howland? Ich habe gehört, Sie haben zwei recht gute Köpfe gemacht.«

»Danke schön. Nein.« Edith wählte ihre Worte. »Im Augenblick möchte ich nicht, daß jemand mein Arbeitszimmer ansieht. Ich bin gerade an einer neuen Arbeit.«

»Oh, ich würde sehr vorsichtig sein«, sagte der Arzt, »wenn Sie es mir erlaubten – mir die Ehre erwiesen –«

»Nein«, sagte Edith.

»Nein«, wiederholte Cliffie und ging mit schweren Schritten durchs Zimmer ins Eßzimmer und weiter in die Küche. Unter der unsauberen Drillichhose sahen seine Hinterbacken noch größer aus als sonst, fand Edith. Sie saß mit verschränkten Armen da und sah jetzt, wie der Arzt Brett zunickte; dann sagte er:

»Wir wissen, wie schwer die letzten Jahre für Sie gewesen sind, Mrs. Howland – glauben Sie mir.«

Ja ja, dachte Edith. Sie hatte die eine der Aktien aus Melanies Nachlaß verkauft und würde wahrscheinlich in ein paar Monaten auch die zweite verkaufen müssen. Es kam ihr vor, als ob die liebe treue Melanie sie noch heute unterstützte. »Ein bißchen leichter ist es jetzt, seit der Onkel meines Mannes nicht mehr bei uns ist.«

»Ja«, sagte Dr. Stetler lächelnd, »das weiß ich alles.«

Wieder knallte eine Tür zu, diesmal etwas leiser. Cliffie hatte sich ein Bier aus dem Kühlschrank geholt.

»Gert meint –« begann Brett, und Edith sah, wie der Arzt den Kopf schüttelte, wohl damit Brett aufhörte, aber er redete weiter und Edith hörte gar nicht zu, sondern unterbrach ihn.

»Es ist mir ganz egal, was Gert meint. Ich glaube sowieso, ihre Freundschaft ist etwas abgekühlt.«

»Das möchte ich allerdings auch annehmen nach dem Brief, den du ihr geschrieben hast«, sagte Brett und lachte kurz auf.

Was für ein Brief? Aber sie hatte ja tatsächlich mindestens zwei Briefe an Gert geschrieben und davon mindestens einen zerrissen, weil er ihr zu scharf vorkam. Aufmerksam wartend blickte sie Brett an.

»Aber Gert meint«, fuhr Brett fort, »es wäre sicher gut für dich – es wäre *gut* für dich, Edith, bitte unterbrich mich jetzt mal einen Augenblick nicht, wenn du mit jemand reden könntest, ihm von deinen Sorgen erzählen würdest – du könntest ihm auch deine Kurzgeschichten mal zeigen, selbst wenn sie noch unfertig' sind, das –«

»Danke, aber so etwas hasse ich – ich zeige niemandem meine unfertigen Sachen, und ich finde es einigermaßen unverfroren, sowas überhaupt vorzuschlagen. Aber was ich nicht begreife«, fuhr sie eilig fort, »das ist, warum du plötzlich so besorgt um mich bist – nach all den Jahren. Rund um uns brennt die Welt, und du machst dir Sorgen um eine Frau über fünfzig, von der du dich schon vor vielen Jahren getrennt hast. Wer hilft den verzweifelten Menschen in Vietnam? Was wird jetzt aus denen, wenn wir unsere Truppen abziehen?«

»Ich dachte, du wärst *für* den Abzug.«

»Mr. Howland«, sagte der Arzt.

»Aber nicht wie Nixon es macht, in größter Eile, nur um in der Heimat groß dazustehen, wo er endgültig seinen Arsch verloren hat, wie er es ausdrücken würde. Du weißt sehr gut, *einer* der Gründe, warum er die Tonbänder nicht herausrücken wollte, ist, weil seine Sprache aus Ficken und Furzen besteht!«

»Du bist ja ganz rot geworden, Edie!« Brett lachte verlegen.

»Bestimmt nicht aus Sympathie für Nixon, oder weil ich mich für ihn schäme«, entgegnete Edith. »Ich bin bloß wütend.«

Dr. Stetler murmelte etwas von Prioritäten, irgendeine Banalität. Liebend gern hätte Edith jetzt einen starken Whisky gehabt, aber sie hatte nicht die geringste Lust, diese beiden selbstgefälligen Spießer in ihrem Wohnzimmer zu bewirten.

»Edie, du willst doch nicht wirklich zusammenklappen, nicht wahr«, sagte Brett drängend. »Das ist doch absurd, und ganz unnötig dazu. Ich möchte, daß du etwas mit Dr. Stetler abmachst, einen Termin in Philadelphia, oder auch hier zu Hause! Du weißt doch sehr gut, daß ich deshalb gekommen bin.«

Ja, das war wohl nicht zu bezweifeln. Edith sagte nichts.

»Du bist dünner geworden, seit wir uns zuletzt sahen. Und einige deiner Bekannten hast du auch schon gegen dich eingenommen...«

Na sowas, dachte Edith. Sie hörte nur noch mit halbem Ohr auf Bretts beruhigende Worte über Dr. Stetler, mit dem sie »gewiß gut auskommen« werde, aber wenn nicht, so sei er, Brett, auch durchaus bereit, jemand anders zu finden.

»...doch nicht *gegen* dich eingestellt«, wiederholte er. »Ein guter und erfahrener Arzt, der dir das Leben erleichtern will.«

Hau doch ab, dachte Edith.

Brett erhob sich. Wollte er gehen? Er blickte zu dem Arzt hinüber, der ebenfalls aufgestanden war und leicht den Kopf schüttelte.

»Ich möchte mal nach oben gehen, Edie«, sagte Brett.

Edith war sofort auf den Füßen. »Nach oben? Wozu?«

Brett stand schon an der Treppe. »Na, das macht doch nichts? Beruhige dich, Edie, wir fassen nichts an.« Er stieg die Treppe hinauf, und Edith folgte ihm.

»Mr. Howland«, sagte der Arzt mahnend.

Cliffie war mit der Bierdose in der Hand unten auf dem Flur erschienen. Was zum Teufel war da los? Er sah, seine Mutter verabscheute den Arzt – wahrscheinlich ein Seelenklempner. Interessant. Cliffie stand hundertprozentig auf seiten seiner Mutter. Die beiden Männer – auch sein Vater – waren anscheinend dabei, in jeden Winkel vorzudringen! Die Stimmen klangen jetzt lauter. Cliffie stieg die ersten Stufen empor, er wollte auf halbem Weg stehen bleiben, wo er was hören konnte. Jetzt schritt sein Vater langsam auf das Arbeitszimmer seiner Mutter zu, er ging vor ihr her und redete dabei.

Es gelang Edith, sich an Brett vorbeizudrängen und mit dem Rücken zu der offenen Tür vor ihm stehen zu bleiben. »Ich finde das ganz unerhört von dir!« Ihr Tagebuch lag offen auf dem Tisch; es war schlimmer als in ein Schlafzimmer mit ungemachten Betten einzudringen. Sie stemmte die Hände gegen den Türrahmen.

»Edie, wir wollen uns doch nur ein Bild machen –« Brett hielt inne, als sie seine Hand von ihrem Arm abschüttelte.

»Mr. Howland, ich glaube, so geht es wirklich nicht«, sagte Dr. Stetler.

Brett schob Ediths Hand weg und trat ins Zimmer.

»Mr. Howland, damit erreichen wir nichts –«

»Raus! Alle beide!« Edith stand in ihrem Zimmer zwischen den beiden Männern und ihrem Schreibtisch. »Gehen Sie bitte.« Sie merkte, daß sie keuchte und die Zähne entblößt hatte. »Ihr hättet euch etwas früher anmelden können. Ich finde dies einfach empörend!« Ihre Stimme schrillte, sie kam ihr vor wie die Stimme eines andern.

Der Arzt nahm Brett am Arm und zog ihn zurück zur Tür. Edith war erleichtert, weil wenigstens Stetler nicht so unhöflich gewesen war, sich im Zimmer umzusehen oder die beiden Skulpturen zu betrachten.

Sie waren alle wieder unten. Die Männer redeten beide. Edith hörte das Blut in den Ohren sausen; es kümmerte sie nicht, was die beiden sagten. Nur ruhig, ruhig – in zwei Minuten sind sie draußen. Sie sind ja schon im Flur. Gottseidank, jetzt wandten sie sich endlich zum Gehen. Sie zogen ihre Mäntel an – Edith wußte gar nicht mehr, daß sie sie im Flur aufgehängt hatten – und banden die Schals um.

»Mrs. Howland, es tut mir aufrichtig leid, daß wir Sie gestört haben«, sagte Dr. Stetler mit einer so behutsam-sanften Stimme, daß Edith überzeugt war, er werde den Besuch als »Erfolg« verbuchen und eine Gebühr für weitere Termine einstreichen. »Ich bitte Sie sehr um Entschuldigung. Das war gewiß Ihr Notizbuch, das große Buch oben auf dem Tisch?«

Edith brannte vor Zorn, ihre Augen waren fast geschlossen, aber sie hielt den Blick auf Stetler gerichtet. Sie war auf der Hut.

»Ihr Tagebuch, glaube ich«, sagte Brett.

»Ich respektiere solche Wünsche«, sagte der Arzt halblaut und mit tiefer langsamer Stimme zu Edith. »Sie haben ein sehr schönes Arbeitszimmer da oben. Wenn ich –«

»Gehen Sie«, sagte Edith.

Weiter hinten im Flur, an der offenen Tür zu seinem Zimmer, wiegte sich Cliffie auf den Absätzen und lachte lautlos in sich hinein. Prima – seine Mutter setzte die beiden einfach an die Luft!

Ka-buum! Die Haustür fiel ins Schloß.

Cliffie leerte die Bierdose, stolzierte ins Eßzimmer und dann hinüber ins Wohnzimmer. »Mensch, was für Schweine!«

Seine Mutter kam gerade vom Flur herein, mit ge-

rötetem und gleichzeitig blassem Gesicht. »Schweine –
ja, da hast du recht.«

»Komm, trink mal 'n Whisky, Mom.«

»Ich glaube, den könnt ich jetzt brauchen.« Sie füllte
ein Glas.

Cliffie sagte nichts und sah seine Mutter nicht an. Er
wußte, sie kochte vor Zorn.

Edith nahm ihr Glas, ging damit zum Telefon und
wählte Gert Johnsons Nummer. Besetzt. Sicher
quatschte Gert mit irgendjemandem und verbreitete weitere Gerüchte und entstellte Informationen. Als Edith
den Hörer auflegte, klingelte das Telefon. Es war Gert.

»Ich hab eben versucht, dich zu erreichen, es war aber
besetzt«, sagte Gert.

Edith sagte nichts. Es klang falsch – dumm und
falsch. »Sag mal, was hast du eigentlich Brett erzählt,
wenn man fragen darf? Du scheinst da Gratisnachrich-
ten zu –«

»Erzählt – *was* denn?«

»Er war eben hier, mit einem Arzt – so 'nem Seelen-
geier. Du mußt das ja wissen. Was hast du –«

»Edie – es ist zu deinem eigenen Besten.«

»Ich wäre dir dankbar, wenn du nicht so viel über
mein Privatleben verbreiten würdest. Das geht Brett
nichts mehr an – er hat jetzt sein eigenes Leben.«

»Edie – nein! Es war nichts über dein Privatleben,
sondern nur abstrakte Dinge, völlig objektive –«

»Dann kümmere dich bitte um deine Sachen, Gert. Ich
beschwere mich nicht, aber solche Überfälle hasse ich –
in meinem eigenen Haus!«

»Ist gut, Edie.«

Sie legten auf. Edith hatte das Gefühl, das letzte
Wort gesagt zu haben.

Eine böse Stunde war das gewesen. Cliffie war schweigend (mit einem Drink) aus dem Wohnzimmer verschwunden. Edith stand in der Küche; sie sehnte sich danach, das Essen hinter sich zu bringen und zu dem Buch zurückzukehren, das sie gerade im Bett las, ein neues Buch über den Mord an Kennedy – das wievielte? Oder sie konnte auch noch ein bißchen in ihrem Arbeitszimmer herumtrödeln. Ja, das wollte sie tun: eine Weile noch aufbleiben und sich in ihrem Zimmer zu schaffen machen – nur um die Atmosphäre der beiden Männer zu vertreiben, die sich heute nachmittag dort aufgehalten hatten.

30

D er Tag stand nun fest, Edith hatte ihn schon vor Monaten im Tagebuch notiert: Samstag, der 5. April. Cliffie, Debbie und die Kinder kamen zum Mittagessen. Vielleicht blieben sie über Nacht, das wußte Edith nicht. Meistens schliefen sie lieber im eigenen Haus in der Nähe von Princeton, das war ganz natürlich, oder sie übernachteten bei Debbies Eltern, die, wie Edith zugeben mußte, ein größeres Haus hatten. Edith hatte Sekt besorgt. Es war jetzt wirklich Frühling, Narzissen blühten, Rosen würden nicht mehr lange auf sich warten lassen. Edith hatte die ersten gelben und blauen Iris geschnitten, für den Tisch.

Zu Cliffie, den sie gern dabeihaben wollte, hatte sie

gesagt: »Doch ganz schön, ab und zu ein bißchen festlicheres Essen am Wochenende, was?« Er hatte sich über die Flasche Sekt gewundert, die unten im Kühlschrank stand. Edith trug ein kurzärmeliges rosa Leinenkleid mit blaßgrünem Gürtel.

»Aber was hast du für'n Anlaß?« fragte Cliffie. Er hielt eine Hummerschere in den Fingern, kaute und ließ die Butter tropfen.

»Es ist Frühling!« sagte Edith und wandte sich wieder ihren Träumen zu. Vor sich sah sie den andern Cliffie in dunkelblauem Jackett (auch aus Leinen), braungebrannt mit dichtem Haarschopf, und daneben Debbie mit Pfirsichteint; sie hörte das halblaute Gespräch, Rede und Gegenrede, sie lachten und erzählten.

»Mom, kannst du bitte mit dem Summen aufhören? Das macht mich verrückt«, sagte Cliffie und ließ seine Hummerschere auf den Teller fallen; es raschelte wie Papier. Er wischte sich die Finger an einer der hundertjährigen Servietten von Melanie ab.

Selbst der Kaffee in der silbernen Kanne war heute besonders gut, stark und frisch. Es klingelte an der Haustür.

»Es klingelt!« sagte Cliffie. Er war in heiterster Laune nach einigen Glas Sekt, Whisky und anderem.

»Dr. Carstairs –!« sagte Edith.

Carstairs strahlte. »Für Sie doch Francis, Edith! Wie geht es Ihnen denn? Sie sehen aber wirklich hübsch aus heute!«

George ist nicht da, dachte Edith plötzlich. War denn jemand krank? Hatte sie Carstairs zum Kaffee eingeladen? Nein. »Kommen Sie – trinken Sie mit uns Kaffee.«

Cliffie saß in dem Rosenknospensessel. Dr. Carstairs nahm gern eine Tasse Kaffee an; aber er sah etwas unsi-

cher aus und sagte nach einer Minute: »Cliffie, ich habe
eine Verabredung mit deiner Mutter – würdest du uns
ein paar Minuten alleinlassen?«

»Verabredung?« unterbrach ihn Cliffie mitten im
Satz, aber er stand auf. »Na klar doch, Doktor.« Und er
trottete hinaus.

Edith wußte nichts von einer Verabredung. Nein,
bestimmt nicht. Aber sie blieb aufrecht sitzen und
blickte den Arzt mit höflicher Aufmerksamkeit an.

»Edith – Sie wissen, daß Brett mir schon ein paarmal geschrieben hat, Ihretwegen.«

»Nein, das wußte ich nicht.«

»Aber ja, ich hab's Ihnen gestern gesagt«, erwiderte
Carstairs lächelnd. »Am Telefon.«

Sein schmales Gesicht sah genau so trocken und faltig
aus wie Bretts, dachte Edith. Sie hörte ihm halb zu, er
redete und redete immer weiter, aber sie wollte höflich
sein und ihn nicht unterbrechen. Er sprach jetzt von
ihren »Kümmernissen«, wo sie doch fand, es gehe ihr
gar nicht so schlecht, und dann unterbrach sie ihn, um
ihm das entgegenzuhalten. Jetzt wiederholte er:

»Edith – entweder Sie suchen jemanden auf, mit
dem Sie sprechen können, oder – ich fürchte, es wird
etwas passieren.«

»Was?« wollte Edith wissen.

»Wenn Sie diesen Dr. Stetler nicht mochten –«

»Ach der!« Edith lachte.

»Ich kenne einen – oder zwei, mit denen ich Sie
bekanntmachen könnte. Einer wohnt in Doylestown,
das ist ja wirklich nicht weit. Sie leben viel zu einsam,
Edith, und Ihre Bekannten –«

»Ich lebe durchaus nicht einsam – ich habe sogar sehr
viel zu tun.«

»Ohne jede –« Er hielt inne und zuckte die Achseln. »Jedenfalls hat Brett mich gebeten, Sie aufzusuchen und das zu sagen, was ich gesagt habe. Er macht sich Sorgen um Sie, Edith.« Er suchte in seiner Jackentasche und zog zwei Karten heraus. »Wenn Sie einverstanden sind – Brett will es übrigens bezahlen –«

»Das ist nicht nötig!«

»– hier, das sind die zwei Leute, die ich kenne. Beides Freunde von mir. Hier ist der in Doylestown.«

Edith warf nur einen flüchtigen Blick auf die Karte, die der Arzt auf den Couchtisch gelegt hatte. Der Name war von ihrem Platz aus nicht zu lesen.

»Edith, hören Sie – Sie werden alle Ihre Freunde verlieren. Sie wollen doch nicht den Rest Ihres Lebens – Sie sind ja noch gar nicht alt, Edith. Ich meine, Sie leben so allein –«

»Das tun sehr viele Leute.«

»Ich bin kein Psychiater«, fuhr Dr. Carstairs geduldig fort, »aber ich glaube, wenn Sie sich entschließen könnten, einen Psychiater aufzusuchen, das würde Ihnen unendlich gut tun. Sie könnten Sorgen und Kummer und Groll einmal abladen –. Neulich hat mich sogar Gert Johnson angerufen«, berichtete er in etwas heitererem Ton. »Nein, nein, sagen Sie nichts – sie ist immer noch Ihre gute und zuverlässige Freundin, und sie macht sich Gedanken um Sie, das weiß ich. Ich kenne sie sehr gut, ich bin doch seit zwanzig Jahren Hausarzt bei den Johnsons. Sie sprach von Sachen, die Sie schreiben – Kurzgeschichten, aber mehr Phantasien, sagte sie.«

Edith lachte. »O ja, das stimmt. Und manche von den Phantasien lassen sich sogar verkaufen.«

»Um so besser! Dann ist Phantasie sogar der richtige Ausdruck in diesem Fall. Sehr wichtig, sehr nützlich, wenn Sie mit einem Psychiater sprechen. Ich würde an Ihrer Stelle eine oder zwei Geschichten mitbringen und ihm zeigen, wenn Sie hingehen. Hier – das ist Phil in Doylestown, den würde ich Ihnen empfehlen.« Er wies auf die Karte, die auf dem Tischchen lag.

Edith war leicht verstört und auch gelangweilt, aber ihr Kopf war klar. Warum machte Carstairs bloß so viel Aufhebens?

»Soll ich einen Termin für Sie abmachen, Edith? Montag oder Dienstag? Phil und ich, wir kennen uns gut, ich kann ihn ruhig am Wochenende anrufen.«

»Wissen Sie, daß ich erst letzten Monat einen Artikel verkauft habe? Er heißt ›Ohne besondere Verpackung‹. Eine Phantasie natürlich.«

»Oh – da gratuliere ich Ihnen, Edith.«

»Ich wollte gar keine Gratulation – ich verstehe bloß nicht, warum mich alle behandeln, als ob ich schwerkrank wäre.«

Wieder lachte Dr. Carstairs sein trockenes herzliches Lachen. »Aber woher denn – natürlich sind Sie nicht schwerkrank! Das hat doch kein Mensch behauptet. – Übrigens diese Sache mit dem Scheck, den Sie Brett zurückgeschickt haben, zehntausend, sagt er, der Scheck war mit Klebstreifen zusammengeflickt, als ob ihn jemand zerrissen hätte –« Der Arzt lachte freundlich wie über einen alten Familienscherz.

Hatte sie ihn denn zurückgeschickt? Oder vielleicht Cliffie? »Wenn man einen Scheck nicht einlösen will, gehört es sich doch wohl, daß man ihn zurückschickt.«

»Aber Brett hat Ihnen doch helfen wollen mit dem Geld! Er kann es sich leisten und will es auch immer noch – er will Ihnen gern einen neuen Scheck schreiben, wenn Sie ihn annehmen wollen.«

Helfen – und dann der Scheiß mit George die ganzen Jahre! Helfen – von New York aus, weit weg, verheiratet mit einer Frau, mit der er jetzt ein Kind hatte! »Nie hat er mir auch nur irgendwie mit George geholfen!« Zornentbrannt war Edith aufgestanden. »Alles was er heute redet, ist dummes Zeug! Er will mich nur ärgern, wenn Sie's wissen wollen, und er benutzt meine Freunde dazu, um mir den Boden wegzuziehen – Sie sehen es ja an Gert Johnson! Begreifen Sie das nicht? Auf welcher Seite stehen Sie eigentlich – Francis?« Edith brannte darauf, eine ehrliche Antwort auf ihre Frage zu erhalten; und sie sah, wie Dr. Francis X. Carstairs sich wand – genau so wie er sich damals gewunden hatte, als sie ihn fragte, ob George nicht in ein Altersheim eingewiesen werden könnte. Er verdrehte tatsächlich etwas den Hals, und der Anblick erinnerte sie an Nixon. »Wir leben in einer politischen Welt!« erklärte sie laut. »Alle macht ihr üble Politik – Ausflüchte, Lügenmanöver, bloß nicht die einfache nackte Wahrheit!«

»Edie – dies hat doch nichts mit Politik zu tun, es ist ganz gewöhnlicher Alltag, das ABC des Lebens, von dem wir sprechen.«

»Nein! Ihr wollt, ich soll zufrieden sein, wenn ich genug zu essen hab und im Winter ein warmes Haus – und Fernsehen! Das kann mir alles gestohlen bleiben. Es gibt noch so etwas wie Gehirn – die Menschen können nachdenken! Selbst meine *Katze* denkt nach und ist imstande zu beurteilen und abzuwägen . . .«

Der Arzt unterbrach sie, auch er hatte sich erhoben. Er zog eine kleine runde Dose aus der Tasche und stellte sie auf den Tisch, wie eine mystische Friedensgabe. »Hier, Edith – Sie brauchen sie nicht zu nehmen, wenn

Sie nicht wollen. Ein mildes Beruhigungsmittel. Zweimal täglich, würde ich sagen. Ich hatte sie zufällig bei mir.« Kurzes Lächeln. »Sie helfen wirklich.«

Edith fühlte nichts als Verachtung für das Mittel; sie sah weder die Dose an noch dankte sie Carstairs. »Jetzt werden Sie sicher umgehend Brett und Gert Bericht erstatten, nicht wahr?«

Der Arzt stand an der Tür. »Haben Sie nochmal von Dr. Stetler gehört?« fragte er.

Edith suchte in ihrem Gedächtnis und fand den Namen ganz schnell. »Das ist ja schon Monate her? Warum sollte ich von ihm hören? Nein, ich habe nichts gehört.«

Dr. Carstairs nickte. »Ich will mich nur schnell noch von Cliffie verabschieden. Er ist doch in seinem Zimmer?« Er begann den Flur hinunterzugehen.

Edith wandte sich sofort zum Wohnzimmer um, wo noch ihre halbgeleerte Kaffeetasse stand. Es ärgerte sie, daß Carstairs noch da war. Es war weiß Gott nicht nötig, sich von Cliffie zu ›verabschieden‹. Sie warf einen entschuldigenden Blick ins leere Eßzimmer; fast hätte sie ›Tut mir leid‹ gesagt zu Cliffie und Debbie (und vielleicht den beiden Kindern), die noch am Tisch saßen. Oder waren sie schon im Wohnzimmer? Edith konnte gar nicht nachdenken, weil ihre Gedanken bei Carstairs waren, der immer noch nicht das Haus verlassen hatte.

Cliffie hatte seine Tür abgeschlossen, der Transistor lief; er war verärgert über die Störung und erstaunt, als er Dr. Carstairs an der Tür stehen sah. Der Arzt murmelte eine Entschuldigung, und Cliffie sagte, das mache nichts. Er war angezogen, hatte aber keine Schuhe an. Er stellte das Radio leiser.

»Hör zu, Cliffie«, begann Carstairs langsam, »deiner Mutter geht es nicht gut, und mir liegt daran, daß du sie dazu bringst, einen Arzt aufzusuchen. Nicht mich – einen Psychiater. Ich habe ihr eben zwei Namen dagelassen, einer ist Philip McElroy in Doylestown, den würde ich empfehlen, ich kenne ihn gut. Ein alter Freund von mir.«

Cliffie hatte mit so etwas gerechnet. »Wieso – nicht gut?« fragte er und wartete ab, was Carstairs jetzt sagen werde.

»Sie ist einfach überfordert, schon seit langer Zeit, und jetzt merkt man's ihr an, das mußt du doch wissen. Sie weiß offenbar nicht mal mehr, was sie zu Gert Johnson gesagt hat. Und sie will auch nicht zulassen, daß dein Vater ihr hilft.«

Cliffie hatte die Hände in die Hüften gestemmt und wartete immer noch. Er sah den Arzt etwas nebelhaft vor sich; aber er wollte seine Mutter beschützen, sie gegen Carstairs' Behauptungen verteidigen, und er straffte die Schultern. »Ich finde, sie hält sich ganz gut.«

»Sie hält sich phantastisch. Aber sie braucht jetzt ein bißchen Hilfe. Anleitung.«

»Ach Scheiße«, murmelte Cliffie gereizt. Anleitung – davon hatte er im Leben genug gehört.

»Na na, Cliffie. Wenn du besserer Laune bist, möchte ich, daß du dafür sorgst, daß deine Mutter meinen Freund Phil McElroy aufsucht, ja? Ich werde ihn anrufen. Die Rechnung will Brett bezahlen, darum braucht sie sich keine Sorgen zu machen.«

Die Unterhaltung war Cliffie verhaßt; aber zum Glück wandte sich Carstairs zum Gehen.

»Du bist jetzt der Mann im Hause, Cliffie.«

Cliffie nickte leicht und sehr kühl.

Taptaptap gingen die Schritte den Flur entlang, gleich mußte er weg sein. Offenbar öffnete er selber die Haustür, denn Cliffie hörte keine Stimmen. Dann kam es, schrill und ganz laut:

»Wissen Sie denn gar nichts von dem Zusammenbruch in Vietnam? Und dann verlangen Sie von *mir*, daß ich einen Psychiater in *Doylestow*n aufsuche?«

Sacht fiel die Haustür ins Schloß.

Heute war gar nicht der fünfte April, wie Edith gedacht hatte, sondern der zwölfte, aber auch ein Samstag. Aus irgendeinem Grund stand der Sonntag dunkel und drohend vor ihr wie etwas Greifbares, Schreckliches, gar nicht wie ein Tag aus Sonnenaufgang, Sonne und Abenddämmerung. Es war wie eine Null und gleichzeitig wie eine Zahl, wie ein fester Würfel. Irgendwas würde am Sonntag passieren, dachte sie, obgleich sonntags logischerweise eigentlich nie was passierte, schon weil keine Post kam.

Cliffie war erst sehr spät nach Hause gekommen; am Sonntag vormittag um elf schlief er noch.

Edith hatte einen ruhigen Abend verbracht und nachts gut geschlafen. Sonntag morgen saß sie an ihrem Schreibtisch und berichtete im Tagebuch von den gestrigen Ereignissen, dem gelungenen Lunch mit Kaviar, Hummer und Sekt und der Abreise der Kinder. Um fünf Uhr waren sie nach Princeton gefahren, wo sie die nächsten beiden Tage verbringen wollten; am Dienstag oder Mittwoch kamen sie dann noch einmal zu ihr, für eine Nacht, vor der Fahrt nach New York und dem Rückflug nach Kuwait. Edith war froh und gelöst zumute. Mit ihrer kleinen Schrift füllte sie die Seiten mit Informationen, kleinen, von Cliffie beigesteuerten

Farbtupfern und Anekdoten von Debbie, die von ihrem Hausmädchen in Kuwait erzählte, sie trüge einen Transistor in jeder Schürzentasche und einen auf der Schulter, so daß sie gleichzeitig mehrere Sender empfangen könne.

Ihre fröhliche Stimmung hielt auch nachmittags noch an, als sie im Garten arbeitete. Schon vor Wochen hatte sie die Rosenbeete mit Pferdedung belegt, den ihr Cliffie mitgebracht hatte; er hatte ihn, das wußte sie noch, von Leuten bekommen, bei denen er Waren abgeliefert hatte. Wahrscheinlich hatte er ihnen irgendeinen albernen Witz erzählt oder eine seiner Parodien vorgesungen. Immerhin: einem geschenkten Düngergaul sieht man nicht ins Maul, sagte sich Edith. Zu dumm, daß sie Cliffie und Debbie nicht gebeten hatte, gestern und heute noch zu bleiben und erst morgen nach Princeton zu fahren. Ach was – sie hatte sie bestimmt gebeten, das tat sie ja immer. Die Gedanken, all die Gedanken, das – Aber sie wußte sehr gut, was sie vergessen und loswerden wollte: das schreckliche Fernsehbild von gestern abend, das heute mittag wiederholt worden war, das Bild der südvietnamesischen Flüchtlinge, die sich an die Hubschrauber hängten, um nur hinauszukommen, fort, bevor die Woge der Vietkong das Land überflutete. Natürlich drangen jetzt die Kommunisten ein, und all das geschah ganz wirklich, jetzt und heute, jeden Tag. In der letzten Ausgabe der *Time* hatte sie gelesen, daß reguläre südvietnamesische Soldaten, die auf dem Rückzug waren und schon im Flugzeug saßen, mit Gewehrkolben auf Frauen und Kinder einschlugen, als sie verzweifelt versuchten, sich in die überladenen Maschinen zu drängen. Ja, *jetzt*, während sie die Schaufel in die amerikanische Erde stieß, um den Rosen zum Gedeihen zu verhelfen.

Das Telefon klingelte. Cliffie, dachte sie. Vielleicht wollte er nur sagen, daß sie gut in Princeton angekommen seien, und sich bei ihr für gestern bedanken.

Nein – ach nein. Ein Schmerz in den Knien brachte sie beim Aufstehen in die Wirklichkeit zurück. Sie trat durch die Hintertür ins Haus und ging schnell durch den Flur.

»Hallo, Edith – hier ist Brett. Wie geht's denn?«

»Danke, ganz gut, und dir?«

»Carstairs sagte mir, er hätte gestern mit dir gesprochen.«

»Ja.«

»Ja. Ich habe gerade mit ihm telefoniert, Edie – er und sein Freund Philip McElroy wollen dich morgen vormittag gegen elf mal aufsuchen. Ist dir das recht?«

Edith war sofort gereizt, versuchte aber Ruhe zu bewahren. »Ich weiß überhaupt nicht warum, Brett. Ich werde ihnen natürlich nicht die Tür verschließen, auch wenn ich's gern täte. Brett, sag mir bloß, *was soll diese Verschwörung*?« Sie sprach weiter, auch als Brett etwas sagte. »Gert gehört dazu, und du . . .«

». . . überhaupt keine Verschwörung!« schrie Brett. »Alles was sie wollen, ist zehn Minuten mit dir reden! Gut, Edie, wenn du also bereit bist –«

Edith sah sich im Geist den Hörer auf die Gabel schmettern, was sie gern getan hätte, aber sie merkte, wie sie ihn mit aller Kraft festhielt. »Na schön. Ich hab ja gar nicht gesagt, daß ich nicht wollte, oder? Keine Rede. Ich sitze hier still und brav und lasse alles mit mir geschehen!« Ihr Herz schlug laut.

»Beruhige dich doch, Edie. Wir sind alle auf deiner Seite, auch wenn du's nicht glaubst.«

Sie lachte kurz auf. »Wieso meine Seite – ich hab ja

gar keine Seite, und ich bin auch nicht gegen die andern. Vielleicht weißt du das noch gar nicht!«

Brett legte auf, und fast im gleichen Moment legte auch Edith auf. Schade – sie hätte Brett fragen sollen, ob er mitkäme. Wär eigentlich nicht weiter erstaunlich. Morgen vormittag um elf. Keiner hatte gefragt, ob sie etwas vorhatte morgen vormittag. Sie hätte Brett gern nochmal angerufen und gefragt, ob er mitzukommen beabsichtigte, aber ihr Stolz verbot es.

Sie dachte einen Augenblick daran, ihr Arbeitszimmer aufzuräumen, für die Besucher. Das wollten sie ja immer gleich sehen, die Schnüffler. Ach was – das Zimmer war nicht weiter unordentlich, und überhaupt, was kümmerte es sie, was andere Leute davon hielten? Sie hatte zwei neue Köpfe modelliert, der eine war fertig, aber noch nicht bronziert wie der von Cliffie, und an dem anderen arbeitete sie noch. Es waren die Köpfe der beiden Kinder von Cliffie und Debbie. Sie hatten das Haar ihrer Mutter geerbt, welliger als Cliffies. Josephine und Mark, ein Mädchen und ein Junge. Der Plastikbogen war an vielen Stellen abgenutzt, war aber noch gut zu gebrauchen. Sie war schließlich nicht die Haushälterin dieser fremden Psychiater.

Und ihr Tagebuch? Ah – das jedenfalls bekamen sie nicht in die Hände, und am besten ging sie jetzt gleich hinauf und unternahm etwas. Sie ging nach oben in ihr Arbeitszimmer, wo das Tagebuch geöffnet auf dem Tisch lag; die zugeschraubte Füllfeder lag obenauf. Sie klappte das Buch zu. Wohin damit –? Ihr erster Gedanke war, es in das Bücherbord unter der Bank am Fenster zu stellen, auf der Nelson lag und schlief, verborgen unter anderen Büchern; dann dachte sie, im Arbeitszimmer sei es wohl überhaupt zu leicht zu finden. Mit dem schweren Buch in beiden Händen ging sie an die Tür, wo ihr der Gedanke kam, daß jeder Platz außerhalb des Arbeitszimmers noch riskanter wäre. Ach was – es war immer im Arbeitszimmer gewesen und da sollte es auch bleiben.

Brett hatte gut reden, wenn er sagte, die Menschen seien nicht ›gegen‹ sie. Edith spürte, daß sie sehr wohl gegen sie waren, und verließ sich auf ihren Instinkt.

Nach kurzem Zögern beschloß sie, das Tagebuch dorthin zu legen, wo es häufig lag, auf der linken Schreibtischseite unter einem ganzen Stapel anderer Sachen: alte Ausgaben des *Signal*, Webster's New International Dictionary und mehrere alte Illustrierte, die sie aufbewahrt hatte. Das Tagebuch sah eher aus wie eine alte Familienbibel, nicht wie etwas, nach dem einer gleich die Hand ausstrecken würde, dachte sie, als sie sich vorstellte, wie ein Fremder das Zimmer betrat.

Es klingelte. Sie erwartete niemand. Wie spät war es? Ein Blick auf die Armbanduhr: noch nicht ganz eins.

Vor der Haustür standen Gert und Norm.

»Hallo, Edie!« sagte Gert mit strahlendem Lächeln. »Dürfen wir auf einen Drink hereinkommen? Flasche haben wir mitgebracht!«

Norm hob mit müder Miene eine braune Tüte in die Höhe, obgleich die Hände so aussahen, als faßten sie ein kurzes Gewehr.

»Kommt rein!« sagte Edith leicht frostig, und sie behielt die kühle Miene auch bei, als sie Eis und Gläser herbeiholte.

Drinks, Worte, banales Gerede. Edith machte kurzen Prozeß und fragte gerade heraus:

»Habt ihr heute mit Brett gesprochen – zufällig?«

»Nein«, sagte Gert, und Edith hatte das Gefühl, daß sie log.

»Nein«, sagte auch Norm, der im Schneidersitz im Sessel saß und das Glas auf dem Schenkel balancierte.

»Warum?« fragte Gert.

»Ooch – nichts. Ich dachte bloß«, gab Edith zurück.

Die Unterhaltung war schleppend und die Stimmung unecht und schrecklich, das fühlte Edith. Gert und Norm fragten nach Cliffie. Cliffie schlief noch. Na und? Sie und Gert hatten sich nun schon ein paarmal am Telefon gründlich die Meinung gesagt, dachte Edith; Gert wußte auch, daß sie Gert für ihre Feindin hielt, wozu also das ganze Getue? Edith wußte, daß Gert über den Termin morgen um elf durchaus im Bilde war, aber nicht den Mut hatte, es zu erwähnen oder zuzugeben. Bloß nichts sagen: so war Gert. Ob sie gekommen waren, um nachzusehen, ob Edith vorhatte, die Verabredung platzen zu lassen – aus Angst vielleicht? Edith straffte sich und fragte, ob jemand noch einen Drink wollte.

»Ich glaube wir müssen gehen«, sagte Gert.

Noch nie, soweit sich Edith erinnern konnte, hatte Gert einen zweiten Drink abgelehnt.

»*Gut* siehst du aus, Edie!« Wieder strahlte Gert.

Dann waren sie fort. Wie ein Echo, wieder und wieder, klangen die Stimmen in Ediths Ohren. Edith hatte nach den Kindern gefragt, wie es ihnen ging und was sie machten – alles die üblichen Fragen. Dann war irgendwas mit dem *Signal*. Hatte Edith das Kino in Lambertville (ein kleines Lichtspielhaus, das schwer zu kämpfen hatte) daran erinnert, daß man die Anzeigensätze um fünfzehn Prozent hatte erhöhen müssen? Ja, sagte Edith, das hatte sie ihnen mitgeteilt, was auch stimmte.

Zum späten Lunch, das sie für sich und Cliffie machte,

weckte sie ihn. Er war ungewöhnlich heiter und redselig, aber Edith hörte kaum zu.

».. . und dann haben wir noch Billard gespielt, in Trenton«, berichtete Cliffie lachend am Schluß seines Berichts von der letzten Nacht, die bis drei oder vier gedauert hatte. Er hatte auch Mel erwähnt und daß er ihn getroffen hatte; Edith hatte geglaubt, er sei längst aus Cliffies Gesichtskreis verschwunden. Cliffie war offenbar so guter Laune, weil ihn Mel in Gnaden wieder aufgenommen hatte, so schien es.

Edith dachte an Marion und Ed Zylstra und wünschte, sie wären hier, wie damals in den alten Tagen. Aber sie waren nach Dallas umgezogen, schon vor fünf oder sieben Jahren, und dort war Ed bei einem furchtbaren Autounfall umgekommen. Marion hatte wieder geheiratet und wohnte jetzt in New Orleans – oder? Nein, natürlich nicht, in *Houston*. Ihr Mann war elektronischer Wissenschaftler oder Techniker oder sowas.

»Houston? Was ist mit Houston?« fragte Cliffie und tunkte einen Brotkanten in die Sauce.

Edith hatte gar nicht gemerkt, daß sie laut dachte und ihren Träumen nachhing. »Oh, ich dachte bloß an Marion. Du weißt doch – Marion und Ed Zylstra, die kennst du doch.«

Cliffie schüttelte den Kopf, nicht weil er sich nicht an sie erinnerte, sondern weil seine Mutter in der letzten Zeit häufig wie im Nebel umherging. »Klar kenne ich sie. Fehlt dir was, Mom?«

»Nein, gar nichts«, sagte sie heiter und schüttelte ebenfalls den Kopf.

Dann stand sie in der Küche (es war kurz nach drei) und dachte an das Radiokonzert, das sie gleich anstellen wollte, sobald sie in der Küche ein bißchen ›mit Hui‹

aufgeräumt hatte, wie Tante Melanie immer sagte. Sie stellte die Butter zurück in den Kühlschrank; Nelson steckte den Kopf in die Tür – ein kleiner heller Kopf mit dunklen Ohren – fast hätte Edith die Tür zugemacht, aber sie hielt sie noch fest und dachte an Mildew. Das arme Tierchen! Aber das war natürlich gar nicht passiert – Mildews Hals durchgeschnitten und der Kopf im Kühlschrank, der alles auffraß. Das war ja bloß ein Traum gewesen, ganz bestimmt nur ein Traum.

Sie beugte sich zu Nelson herunter und lächelte. »Nelson, mein Guter! Hab ich dir heute morgen nichts gegeben?«

Sicherheitshalber gab sie ihm jetzt zu fressen. Nelson war nicht in Gefahr zu verhungern. Und fett war er auch nicht – er sah glänzend aus.

Bei Radiomusik von César Franck und Bartók stand Edith am Nachmittag in ihrem Zimmer und arbeitete an Marks Kinderköpfchen. Sie hatte das Gefühl, sicher und fest auf den Füßen zu stehen – metaphorisch und buchstäblich.

Cliffie lag in seinem Zimmer auf dem ungemachten Bett, nervös und rastlos. Was zum Teufel war mit seiner Mutter los? Sie war nicht ganz dicht, das hatte er schon lange gemerkt, aber heute war es schlimmer als sonst. War irgendjemand dagewesen heute vormittag, während er schlief? Er war nicht sicher. Seine Mutter sprach öfters zu sich selber, und wenn er im Schlaf wirkliche oder eingebildete Stimmen gehört hatte –

». . . in Danang«, sagte die Stimme in Cliffies Transistor, »herrscht Chaos, südvietnamesische Soldaten und Zivilisten flüchten nach Süden und verlassen ihre –«

Cliffie stellte ab. In der Hand hielt er eine dunkelblaue Socke. Seine Zimmertür hatte er abgeschlossen.

Jetzt hörte er leise Musik von oben. Die stündlichen Nachrichten zu jeder vollen Stunde dauerten immer nur zwei Minuten oder so, aber da seine Mutter so viel von dem Zusammenbruch in Vietnam redete, von Saigon, Kwan Tuck oder sonstigem Muckmuck, hing ihm das alles zum Halse heraus und er konnte nicht mal die kurzen Nachrichten bis zum Wiedereinsetzen der Musik ertragen. Er drehte sich um auf den Bauch und dachte an Luce – Luce mit ihrem aufreizend spöttischen Lächeln, mit den schmalen dunklen Hosen, die er ihr bald ausziehen würde, mit dem Aufschrei aus Lust und Lachen und den nach oben gerichteten Augen. Luce! Nie konnte der Kerl, den sie geheiratet hatte, es ihr so besorgen wie er, Cliffie, es konnte. Und Luce wußte das auch.

31

Morgenfrühe und Vogelzirpen – Spatzen waren es und andere geliebte und ungeliebte Vögel. April! Und Montag dazu. Edith war kaum aus dem Bett, als Nelson erschien – woher? – und sie mit festem fragendem »Mii-a-uu« begrüßte, als wolle er ihr mit zusammengezogenen Brauen bedeuten, seine Frage sei so dringend, daß er sich mit einem »Guten Morgen« nicht aufhalten könne.

»Ich weiß, ich weiß«, sagte Edith. Nelson wollte sein Frühstück.

Sie gab ihm Futter, setzte Kaffeewasser auf und ging

nachsehen, ob Cliffie wach sei; es war viertel vor neun. Sie klopfte, und als keine Antwort kam, öffnete sie leise die Tür. Cliffie lag mit dem Gesicht zur Wand und schien fest zu schlafen. Sie schloß die Tür.

Mit der Post kam eine Telefonrechnung über fast hundert Dollar. Edith schrieb einen Scheck aus, und da sie bereits gebadet hatte und angezogen war, ging sie zum Briefkasten und warf den Umschlag mit dem Scheck ein; auf dem Rückweg kaufte sie Milch und Eier im Cracker Barrel, wo alles zwar erheblich teurer war als im Supermarkt, aber sie hatten dort immer noch Arbeit für Cliffie, stundenweise, da gehörte es sich, daß sie ab und zu dort einkaufte. Außerdem führten sie einen besonders guten Tomatensaft, von dem sie jetzt ebenfalls eine Flasche mitnahm.

»Hallo, Mrs. Howland – Edith! Wie geht's denn so?« fragte der dünne Verkäufer mit dem Bärtchen à la Kipling (nur war dieser hier blond) an der Kasse.

»O gut, danke schön«, erwiderte Edith lächelnd. Sie wußte seinen Namen nicht mehr – hieß er Sam? »Und Ihnen muß es ja glänzend gehen, bei diesen Preisen!«

Der Mund unter dem Bärtchen lachte. »Und was macht Cliffie?« *Bing-bing* klingelte die Kasse, und mit einem *Plop* fiel die Tomatendose in die starke braune Tüte. »Unser Star, wissen Sie. Alle Kunden haben ihn gern – die sagen, er gehört auf die Bühne!«

Ob er scherzte? Oder sie aufziehen wollte? Die ganze Welt ist eine Bühne, dachte Edith und war gleich darauf böse mit sich wegen des dummen Klischees. »Ja – der geborene Entertainer«, sagte sie mit leichtem Spott. Sie nahm die braune Tüte und verließ mit schnellen Schritten den Laden.

Um elf hatte sie mehrere Umschläge für *Signal-*

Abonnenten im voraus adressiert und war dabei, ihr Arbeitszimmer auszufegen und etwas aufzuräumen. Sie hatte sich vorgenommen, nicht auf die Uhr zu sehen, und wußte auch nicht, wie spät es war, als es unten klingelte. Sie warf einen Blick auf ihre Armbanduhr: elf Uhr fünfundzwanzig. Sie ging nach unten und öffnete die Haustür. Carstairs stand davor, neben ihm ein hochgewachsener Mann im Tweedjackett, Pullover und offenem Hemd.

»Morgen, Edith«, sagte Carstairs. »Wir haben uns etwas verspätet – entschuldigen Sie bitte. Dies ist Dr. Phil McElroy, ein alter Freund von mir.« Er lächelte.

»Guten Morgen«, sagte McElroy mit offenem Lächeln.

Edith fand, er sähe ein bißchen aus wie Jack Kennedy. »Haben Sie Brett nicht mitgebracht?« fragte sie. »Bitte kommen Sie herein.«

»Nein, nein. Er wird wohl zu arbeiten haben, nehme ich an«, meinte Carstairs.

Sie gingen ins Wohnzimmer. »Hübsch haben Sie es hier«, sagte McElroy. »Ich habe gerade Ihre Rosen bewundert – draußen an den Säulen. Wunderschön.«

»Danke«, sagte Edith. Ihre Stimme hatte plötzlich einen schwachgläsernen Klang. Sie wartete, und schließlich sagte Carstairs:

»Edith – wir wollten Sie fragen, ob Sie mal nach Doylestown kommen und sich mit Phil unterhalten wollen, oder ob er zu Ihnen kommen darf – ich fahre gleich wieder fort. Ganz allgemein, über das Leben und alles.«

»Ich habe ziemlich viel zu tun«, sagte Edith und schüttelte die Schultern. Ungeduld hatte sie erfaßt; sie schauerte zusammen. »Ich begreife nicht, warum man so viel aus mir macht, wo doch – Sie haben ja sicher die Nachrichten gehört, Doktor«, fuhr sie, zu Carstairs gewandt, fort. »In der *Time* hier war es auch schon.« Sie zeigte auf eine Ausgabe des Magazins, das auf der Titelseite das Foto eines vietnamesischen Kindes trug; es saß mit offenem Mund da und weinte. ZUSAMMENBRUCH IN VIETNAM stand darüber.

»Ja, natürlich habe ich das gehört. Wirklich tragisch«, sagte Carstairs.

»Und im Fernsehen«, warf McElroy mit einem Blick auf Carstairs ein. »Der amerikanische Rückzug. Ja.« Er schüttelte den Kopf.

»Jedenfalls zeigt es, daß die Massen doch einige Macht haben«, fuhr Edith fort. »Die gewöhnlichen Protestler nämlich haben schließlich den Kongreß dazu gebracht, daß er weitere Gelder für Kriegszwecke verweigerte. Aber wir hätten längst Vorsorge treffen müssen, um den Flüchtlingen herauszuhelfen. Das war ein großer Fehler, bei uns.«

»Ja«, stimmte McElroy zu.

Ediths Herz schlug so laut, als sei sie mitten im Streit mit einem, der anderer Meinung war. Aber McElroy und Carstairs waren gar nicht anderer Meinung, und Südvietnam würde nun kommunistisch werden, was Edith niemals gewünscht hatte. Sie versuchte, das in Worte zu fassen und merkte, daß sie stotterte. »Es ist ein solches Chaos. Ich war immer für den Rückzug, aber *nun* –!« Herrgott – ihr wurde auf einmal klar, daß sie nicht mehr wußte, auf welcher Seite sie stand in dem Vietnam-Desaster; sie kam sich vor wie jemand, der soeben rückwärts aufs Eis gefallen ist. Irrsinnig.

»Ja, Edith, was meinen Sie nun?« fragte Carstairs. »Phil hat gerade in dieser Gegend schon sehr vielen Leuten geholfen – vielleicht kennen Sie sogar einige, aber sie würden vermutlich nicht darüber reden, genau so wenig wie Phil selber jemals darüber reden würde, daß er sich mit ihnen unterhalten oder ihnen aus einem Dilemma herausgeholfen hat. Ihnen würde es bestimmt unendlich gut tun, wenn Sie mal richtig auspacken könnten und alles von sich geben –«

»Ja – und was?« Befriedigt sah Edith, daß sie auf die Frage offenbar nichts zu sagen wußten. »Das kommt mir alles sehr langweilig vor. Für mich und für jeden andern auch, meine ich.«

»Wie wäre es denn, wenn Sie Phil Ihre hübschen Skulpturen zeigten, Edith?« Carstairs war aufgestanden.

Ein starkes Gefühl von déjà-vu überkam Edith und ihr wurde fast übel. Schon wieder derselbe Quatsch! War dies eigentlich ein Bühnenstück, mit verteilten Rollen? Und oben lag ihr Tagebuch, sichtbar auf der Schreibtischecke unter all den Papieren. »Ich hab's nicht gern – nehmen Sie's mir nicht übel, aber ich mag nicht Leute, die ich nicht sehr gut kenne, in meinem Arbeitszimmer haben.«

»Das verstehe ich vollkommen«, sagte McElroy. »Lassen wir das also. Sprechen ist viel wichtiger – daß Sie mir etwas erzählen, etwa von Ihren Tagträumen und was –«

»Meinen Sie, ich hab Zeit für Tagträume!«

McElroy lachte. »Wer hat das schon? Aber Sie schreiben doch Kurzgeschichten, nicht wahr. Bringen Sie eine oder zwei mit, wenn Sie zu mir kommen. Oder lesen Sie mir daraus vor – nur die Teile, die Sie selber wollen.«

»Das könnte ich niemals«, sagte Edith in dem Bemühen um Liebenswürdigkeit. »Mehrere sind ja auch schon erschienen.«

»Genau. Aus denen könnten Sie mir ja vorlesen.« Er öffnete die Hände und lächelte ihr harmlos zu.

Edith schüttelte den Kopf.

»Edith«, sagte Carstairs, »wenn es noch schlimmer wird –«

»Was?« unterbrach sie ihn. Höchste Vorsicht war geboten: im Geist sah sie kleine Roboterärzte in Weiß, die von allen Seiten in ihr Haus eindrangen, sie ergriffen und hinaustrugen, zusammen mit ihrem Tagebuch – wenn sie es nicht vorher verbrannte.

»Edith, ist es Ihnen klar, daß sich in der letzten Zeit mehrere Freunde und Bekannte von Ihnen zurückgezogen haben? Sie müssen doch gemerkt haben, daß sie nicht mehr so oft zu Ihnen kommen wie früher.«

»Ach – unter Nachbarn kommt's doch mal zu kleinen Reibereien. Wenn Sie meine Leitartikel meinen – und die erschienenen Geschichten – wer liest denn hier überhaupt im Grunde?« Aber ihre Gedanken gingen auch zu den Quickmans. Was war da noch gewesen? Irgendein kleiner Streit, vor vier oder fünf Monaten. Vielleicht hatte sie sie Idioten genannt. Es war irgendwas Politisches, das wußte sie noch, und jetzt verhielten sie sich kühl. Na und –?

»Wenn Sie nicht selber jetzt etwas tun«, sagte Carstairs ernst, »dann wird man Sie womöglich bald unter Beobachtung stellen müssen.«

»Was?« sagte Edith mit gespieltem Erstaunen. Ohne weiter zu überlegen, beschloß sie etwas einzulenken. »Also – wenn Sie mein Arbeitszimmer ansehen wollen, kommen Sie mit nach oben.« Sie erhob sich. »Geben Sie mir nur zwei Minuten – eine Minute Zeit, ja? Damit ich sicher bin, daß es auch vorzeigbar ist.«

»Aber ja – gern«, sagte der freundliche Dr. McElroy.

Als Edith die Treppe hinaufging, kam Cliffie in den Flur.

»Heh – was ist 'n los?« fragte er.

»Gar nichts.« Edith lief schnell nach oben.

Sie nahm das Tagebuch vom Schreibtisch und trug es in ihr Schlafzimmer. Sie zog die unterste Schublade der Kommode heraus, die weiße Bettlaken und saubere, aber abgenutzte Tischtücher enthielt, und schob das Tagebuch ganz nach hinten in die rechte Ecke. Es ging nicht glatt hinein, sie mußte etwas hervorziehen, um Platz zu machen, und fand einen kleinen Stapel alter Weihnachtskarten. Auf der obersten stand »Liebe Grüße von Brett«, und darunter mit anderer Handschrift »und Carol«. Ausgerechnet jetzt mußte sie das finden! Ein schlechtes Omen. Sie wollte den Stapel gleich in den Papierkorb werfen; aber es paßte ihr nicht, daß auch nur *das* sichtbar war, wenn die beiden Männer heraufkamen, deshalb ließ sie alles liegen, zog aber den ganzen Stapel (den sie doch wegwerfen mußte) weiter nach vorn, damit nichts davon mit ihrem Tagebuch in Berührung kam.

Das Zimmer war ganz in Ordnung, der Schreibtisch sogar ordentlicher als sonst, und der Kopf von Cliffie machte sich besonders hübsch, weil gerade die Sonne golden über dem polierten Stirnvorsprung lag. Sie wurde oft gefragt: »Warum stellst du ihn nicht ins Wohnzimmer, Edie?« Aber sie wollte ihn da unten nicht haben. Eins der Kinder – vielleicht, oder auch Melanie, aber nicht Cliffie. Edith wandte sich zur Treppe, um die Männer heraufzubitten, und wieder fiel ihr das Tagebuch ein. Nein – warum nicht dahin legen, wo es *immer* lag? Da war es bestimmt sicherer und fiel nicht auf. Und hatte sie es überhaupt nötig, ihre eigenen

Sachen zu verstecken? Wieder ging sie ins Schlafzimmer, holte das Tagebuch aus der Schublade und ging eilig hinüber ins Arbeitszimmer, wo sie es wieder unter den Stapel anderer Sachen auf den Schreibtisch legen wollte. Sie hatte den Tisch noch nicht erreicht, als Carstairs und McElroy die Treppe heraufkamen und schon fast den oberen Flur erreicht hatten.

»Edie?« rief Carstairs.

»Ja. Nein – tut mir leid, ich kann nicht so schnell.« Am ganzen Körper zitternd trug Edith das Tagebuch in beiden Händen zum Schreibtisch, rief laut »Bitte warten Sie!« und legte es zurück auf den alten Platz. Mit dem Handballen strich sie die Papiere glatt, die obenauf lagen. Die Männer standen wartend auf der Schwelle.

»Entschuldigen Sie. Ich hab's mir anders überlegt. Ich möchte nicht, daß Sie hereinkommen. Nein. Macht es Ihnen was –?« Sie ging auf die Tür zu. »Was gibt's hier auch schon zu sehen?« Mit schwachen Gesten drängte sie sie aus dem Zimmer; sie konnte nicht fester auftreten, weil sie immer noch versuchte, einen Rest Höflichkeit zu wahren, und gleichzeitig tief erbittert war, denn sowohl Carstairs wie McElroy mußten erkennen, daß sie sie nicht in ihrem Zimmer haben wollte und auch nicht wünschte, daß einer von ihnen – oder sonst jemand – nur einen Blick hineinwarf.

Irgendwie gelang es ihr. Mit gemurmelten Worten gingen alle lächelnd die Treppe hinunter. Edith war erleichtert.

»Also, Edith«, sagte Carstairs, als sie wie wohlerzogene Schulkinder die alten Plätze wieder eingenommen hatten, »wie ist es nun, wollen Sie mit Phil einen Termin abmachen? Irgendwann diese Woche?«

»Nein.« Edith war zu erschöpft, um auch nur »Danke« zu sagen.

»Edith – ich habe den Auftrag von Brett, Ihnen zu sagen, daß Sie einen Psychiater aufsuchen müssen, ob Sie wollen oder nicht.«

»Von Brett, so. Das ist ja hübsch. Was hat er überhaupt noch mit mir zu tun? Wir sind nicht mehr verheiratet, und selbst dann –«

»Edith, ich bitte Sie, hören Sie mir doch eine Minute zu. Ich bin Arzt und kenne Sie und Ihre Familie seit vielen Jahren. Auch Phil ist Arzt. Wir beide . . .«

Den Rest hörte sich Edith nicht mehr an – sie schaltete ab. Dr. Carstairs redete noch eine ganze Weile weiter, murmelte und machte kleine Gesten mit der Hand. Wieder sah Edith die kleinen weißen Männer vor sich, sie jagten alle zusammen die Treppe hinauf, fielen über ihr Arbeitszimmer her – und fanden das Tagebuch. Spitzel! Schnüffler! Warum begnügten sie sich nicht mit Pornosachen? Nein – sie waren ja Ärzte, da nahmen sie sich das Recht, in anderer Leute Privatsphäre einzudringen!

Edith straffte sich – sie saß in dem geblümten Sessel – und sagte: »Soll ich Ihnen den Kopf von Cliffie zeigen, den ich gemacht hab? Modelliert, meine ich? Ich hole ihn runter.« Sie war fast in Tränen, aber sie dachte an Melanie. Melanie hätte unter allen Umständen Höflichkeit gewahrt. Unter *allen* Umständen.

»O ja – sehr gern«, sagte Carstairs.

»Kann ich Ihnen helfen?« McElroy war aufgesprungen.

»Nein, nein, danke schön. Er ist nicht schwer.« Edith ging hinaus. Bißchen besänftigen, dachte sie. Machen wir eine Friedensgeste.

Oben in ihrem Zimmer nahm sie den Kopf, der jetzt

auf seinem quadratischen Aufsatz aus Eichenholz stand. Ein sehr guter Kopf. Dafür würden sie ihr unten ein Wort des Lobes sagen – und das war dann sogar echt, dachte sie.

Aber was kam dann, überlegte sie, als sie mit dem Kopf auf die Treppe zuging. Ein Termin mit McElroy – oder sonst jemandem – bezahlt von Brett. Brett war ein Schwein, und Edith haßte ihn in diesem Augenblick. Hatte er nicht schon genug angerichtet? Selbstgerecht, überheblich, wollte alles für sich haben und machte andere unglücklich. Eine Träne rann ihr über die Wange, und sie versuchte, sie mit einer Schulterbewegung wegzuwischen. Ihr Absatz verfing sich auf der dritten Treppenstufe – verdammte Ungeschicklichkeit! Dabei waren es flache Schuhe, Sandalen, und sie hatte keine weite Hose an, sondern ihre schmale Cordhose.

Sie fiel – fiel –, der Kopf in ihren Händen war tonnenschwer und zog sie plötzlich nach vorn, und sie hatte keine Hand frei, um sich am Geländer zu halten.

Sie erschrak, aber sie merkte, daß sie nicht schrie. Es kam ihr vor, als falle sie wie in einer Zeitlupenaufnahme, kopfüber und im gleichen Winkel wie die Stufen, sie dachte im Fallen an Cliffie, wie er als kleiner Junge war, acht oder zehn, er konnte hübsch sein, wie er auch jetzt hübsch sein konnte, so wie der Kopf, den sie in den Händen hielt. Sie dachte an Unrecht, sie spürte den eigenen Sinn für Unrecht, verbunden jetzt mit der komplexen irrsinnigen Lage in Vietnam – einem Land, wo Korruption bekanntlich normal war und zum Leben gehörte. Tom Paine. *Der Schönwetter-Soldat und der Sonnenschein-Patriot* ... Ihr Kopf schlug hart und doch anmutig (so schien es ihr) auf eine der untersten Treppenstufen, und alles Licht erlosch.

Etwa eine Stunde später stand Cliffie in dem stillen Wohnzimmer, allein. Sie hatten seine Mutter in einem langen Wagen fortgebracht; ob es ein Kranken- oder ein Leichenwagen gewesen war, wußte er nicht, er hatte nicht näher hingesehen, jedenfalls war es ein ähnlicher Wagen wie der, der damals George abgeholt hatte. *Tot.* Cliffie faßte es noch nicht. Seine Mutter war tot. Carstairs hatte gesagt, er werde es Brett mitteilen. Das hatte er doch gesagt –?

Und Norm Johnson wollte in einer halben Stunde kommen und ihn zum Essen bei sich zu Hause abholen, und dort sollte er auch die Nacht bleiben. Sogar Frances Quickman war eben gekommen; sie wollte morgen früh auch die Katze füttern.

Tot. Seine Mutter war tot. Es war noch immer nicht richtig in sein Gehirn gedrungen, und dabei hatten zwei Polizisten – zwei von den alten Keystone Cops – vorn im Flur gestanden und seine Mutter angestarrt und sich Notizen gemacht, eben vor ein paar Minuten. Vor fünf Minuten hatte sich Cliffie einen Whisky pur zur Stärkung eingeschenkt, aber viel geholfen hatte auch das nicht. Das Haus gehörte nun ihm. Das hatte doch jemand gesagt – Carstairs? Es konnte natürlich auch teilweise seinem Vater gehören, Cliffie wußte nicht, wie solche Dinge geregelt wurden, aber vielleicht war sein Vater gar nicht interessiert an dem Haus. Cliffie war jetzt nicht in der Stimmung, darüber nachzudenken, daß er nun die Verantwortung für das Haus hatte.

Er sprang auf einmal die Treppe hinauf, um einen Blick in das Zimmer seiner Mutter zu werfen. Lieber jetzt gleich. Keine Angst. Cliffie reckte sich und trat ein. Da waren die Skulpturen. Zwei Kinderköpfe. Wozu hatte sie sowas gemacht? Alberne Gören, dachte er. Und die Schreibmaschine – an den unteren Ecken war die blaue Farbe und der Metallrahmen ganz abgewetzt. Überall lagen getippte Bogen herum. Sie würde die Tasten nie wieder anfassen. Und es sah aus, als sei sie gerade erst aufgestanden.

»Jaa – schon gut, schon gut!« sagte er laut. »Ist gar nicht wahr!« Doch die eigene Stimme erschreckte ihn und machte nichts besser. Und was er gesagt hatte, war falsch, das wußte er. Seine Mutter war fort, für immer.

Das Wörterbuch. Und das Tagebuch. Er sah das dicke braune Buch auf der Schreibtischecke liegen, wo es immer gelegen hatte. Das hatte sie schon gehabt, als er noch gar nicht geboren war, dachte er. Hatte sie ihm das nicht erzählt? Sicher stand der Tag seiner Geburt da drin – und all die Geschichten, alles was sich zugetragen hatte und auch, was sie von ihm gehalten hatte, wie sie ihn beurteilte. Alle konnten es lesen. Und wer würde es bekommen und lesen? Brett? Ja, vermutlich. Brett war so einer. Sein Vater würde ihm das alles entgegenhalten, die kleinen Dinge, die seine Mutter vermutlich aufgeschrieben hatte, die kleinen bösen Dinge. Cliffie beschloß, das Tagebuch für sich zu behalten. Jawohl, zum Teufel! Am besten nahm er es gleich mit.

Vorsichtig zog er das Tagebuch unter dem Stapel anderer Papiere hervor. Der lederne Einband begann schon oben und unten abzublättern. Es wog mehr als er angenommen hatte.

Er faßte es fest und trug es vorsichtig die Treppe hinunter in sein Zimmer. Er wollte es ganz nach hinten in den Kleiderschrank legen, denn die Schubladen in der Kommode waren so altersschwach, daß sie das Gewicht nicht mehr ausgehalten hätten. Als er auf dem Schrankboden Platz machte und ein Paar Turnschuhe und alte

Socken beiseite räumte, beschloß er, das Tagebuch niemals zu öffnen, niemals eine Seite darin zu lesen. Schon die Vorstellung machte ihm Angst. Es wäre schlimmer, als seine Mutter plötzlich nackt zu sehen – was er niemals gewünscht und niemals getan hatte, auch nicht versehentlich. Ihr Tagebuch – er fühlte, wie Respekt für das Buch und auch eine leise Furcht in ihm aufstieg. Er wollte es gut verwahren, nahm er sich vor, und der Gedanke tröstete ihn. Niemals würde er jemand anders hineinsehen lassen. Noch vor einer Minute hatte er sich vorgestellt, er könne es im Kamin verbrennen, jetzt gleich, damit es verbrannt war, wenn Norm kam, oder er würde den Rest morgen verbrennen. Aber selbst das erforderte einen Mut, den er nicht besaß, das wußte er. Nein – es war viel besser, es verborgen zu halten, vor allen Menschen, vielleicht für immer. Vielleicht sein Leben lang. Nie wollte er jemandem erzählen, daß er es hatte. Immer würde er es bei sich behalten, gut versteckt. Ja, auch wenn er mal heiratete. Seine Frau sollte nichts davon wissen, dafür würde er schon sorgen. Wenn er es nicht doch noch, in einem Augenblick außergewöhnlicher Kühnheit, in Fetzen riß und ins Feuer warf.

Es klopfte. Die Haustür wurde geöffnet. Ein Schritt. »Cliffie –? Ich bin's – Norm!«

Cliffie straffte sich und schob die Schranktür halb zu. Norm war da und wollte ihn mit nach Hause nehmen. Cliffie zog eine Schublade heraus und fand eine Pyjamahose, aber nicht das Oberteil. Eilig raffte er vom Fußboden das Oberteil des Pyjamas auf, den er gerade getragen hatte, und rief laut: »Ich komm schon, Norm!«

Georges Simenon
im Diogenes Verlag

Wellenschlag. Roman. Deutsch von Eugen Helmlé. detebe 20687

Der Mann aus London. Roman. Deutsch von Stefanie Weiss. detebe 20813

Die Überlebenden der Télémaque. Roman. Deutsch von Hainer Kober. detebe 20814

Der Mann, der den Zügen nachsah. Roman. Deutsch von Walter Schürenberg. detebe 20815

Zum Weißen Roß. Roman. Deutsch von Trude Fein. detebe 20986

Der Tod des Auguste Mature. Roman. Deutsch von Anneliese Botond. detebe 20987

Die schwarze Kugel. Roman. Deutsch von Renate Nickel. detebe 21011

Die Brüder Rico. Roman. Deutsch von Angela von Hagen. detebe 21020

Betty. Roman. Deutsch von Raymond Regh. detebe 21057

● **Maigret-Romane**

Maigrets erste Untersuchung. Roman. Deutsch von Roswitha Plancherel. detebe 20501

Maigret und Pietr der Lette. Roman. Deutsch von Wolfram Schäfer. detebe 20502

Maigret und die alte Dame. Roman. Deutsch von Renate Nickel. detebe 20503

Maigret und der Mann auf der Bank. Roman. Deutsch von Annerose Melter. detebe 20504

Maigret und der Minister. Roman. Deutsch von Annerose Melter. detebe 20505

Mein Freund Maigret. Roman. Deutsch von Annerose Melter. detebe 20506

Maigrets Memoiren. Roman. Deutsch von Roswitha Plancherel. detebe 20507

Maigret und die junge Tote. Roman. Deutsch von Raymond Regh. detebe 20508

Maigret amüsiert sich. Roman. Deutsch von Renate Nickel. detebe 20509

Hier irrt Maigret. Roman. Deutsch von Elfriede Riegler. detebe 20690

Maigret und der gelbe Hund. Roman. Deutsch von Raymond Regh. detebe 20691

Maigret vor dem Schwurgericht. Roman. Deutsch von Wolfram Schäfer. detebe 20692

Maigret als möblierter Herr. Roman. Deutsch von Wolfram Schäfer. detebe 20693

Madame Maigrets Freundin. Roman. Deutsch von Roswitha Plancherel. detebe 20713

Maigret kämpft um den Kopf eines Mannes. Roman. Deutsch von Roswitha Plancherel. detebe 20714

Maigret und die kopflose Leiche. Roman. Deutsch von Wolfram Schäfer. detebe 20715

Maigret und die widerspenstigen Zeugen. Roman. Deutsch von Wolfram Schäfer. detebe 20716

Maigret am Treffen der Neufundlandfahrer. Roman. Deutsch von Annerose Melter. detebe 20717

Maigret bei den Flamen. Roman. Deutsch von Claus Sprick. detebe 20718

Maigret und die Bohnenstange. Roman. Deutsch von Guy Montag. detebe 20808

Maigret und das Verbrechen in Holland. Roman. Deutsch von Renate Nickel. detebe 20809

Maigret und sein Toter. Roman. Deutsch von Elfriede Riegler. detebe 20810

Maigret beim Coroner. Roman. Deutsch von Wolfram Schäfer. detebe 20811

Maigret, Lognon und die Gangster. Roman. Deutsch von Wolfram Schäfer. detebe 20812

Maigret und der Gehängte von Saint-Pholien. Roman. Deutsch von Sibylle Powell. detebe 20816

Maigret und der verstorbene Monsieur Gallet. Roman. Deutsch von Roswitha Plancherel. detebe 20817

Maigret regt sich auf. Roman. Deutsch von Wolfram Schäfer. detebe 20820

Maigret und das Schattenspiel. Roman. Deutsch von Claus Sprick. detebe 20734

Maigret und die Keller des Majestic. Roman. Deutsch von Linde Birk. detebe 20735

Maigret contra Picpus. Roman. Deutsch von Hainer Kober. detebe 20736

Maigret läßt sich Zeit. Roman. Deutsch von Sibylle Powell. detebe 20755

Maigrets Geständnis. Roman. Deutsch von Roswitha Plancherel. detebe 20756

Maigret zögert. Roman. Deutsch von Annerose Melter. detebe 20757

Maigret und der Treidler der »Providence«. Roman. Deutsch von Claus Sprick. detebe 21029

Maigrets Nacht an der Kreuzung. Roman. Deutsch von Annerose Melter. detebe 21050

Maigret hat Angst. Roman. Deutsch von Elfriede Riegler. detebe 21062

Amerikanische Literatur
im Diogenes Verlag

● **Joan Aiken**
Die Kristallkrähe. Roman. Deutsch von
Helmut Degner. detebe 20138

● **Woody Allen**
Manhattan. Vollständiges Drehbuch mit 20
Szenenfotos. Deutsch von Hellmuth Karasek
und Armgard Seegers. detebe 20821
Der Stadtneurotiker. Vollständiges Dreh-
buch mit 19 Szenenfotos. Deutsch von Eck-
hard Henscheid und Sieglinde Rahm
detebe 20822
Interiors. Vollständiges Drehbuch mit 16
Szenenfotos. Deutsch von Hellmuth Karasek
und Armgard Seegers. detebe 20823
Stardust Memories. Vollständiges Drehbuch
mit 32 Szenenfotos. Deutsch von Hellmuth
Karasek und Armgard Seegers. detebe 20824
Weitere Werke in Vorbereitung

● **Sherwood Anderson**
Ich möchte wissen warum. Ausgewählte Er-
zählungen. Deutsch von Karl Lerbs und
Helene Henze. detebe 20514

● **Louis Armstrong**
Mein Leben in New Orleans. Autobiogra-
phie. Deutsch von Hans Georg Brenner
detebe 20359

● **John Bellairs**
Das Haus, das tickte. Roman. Deutsch von
Alexander Schmitz. Mit Zeichnungen von
Edward Gorey. detebe 20368

● **Ambrose Bierce**
Die Spottdrossel. Erzählungen und Fabeln.
Auswahl und Vorwort von Mary Hottinger.
Deutsch von Joachim Uhlmann, Günter Ei-
chel und Maria von Schweinitz. Zeichnungen
von Tomi Ungerer. detebe 20234

● **Ray Bradbury**
Die Mars-Chroniken. Roman in Erzählun-
gen. Deutsch von Thomas Schlück
detebe 20863
Der illustrierte Mann. Erzählungen. Deutsch
von Peter Naujack. detebe 20365
Fahrenheit 451. Roman. Deutsch von Fritz
Güttinger. detebe 20862

Die goldenen Äpfel der Sonne. Erzählungen.
Deutsch von Margarete Bormann
detebe 20864
Medizin für Melancholie. Erzählungen
Deutsch von Margarete Bormann
detebe 20865
Das Böse kommt auf leisen Sohlen. Roman.
Deutsch von Norbert Wölfl. detebe 20866
Löwenzahnwein. Roman. Deutsch von
Alexander Schmitz. detebe 21045

● **Harold Brodkey**
Erste Liebe und andere Sorgen. Erzählungen.
Deutsch von Elizabeth Gilbert. detebe 20774

● **Fredric Brown**
Flitterwochen in der Hölle. Science-Fiction-
Geschichten. Deutsch von B. A. Egger. Mit
Illustrationen von Peter Neugebauer
detebe 20600

● **W. R. Burnett**
Little Caesar. Roman. Deutsch von Georg
Kahn-Ackermann. detebe 21061

● **Raymond Chandler**
Die besten Detektivstories. Deutsch von
Hans Wollschläger. Diogenes Evergreens
Der große Schlaf. Roman. Deutsch von
Gunar Ortlepp. detebe 20132
Die kleine Schwester. Roman. Deutsch von
Walter E. Richartz. detebe 20206
Das hohe Fenster. Roman. Deutsch von Urs
Widmer. detebe 20208
Der lange Abschied. Roman. Deutsch von
Hans Wollschläger. detebe 20207
Die simple Kunst des Mordes. Essays, Briefe,
eine Geschichte und ein Romanfragment.
Herausgegeben von Dorothy Gardiner und
Kathrine Sorley Walker. Deutsch von Hans
Wollschläger. detebe 20209
Die Tote im See. Roman. Deutsch von Hell-
muth Karasek. detebe 20311
Lebwohl, mein Liebling. Roman. Deutsch
von Wulf Teichmann. detebe 20312
Playback. Roman. Deutsch von Wulf Teich-
mann. detebe 20313
Mord im Regen. Frühe Stories. Vorwort von
Prof. Philip Durham. Deutsch von Hans
Wollschläger. detebe 20314

Erpresser schießen nicht. Gesammelte Detektivstories I. Mit einem Vorwort des Autors. Deutsch von Hans Wollschläger
detebe 20751

Der König in Gelb. Gesammelte Detektivstories II. Deutsch von Hans Wollschläger
detebe 20752

Gefahr ist mein Geschäft. Gesammelte Detektivstories III. Deutsch von Hans Wollschläger. detebe 20753

Englischer Sommer. Geschichten, Parodien, Essays. Mit einem Vorwort von Patricia Highsmith, Zeichnungen von Edward Gorey und einer Erinnerung an den Drehbuchautor Chandler von John Houseman. Deutsch von Wulf Teichmann, Hans Wollschläger u.a. Mit einer kompletten Chandler-Bibliographie und -Filmographie. detebe 20754

Als Ergänzungsband liegt vor:

Raymond Chandler. Sein Leben und Werk. Biographie. Deutsch von Wulf Teichmann
detebe 20960

● **Stephen Crane**
Das blaue Hotel. Erzählungen. Herausgegeben, übersetzt und mit einem Nachwort von Walter E. Richartz. detebe 20789

● **Ralph Waldo Emerson**
Natur. Essay. Deutsch von Harald Kiczka
Diogenes Evergreens
Essays. Herausgegeben und übersetzt von Harald Kiczka. Mit zahlreichen Anmerkungen und einem ausführlichen Index
detebe 21071

● **William Faulkner**
Brandstifter. Gesammelte Erzählungen I
Deutsch von Elisabeth Schnack
detebe 20040

Eine Rose für Emily. Gesammelte Erzählungen II. Deutsch von Elisabeth Schnack
detebe 20041

Rotes Laub. Gesammelte Erzählungen III. Deutsch von Elisabeth Schnack
detebe 20042

Sieg im Gebirge. Gesammelte Erzählungen IV. Deutsch von Elisabeth Schnack
detebe 20043

Schwarze Musik. Gesammelte Erzählungen V. Deutsch von Elisabeth Schnack
detebe 20044

Die Unbesiegten. Roman. Deutsch von Erich Franzen. detebe 20075

Sartoris. Roman. Deutsch von Hermann Stresau. detebe 20076

Als ich im Sterben lag. Roman. Deutsch von Albert Hess und Peter Schünemann
detebe 20077

Schall und Wahn. Roman. Revidierte Übersetzung von Elisabeth Kaiser und Helmut M. Braem. detebe 20096

Absalom, Absalom! Roman. Deutsch von Hermann Stresau. detebe 20148

Go down, Moses. Chronik einer Familie. Roman. Deutsch von Hermann Stresau und Elisabeth Schnack. detebe 20149

Der große Wald. Vier Jagdgeschichten
Deutsch von Elisabeth Schnack
detebe 20150

Griff in den Staub. Roman. Deutsch von Harry Kahn. detebe 20151

Der Springer greift an. Kriminalgeschichten. Deutsch von Elisabeth Schnack
detebe 20152

Soldatenlohn. Roman. Revidierte Übersetzung von Susanna Rademacher. detebe 20511

Moskitos. Roman. Revidierte Übersetzung von Richard K. Flesch. detebe 20512

Wendemarke. Roman. Revidierte Übersetzung von Georg Goyert. detebe 20513

Die Freistatt. Roman. Deutsch von Hans Wollschläger. Vorwort von André Malraux
detebe 20802

Licht im August. Roman. Deutsch von Franz Fein. detebe 20803

Wilde Palmen und Der Strom. Doppelroman. Deutsch von Helmut M. Braem und Elisabeth Kaiser. detebe 20988

Die Spitzbuben. Roman. Deutsch von Elisabeth Schnack. detebe 20989

Eine Legende. Roman. Deutsch von Kurt Heinrich Hansen. detebe 20990

Requiem für eine Nonne. Roman in Szenen. Deutsch von Robert Schnorr. detebe 20991

Das Dorf. Roman. Erster Teil der *Snopes*-Trilogie. Deutsch von Helmut M. Braem und Elisabeth Kaiser. detebe 20992

Die Stadt. Roman. Zweiter Teil der *Snopes*-Trilogie. Deutsch von Elisabeth Schnack
detebe 20993

Das Haus. Roman. Dritter Teil der *Snopes*-Trilogie. Deutsch von Elisabeth Schnack
detebe 20994

New Orleans. Skizzen und Erzählungen. Deutsch von Arno Schmidt. detebe 20995

Briefe. Nach der von Joseph Blotner edierten amerikanischen Erstausgabe von 1977, herausgegeben und übersetzt von Elisabeth Schnack und Fritz Senn. detebe 20958

Der Schneckenforscher. Gesammelte Geschichten. Vorwort von Graham Greene. Deutsch von Anne Uhde. detebe 20347
Ein Spiel für die Lebenden. Deutsch von Anne Uhde. detebe 20348
Kleine Geschichten für Weiberfeinde Deutsch von Walter E. Richartz. Zeichnungen von Roland Topor. detebe 20349
Kleine Mordgeschichten für Tierfreunde Deutsch von Anne Uhde. detebe 20483
Venedig kann sehr kalt sein. Roman. Deutsch von Anne Uhde. detebe 20484
Ediths Tagebuch. Roman. Deutsch von Anne Uhde. detebe 20485
Der Junge, der Ripley folgte. Roman Deutsch von Anne Uhde. detebe 20649
Leise, leise im Wind. Zwölf Geschichten. Deutsch von Anne Uhde. detebe 21012

Als Ergänzungsband liegt vor:
Über Patricia Highsmith. Essays und Zeugnisse von Graham Greene bis Peter Handke. Mit Bibliographie, Filmographie und zahlreichen Fotos. Herausgegeben von Fritz Senn und Franz Cavigelli. detebe 20818

● **John Irving**
Das Hotel New Hampshire. Roman. Deutsch von Hans Hermann. Leinen

● **Ring Lardner**
Geschichten aus dem Jazz-Zeitalter. Auswahl, Nachwort und Übersetzung von Fritz Güttinger. detebe 20153

● **Jack London**
Seefahrer- & Goldgräber-Geschichten Deutsch von Erwin Magnus. Vorwort von Herbert Eisenreich. Diogenes Evergreens

● **Carson McCullers**
Wunderkind. Erzählungen I. Deutsch von Elisabeth Schnack. detebe 20140
Madame Zilensky und der König von Finnland. Erzählungen II. Deutsch von Elisabeth Schnack. detebe 20141
Die Ballade vom traurigen Café. Novelle. Deutsch von Elisabeth Schnack. Diogenes Evergreens. Auch als detebe 20142
Das Herz ist ein einsamer Jäger. Roman. Deutsch von Susanna Rademacher detebe 20143
Spiegelbild im goldnen Auge. Roman. Deutsch von Richard Moering. detebe 20144
Frankie. Roman. Deutsch von Richard Moering. detebe 20145
Uhr ohne Zeiger. Roman. Deutsch von Elisabeth Schnack. detebe 20146

Als Ergänzungsband liegt vor:
Über Carson McCullers. Essays von und über Carson McCullers; Chronik und Bibliographie. Deutsch von Elisabeth Schnack und Elizabeth Gilbert. Herausgegeben von Gerd Haffmans. detebe 20147

● **Ross Macdonald**
Dornröschen war ein schönes Kind. Roman. Deutsch von Wulf Teichmann. detebe 20227
Unter Wasser stirbt man nicht. Roman Deutsch von Hubert Deymann detebe 20322
Ein Grinsen aus Elfenbein. Roman. Deutsch von Charlotte Hamberger. detebe 20323
Die Küste der Barbaren. Roman. Deutsch von Marianne Lipcowitz. detebe 20324
Der Fall Galton. Roman. Deutsch von Egon Lothar Wensk. detebe 20325
Gänsehaut. Roman. Deutsch von Gretel Friedmann. detebe 20326
Der blaue Hammer. Roman. Deutsch von Peter Naujack. detebe 20541
Durchgebrannt. Roman. Deutsch von Helmut Degner. detebe 20868
Geld kostet zuviel. Roman. Deutsch von Günter Eichel. detebe 20869
Die Kehrseite des Dollars. Roman. Deutsch von Günter Eichel. detebe 20877
Der Untergrundmann. Roman. Deutsch von Hubert Deymann. detebe 20878
Sämtliche Detektivstories. Mit einem Vorwort des Autors. Deutsch von Hubert Deymann. Diogenes Sonderband
Auch lieferbar als:
Der Drahtzieher. Sämtliche Detektivstories um Lew Archer I. Mit einem Vorwort des Autors. Deutsch von Hubert Deymann und Peter Naujack. detebe 21018
Einer lügt immer. Sämtliche Detektivstories um Lew Archer II. Deutsch von Hubert Deymann und Peter Naujack. detebe 21019

● **Herman Melville**
Moby-Dick. Roman. Deutsch von Thesi Mutzenbecher und Ernst Schnabel detebe 20835
Billy Budd. Erzählung. Deutsch von Richard Moering. detebe 20787

● **Margaret Millar**
Der Mord von Miranda. Roman. Deutsch von Hans Hermann. Leinen
Auch als detebe 21028
Liebe Mutter, es geht mir gut . . . Roman Deutsch von Elizabeth Gilbert detebe 20226
Die Feindin. Roman. Deutsch von Elizabeth Gilbert. detebe 20276

Fragt morgen nach mir. Roman. Deutsch von
Anne Uhde. detebe 20542
Ein Fremder liegt in meinem Grab. Roman.
Deutsch von Elizabeth Gilbert. detebe 20646
Die Süßholzraspler. Roman. Deutsch von
Georg Kahn-Ackermann und Susanne Feigl
detebe 20926
Von hier an wird's gefährlich. Roman
Deutsch von Fritz Güttinger. detebe 20927
Das eiserne Tor. Roman. Deutsch von Karin
Reese und Michel Bodmer. detebe 21063

● Howard Moss &
Edward Gorey
Augenblicke aus dem Leben großer Geister.
Deutsch von Jörg Drews. detebe 20357

● Edgar Allan Poe
Der Untergang des Hauses Usher. Ausgewählte Erzählungen und sämtliche Detektiv-
geschichten. Auswahl und Vorwort von
Mary Hottinger. Deutsch von Gisela Etzel
detebe 20233

● Patrick Quentin
Bächleins Rauschen tönt so bang . . .
Geschichten. Deutsch von Günter Eichel
detebe 20195
Familienschande. Roman. Deutsch von
Helmut Degner. detebe 20917

● Henry Slesar
Schlimme Geschichten für schlaue Leser
Deutsch von Thomas Schlück. Diogenes
Sonderband. Auch als detebe 21036
Coole Geschichten für clevere Leser. Deutsch
von Thomas Schlück. Diogenes Sonderband.
Auch als detebe 21046
Fiese Geschichten für fixe Leser. Deutsch von
Thomas Schlück. Diogenes Evergreens
Das graue distinguierte Leichentuch. Roman.
Deutsch von Paul Baudisch und Thomas
Bodmer. detebe 20139
Vorhang auf, wir spielen Mord! Roman.
Deutsch von Thomas Schlück
detebe 20216
Erlesene Verbrechen und makellose Morde.
Geschichten. Deutsch von Günter Eichel
und Peter Naujack. Vorwort von Alfred
Hitchcock. Zeichnungen von Tomi Ungerer
detebe 20225
Ein Bündel Geschichten für lüsterne Leser.
Deutsch von Günter Eichel. Einleitung von
Alfred Hitchcock. Zeichnungen von Tomi
Ungerer. detebe 20275
Hinter der Tür. Roman. Deutsch von
Thomas Schlück. detebe 20540

Aktion Löwenbrücke. Roman. Deutsch von
Günter Eichel. detebe 20656
Ruby Martinson. Geschichten vom größten
erfolglosen Verbrecher der Welt. Deutsch
von Helmut Degner. detebe 20657

● Elinor Goulding Smith
Die perfekte Hausfrau. Deutsch von
Elisabeth Schnack. Mit Zeichnungen von
Loriot. detebe 21082

● Henry David Thoreau
Walden oder Leben in den Wäldern. Deutsch
von Emma Emmerich und Tatjana Fischer.
Mit Anmerkungen, Chronik und Register
und mit einem Vorwort von W. E. Richartz
detebe 20019
*Über die Pflicht zum Ungehorsam gegen den
Staat* und andere Essays. Auswahl, Übersetzung und Nachwort von W. E. Richartz
detebe 20063

● Mark Twain
Schöne Geschichten. Auswahl und Vorwort
von N. O. Scarpi. Zeichnungen von Bob van
den Born. Diogenes Sonderband
Die Million-Pfund-Note. Skizzen und Erzählungen I. Deutsch von N. O. Scarpi, Ma-
rie-Louise Bischof und Ruth Binde. Mit
Zeichnungen von Bob van den Born. detebe 20918
Menschenfresserei in der Eisenbahn. Skizzen
und Erzählungen II. Deutsch von Marie-
Louise Bischof und Ruth Binde. Mit Zeichnungen von Bob van den Born
detebe 20919

● Nathanael West
Schreiben Sie Miss Lonelyhearts. Roman. Mit
einer Einführung von Alan Ross. Deutsch
von Fritz Güttinger. detebe 20058
Tag der Heuschrecke. Roman. Deutsch von
Fritz Güttinger. detebe 20059
*Eine glatte Million oder Die Demontage des
Mister Lemuel Pitkin.* Roman. Übersetzung,
Anmerkungen und Nachwort von Dieter E.
Zimmer. detebe 20249

● Das Diogenes Lesebuch
amerikanischer Erzähler
Geschichten von Washington Irving bis Harold Brodkey. Mit einleitenden Essays von
Edgar A. Poe und Ring Lardner, Zeittafel,
bio-bibliographischen Notizen und Litera-
turhinweisen. Herausgegeben von Gerd
Haffmans. detebe 20271

● **Der Baum mit den bitteren Feigen**

Erzählungen aus dem Süden der USA. Von William Faulkner bis Carson McCullers. Ausgewählt und übersetzt von Elisabeth Schnack. Diogenes Sonderband

● **Liebesgeschichten aus Amerika**

Von Nathaniel Hawthorne bis Harold Brodkey. Ausgewählt von John G. Machaffy Diogenes Sonderband

Klassische und moderne
Kriminal-, Grusel- und
Abenteuergeschichten
in Diogenes Taschenbüchern